Jugend, Migration und Religion

PVERVALERNGLAGO

Religion – Wirtschaft – Politik

Schriftenreihe des Zentrums für Religion, Wirtschaft und Politik
Herausgegeben von
Georg Pfleiderer (geschäftsführend), Martin Baumann,
Pierre Bühler, Gerd Folkers, Antonius Liedhegener,
Jürgen Mohn, Wolfgang W. Müller, Daria Pezzoli-Olgiati,
Konrad Schmid, Peter Seele und Jörg Stolz

Band 4 – 2011

Brigit Allenbach | Urmila Goel | Merle Hummrich |
Cordula Weissköppel (Hg.)

Jugend, Migration und Religion

Interdisziplinäre Perspektiven

PVERVALAERNGLAGO | Nomos

Bibliografische Informationen der Deutschen Nationalbibliothek

Die Deutsche Nationalbibliothek verzeichnet diese Publikation in der Deutschen Nationalbibliografie; detaillierte bibliografische Daten sind im Internet über http://dnb.d-nb.de abrufbar.

Umschlaggestaltung: Simone Ackermann, Zürich

Pano Verlag, Zürich www.pano.ch
Nomos Verlagsgesellschaft, Baden-Baden www.nomos.de

ISBN 978-3-290-22011-2: Pano Verlag
ISBN 978-3-8329-6322-4: Nomos Verlag

Inhaltsverzeichnis

*Reiner Anselm**

Grusswort

Der vorliegende Band dokumentiert den erfolgreichen Abschluss eines Experiments: Der vom *Zentrum für Religion, Wirtschaft und Politik* (ZRWP) der Universitäten Basel, Luzern, Zürich und Lausanne sowie des *Collegium Helveticum* in Zusammenarbeit mit der *Jacobs Foundation* durchgeführten *Jacobs Summer Research Group* (JSRG). Das Ziel dieses gemeinsam entwickelten, neuen Förderinstruments ist es, hoch qualifizierten Nachwuchswissenschaftlerinnen und Nachwuchswissenschaftlern ein optimales Umfeld für den Übergang zwischen der Qualifikationsphase und der eigenständigen Forschungs- und Lehrtätigkeit an einer Universität zu bieten. Dazu fokussiert die JSRG auf drei zentrale Kompetenzbereiche, die für eine weitere wissenschaftliche Laufbahn von besonderer Bedeutung sind: Die Fähigkeit, die eigene Forschungsperspektive in einem interdisziplinären Kontext verorten, vertreten und erweitern zu können, den Aufbau eines auf die eigene Forschung zugeschnittenen wissenschaftlichen Netzwerks und das Vertreten der eigenen Forschungsergebnisse vor der jeweiligen Fachöffentlichkeit. Die hier zusammengestellten Beiträge stehen zunächst für den letztgenannten Kompetenzbereich, der Diskussion der eigenen Forschungsergebnisse im Dialog mit etablierten Vertreterinnen und Vertretern der beteiligten Fachdisziplinen. Darüber hinaus und vielleicht auf den ersten Blick nicht gleich erkennbar, zeigen die Publikation und die in ihr zusammengestellten Resultate und Diskussionsbeiträge aber auch, dass es der Gruppe gelungen ist, die Möglichkeiten der JSRG in den anderen beiden Bereichen zu nutzen: Während der Phasen der gemeinsamen Zusammenarbeit ist eine anregende, die eigenen Perspektiven erweiternde Diskursatmosphäre entstanden, ohne die die hier vorgestellten Erträge wohl nicht denkbar gewesen wären. Darüber hinaus ist es gelungen, bestehende Kooperationen zu vertiefen und auch neue Kontakte zu etablieren.

Interdisziplinäre Zusammenarbeit, das Erschliessen von neuen Forschungsperspektiven und das Etablieren einer erweiterten Diskurskultur auf dem Gebiet der Religionsforschung ist auch das Ziel des Zentrums für Religion, Wirtschaft und Politik. Ursprünglich als Initiative einer theologischen

* Prof. Dr. Reiner Anselm, Göttingen, war bis Ende 2009 Leiter des ZRWP.

Fakultät entstanden, ist es in kurzer Zeit gelungen, eine fruchtbare, fachübergreifende Kooperation zu etablieren, bei der das Querschnittthema «Religion» aus sehr unterschiedlichen Sichtweisen betrachtet und analysiert werden kann. Gemeinsam ist allen Zugängen freilich, dass sie stets auf die gesellschaftlichen Implikationen von Religionen, ihren Lehren wie ihren Sozialformen und Praktiken abzielen. Dabei gehört es zu den Besonderheiten dieses Zentrums, lange verfestigte Disziplinengrenzen zu überwinden: Das gilt ebenso für die im Zentrum etablierte Zusammenarbeit zwischen evangelischer und katholischer Theologie wie für die gemeinsame Arbeit zwischen Religionswissenschaft und Theologie. Zudem ist die Kooperation mit den unterschiedlichen Disziplinen der Sozialwissenschaften fester Bestandteil in der Arbeit des Zentrums.

Vor diesem Hintergrund stellte die erste JRSG eine wichtige und eine sehr willkommene Ergänzung für das ZRWP dar, die Erweiterung nämlich der Perspektive auf die Religion aus dem Blickwinkel der Ethnologie und der Pädagogik, die es zudem ermöglichte mit der Trias Jugend – Religion – Migration, die Bedeutung der Religion bei Kindern und Jugendlichen in den Blick zu nehmen. Gegenstand des interdisziplinären Forschungsprojekts war die These, dass Kinder von Migranten und Migrantinnen sich stärker zur Religion hinwenden als ihre Eltern. Dabei stand im Fokus der Untersuchung die Frage, welche Rolle die Auseinandersetzung mit der Dominanzgesellschaft und die Korrelationen auf der Ebene der Generationsbeziehung spielen. Die zentralen Ergebnisse der JSRG zeigen deutlich, wie ein solcher Blick den akademischen Diskurs über Religion erweitern kann und markieren zugleich Aufgabenfelder für die Weiterarbeit:

(1) Bei der Analyse des Zusammenhangs von Jugend, Religion und Migration muss sowohl der Umgang mit Religion durch die Jugendlichen als auch die Funktionalisierung der Religion durch die Mehrheitsgesellschaft berücksichtigt werden. Stereotype Zuschreibungen religiöser Merkmale durch die Dominanzgesellschaft wirken ambivalent: Sie können die Abgrenzung von der Einwanderungsgesellschaft befördern, aber auch den Aufbau einer eigenen (Gruppen-) Identität verstärken. Inwieweit diese Integration befördert, hängt davon ab, ob diese Zuschreibungen offen sind für individuelle Aneignungen durch die Migranten und nicht auf Gruppenmerkmale begrenzt werden.

(2) Zentrale Bedeutung für die integrative Funktion von Religion kommt den Institutionen zu, die auf die Vermittlung zwischen Einzelnem und Gesellschaft zielen. Je mehr diese im Blick auf die Jugendlichen mit Migrationshintergrund auf Bildung und Aneignung sozialer Kompetenzen im

Umgang mit den Herausforderungen der Einwanderungsgesellschaft setzen, umso prägender können sie auf die Kontinuität und Weiterentwicklung religiöser Identitäten in einem veränderten kulturellen Umfeld wirken. Religiöse Institutionen können die Wahrung der eigenen Religion und Identität bei gleichzeitigem Sich-Einfügen in die Mehrheitsgesellschaft befördern.

(3) Gegenüber dem bisher dominanten Fokus auf Kinder-Eltern-Beziehungen muss auch in der Religionsforschung die Bedeutung der Peer-Group für Jugendliche in den Blick genommen werden. Nicht nur Anerkennungsfragen gegenüber den Eltern, sondern vor allem innerhalb der Gruppe beeinflussen das Agieren innerhalb der Einwanderungsgesellschaft erheblich.

Zusammen mit diesen weiterführenden Perspektiven wird aber auch deutlich, wie wichtig der Austausch mit den theoriebezogenen Disziplinen der Religionsforschung ist. Denn ein wichtiges Hemmnis für die wissenschaftliche Arbeit in diesem Bereich stellt nach wie vor die Vielgestaltigkeit der Religionen und die darauf bezogenen Vorstellungsformen von Religion dar. Georg Simmels vor über 100 Jahren getroffene Einschätzung

> … niemand vermochte bisher eine Definition zu geben, die uns, ohne vage Allgemeinheit und doch alle Erscheinungen einschließend, sagte, was ‹Religion› ist, die letzte Wesensbestimmtheit, die den Religionen der Christen und der Südseeinsulaner, Buddhas und Vitzliputzlis gemeinsam ist …[1]

ist hier nach wie vor aktuell. Nun erscheint jedoch gerade ein einheitliches Religionsmodell keineswegs wünschenswert, droht es doch stets eine bestimmte Form von Religion absolut zu setzen. Gleichwohl ist eine intensivere Diskussion über den jeweils verwendeten Religionsbegriff, seine Extension und auch seine theoretischen Implikationen wünschenswert, um nicht unreflektiert das eigene Vorverständnis von Religion einfach fortzuschreiben und damit letztlich einer *petitio principii* zu verfallen. Gerade innerhalb des sozial- und kulturwissenschaftlichen Diskurses über die Funktion von Religionen für die Gesellschaft ist ein solches methodisch nicht reflektiertes Vorverständnis von «Religion» zu beobachten. So tendiert man beispielsweise dazu, Religion als ideologisierende Zuschreibung von sozialen Prozessen zu etikettieren. Inwieweit Religion als Chiffre für individuelle und durchaus bedeutungsoffene Aneignungsprozesse gerade im Umgang mit widersprüchlichen Erwartungen an sozialkonformes Verhalten fungieren könnte, wird in dieser Definition als blossem Zuschreibungsbegriff übersehen. Umgekehrt aber müssen sich die

1 Simmel, Georg, 1898. Zur Soziologie der Religion. In: *Neue Deutsche Rundschau* 91, 111.

theoriebezogenen Disziplinen fragen lassen, in wie weit sie sich selbst in ihrer Theoriebildung durch die Empirie bereichern und gegebenenfalls auch korrigieren lassen.

In der JSRG sind diese Debatten immer wieder fruchtbar geführt worden – und diesem Band merkt man diese Diskussionslage auch immer wieder an. Seitens des Zentrums für Religion, Wirtschaft und Politik möchte ich allen Beteiligten ganz herzlich danken und gleichzeitig die Hoffnung aussprechen, dass den hier begonnenen Arbeiten weitere gewinnbringende Aktivitäten folgen werden – sowohl im Blick auf die persönliche Zukunft der vier beteiligten Forscherinnen als auch auf die weitere Behandlung der Themenstellung.

Simon Sommer[*]

Grusswort

Die Zeit nach Abschluss der Promotion ist zentral für die akademische Karriere von jungen Wissenschaftlerinnen und Wissenschaftlern: eine Zeit, die der weiteren inhaltlichen und fachlichen Profilierung dienen sollte, aber auch eine Zeit, die lebensplanerisch und finanziell diverse Unsicherheiten und Risiken bergen kann.

Diese primär strukturell bedingte Unsicherheit wird an den für Nachwuchswissenschaftlern vorhandenen oder eben *nicht* vorhandenen Förderangeboten deutlich: Es existiert eine grosse Zahl von systematischen Programmen zur *Doktoranden*förderung, hingegen fehlen für die *Karrierephase im Anschluss an die Promotion* Programme, die die Kombination von weiterem Qualifikationserwerb für eine interdisziplinäre Forschung und eigenständiger Forschung ermöglichen. In dieser Phase gibt es vielerorts und in der Regel nur Projekt- oder Mitarbeiterstellen, bei denen die laufenden Forschungen meist durch etablierte Wissenschaftler/-innen vordefiniert sind. Zudem sind festangestellte Postdoc-Mitarbeiter/-innen mit zahlreichen Aufgaben in Lehre und Verwaltung betraut, die ihre Kapazität für die Etablierung neuer, eigener Projekte schmälern.

Mit der flexiblen, kurzzeitigen Förderung von Postdoktorand/-innen im Rahmen der *Jacobs Summer Research Group* (JSRG) haben das Zentrum für Religion, Wirtschaft und Politik und die *Jacobs Foundation* ein Fördermodell entwickelt, das diese derzeit bestehende zentrale Lücke in der Förderlandschaft zu schliessen versucht. Im Rahmen der JSRG konnten sich Postdoktorand/-innen mit eigenen Projekten bewerben, um diese ausserhalb der Präsenzzeiten an ihren Heimathochschulen in mehreren Kollegphasen in Zürich – administrativ und wissenschaftlich auf hohem Niveau unterstützt – durchzuführen.

Diese nun vorliegende Publikation der ersten JSRG (2008 – 2009) ist ein Ergebnis dieses innovativen Ansatzes der Jacobs Foundation auf dem Gebiet der speziellen Postdoc-Förderung. Wir hoffen, dass es nicht das einzige bleiben wird. Denn grössere Forschungsvorhaben, die von Nachwuchswissen-

* Dr. Simon Sommer ist Leiter Forschungsförderung bei der Jacobs Foundation.

schaftler/-innen selbständig beantragt werden können (wie z.B. die fünfjährigen Emmy-Noether-Gruppen der Deutschen Forschungsgemeinschaft DFG), benötigen zumeist Vorlaufzeit, um für den Antrag ein mehrjähriges Forschungsprogramm für eine Gruppe entwickeln zu können und dafür die thematische Enge des Promotionsthemas zu verlassen. Sichtbare Publikationsleistungen sind als Grundvoraussetzung für einen erfolgreichen Antrag erforderlich. Diese Zeit für und eine Unterstützung bei der Erarbeitung von Anträgen für das Emmy-Noether-Programm der DFG oder die Beantragung eigener Forschungsprojekte zum Beispiel beim Schweizerischen Nationalfonds SNF sollte den geförderten Postdoktorand/-innen mit der JSRG gleichfalls gegeben werden. Die Karriere, die «unsere» Fellows weiter machen werden – in der Wissenschaft oder ausserhalb! – ist das wichtigste *outcome* der JSRG. Der Zeitpunkt, diesen *outcome* zu messen und zu bewerten, ist freilich noch nicht gekommen.

Die JSRG hatte – im Unterschied z.B. zu Forschergruppen oder Graduiertenkollegs – keine eng definierte, inhaltliche Fragestellung. Sie sollte die geförderten Nachwuchswissenschaftlerinnen gerade nicht auf einen vorgezeichneten Karriereweg zwingen, sondern ihnen in der Phase zwischen Doktorat und Professur unterstützende Ressourcen geben, das eigene fachliche Profil weiter auszubauen und zu konsolidieren. Ein zentrales Ziel der JSRG war es denn auch, dass die interdisziplinären Forschungspotenziale durch die geförderten Nachwuchswissenschaftler/-innen auf Postdoc-Niveau *eigenständig* eruiert werden und dass sie ihre Forschungsideen – und nicht die der «Professor/ -innen» – in eigenen Projekten in Zusammenarbeit über Fächer- und Institutsgrenzen hinweg umsetzen können. Eine thematische Offenheit ist für Selbständigkeit essentiell!

Auf diese Weise ist das vielseitige Spektrum an Beiträgen zum Thema Jugend, Religion und Migration in dem vorliegenden Band entstanden. Eine multiperspektivische und transdisziplinäre Herangehensweise an ein schwieriges Thema zeichnet ihn aus – so wie sie auch die Arbeit der JRSG ausgezeichnet hat.

Allen Beteiligten – insbesondere den Fellows, vier engagierten, jungen Wissenschaftlerinnen – gilt der Dank der Jacobs Foundation. Und die besten Wünsche für eine erfolgreiche Fortsetzung ihrer in der JSRG begonnenen Arbeiten.

Brigit Allenbach, Urmila Goel, Merle Hummrich, Cordula Weissköppel

Einleitung

1. Jugend, Religion und Migration: interdisziplinäre Perspektiven

«Jugend – Religion – Migration», so lautete der Themenschwerpunkt der *Jacobs Summer Research Group* (JSRG), die im Juli 2008 von den vier Herausgeberinnen dieses Bandes gebildet wurde. Die JSRG war eine Kooperation der *Jacobs Foundation* mit dem *Zentrum für Religion, Wirtschaft und Politik* (ZRWP) und verstand sich als Förderinstrument für Nachwuchswissenschaftler und -wissenschaftlerinnen. Ziel war die Zusammenarbeit von vier Fellows für die Dauer eines Jahres, um die eigene Forschung in interdisziplinärer Perspektive zu vertiefen. Im Sommer 2008 und im Frühjahr 2009 trafen sie sich dazu in zwei jeweils sechswöchigen Kollegs in Zürich, wo sie die Ergebnisse ihrer qualitativen Forschung auswerteten und gemeinsame Themenstellungen erarbeiteten. Die organisatorische Rahmung der JSRG wurde durch Prof. Dr. Friedrich-Wilhelm Graf aus München und Prof. Dr. Rainer Anselm aus Zürich und Göttingen (beide Senior Advisor) sowie Dr. Stephan Schleißing (Koordination) gestaltet. Zur Förderung unserer Arbeit erhielten wir Fellows ein Stipendium, mit dem wir unsere Aufenthaltskosten in Zürich, unsere Forschungstätigkeit sowie die Anstellung von wissenschaftlichen Hilfskräften bestritten. Die Ergebnisse unserer Forschung präsentierten wir im Frühsommer 2009 auf einem Symposium zu «Jugend und der Bedeutung religiöser Zugehörigkeit im Einwanderungskontext» (27. – 28. Mai 2009) sowie im Rahmen einer Vortragsreihe mit dem Titel «Religion als Ressource? Jugendliche und religiöse Sinnstiftungen im Kontext von Migration und kulturellem Pluralismus» an der Universität Zürich.

Der vorliegende Band versammelt nun interdisziplinäre Beiträge zum Themenkomplex Jugend, Migration und Religion, die im Rahmen des Symposiums vorgestellt und für diesen Sammelband ausgearbeitet wurden. Zudem haben wir einige weiterführende Beiträge akquiriert, die uns im Anschluss an die Diskussion auf dem Symposium als sinnvolle inhaltliche Ergänzung erschienen.

Die interdisziplinäre Zusammenarbeit der JSRG und die Konzeption unserer einzelnen Untersuchungen möchten wir einführend kurz darstellen. Unsere qualitativen Studien waren in der Schweiz und in Deutschland angesiedelt. «Jugend» haben wir in diesem Forschungskontext vor allem als eine Lebensphase betrachtet, in der bestimmte Entwicklungen und Entscheidungsanforderungen in zeitgenössischen Gesellschaften bewältigt werden müssen. Dabei verstehen wir junge Menschen als Akteure und Akteurinnen, die ihre soziale Umwelt und Kultur in ihren Beziehungen zu Gleichaltrigen sowie zu Erwachsenen aktiv mitgestalten. Wir interessierten uns insbesondere für Prozesse der Ausbildung und Zuschreibung religiöser Identitäten in dieser Lebensphase. Dabei haben wir ein möglichst breites Spektrum von religiösen Kontexten in den Blick genommen. Was junge Frauen und Männer jeweils unter «Religion» oder «Religiosität» verstehen, war zentraler Gegenstand unserer Projekte, die auf unterschiedliche Weise Zugang zu den Jugendlichen suchten. Fokussiert haben wir zum Beispiel die Frage, wie Religion bzw. Religiosität von Generation zu Generation weitergegeben, gelebt und verändert wird und welche subjektivierende Bedeutung Religiosität innerhalb von Biographien und religiösen Gruppen hat. Die Dynamik von Generationsbeziehungen bildete sich im Laufe der Projekte als Schwerpunkt heraus, da wir im Kontext unserer empirischen Erhebungen feststellten, dass die Auseinandersetzung mit Religion bzw. Religiosität bei den Jugendlichen immer vor dem Hintergrund von Generationsbeziehungen geschieht.

Ein zentrales, weil übergreifendes Konzept der Untersuchungen wurde das der «natio-ethno-kulturellen (Mehrfach-)Zugehörigkeit», ein Begriff der von Paul Mecheril (2003) geprägt wurde. Dieses Konzept verweist darauf, dass die befragten Jugendlichen aufgrund der Migrationsprozesse ihrer Eltern in die Schweiz oder nach Deutschland sich mehreren natio-ethno-kulturellen Kontexten zugehörig fühlen, diese Zugehörigkeiten aber prekär sind. Von besonderem Interesse für uns war daher, wie die daraus resultierenden Ambivalenzen sowohl im Hinblick auf religiöse Zugehörigkeit als auch auf geschlechtliche Identität und sozioökonomische Herkunft thematisiert werden.

Der Zusammenhang von Migration, Religion und Jugend wurde von uns vier Forscherinnen dabei aus unterschiedlichen, eben auch disziplinär bedingten Perspektiven beleuchtet (siehe dazu auch die folgenden Abschnitte). Trotz dieser verschiedenen Zuschnitte lag eine Übereinstimmung darin, dass wir einen möglichst wenig normativen Zugang wählten und Religion in Zusammenhang mit weiteren Faktoren sozialer Ungleichheit betrachteten. Damit grenzen wir uns auch im vorliegenden Band vom normativen Konzept der «Integration» ab, das theoretisch nach wie vor diffus ist und in öffentlichen Debatten immer wieder dazu beiträgt, Migranten und Migrantinnen pauschal zu verdächtigen, sich nicht genügend um Anpassung an die Aufnahmegesellschaft zu bemühen. Deshalb stehen bei uns Perspektiven im Vordergrund, welche die Bedingungen, unter denen Migrant_innen handeln, thematisieren.

Ferner verwendeten wir alle Verfahren der qualitativen Sozial- und Kulturforschung, wobei sowohl ethnographische Zugänge verfolgt, als auch Gruppendiskussionen und Interviews mit unterschiedlichen Schwerpunkten eingesetzt wurden. Es liegt auf der Hand, dass es bei der Diskussion von methodischen und theoretischen Ansätzen auch Uneinigkeit gab, die jedoch meistens produktiv gewendet werden konnte. Insbesondere die fachlichen Differenzen und die darauf gründenden inhaltlichen Diskussionen haben wir als Bereicherung unserer Arbeit erlebt. Denn jedes Projekt, das aus der JSRG hervorgegangen ist, richtet eine unterschiedliche Perspektive auf den jugendlichen Umgang mit Religion unter Bedingungen der Migration.

Der interdisziplinäre Zugang brachte durch die unterschiedlichen theoretischen Perspektiven auch einen unterschiedlichen Umgang mit Sprache und Begriffen mit sich. In diesem Sammelband lassen wir bewusst diese unterschiedlichen Zugänge nebeneinander stehen, um nicht eine fiktive Homogenität zu unterstellen und nicht den Eindruck von richtigen Theorien und richtigem Umgang mit Sprache und Begriffen zu erwecken. So beziehen die Autoren und Autorinnen sich unterschiedlich auf Begriffe rund um Migration und positionieren sich über ihre Begriffswahl auch theoretisch. Wir lassen diese Vielfalt nebeneinander stehen, da wir nicht davon ausgehen, dass es richtige Begriffe gibt, dass aber alle Begriffe produktiv sind in dem Sinn, dass sie Assoziationsketten aufrufen und bestimmte theoretische Ansätze bedienen. Wir schliessen uns dabei Mecheril (2003: 9) an, der formuliert:

> Jede Bezeichnung ist in ihrer Art (un)angemessen, weil sie (nur) bestimmte Aspekte fokussiert und als Bezeichnung die phänomenale oder explanative Signifikanz des Gesichtspunkts suggeriert.

Unterschiedlich ist der Umgang der Autoren und Autorinnen auch mit der Thematisierung von Geschlechterverhältnissen durch sprachliche Formulierungen. Es gibt jene Autoren, die die standardisierte Form der deutschen Schriftsprache nutzen und dabei die Geschlechterverhältnisse nicht gezielt durch Sprache hinterfragen. Andere Schreibende vermeiden die Reproduktion von männlichen Formen, in dem sie ungegenderte Begriffe benutzen. Wiederum andere Autoren und Autorinnen benennen explizit männliche und weibliche Formen, um nicht ausschliessend zu sein. Einige AutorInnen wiederum thematisieren durch das Binnen-I, dass männliche Formulierungen Frauen ausgrenzen (können). Schliesslich gibt es jene Autor_innen, die durch die Verwendung der Leerstelle auf die Konstruktion der Zweigeschlechtlichkeit und die Ausblendung anderer Geschlechtlichkeiten hinweisen. Diesen unterschiedlichen sprachlichen Umgängen mit Geschlechterverhältnissen liegen unterschiedliche theoretische Verständnisse über die Geschlechterverhältnisse und/oder die Rolle von Sprache hierbei zugrunde. Sie zu vereinheitlichen würde diese Vielfalt verdecken und den jeweiligen Ansätzen nicht gerecht werden.

Zur Abbildung der unterschiedlichen Zugänge haben wir dieses Buch in vier Abschnitte eingeteilt, wobei jeweils eine der Fellows für die Konzeption verantwortlich ist. Dabei werden die Beiträge, die im Rahmen der JSRG entstanden sind, durch die Perspektiven weiterer Forscher_innen bereichert. Die vier Rubriken fokussieren ausgewählte Schwerpunkte, die auch auf dem Symposium behandelt wurden: Erstens geht es um Religiosität *im Alltag* von Jugendlichen, zweitens um explizierte natio-ethno-kulturelle *Mehrfachzugehörigkeit*, in die die religiöse Zugehörigkeit im Einwanderungskontext fast immer eingebettet ist, drittens um Beispiele für die aktuelle Bedeutung von Religion im Kontext von *Grenzziehungsprozessen* und viertens um die *Reflexion des Redens* über die Zusammenhänge von Religion, Migration und Jugend.

Insbesondere dieses Nachdenken über die Wirkung von wissenschaftlicher Diskursivierung im Kontext öffentlicher, also politisierter und machtstrategischer Debatten in europäischen Nationalstaaten wurde durch den Eröffnungsvortrag von Paul Mecheril, Innsbruck, auf dem Symposium angeregt und wird nun in diesem Band durch seinen einleitenden Beitrag zusammen mit Oscar Thomas-Olalde fortgeführt. Unter dem Titel «Die Religion der Anderen. Anmerkungen zu Subjektivierungspraxen der Gegenwart» wird der Religionsdiskurs in der Migrationsforschung kritisch in den Blick genommen. Die Autoren unterscheiden die lebensweltliche Relevanz von Religiosität und die subjektivierende, kulturelle, gesellschaftliche und politische Wirkmächtigkeit von Thesen über das Religiöse. Gerade in diesem letzten Diskurs – dies zeigen Mecheril und Thomas-Olalde eindrücklich am Beispiel des Umgangs mit dem Islam – werden über die Zuschreibung von Andersheit («othering») hegemoniale Verhältnisse festgeschrieben, die Muslime und Musliminnen und Personen, denen Muslimisch-Sein zugesprochen wird, zu «Anderen» der Mehrheitsgesellschaft machen. Religion markiert somit einen Zugehörigkeitscode, der instrumentell verwendet wird, um gesellschaftliche Einheitsimaginationen festzuschreiben.

2. Die Kapitel in diesem Band

2.1 Religiosität im Alltag von Migrantenjugendlichen

Im Reden über den Zusammenhang von Migration, Religion und Jugend werden häufig – man kann dies auch an der öffentlichen Meinungsbildung nachvollziehen – Thesen zugrunde gelegt, die religiöse Migrantenjugendliche mit Traditionalismus, Fundamentalismus und Parallelgesellschaften assoziieren. Migrantenjugendliche, die religiös sind, insbesondere die muslimisch Gläubigen, stehen dabei unter dem Generalverdacht, die Gesellschaft zu gefährden, sie dümmer zu machen, indem die gesellschaftlich modernen Institutionen wie Kindergärten, Schulen, Jugendhilfe Ablehnung erfahren. Auch in der Forschung über religiöse Migrantenjugendliche schreibt sich dieser Diskurs fort – insbesondere dann, wenn die Integrationsfähigkeit «der» Migrantenjugendlichen am Selektionserfolg des Bildungssystems gemessen wird und ihre Religiosität als Grundlage der Zuschreibung von vormodernen, traditionalistischen und fundamentalistischen Lebensstilen dient (Brettfeld und Wetzels, 2007; Heitmeyer, Müller und Schröder, 1997).

Die Rede über den Zusammenhang von Migration, Jugend und Religiosität ist anschlussfähig an die Strukturierung des Feldes um Migration und Bildung, wie Hamburger (2005) es aufspannt. Folgende Strukturelemente sind hier zentral: Erstens wird eine Unterscheidung getroffen zwischen «Einheimischen und Zugewanderten», «Deutschen/Schweizern und Ausländern», «Migranten und Nicht-Migranten», wobei es sich «gerade nicht um eine rational konsistente Unterscheidung, sondern um eine diffuse, häufig empirisch falsche, also ideologische, Unterscheidung handelt» (Hamburger, 2005: 9). Diese Unterscheidung dient als Basis der Initiierung von Ungleichheit. Sie wird an der Sprachbeherrschung (ebd.), aber auch an der Religiosität «der» Migranten und ihrer Kinder festgemacht: Dabei lässt sich feststellen, dass Migrantenjugendliche, sowohl was die Sprachfähigkeit, aber auch was die religiöse Verortung anbelangt, prinzipiell in der Beweispflicht stehen, ihre Beteiligungsfähigkeit vermeintlich objektivierten, weil demokratischen, mehrheitsfähigen, Kriterien unterzuordnen. Damit geht es schliesslich um Unterordnung, um die Subordination der Migrant_innen unter die hegemonialen Diskurse der Gesellschaft.

Das zweite Strukturelement muss in der thematischen Zuschneidung des Bandes nun die Alltagserfahrungen von Migrantenjugendlichen in ihren adoleszenten Individuationsprozessen in den Blick nehmen. Dabei stehen Jugendliche im Fall von Migration nicht nur vor der prinzipiellen Anforderung der Auseinandersetzung mit den Welt-, Selbst- und Sachbezügen (Helsper, Kramer, Hummrich und Busse, 2009; Hummrich, 2010), sondern auch vor der Anforderung, mit der zugeschriebenen und erlebten Differenz umzugehen. King und Koller sprechen hier von einer «verdoppelten Transformationsanforderung» (2009: 18). Jugendliche «mit Migrationshintergrund» müssen sich nicht nur mit den Erwartungen an «die Jugend von heute» auseinandersetzen, sondern auch mit den Erwartungen, die ihnen als «Menschen mit Migrationshintergrund» bezüglich ihrer Positionierung zwischen den familialen und den gesellschaftlichen Erwartungen entgegengebracht werden. Der Umgang mit Religiosität zeigt hier ebenfalls eine subordinierende Differenz im Vergleich zu Jugendlichen ohne Migrationshintergrund: Migrantische Lebens- und Alltagserfahrungen werden tendenziell eher als besonders herausgehoben – zum Beispiel indem Moscheen besucht werden und religiöse Praktiken pädagogisch aufgearbeitet werden – gegenüber dem gesellschaftlich Allgemeinen. Diese Besonderungspraxis steht jedoch der gesellschaftlichen Rationalität und ihren demokratischen Prinzipien (zum Beispiel Recht auf Meinungs- und Glaubensfreiheit) kontradiktorisch entgegen (vgl. Hummrich, 2009; Hamburger, 2009).

In der Besonderung und pädagogisierenden Aneignung sowie in der Subordination migrantischer Alltagspraxis liegt eine Setzung von Differenz zur Mehrheitsgesellschaft, mit der sich religiöse Migrantenjugendliche alltäglich auseinandersetzen. Hiervon sind ihre Zugehörigkeitskonstruktionen und biographischen Handlungsstrukturen geprägt, selbst dann, wenn sie sich von Religiosität distanzieren oder sie funktional, zur Wahrung ihrer eigenen Interessen, wahrnehmen. Dabei wird Religiosität hier nicht an religiösen Inhalten «bemessen» oder «vermessen». Vielmehr wird erstens ein strukturalistischer Religiositätsbegriff (Oevermann, 1995) zugrunde gelegt. Religiosität drückt sich in diesem Selbstverständnis als anthropologische Bestimmung der Frage «Wer bin ich, woher komme ich, wohin gehe ich?» aus, die das Handeln aufgrund seiner prinzipiellen Zukunftsoffenheit als kontingent begreift. Zweitens wird die Religiosität auf die Alltagsbedeutung bezogen, die Migrantenjugendliche ihr im Umgang mit biographisch relevanten Themen – wie die Generationsbeziehungen, die Zukunftsorientierungen und die Individuation – beimessen.

Der Artikel von *Merle Hummrich* «Was die jüngere Generation mit der älteren will» stellt dabei die Auseinandersetzung von Migrantenjugendlichen mit ihrer Zugehörigkeit zu einer Gruppe religiöser Migrantenjugendlicher und ihrem Elternhaus in den Mittelpunkt. Ausgangspunkt sind einerseits Vorstellungen zum Bedeutungsverlust der älteren Generation für die jüngere, andererseits Annahmen zur Heraufbeschwörung von Defizit- und Problemperspektiven, insbesondere dann, wenn es bei Migrantenjugendlichen um deren religiöse Verortung geht. Die qualitative Studie, die hier referiert wird, nimmt Gruppendiskussionen mit deutschen und Schweizer religiösen Migrantenjugendlichen – sowohl christlichen als auch muslimischen – in den Blick und arbeitet heraus, dass religiöse Zusammenhänge im Alltagsleben von Migrantenjugendlichen einerseits ihrer Individuation dienen, andererseits auch instrumentell genutzt werden, um die Adoleszenzkrisen produktiv zu verarbeiten und dass die Religionsbezüge von Migrantenjugendlichen in der Regel in eine Vielzahl an weiteren Orientierungen eingebettet sind.

Hans-Jürgen von Wensierski und *Claudia Lübcke* arbeiten in ihrem Beitrag «Zur Religiosität junger Muslime der Zweiten Generation in Deutschland» zunächst die wissenschaftlichen Diskurse um den Islam in Deutschland heraus, die tendenziell problemorientiert sind. Demgegenüber stellen die beiden Autor_innen den Begriff des «muslimischen Habitus», der die Pluralisierung und Prozesshaftigkeit der Lebensstile erfasst und die Vielzahl der Verhältnisbestimmungen zum Islam und seinen gemeinschaftlichen Einbindungen aufgreift. Auf dieser Basis stellen sie die in ihrer Studie «Junge Muslime in Deutschland: Lebenslagen, Aufwachsensstile und Jugendkulturen» herausgearbeitete Typologie von Jugendbiographien in muslimischen Milieus dar, die sie durch zwei kontrastierende Fallbeispiele unterfüttern. Damit zeigen sie schliesslich, dass muslimische Orientierungen nicht nur mit religiös fundierten islamischen Sozialmilieus in eins gesetzt werden können, sondern sie immer auch mit den individuellen Lebensführungskonzepten und den kollektiven Einbindungen in Familie und Gesellschaft verbunden werden müssen.

Schliesslich setzt auch *Erol Yildiz* bei einer Kritik der vereinseitigenden Perspektivnahme auf «die» Religiosität «der» Migrantenjugendlichen an und plädiert für eine Entskandalisierung und Entdramatisierung des öffentlichen Diskurses. Basierend auf Annahmen zur «Jugend von heute» und seiner Kritik an Defizitperspektiven präsentiert er zwei Fallstudien: eine, die Religiosität als Thema hat und eine weitere, in der nicht die Religiosität, sondern andere Formen jugendkultureller Zugehörigkeit im Vordergrund stehen. Damit löst er den Diskurs um Migrantenjugendliche von einer religionsorientierenden Festschreibung und arbeitet heraus, dass Religiosität als Gegenstand der biographischen Reflexion eine besondere Umgangsstrategie darstellt, die zum einen in ein Verhältnis zu anderen biographischen Reflexionsmöglichkeiten gesetzt werden muss, zum anderen von ihrem entsubjektivierenden, mythenhaften und letztlich instrumentellen Gebrauch gelöst werden muss.

2.2 Religion und Mehrfachzugehörigkeit – die Bedeutung von Generationsbeziehungen

Ist somit zu beobachten, dass sozial- und kulturwissenschaftliche Studien dazu tendieren, das, was im öffentlichen Diskurs simplifiziert, dramatisiert und exotisiert wurde, wieder in eine gesellschaftliche Realität und Normalität rückzubetten, so ist bei diesem Prozess unweigerlich eine Komplexität der Sachverhalte aufzuzeigen, die sich unter anderem an dem Begriff der natio-ethno-kulturellen (Mehrfach-) Zugehörigkeit (s.o. Mecheril, 2003) manifestiert. Mit diesem Term ist übergreifend zu betonen, dass moderne Gesellschaften eine radikale Pluralisierung auf Ebene ethnischer, nationaler, religiöser, sub-kultureller sowie diverser sozialer Zugehörigkeitsformen hervorbringen, so dass Subjekte *mehrfach* und *ambivalent* in den jeweiligen Stratifikationssystemen platziert werden können. Dies gilt potenziell für alle Akteure, zum Beispiel für Professor_innen, die neben ihrer Zugehörigkeit zur *scientific community* eine Familie gegründet haben und permanent verschiedene, durchaus ambivalente soziale und milieuspezifische Anforderungen balancieren müssen. An Migrant_innen wird dieser prinzipielle Sachverhalt der Mehrfachzugehörigkeit häufig illustriert, weil sie in erhöhtem Masse sowohl in Sphären der Herkunfts- als auch der aktuellen Aufenthaltsgesellschaften agieren, wie durch Ansätze der transnationalen Migrationsforschung zunehmend empirisch aufgezeigt wird (u.a. Vertovec, 2009; Lauser und Weissköppel, 2008; Pries, 2008). Nicht *eine* nationale Staatsordnung oder *ein* kulturelles Statussystem ist relevant, sondern *verschiedene*, durchaus konkurrierende oder widerstreitende Bezugs- und Orientierungsrahmen spielen eine Rolle. Das kann Handlungsspielräume eröffnen und erweitern, es kann aber auch gerade in rechtlich-bürokratischer Hinsicht zu schwierigen Entscheidungs- bzw. Ambivalenzsituationen kommen, die vom Subjekt bearbeitet werden müssen. Der wissenschaftliche Blick auf Identitätsprozesse von Jugendlichen in solchen prekären Verhältnissen konnte bislang befördern (u.a. Back, 1996; Weissköppel, 2001; Badawia, 2002), dass verschiedene Formen der Aneignung durch Ein- und Ausschluss, durch spezifische Kombinatorik oder durch Neukreation von Identitätspositionen vollzogen werden, die immer auch der Wechseldynamik von Fremdzu- und Selbstbeschreibung unterliegen. In den Artikeln dieser Rubrik geht es nun in besonderem Masse darum, welche Bedeutung *religiöse Zugehörigkeiten* in diesen komplexen Prozessen spielen, eben unter solchen Jugendlichen, die durch die Migration ihrer Eltern mit mehreren gesellschaftlichen Bezugsrahmen gross geworden sind. Diese besondere Relation zwischen den Generationen, die in Migrationsprozesse involviert sind, bildete ja eine übergreifende Fragestellung des durchgeführten Symposiums und wird in dieser zweiten Rubrik explizit beleuchtet. Dennoch ist nochmals darauf hinzuweisen, dass diese intergenerative Perspektive in fast allen Beiträgen Bestandteil der Analyse ist im Sinne des Postulats der Interdependenz bzw. Intersektionalität von Identitätskonstruktionen (siehe auch Beitrag von Riegel).

Mit dem Beitrag von *Asiye Kaya* wird die Religion des Alevitentum in den Blick genommen, die im Spektrum von Islam zu verorten ist und, wenn auch nach gesellschaftlichem Kontext variierend, oftmals mit einer Platzierung als «Minderheit» zu kämpfen hat. Ähnlich geht es im Beitrag von *Cordula Weissköppel* um eine Gruppe im Spektrum christlicher Konfessionen, nämlich um die koptisch-orthodoxe Kirche, die insbesondere im Herkunftskontext Ägypten, einer von Islam bestimmten Gesellschaft, heute als religiöse «Minderheit» gilt und historisch wie gegenwärtig verschiedene Strategien der Selbstbehauptung entwickelt hat. Diese beiden Religionen sind hier in den Fokus genommen, weil aus Subjektperspektive artikuliert wurde, was es bedeutet, sich mit einer zunächst per Abstammung vermittelten religiösen Zugehörigkeit auseinander zu setzen und welche verschiedenen Einflüsse bzw. anderen Zugehörigkeitsformen dabei eine Rolle spielen.

Sowohl *Kaya* als auch *Weissköppel* folgten bewährten Verfahren der qualitativen Gesprächsarbeit: Während *Kaya* mit verschiedenen Frauen unterschiedlicher Generationen einer alevitischen Familie biografische Interviews führte, konnte *Weissköppel* eine annähernd altershomogene Peergroup junger Kopt_innen versammeln, die in der Schweiz im Kontext einer ägyptisch-koptischen Gemeinde gross geworden sind. Beide Forscherinnen aktivierten somit das Reden mit den Akteur_innen als Schauplatz der situativen, somit interaktiven Aushandlung von Identitäten. Während bei *Kaya* durch die wechselseitige Bezugnahme auf die Lebensverläufe von Tochter, Mutter und Grossmutter die intergenerativen Dynamiken bereits methodologisch forciert wurden, kristallisierte sich im Gruppengespräch mit *Weissköppel* die Beziehungsarbeit zwischen den jungen Kopt_innen und ihren «ägyptischen Vätern» als selbst gewähltes Thema heraus. In beiden Studien wird deutlich, dass die Thematisierung von religiöser Identität an Fragen der genealogischen Abstammung und damit an Fragen des Wissens über die Herkunftsgesellschaft der Eltern bzw. Grosseltern gekoppelt war.

Kaya knüpft in diesem Zusammenhang an das Konzept der «sozialen Vererbung» von Elias und Scotson (1993) an, um zu betonen, dass jene Aneignungs-, also Subjektivierungsprozesse von Identität keinesfalls nur innerpsychisch vonstatten gehen, sondern interaktiven, eben sozial und kulturell vermittelten Übertragungsdynamiken zwischen den Generationen unterliegen.

Es sind oftmals die engsten Verwandten bzw. primären Bezugspersonen, die religiöse Zugehörigkeit verkörpern, durch ihre Praxen religiöse Lebensführung vorleben und habituell repräsentieren und somit zu zentralen Mittlern oder Vorbildern für Subjekte der nachfolgenden Generation werden (siehe auch Beitrag von Goel). Gleichzeitig finden sich in diesen Beziehungen von Jugendlichen zu Personen der älteren Generationen aber auch Reibungen und Spannungen, so dass sie hinsichtlich der religiösen Identifikation zu prädestinierten Gegenhorizonten für Abgrenzung werden können (siehe auch Beitrag von Hummrich). Durch die Mehrgenerationenbiografie von *Kaya* wird beeindruckend rekonstruiert, dass es erst in der Enkelin-Generation annähernd möglich wurde, die starke Identifikation als Alevitin im Sinne einer zu verbergenden Identität zu überwinden und die Kultur des Verschweigens zu brechen. Entscheidend waren die historischen und genealogischen, damit kollektiv vermittelten Erfahrungen, wie man im türkischen Kontext als Mitglied einer religiösen Minderheit überleben konnte. Nach der Emigration nach Deutschland wurden diese Mechanismen interessanterweise fortgesetzt, wenn auch aus ganz anderen Motiven: Nun ging es nicht mehr um das Verbergen einer spezifischen Platzierung innerhalb einer islamischen Mehrheitsgesellschaft, sondern um die Anpassung an die Einordnung als «normale Türkin» durch die deutsche Einwanderungsgesellschaft (siehe auch Beitrag von Sökefeld).

Religiöse wie ethnische Mehr- und Minderheitskonstellationen bestimmen nicht erst das Leben im Einwanderungsland, sondern auch die Situation in den Herkunftsgesellschaften. Somit existieren bereits vor der Migrationsentscheidung sowie im weiteren Migrationsprozess Erfahrungen im Umgang mit prekärer Mehrfachzugehörigkeit, die auch von Einfluss auf die nachfolgende Generation sein können. In dieser Hinsicht ist an *Weissköppels* Fallrekonstruktion besonders aufschlussreich, dass die Schweizer Jugendlichen zunächst den eigenen Vater *othern* bzw. kulturalisieren mussten, also seine (frühere) Platzierung als koptisch-christliche Minderheit in der ägyptischen Gesellschaft verstehen lernen mussten, um sein moralisch strenges Verhalten annähernd respektieren und letztlich als ein «kulturell geprägtes» relativieren zu können. Einmal mehr wird somit transparent, dass die Frage der religiösen Zugehörigkeit und der potenziellen Identifikation mit Positionen der älteren Generation mit weiteren Faktoren verwoben ist wie etwa der *ethnischen* Positionierung der Akteure im Herkunftsland und/oder im Residenzland. Beide Handlungskontexte, so sie relevant gemacht werden, sind heute durch nationalstaatliche Strukturierung als auch durch ethnische und kulturelle Pluralisierung geprägt, so dass die Analyse der jeweiligen Mehr- und Minderheits-

Konstellationen für ein vertieftes Verständnis der subjektiven Identitätsarbeit unumgänglich ist.

Der Kulturanthropologe Baumann (1999) spricht angesichts dieser komplexen Anforderung an Identitätsbildung in modernen Gesellschaften, die sich oftmals als «multikulturell» titulieren, von einem «Rätsel». Die Paradoxien des multikulturellen Rätsels könnten annähernd entschlüsselt werden, so seine optimistische Perspektive, wenn man die zentralen Bedingungsfaktoren von Kultur radikal überdenken würde:

> To solve the riddle, one needs to rethink what is meant by nationality or the nation-state, by ethnic identity or ethnicity, and by religion as a basis of culture. What all three acts of rethinking have in common is a new concern with the meaning and making of culture. (Baumann, 1999: VII)

Eine Stärke der qualitativen Sozial- und Kulturforschung besteht gerade darin, dass wir uns zum Beispiel durch intersubjektive Gesprächsarbeit auf diesen Weg begeben, immer wieder neu nachzuvollziehen, wie alle Beteiligten Kultur herstellen oder diese dekonstruieren, d.h. auch zu verstehen, welche (un-)bekannten Ein- und Ausschlüsse, also Grenzziehungen dadurch hervorgebracht werden.

2.3 Religion und die Konstruktion von Grenzen

Ob es uns passt oder nicht: Religion ist neuerdings eine Arena für Identitätspolitik in den europäischen Einwanderungsländern. Das Wiederaufleben des Religiösen steht aber nur scheinbar im Widerspruch zu den gängigen Annahmen über das Verhältnis von Säkularisierung und Moderne (Hefner, 1998: 85). Olivier Roy (2010a) vertritt die These, dass es sich dabei keineswegs um eine Rückkehr der Religionen von einst handelt, sondern dass Globalisierungsprozesse völlig neue Formen des Religiösen produzieren.

> Wir haben es eher mit einer Neuformulierung des Religiösen als mit einer Rückkehr zu Praktiken von einst zu tun (…). Diese Tendenzen gehen mit dem Wunsch nach grösserer Sichtbarkeit im öffentlichen Raum einher und zielen oft sogar auf einen offensichtlichen Bruch mit den herrschenden Praktiken und Kulturen. Das Religiöse stellt sich als solches zur Schau und will nicht länger auf den Status eines symbolischen Systems neben anderen reduziert werden. (2010a: 24)

Globalisierungsprozesse führen weltweit zu einer Entkoppelung von Religion und Kultur, so das Hauptargument von Roy. Während die grosse Mehrheit der Kinder in vielen europäischen Staaten jeglichen Bezug zur Religion verloren haben und Europa deshalb als «Kultur ohne Religion» bezeichnet werden könnte, wachsen jene religiösen Bewegungen, die sich von den Kulturen, in denen sie entstanden sind, ablösen (Roy, 2010b: 1). Ähnlich wie die Evangelikalen in den USA distanzieren sich beispielsweise Salafisten und Wahhabiten von der Religiosität früherer Generationen und «erheben den Anspruch, eine rein religiöse Botschaft zu verbreiten» (Roy, 2010b: 1). Diese Entkoppelung von Religion und Kultur betrachtet Roy als ein Produkt der Säkularisierung, die nicht auf den Westen beschränkt sei: «Überall beobachtet man die gleiche Umstrukturierung: Das Religiöse verschwindet nicht, sondern wird als rein religiös neu formuliert» (Roy, 2010b: 2).

José Casanova (2007: 325) betont einerseits die interne Heterogenität Europas in Bezug auf Religion, kommt aber andererseits zum Schluss, dass sich zwar «eine Art allgemeiner Glaube» an Gott erhalten habe, aber «Tiefe und Ausmass» individueller Religiosität bei den Europäern beschränkt sei. Dies sei der Hauptunterschied zur USA, wo die individuelle Religiosität sehr viel höher liege. Casanova deutet den Prozess der «Rückkehr der Religion in die Öffentlichkeit europäischer Gesellschaften» aus einer historisch vergleichenden Perspektive und der europäischen Besonderheit, Religion einerseits als Auslaufmodell und andererseits als intolerant und Quelle von Konflikten zu verstehen. «Die Leute in Europa glauben, dass sie, um modern zu sein, säkular werden müssen. Im Gegensatz dazu glauben die Leute in Amerika, sie müssten religiös sein, um moderne und gute Amerikaner zu sein» (Casanova, 2007b: 2; Foner und Alba, 2008). Jugendliche, die religiösen Minderheiten angehören und insbesondere Jugendliche, die aus einem ausgeprägten religiösen Milieu stammen, stossen bei der Konstruktion von Zugehörigkeit auf das Problem, ob und wie man in Europa «modern» *und* religiös zugleich sein kann. Die Bedeutung der Religion für die Identitätsbildung Jugendlicher kann deshalb nur kontextspezifisch verstanden werden. Im Kontext Europas muss dabei auch die öffentliche Problematisierung von Religion und Religiosität, die sich ganz besonders gegen den Islam richtet, berücksichtigt werden (Allenbach und Sökefeld, 2010).

Die Beiträge in diesem dritten Teil untersuchen auf der Basis von ethnographischen Daten die Rolle der Religion bei sozialen Grenzziehungsprozessen. Theoretischer Ausgangspunkt bildet dabei in erster Linie der so genannte *boundary approach*, der vom norwegischen Anthropologen Fredrik Barth bei der Erforschung von ethnischen Grenzziehungsprozessen entwickelt worden ist (Barth, 1969). Dieser Ansatz geht davon aus, dass Zugehörigkeit immer die Konstruktion von Grenzen beinhaltet, die das Resultat von Interaktionen zwischen sozialen Gruppen sind, die in Machtverhältnisse eingebettet und situationsabhängig sind.

Der Beitrag von *Brigit Allenbach* untersucht solche Grenzziehungsprozesse am Beispiel von Secondos und Secondas aus Südosteuropa in der Schweiz.

Allenbach analysiert, wie die Jugendlichen vorgehen, um Grenzziehungen zwischen «uns» und «ihnen» auf ihre eigene Weise auszugestalten, etwa indem sie sich diese aneignen, um sie zu ihren Gunsten einzusetzen oder indem sie diese zu durchbrechen versuchen. Im Rahmen ihrer Forschung in der JSRG hat Allenbach Gruppendiskussionen und narrative Interviews mit Jugendlichen durchgeführt, die sie über verschiedene religiöse Organisationen von Migranten aus Südosteuropa rekrutiert hat. Im vorliegenden Beitrag wurden Porträts von Jugendlichen ausgearbeitet, die drei verschiedenen Gemeinschaften angehören: einem bosnischen und einem albanischen Moscheeverein sowie einem Zentrum der katholischen Albanermission in der Deutschschweiz. Anhand der Erzählungen der Jugendlichen über ihre Erlebnisse als Söhne und Töchter von Migranten und über die Bedeutung von Religion in ihrem Alltag wird dargestellt, wie es ihnen gelingt, sich in der Schweiz zu Hause zu fühlen, obwohl sie und ihre Familien auch Gruppen angehören, die in der Schweiz das Fremde symbolisieren. Interessant ist, dass die Mehrheitsgesellschaft die Secondos und Secondas aus Südosteuropa bis heute, unabhängig von ihrer religiösen, nationalen oder ethnischen Zugehörigkeit, als «Jugos» etikettiert, eine (vieldeutige) Zuschreibung, die neben der zunehmenden Problematisierung des Islam weiterzubestehen scheint.

Der Beitrag von *Janine Dahinden, Joëlle Moret und Kerstin Duemmler* mit dem Titel «Die Herstellung sozialer Differenz unter der Bedingung von Transnationalisierung: Religion, Islam und *boundary work* unter Jugendlichen» basiert auf einer ethnographischen Untersuchung mit jungen Erwachsenen im Alter zwischen 16 und 19 Jahren in Neuchâtel, einer Stadt in der französischsprachigen Schweiz. Dabei wurden drei Schulen einbezogen: ein Gymnasium sowie zwei Berufsschulen mit je unterschiedlichen Qualifizierungsmöglichkeiten. Ziel des Beitrags ist die Analyse der Grenzziehungsprozesse (*boundary work*) von Jugendlichen. Unter *boundary work* verstehen die Autorinnen «die Herstellung von horizontaler und vertikaler Differenz, die in Interaktionen bestätigt oder auch umkämpft wird (…) und die eine enge Koppelung an soziale Ungleichheiten aufweisen.» An diesem Prozess sind unterschiedliche Akteure beteiligt, wie z.B. staatliche Instanzen, Medien oder Individuen. Anhand von Fallbeispielen werden einerseits der Diskurs der Mehrheitsjugendlichen und andererseits der diskursive Umgang von muslimischen Jugendlichen mit den im Forschungsprozess ermittelten Ausschlussprozessen analysiert. Dabei wird deutlich, dass Religion heute in der Schweiz wieder verstärkt Bedeutung bei der Herstellung von Differenz erlangt hat. Die Autorinnen zeigen, wie die Jugendlichen die Unterschiede zwischen «Christen» und «Muslimen» hervorheben und damit die ehemals wichtige Grenzziehung zwischen Katholiken und Reformierten im Kanton Neuenburg verschoben wurde. Daraus folgt, dass die verstärkte religiöse und ethnisch-kulturelle Pluralität infolge von Transnationalisierung und Migration neue Bedingungen für die Herstellung von Differenz schafft, bei der nicht allein die horizontale Dimension der kulturellen Verschiedenheit und Religionszugehörigkeit zu beachten ist, sondern auch die damit verbundenen Machtkonstellationen. Ein Ausdruck davon sind die Reaktionen der muslimischen Jugendlichen auf die normativen Zuschreibungen und Ausgrenzungen von Seiten des Mehrheitsdiskurses. Da sie die dominanten Grenzziehungen nicht ausser Kraft setzen können, entwickeln sie im «Kampf um Anerkennung» (Taylor, 1993) verschiedene Strategien bei der Konstruktion von Zugehörigkeit. Dahinden, Moret und Duemmler identifizieren zwei verschiedene Varianten: Entweder betonen die muslimischen Jugendlichen ihre Gemeinsamkeiten mit den Etablierten oder den positiven Wert der eigenen Herkunft und der ethno-kulturellen Diversität. Nur sehr selten lassen sich in den Interviews Strategien erkennen, die auf eine Verwischung der Grenzen hinzielen.

Der Beitrag von *Pascale Herzig* handelt von Grenzziehungsprozessen und Konstruktionen von (Mehrfach-)Zugehörigkeit aus der Perspektive von Kindern und Jugendlichen, deren Familien aus Indien oder Sri Lanka in die Schweiz eingewandert sind und die verschiedenen Religionen angehören, beispielsweise muslimisch, hinduistisch oder christlich sind. Herzig geht es darum zu zeigen, dass Religion eine Grenze neben anderen ist. Ziel ist es, genauer zu verstehen, welche Differenzkategorien (Geschlecht, Ethnizität, Nationalität, Alter, Generation usw.) in welchen Situationen wirksam werden. Je nach Kontext gelten andere Spielregeln bei der Konstruktion von Zugehörigkeit. Dies führt Herzig anhand von Daten aus, die in zwei verschiedenen Handlungsarenen, die für den Alltag von Kindern und Jugendlichen wichtig sind, erhoben wurden: Einerseits werden Ausschnitte aus Gruppendiskussionen mit Schulklassen (5. bis 9. Schuljahr) und andererseits Einzelinterviews mit Jugendlichen der zweiten Generation aus Südasien analysiert. Ausgehend vom Konzept der «Verortung von Identitäten» wird im Beitrag von Herzig die situative Bedeutung der Religion deutlich gemacht. Religionszugehörigkeit ist eher eine private Angelegenheit und spielt kaum eine Rolle, um sich in der Schulklasse *in place* zu fühlen. Da alle Kinder und Jugendliche, die indisch aussehen, in der Schweiz in der Regel als Hindus angesehen werden und der Hinduismus exotisch aufgeladen wird, ist für sie Religion kaum mit Ausschlusserfahrungen verbunden. Religion spielt für Familien aus Südasien und ihre Kinder hingegen eine wichtige Rolle, um sich im privaten Bereich *in place* zu fühlen, um beispielsweise bei der Teilnahme an religiösen Aktivitäten Gleichaltrige mit der gleichen Herkunft zu treffen.

Martin Sökefeld untersucht Grenzziehungsprozesse auf der Grundlage seiner Forschungen in den Grenzgebieten zwischen Pakistan und Indien sowie zur alevitischen Diaspora in Deutschland. Es geht in seinem Beitrag um die Frage, inwieweit Religion, die ja immer mit bestimmten Wert- und Transzendenzvorstellungen verbunden ist, tiefgreifende Differenzen schafft. Sökefeld zieht jedoch in Zweifel, ob Religion wirklich immer fundamentale Differenzen begründen muss und stellt die je nach Kontext unterschiedlichen und vielfältigen Bedeutungen von Religion für die Konstruktion von Grenzen dar. In Gilgit, einer Stadt im selbstverwalteten Norden Pakistans (Gilgit-Baltistan), lassen sich zwei gegenläufige Prozesse erkennen: Einerseits eine Verhärtung und Fixierung von religiösen Grenzen und andererseits Bemühungen, die Konflikte zwischen den verschiedenen islamischen Konfessionen (Sunniten, Schiiten, Ismaeliten) dadurch zu überwinden, dass Religion zur Privatsache erklärt wird, die für die kommende politische Entwicklung keine Rolle mehr spielen sollte. Im zweiten Beispiel zur alevitischen Diaspora in Deutschland läuft dieser Prozess gerade umgekehrt ab: Während zunächst beobachtet werden kann, wie die Organisationen der Aleviten in Deutschland die Ausgrenzung des Religiösen aus der Kultur anstreben, erhält aktuell das Alevitentum eine neue Bedeutung als Religion, wobei diese Entwicklung auch im Zusammenhang mit der kontroversen Frage steht, ob Aleviten Teil der muslimischen Welt sind oder eine eigene Religionsgemeinschaft bilden. Das dritte Beispiel handelt von einem Landkonflikt im indischen Bundesstaat Jammu und Kaschmir. Während der indische Mehrheitsdiskurs die Ereignisse als einen (religiösen) Konflikt zwischen Hindus und Muslimen darstellt, betonen die Aktivisten ihre säkularen Ziele. In einem abschliessenden Vergleich der drei Beispiele zieht Sökefeld interessante Schlüsse zur Dynamik und Essentialisierung von Grenzen und Identitäten.

2.4 Über das Sprechen über Jugend, Migration und Religion

Angeregt von Kritik und Diskussionen beim Symposium widmet sich dieser vierte Abschnitt dem Sprechen über Jugend, Migration und Religion. Das Sprechen über etwas konstruiert das Gesprochene sowohl in der Alltagspraxis wie im Forschungskontext (vgl. Mecheril et al., 2003). Unabhängig davon, wie sehr sich die Forscher_in um Differenzierungen und Dekonstruktion bemüht, durch die gemeinsame Thematisierung von Jugend, Migration und Religion wird dieser Zusammenhang als wichtig konstruiert und als solcher festgeschrieben. Sowohl die Forschungsprojekte der JSRG als auch dieser Sammelband sind – beabsichtigt oder unbeabsichtigt – Teil dieser Konstruktion.

Dieser letzte Abschnitt thematisiert – gerade auch vor dem Hintergrund des gegenwärtigen antimuslimischen Rassismus (vgl. Attia, 2009) – die Rolle vom Sprechen über die Anderen bei der Konstruktion der Anderen. Dabei werden sowohl die Produktivität als auch die zyklopische Tendenz von Forschung zu Migrationsanderen problematisiert. Die Produktivität beschreiben Mecheril et al. (2003: 108) wie folgt: «Produktiv ist das wissenschaftliche Tun, weil es Differenzen eben nicht nur beobachtet, sondern auch auf allen Ebenen des Forschungsprozesses bestätigt.»

Das heisst, es ist unmöglich die Verbindung von Jugend, Migration und Religion nur zu beobachten. In dem Moment, in dem wir uns für diese Beobachtung entscheiden, sind wir bereits daran beteiligt, diese Verbindung als eine relevante zu bestätigen. Wir produzieren und reproduzieren durch unsere Forschung und die Veröffentlichung unserer Analysen die Verbindung und rufen dabei bestimmte, zurzeit dominante Debatten, wie zum Beispiel jene über «Muslim_a», auf. Dabei kommt es notwendigerweise zu einer Einseitigkeit. Mecheril et al. (2003: 108–109) erklären die zyklopische Tendenz wie folgt:

> Sobald eine bestimmte Differenzlinie interessiert, neigt der wissenschaftliche Blick zur Einäugigkeit. So geht beispielsweise die Untersuchung «kultureller Differenz» mit der Gefahr der Überbetonung dieses Differenzaspektes einher. Die Komplexität der Beschaffenheit des gesellschaftlichen Raumes, in dem einzelne sich verorten und verortet werden, wird simplifiziert. Der Bezug auf «ethnische Differenz» schafft ein einseitiges Bild, das beispielsweise von den anderen Hauptperspektiven auf die in den Sozialwissenschaften traditioneller Weise zurückgegriffen wird, nämlich «Klasse» und «Geschlecht» absieht.

In der Verbindung von Jugend und Religion mit Migration – und nicht zum Beispiel mit Geschlecht, Klasse oder Befähigung – stellen wir gemeinsam diese Verbindung als relevante her und lenken von den anderen Perspektiven ab. Einige der Artikel thematisieren das und nehmen zumindest die Frage von Geschlecht explizit mit auf. Die Fokussierung auf die Relevanz von Migration bleibt dabei aber bestehen.

Dieser vierte Abschnitt thematisiert die Produktivität und die zyklopische Tendenz des Sprechens über Jugend, Religion und Migration. Dies geschieht auf zwei unterschiedlichen Ebenen. Zum einen findet eine Reflexion des eigenen Sprechens der Forscher_in statt, zum anderen wird das Sprechen der Interviewpartner_innen über Jugend, Religion und Migration analysiert.

Urmila Goel nutzt dabei in ihrem Beitrag «Über das Sprechen über die Religion der Anderen – Ethnographische Annäherungen» wie Herzig ethnographisches Material über junge Menschen, die Südasien zugeschrieben werden. Sie analysiert anhand von Interviews und teilnehmender Beobachtung wie

Repräsentant_innen der Dominanzgesellschaft, Migrant_innen und die Kinder der Migrant_innen über die Religion der als indische Andere Konstruierten sprechen. Dabei präsentiert *Goel* keine in sich konsistente Erzählung, sondern gibt bewusst auch Widersprüchlichem Raum. Sie zeigt wie Religion zur Zeit für viele ihrer Interviewpartner_innen – aber nicht alle – einen zentralen Aspekt bei der Konstruktion von natio-ethno(-religio)-kultureller Zugehörigkeit spielt, dieser aber sehr unterschiedlich mit Inhalt gefüllt wird.

Christine Riegel setzt sich in ihrem Beitrag «Religion als Differenzmarker – Zu Herstellungsprozessen von Differenz im (sozial-)pädagogischen Sprechen über jugendliche Migrations-Andere» aus einer erziehungswissenschaftlichen Perspektive mit dem Sprechen von Sozialpädagog_innen über Differenzen, Unterschiede und Vielfalt auseinander. Sie zeigt, wie dieses durch das Reden über Muslime und Gewalt dominiert wird und arbeitet heraus, wie diese Erzählungen *gendered* sind. Riegel argumentiert, dass dabei das zyklopische Blicken auf Religion und Kultur erhalten bleibt. Im rassistischen Reden über die «Muslime» werden andere Machtverhältnisse zur Unterstützung herangezogen, aber nur solange diese die Migrationsanderen als Andere und als Problem festschreiben.

3. Dank

Abschliessend gilt unser Dank der *Jacobs Foundation*, die uns nicht nur in Form eines Stipendiums unterstützt hat, sondern uns auch grosszügig ihr schönes Ambiente mit Ausblick auf den Zürichsee und den Üetliberg zur Verfügung stellte. Ferner danken wir Friedrich-Wilhelm Graf, Reiner Anselm und Stephan Schleißing für die Organisation und Beratung unserer Forschergruppe. Olga Rix und Andreas Tunger-Zanetti vom ZRWP sei an dieser Stelle ganz herzlich für die Unterstützung vor Ort gedankt. Dies betraf nicht nur die Organisation unserer Arbeitsplätze, sondern auch die Möglichkeiten der An- und Einbindung im Zentrum für Religion, Wirtschaft und Politik (ZRWP) an der Universität Zürich. Zudem möchten wir uns sehr herzlich bei allen unseren Interviewpartnerinnen und –partnern sowie den studentischen Hilfskräften bedanken, die uns in den individuellen Forschungen und der folgenden Auswertung elementar unterstützt haben. Weiterhin richten wir unseren Dank an die Vortragenden, die Discussants und die Teilnehmenden des Symposiums sowie an alle Kolleginnen und Kollegen, die durch ihre kritischen und konstruktiven Anregungen unsere Projektarbeit befördert haben. Insbesondere die methodologische wie theoretische Diskussion der Forschungsergebnisse im Rahmen des Symposiums bot eine produktive Bühne, um unsere Studien einer ersten Öffentlichkeit zugänglich zu machen und im interdisziplinären Kontext zu verorten. Vielen Dank dafür.

Bibliographie

Allenbach, Brigit und Sökefeld, Martin (Hg.), 2010. *Muslime in der Schweiz.* Zürich: Seismo.

Attia, Iman, 2009. *Die «westliche Kultur» und ihr Anderes – Zur Dekonstruktion von Orientalismus und antimuslimischen Rassismus.* Bielefeld: transcript-Verlag.

Badawia, Tarek, 2002. *Der dritte Stuhl.* Frankfurt a.M.: IKO.

Baumann, Gerd, 1999. *The multicultural riddle: rethinking national, ethnic, and religious identities.* London: Routledge.

Back, Les, 1996. *New ethnicities and urban culture: racisms and multiculture in young lives.* UCL Press: London.

Brettfeld, Katrin und Wetzels, Peter, 2007. *Muslime in Deutschland. Texte zur Inneren Sicherheit.* Hamburg.

Casanova, José, 2007a. Die religiöse Lage in Europa. In: Hans Joas und Klaus Wiegandt (Hg.), *Säkularisierung und die Weltreligionen.* Frankfurt a.M.: Fischer, 322–357.

Casanova, José, 2007b. *Gut und böse, Schuld und Sühne.* [online] Zürich: WOZ Die Wochenzeitung. Zugänglich auf: http://www.woz.ch/artikel/2007/nr19/wissen/14930.html. [Zugriff am 20. August 2010].

Elias, Norbert und Scotson, John L., 1993. *Etablierte und Aussenseiter.* Frankfurt a.M.: Suhrkamp.

Foner, Nancy und Alba, Richard, 2008. Immigrant religion in the U.S. and Western Europe: bridge or barrier to inclusion? *International Migration Review,* 42(2): 360–392.

Hamburger, Franz, 2005. Der Kampf um Bildung und Erfolg. Eine einleitende Feldbeschreibung. In: Franz Hamburger, Tarek Badawia und Merle Hummrich (Hg.), *Migration und Bildung. Über das Verhältnis von Anerkennung und Zumutung in der Einwanderungsgesellschaft.* Wiesbaden: VS Verlag, 7–24.

Hamburger, Franz, 2009. *Abschied von der Interkulturellen Pädagogik. Plädoyer für einen Wandel sozialpädagogischer Konzepte.* Weinheim: Juventa.

Hefner, Robert. 1998. Multiple modernities: Christianity, Islam, and Hinduism in a globalizing age. *Annual Review of Anthropology,* 27: 83–104.

Helsper, Werner; Kramer, Rolf; Hummrich, Merle und Busse, Susanne, 2009. *Zwischen Familie und Schule. Rekonstruktionen zu pädagogischen Generationsbeziehungen.* Wiesbaden: VS Verlag.

Heitmeyer, Wilhelm; Müller, Joachim und Schröder, Helmut, 1997. *Verlockender Fundamentalismus. Türkische Jugendliche in Deutschland.* Frankfurt a.M.: Suhrkamp.

Hummrich, Merle, 2009. *Bildungserfolg und Migration. Biografien junger Frauen in der Einwanderungsgesellschaft.* Wiesbaden: VS Verlag.

Hummrich, Merle, 2010. *Jugend und Raum. Exklusive Zugehörigkeitsordnungen in Familie und Schule.* Unveröffentlichte Habilitationsschrift, Halle.

King, Vera und Koller, Hans-Christoph, 2009. Adoleszenz als Möglichkeitsraum für Bildungsprozesse unter Migrationsbedingungen. Eine Einführung. In: Vera King und Hans-Christoph Koller (Hg.), *Adoleszenz – Migration – Bildung. Bildungsprozesse Jugendlicher und junger Erwachsener mit Migrationshintergrund,* 2., erweiterte Auflage. Wiesbaden: VS Verlag, 9–26.

Lauser, Andrea und Weissköppel, Cordula (Hg.), 2008. *Migration und religiöse Dynamik. Ethnologische Religionsforschung im transnationalen Kontext.* Bielefeld: transcript-Verlag.

Mecheril, Paul, 2003. *Prekäre Verhältnisse – Über natio-ethno-kulturelle (Mehrfach-) Zugehörigkeit.* Münster: Waxmann.

Mecheril, Paul; Scherschel, Karin und Schrödter, Mark, 2003. «Ich möchte von dir wissen, wie es ist, du zu sein». Die Wiederholung der alienierenden Zuschreibung durch qualitative Forschung. In: Tarek Badawia, Franz Hamburger und Merle Hummrich (Hg.), *Wider die Ethnisierung einer Generation – Beiträge zur qualitativen Migrationsforschung.* Frankfurt a.M.: IKO, 93–110.

Oevermann, Ulrich, 1995. Ein Modell der Struktur von Religiosität. Zugleich ein Strukturmodell von Lebenspraxis und von sozialer Zeit. In: Monika Wohlrab-Sahr (Hg.), *Biographie und Religion. Zwischen Ritual und Selbstsuche.* Frankfurt a.M.: Campus, 27–102.

Pries, Ludger, 2008. *Die Transnationalisierung der sozialen Welt.* Frankfurt a.M.: Suhrkamp.

Roy, Olivier, 2010a. *Heilige Einfalt. Über die politischen Gefahren entwurzelter Religionen.* München: Siedler (Original französisch, 2008. *La sainte ignorance: le temps de la religion sans culture.* Paris: Seuil).

Roy, Olivier, 2010b. *Religion braucht Kultur.* [online] Bonn: Rheinischer Merkur. Zugänglich auf: http://www.merkur.de/2010_17_gg_roy.41845.0.html?&no_cache=1 [Zugriff am 19. August 2010].

Taylor, Charles, 1993. Multikulturalismus und die Politik der Anerkennung. In: Amy Gutmann (Hg.), *Multikulturalismus und die Politik der Anerkennung.* Frankfurt a.M.: Fischer, 13–78.

Vertovec, Steven, 2009. *Transnationalism.* London: Routledge.

Weissköppel, Cordula, 2001. *«Ausländer und Kartoffeldeutsche». Identitätsperformanz im Alltag einer ethnisch gemischten Realschulklasse.* Weinheim: Juventa.

Theoretische Grundlegung

Paul Mecheril und Oscar Thomas-Olalde

Die Religion der Anderen

Anmerkungen zu Subjektivierungspraxen der Gegenwart

Wenn auch vielleicht mit Friedrich Nietzsche die Zahl jener, die einmal in ihrem Leben Gott getötet haben,[1] in den letzten Jahrzehnten grösser geworden sein mag, so hat sich das Religiöse jedoch sicher nicht verflüchtigt, ganz im Gegenteil. Die Rede ist von einer Wiederkehr des Religiösen, von Entsäkularisierung und der zunehmenden Sakralisierung gesellschaftlicher Verhältnisse. Unabhängig davon, ob Säkularisierung, wie beispielsweise Thomas Luckmann formuliert (Luckmann, 1991), nicht selbst ein Mythos der Moderne ist[2] und insofern berechtigter Weise gefragt werden kann, ob wir es je mit einem Rückzug des und aus dem Religiösen zu tun gehabt haben, können wir jedoch für die gegenwärtige Situation durchaus eine Veränderung feststellen, die womöglich weniger als Renaissance, und vielmehr als eine Transformation des Religiösen bezeichnet werden kann. Einige Aspekte dieser von der Popularität der «Transzendenz-Themen» (Tod, Apokalypse) getragenen Wiederkehr des Religiösen werden als Entinstitutionalisierung und Neuformierung religiöser Handlungsmuster und Selbstverständnisse beschrieben sowie als Individualisierung und gleichzeitige Entprivatisierung der religiösen Erfahrung (etwa Knoblauch 2009: 38ff). Dies ist der Kontext, in dem über

1 «Wohin ist Gott? rief er, ich will es euch sagen! Wir haben ihn getötet, – ihr und ich! Wir alle sind seine Mörder! [...] Gott ist tot! Gott bleibt tot! Und wir haben ihn getötet! Wie trösten wir uns, die Mörder aller Mörder?» (Nietzsche, 1906: 189).

2 Luckmann grenzt sich mit dieser Position von der religionssoziologischen Theorie von Peter L. Berger ab, der in der zunehmenden Marktorientierung der Religionen (Gläubige werden zu Kunden) in modernen Gesellschaften das Ende des religiös-normativen Sinn- und Deutungsmonopols, d.h. das Ende dessen, was Berger religiöse «Nomisierung» nennt, nämlich das Setzen verbindlichen Sinns sieht (Berger, 1973). Für Luckmann kann das Religiöse an sich nicht an Bedeutung verlieren. In industriellen (und heute postindustriellen) Gesellschaften verschwindet nicht die «Religion» an sich, sondern es verwandeln sich die Formen sozialer Institutionalisierung religiöser Sinngebung, bzw. sie verlieren an Bedeutung zugunsten von individualisierten Formen der Religiosität, die durch Auswahl, Synkretismus und Diffusität gekennzeichnet sind (vgl. Luckmann, 1963: 66ff).

Religiosität in der gegenwärtigen Gesellschaft zu sprechen ist: *Pluralisierung*, *Popularisierung* und *(De-)Privatisierung* des Religiösen, und dies ist der Kontext, der im Rahmen von Migrationsforschung, die «Migration» methodologisch und erkenntnispolitisch nicht besondert (Mecheril, 2006a), in Rechnung zu stellen ist. Religion stellt ein Allgemeines dar, ein Allgemeines, das «Migranten» zuzurechnen ist und das sie hervorbringt ebenso wie sie von dem Allgemeinen (zuweilen spezifisch)[3] hervorgebracht werden. Religion ist nicht nur eine gesellschaftlich relevante Kategorie, sondern eine relevante Macht, die aus Subjekten *sujets* (einer Subjektivierungsgrösse Unterworfene) werden lässt. Das Religiöse kann somit als eine allgemeine, zuweilen als solche erkennbare und kommunizierte, zuweilen mittelbare und verborgene[4] Subjektivierungsdimension gegenwärtiger Gesellschaften verstanden werden.

In der politischen, medialen und wissenschaftlichen Behandlung des Topos Migration ist «Religion» zu einem Schlüsselthema geworden; allerdings fast ausnahmslos in der semantischen Figur: die Religion der Anderen. Nicht allein, aber auch am Thema «Religion» erkennen wir einen Grundzug des deutschsprachigen Diskurses über Migration und auch der deutschsprachigen Migrationsforschung im Speziellen: Migrationsforschung ist nahezu ausschliesslich Migrant(inn)enforschung. Diese Einseitigkeit – die beispielsweise das Thema der Religiosität von Menschen ohne Migrationshintegrund in der Migrationsgesellschaft (und womöglich die «Integrationsdefizite» von Menschen ohne Migrationshintergrund in Abhängigkeit von ihrer (Nicht-)Religiosität und ihrer Religion) ausspart – trägt zu einer Verobjektivierung und Vergegenständlichung der Migranten und Migrantinnen in und durch (politisch geförderte) Migrationsforschung bei. Die Verobjektivierung und Vergegenständlichung der Anderen als Andere durch die Fokussierung und Thematisierung ihrer religiösen Praxen ist Gegenstand des vorliegenden Beitrags. Gegenstand des Beitrags ist somit eine gesellschaftlich relevante Subjektivierungspraxis, eine soziale Praxis der Unterscheidung, die auf «Religion» mit Hilfe eines heterogenen und historisch gewachsenen diskursiven Reservoirs zurückgreift und Subjekte hervorbringt. Diese Hervorbringung wird hier im Wesentlichen als Positionierung (Positioniert-Werden und Positioniert-Sein) in einem Bedeutungsraum untersucht. Dass diese Pra-

3 Franz Hamburger (2009: 56ff) unterscheidet drei Muster des Zusammenhangs von Religion und transnationaler Wanderung: a) Religion und Religiosität als relevante Dimension migrierender Lebensweisen; b) Religion als Ursache für Migration und c) Entstehung, Vitalisierung und Verstärkung von Religion und Religiosität als Folge von Migration.

4 Thomas Luckmann (1991) zufolge nehmen religiöse Bedeutungen in säkularen Gesellschaften zunehmend eine soziale und kommunikative Gestalt an, die nicht mehr ohne Weiteres als religiös erkannt wird; dies bezeichnet er als «unsichtbare Religion».

xis und ihre Effekte weder zufällig, noch beliebig sind, wird hierbei klar, wenn Diskurs-, Raum- und Erfahrungsstrukturen in Verbindung gebracht werden; diese ergeben ein kontingent kongruentes Bild, besser eine *Textur*, die an dem jeweiligen Leib haftet und ein Artikulationsverhältnis erzeugt, das diesen Leib nicht definitiv, aber effektiv kennzeichnet.

«Religion» ist eine diskursive Semantik, ein Topos, der in globalen und migrationsgesellschaftlichen Zusammenhängen relevant (gemacht) wurde. Was die Dominanz, die Wirkmächtigkeit und die Virulenz dieser Semantik anlangt, ist es uns wichtig aufzuzeigen, wie Diskurse (hier konkret: eine binäre Sprechweise über «Religion»), Praxen (wie die auf bestimmten Wissensbeständen basierende Praxen des «religiösen Otherings») und Artikulationen Subjekte hervorbringen und positionieren und wie diese Positionierung konkrete politische und gesellschaftliche Praktiken schliesslich ermöglicht, legitimiert oder in Frage stellt. Die «Thematisierung» von Religion als «identitäres Schicksal» bestimmter Subjekte ist eine dominante Subjektivierungspraxis in der Migrationsgesellschaft. Eine Praxis, welche die Grundlage spezifischer Behandlungsformen darstellt, die mit binären und auch rassistischen Zuordnungen einhergehen. Der Topos «Religion» ist in diesem Zusammenhang ein weiteres «leeres Signifikant» (Laclau), das «Kultur» und schlussendlich «Rasse» subtituiert oder besser: überlagert und mittels diskursiver Wirkung als ein effektives und akzeptables Differenzierungsmerkmal erscheint.

Dem Gegenstand der religiösen Subjektivierung nähern wir uns in vier Schritten. Zunächst findet sich eine knappe Skizze des gegenwärtigen wissenschaftlichen und öffentlichen Sprechens über Religion. Zwei in ihren Grunddiagnosen gegensätzliche Topoi lassen sich unterscheiden: Die diskursive Behauptung der Pluralisierung und Individualisierung des Religiösen auf der einen Seite, sowie die diskursive Fokussierung der einwertigen und «fatalistischen Religion» der Anderen andererseits. Einen spezifischen Typus der «Religion der Anderen» untersuchen wir anschliessend unter der Bezeichnung «religiöses Othering», dessen subjektivierende Effekte im daran anschliessenden Abschnitt an einem empirischen Beispiel erläutert werden. Der vierte Abschnitt sucht in einer historischen Einstellung die «Tiefe» der hier untersuchten religiösen Subjektivierungs- und Alienationsform zu erkunden und verweist darauf, dass natio-ethno-kulturelle Zugehörigkeitsräume eine konstitutive sakrale (begnadende, charismatische, unhinterfragbare) Dimension aufweisen.

1. Über Religion: zwei Sprechweisen

Aktuelle Zeitdiagnosen, die in soziologischer, politik- oder kulturwissenschaftlicher Einstellung auf den Gegenstand Religion bezogen sind, weisen methodologisch, perspektivisch und inhaltlich einen hohen Disparitätsgrad auf. Auf einen ersten Blick und mit einigem Mut zur systematisierenden Vereinfachung lassen sich zwei signifikante Sprechweisen in der, im weiten Sinne, Religionsforschung erkennen. Wir bezeichnen die erste Sprechweise als Aneignungsmodell und die zweite als das Modell einer schicksalhaften religiösen Identität.

1.1 Religion als individualisierende Aneignung

Die wissenschaftliche und nicht immer eindeutig disziplinär verortbare Thematisierung von Religion, welche die Bedeutung von Religion für gesellschaftliche und historisch situierte Individuen der Gegenwart untersucht, hebt in den letzten Jahren in Formulierungen wie *Individualisierung der Religion* (z.B. Gabriel, 1996), *Zwang zur Häresie*[5] (Berger, 1979), in dem Verständnis von alten und neuen religiösen Sinnangeboten als spirituellen Warenhäusern und *göttliche Supermärkte* (Ruthven 1991) oder auch in der Rede von der *Entinstitutionalisierung und der Entkirchlichung* religiöser Weltsichten und Handlungspraxen (vgl. Dellwing, 2007 S. 13–17), die Freisetzung und Entpflichtung der Individuen aus kulturell, generational und institutionell vorgegebener Religion bei gleichzeitiger Aufforderung zur Gestaltung der eigenen (Nicht-)Religiosität hervor. Diese «Sprechweise über Religion» kann hier keiner gründlichen Analyse mit Bezug auf Einzelthesen ausgesetzt werden. Da es uns um eine allgemeine Skizze geht, behandeln wir exemplarisch die These der «unsichtbaren Religion» von Thomas Luckmann (1991); diese kann als paradigmatisch für einen bestimmten Topos im Diskurs über Religion gelten.

Die These der «unsichtbaren Religion» geht analytisch von der grundlegenden Differenzierung zwischen einer subjektiv-allgemeinen und einer institutionell-spezialisierten Religionsform aus. Darauf basierend können Phä-

5 «Häresie» wird von Peter Berger (1979) im etymologischen Sinne verstanden: Das griechische Wort *airesis* bedeutet *Wahl*. Bergers Religionstheorie lässt sich auch als *Erzählung über signifikante Brüche lesen*. Gesellschaftliche und lebensweltliche Pluralisierungsphänomene stellen Individuen unausweichlich vor eine Fülle an möglichen Sinnhorizonten und zwingen den und die Einzelne zur Wahl. Berger spricht von der *Pflicht zur Wahl* als wesentliches epochales Merkmal der Moderne, das sich im Bereich des Religiösen am deutlichsten niederschlage.

nomene, wie der Bedeutungsverlust kirchlich (und dadurch teilgesellschaftlich) normierter Sinnhorizonte und die Emergenz *neuer religiöser Phänomene*, wie die Entstehung individualisierter religiös kodierter und öffentlich artikulierter Sinnzusammenhänge, analytisch in Einklang gebracht werden. Luckmann definiert die Bedeutungs- und Machtverschiebungen etablierter religiöser Systeme im Zuge von Modernisierungsprozessen nicht als «eine Art individualpsychologischen Glaubensverlust [...] *en masse*», sondern als «Verselbständigung der gesellschaftlichen Institutionen gegenüber einem übergreifenden, religiös symbolisierten Sinnzusammenhang, als Lösung institutioneller Bereiche aus dem Kosmos religiöser Sinngebung» (Pollack, 2003: 22). In dieser religionstheoretischen Perspektive erscheint *Religion* nicht mehr als geschlossenes institutionalisiertes Sinnsystem, in das sich Individuen einfügen, sondern als Objekt individueller und privater Wahl. Die Ausgangsanalyse des *Aneignungs-Paradigmas* konstatiert, dass historisch gewachsene institutionalisierte Religionen durch eine zunehmende Säkularisation der gesellschaftlichen Verhältnisse ihre Deutungsmonopole verlieren. Ihre kanonisierten Sinnangebote bleiben jedoch erhalten und treten – das ist das Zeichen pluraler Gesellschaften – in eine Art Konkurrenz zueinander und mit nicht institutionalisierten (wertend oft als «quasi-religiös» bezeichneten) Transzendenzhorizonten. Es sind aber Subjekte, die sich jene religiösen «Identitätsbausteine» aneignen, die ihren Erfahrungen und Bedürfnissen am ehesten entsprechen und dadurch «Religion» mittels subjektiver Umdeutungs- und Aneignungspraktiken zur unterschiedlich relevanten «Privatangelegenheit» machen. Mit dem Ansatz von Luckmann und anderen (Berger, 1979; Taylor, 2002; bis zu einem gewissen Grad: Casanova, 2009) wird eine bestimmte Perspektive, ein bestimmter Blick auf das «Religiöse» zunehmend plausibel, der religiöse Suchbewegungen und individuelle Selbst-Praxen, die durch Auswahl, Synkretismus, Heterogenität und Diffusität gekennzeichnet sind, fokussiert und in Rechnung stellen will. Die erkenntnisrelevante Perspektive des «Aneignungsmodells» erkennt Individuen als solche, die – in ihren historischen, politischen und lebensweltlichen Lebensbezügen – aus einem distinkten und pluralen religiösen Sinnangebot auswählen. Die epistemologische Grundannahme des Aneignungs-Paradigmas besteht mithin darin, dass es die Subjekte sind, die über *Religion* verfügen.

Fokussierung, Perspektive und Grundannahmen des Aneignungs-Paradigmas stehen für eine *Subjektivierungswende* in der Religionsforschung: für eine Verlagerung des epistemischen Standortes, die das «Subjekt» zum Erkenntnis strukturierenden Zentrum macht, von dem aus nicht mehr von *Religion*, sondern nunmehr von *Religiositäten* gesprochen werden kann. Diese können – so die These - als dynamische, hybride und kontingente «Identitätselemente», besser noch, als «Präferenzen» beschrieben werden, nicht mehr aber als Merkmale, die Subjekte «kennzeichnen» und dadurch eindeutige Zuordnungen ermöglichen und legitimieren. «Religionszugehörigkeit» wird hier somit zu einer Kategorie nachgeordneten Stellenwertes. In diesem Sinne ist Religion nicht nur in einem sozialen Sinne unsichtbar,[6] das Aneignungs-Paradigma erklärt Religion für am Leibe der Subjekte nicht eindeutig wahrnehmbar.

1.2 Religion als identitäres Schicksal

In einer mindestens irritierenden Gleichzeitigkeit attestiert eine zweite Sprechweise über Religion bestimmten für religiös erklärte Gruppen eine hohe religiöse Mobilisierungskraft und rückt die Bedeutung religiös codierter Positionen und die politische und soziale Dynamik religiös organisierter Gruppen (z.B. muslimische Vereine in europäischen Gesellschaften) in den Vordergrund. Diskussionen über den Platz der Religionen und deren Symbolik, deren ritueller und liturgischer Manifestationen, deren politischen Interventionen im öffentlichen Raum, etc. gehören zum medialen und politischen Alltag; politikwissenschaftliche Studien beschäftigen sich zunehmend mit der Kategorie «Religion» als zumindest potentiell entscheidenden Faktor in den (weltweiten) politischen und zuweilen militärischen Auseinandersetzungen. Ohne den Gehalt des Aneignungs-Paradigmas explizit in Frage zu stellen, werden zeitgleich Versuche unternommen, Erklärungsmodelle für jene Phänomene zu finden, die für eine gewisse Re-Religionisierung gesellschaftlicher Entwicklungen zu sprechen scheinen. Diese Erklärungsmodelle weisen – in der Heterogenität ihrer wissenschaftlichen Fundierung und erkenntnispolitischer Gerichtetheit – eine gewisse diskursive Konvergenz auf, die es zulässt, von einem diskursiv hervorgebrachten parallelen Religion-Paradigma zu sprechen: das Paradigma der *schicksalhaften religiösen Identität.*

Konturen des hier zu kennzeichnenden Paradigmas lassen sich an einem breiten Spektrum an symbolischen Praxen (Thesen, Argumentationsstile, dominante Denkfiguren usw.), die sich zu einer Art diskursivem Feld formieren, erkennen. Hierzu gehören: politikwissenschaftliche Thesen (in der Regel jene, die mit geopolitischen programmatischen Absichten eine «neue Weltordnung» oder den Beginn einer neuen globalen Ära thematisieren), populärwis-

6 Hubert Knoblauch (2009: 25) verweist darauf, dass die «Metapher von der ‹unsichtbaren Religion [...]› keineswegs den Schwund der Religion behauptet. Die These der unsichtbaren Religion besagt vielmehr, dass religiöse Inhalte immer häufiger in einer sozialen und kommunikativen Gestalt auftreten, die nicht mehr als religiös erkennbar ist. Die Religion besteht also weiter, sie ist nur nicht mehr als solche sichtbar».

senschaftliche Literatur über die «Weltreligionen» und insbesondere über den Islam, politische, fachliche und Alltagsdebatten über Migration, Kultur und Werte, sicherheitspolitische Massnahmen und Diskussionen über das Verhältnis der Religionen (insbesondere des Islam) zur Rechtsstaatlichkeit und Demokratie etc.

Einige prominente Diskurspositionen haben den *Faktor* «Religion» als analytische Grösse neu entdeckt; gesamtgesellschaftliche und globale Entwicklungen werden mit «Religion» erklärt. Das meistdiskutierte und vermutlich auch wirkmächtigste Beispiel stellt die These von «Kampf der Kulturen» von Samuel P. Huntington (1998; orig. 1991) dar. Huntington entwirft ein Globalszenario mit programmatischen und totaltheoretischen Dimensionen, in dem der Anspruch kein geringerer ist, als «den wahren Motor der Geschichte» offenzulegen. Dieser besteht – plakativ formuliert – in der Revitalisierung von Kultur und Religion als identitätspolitische Ordnungsprinzipien. Für unseren Zusammenhang ist die diskursive Verortung von «Religion» bedeutsam. Der Kern des Entwurfs Huntingtons besteht darin, «Kultur» und «Religion» als jene Identitätselemente zu kennzeichnen, die einen realen*, historischen und politischen Gehalt* und politische Mobilisierungskraft besitzen. Huntington teilt die «Welt» in neun Kulturkreise auf, die – ganz nach dem Schema Powerbalance-Doktrine im Kalten Krieg – um militärische und wirtschaftliche Dominanz konkurrieren.[7] Dem «Westen» stehen z.B. der «afrikanische», der «indische», der «japanische» oder der «islamische Kulturkreis» gegenüber – der einzige «Kulturkreis» der fraglos religiös definiert wird. Es ist gerade

7 Huntington nimmt für sich selbst in Anspruch, mit dem «Zivilisationsparadigma» die weitreichendste Theorie der internationalen Beziehung nach dem Ende des Kalten Krieges entwickelt zu haben. Der theoretische Ansatz soll erklären, warum die Welt nach dem Ende des «ideologischen Paradigmas» multipolar geblieben und warum der entscheidende zu Polaritäten führende Faktor *das Kulturelle* ist. Die Kritik an dieser Position weist darauf hin, dass das Huntingtonsche Paradigma eine viel konventionellere Weltsicht enthält als Huntington selbst eingestehen möchte. Man kann von einem Rückfall auf die Parameter des realistischen Modells sprechen. Stephen Shulman bezeichnet Huntingtons Position und Perspektive als *«Cultural Realism»* (Shulman, 1998: 305) und Wang Gungwu bewertet Huntingtons Kulturansatz folgendermassen: «Huntington geht es viel weniger um die Kulturen als solche, sondern vielmehr um Mächtegruppierungen, gebildet aus Nationalstaaten, entweder auf der Basis vermeintlicher gemeinsamer Werte oder auf der Basis des gemeinsamen Interesses» (Gungwu, 1997: 68) Das neue zivilisatorische Paradigma scheint die Spielregeln eines anarchischen Interessensystems beizubehalten, nur die Akteure sind andere. Die Kulturkreise Huntingtons agieren in der Tat unter denselben Motivfaktoren wie die Supermächte von einst. Rubenstein und Cocker bezeichnen sie als Superstaaten*:* «Superstates motivated by the same imperatives of insecurity and self-aggrandizement as were their Cold War and historical predecessors» (Rubenstein/Cocker, 1994: 115.).

diese «islamische Welt», die in der These Huntingtons als Gegensatz zur «westlichen Identität» *besprochen* wird. Dem «Islam» als *Religion der Anderen* wird nicht etwa die historische Rolle von Religionen im Westen oder die Rolle «westlicher Religiosität» zugebilligt. Vielmehr dient er dazu, das «Nicht-Muslimisch-Sein» des «Westens» hervorzubringen und in dieser Negativität einen Ort, der gewiss zu sein scheint. Kritiken an Huntingtons Positionen halten seine Thesen für eine programmatische diskursive Hervorbringung des «Islam» als eines neuen, vielleicht doch nicht ganz so neuen Feindbildes des Westens, das das Vakuum an Antagonismen, das das Ende des sogenannten Kalten Krieges und der ideologischen Zweiteilung der Welt mit sich brachte, ausfüllt. Unbeachtet der politischen Konsequenzen der Thesen Huntingtons interessiert uns hier der einseitige und intentionale Rekurs auf Religion, um eine Grenze zwischen einer Wir- und einer Nicht-Wir-Gruppe zu markieren, die den grundlegenden Unterschied zwischen beiden im «Wesen der Anderen» sehen will. Huntington scheut nicht die Offenlegung des (politisch-voluntaristischen) Unterscheidungsprinzips, auf dem seine Thesen basiert: «Wir wissen, wer wir sind, wenn wir wissen wer wir nicht sind und gegen wen wir sind» (Huntington, 1998: 21). Über die politikwissenschaftliche Dimension der These hinaus, kann festgehalten werden, dass Huntington seiner Auseinadersetzung mit der aktuellen weltpolitischen Lage zuerst eine politisch-philosophische Prämisse (Identität lässt sich nur durch negative Abgrenzung herstellen) und dann eine epistemologische Setzung («Kultur» und «Religion» sind für bestimmte «Kulturen» und «Religionen» ein unveränderliches Merkmal) zu Grunde legt. Alternative Erwägungen über die «neue Weltordnung» weisen zuweilen im «selbstkritischen», appellativen Gestus darauf hin, dass die Gewaltausbrüche, der Terror und der «kulturelle Hass», der dem «Westen» entgegengebracht wird, eine Reaktion auf den militärischen, politischen und kulturellen Imperialismus darstellt, der mit einer vom Westen her gesteuerten Globalisierung einhergeht; so z.B. die These von «Jihad vs. McWorld» von Benjamin Barber (1996), dessen politische und globalisierungskritische Positionen jedoch eine erste essentialistische Aufteilung der Welt voraussetzt: hier die wirtschaftliche (pervertierte und hegemoniale) Rationalität des Westens, dort die «kulturell und religiös erklärbare» Abwehrreaktion der *Unterdrückten*, die mit der «muslimischen Welt» identifiziert werden.

Aber nicht nur Thesen mit einer eindeutigen weltpolitischen Intention, wie die These vom «Clash of Civilisations» oder von «Coca Cola und Heiliger Krieg» scheinen für einen selektiven Gebrauch des Topos Religion als unverrückbares Identitätselement Anderer zu stehen. Eine Reihe von unterschiedlichen Positionen zu sozialen und politischen Brennpunkten der Gegenwart mit umfassenden Deutungsambitionen tendieren dazu, in einer allgemeinen «Diagnose» zu konvergieren: Wir hätten es mit der Virulenz eines *Identitätsmomentes* zu tun, das mit Phänomenen in Verbindung gebracht werden könne, die einer gewissen gegebenen *Ordnung der Dinge* zuwiderlaufen, mit Phänomene, die geltende Selbstnarrativen (die moderne, die demokratische, die postmoderne Gesellschaft etc.) destabilisieren.

Dieser Befund resultiert zugegebenermassen aus einer gewissen stilisierenden Einstellung; mit dieser ist es aber möglich, bestimmte zeitdiagnostische Thesen in den Blick zu nehmen und auf ihre epistemologische und erkenntnispolitische Konvergenz hin zu befragen. Diese Thesen fokussieren und werten auf unterschiedliche Art und Weise die plötzliche und wuchtige *Emergenz des Anderen.* In der aktuellen poltischen Lage erweisen sich hierbei solche Positionen und «Erklärungen» als wirkmächtig, die das «Andere» mit der «islamischen Welt» identifizieren. Neben den oben besprochenen Autoren lässt sich die Liste an islamkritischen Positionen sehr weit fortsetzen. Je nach politischem Kontext weisen diese wiederum unterschiedliche Akzentuierungen auf. Der gemeinsame Nenner ist jedoch die Thematisierung des Islam als das «Andere», das in die moderne/säkulare/christliche/demokratische/emanzipierte/liberale/abendländische Welt auf eine bedrohliche Art und Weise einbricht; so z.B. die antiislamischen Plädoyers von Oriana Fallaci (2002; 2004), die eine Islamisierung Europas durch Migration und durch die *Fruchtbarkeit muslimischer Frauen* im Vormarsch sieht, oder die medialen Auftritte von Hans Peter Raddatz, der unter Berufung auf die eigene «Islam-Expertise», antisemitische Stereotype durch antimuslimische austauscht und den «Islam» und die *islamischen Subjekte* als Gegenbild des «Westens» darstellt. Aber auch Thesen, die einen über die Zeitdiagnose hinausgehenden Anspruch formulieren, greifen auf die Semantik des «Einfalls des Anderen» zurück. Ein bezeichnender Topos ist hier der des «Thymos». Der der platonischen Begrifflichkeit entnommene Begriff verweist auf jene menschliche Regungen und Leidenschaften, die, so etwas wie ein irrationales Verlangen nach Anerkennung begründen und der ökonomischen Rationalität widersprechen. Im «Ende der Geschichte» (1992) hatte Francis Fukuyama unter Berufung auf einen durch Kojève vermittelten Hegel (Kojève, 1975; Orig. 1958) auf die *thymotische Dimension* menschlichen Handelns hingewiesen. Dieser irrationale Drang nach Ehre und Anerkennung dürfte – so die anthropologische liberale Programmatik Fukuyamas – nicht unterschätzt und müsse kanalisiert werden. War das «Thymotische» bei Fukuyama noch eine allgemein anthropologische Aussage, wurde es dann in darauf folgenden Thesen historisiert, lokalisiert, und subjektiviert. Es wurden die *thymotischen Subjekte* hervorgebracht, die wie die Krieger und die Arbeiterklasse von einst daran seien, vom Zorn erfüllt und von Anerkennungsdurst gepeitscht, die (postideologische) Ordnung der Dinge umzuwälzen. Für Peter Sloterdijk (2006) ist der «Islam» der Erbe des im antimodernistischen Katholizismus und dann im kämpferischen Kommunismus vorhandenen tymotischen Geistes (Zornbank), und die «Muslime» die zornigen Subjekte von heute.

Auch demographische Erklärungsmuster über den *Terror* und die *neuen Gewaltformationen,* wie sie etwa vom Genozidforscher Gunnar Heinsohn (2003) vorgelegt wurden, die ausdrücklich kulturalistische Erklärungsmuster ablehnen, können gleichwohl auf die implizit binäre Struktur ihres Analyseschemas befragt werden. Heinsohn sieht die «Erklärung» für die die Moderne irritierende Gewaltphänomene in der demographischen Entwicklung der «sohnesreichen islamischen Welt» (Heinsohn, 2003, Umschlagtext), die in den letzten 100 Jahren ihre Bevölkerung verachtfacht habe und einen Überschuss an männlichen Jugendlichen aufweise, die mit wenigen Perspektiven auf wirtschaftliche und gesellschaftliche Anerkennung sich in einem Positionenkampf befänden. Dies sei das «demographische Reservoir» extremistischer Weltansichten und terroristischer Gruppierungen. Die Grundoperation der Unterscheidung zwischen «Wir» und «den Anderen» scheint also auch in einer kritischen Haltung, die essentialistische Argumentationsfiguren ablehnt und sich auf historische und soziologische «Fakten» bezieht, vollziehen zu können.

In der Publizistik und im populärwissenschaftlichen Bereich kann sogar von der Entstehung eines eigenständigen *Genres* gesprochen werden: die «Islam-Aufklärungsliteratur». Dazu gehören «historische Darstellungen», die die tiefen Wurzeln der *muslimischen Identität* belegen sollen, genauso wie Biographien von unter dem Islam leidenden Frauen, religionskomparative Theorien, den Islam rehabilitierende Untersuchungen, Kampfschriften, die die westlichen Werte vor einer Islamisierung der Gesellschaft zu bewahren trachten, dem «interreligiösen Dialog» verschriebene Plädoyers und theologische Handreichungen zur Entdeckung von Gemeinsamkeiten und Unterschieden zwischen Christen und Muslimen etc. Dem bereits als «anders» identifizierten «muslimischen Subjekt» soll auf den Grund gegangen werden, es gilt dieses als (von einer bestimmten Gesellschaft, Mentalität, Religion, Geschichte) geprägt zu erkennen, zu kennzeichnen, es zu erklären und zuzuordnen.

Zusammenfassend: Die Skizze einiger aktuell diskutierter Thesen zu «Religion und Religiosität» zeigt eine Disparität auf. Auf der einen Seite finden sich Ansätze, welche die Existenz und die lebensweltliche Relevanz von Religion in komplexen, individualisierten, pluralen und globalisierten Gesellschaften als fluides, optionales, deinstitutionalisiertes Phänomen zu erklären versuchen. In der zweiten *Sprechweise über Religion* wird nicht nur Existenz und lebensweltliche Relevanz, sondern auch die subjektivierende, kulturelle, gesellschaftliche und politische Wirkmächtigkeit von Religion konstatiert und in einem bestimmten diskursiven Rahmen festlegt. Zu diesem diskursiven Rahmen gehören Thesen über das Religiöse, die sich in rhetorischen Figuren wie «Die Wiedekehr des Religiösen», «Die Rache Gottes» (Kepel, 1994), «Kampf der Kulturen» (Huntington, 1998), die «Rückkehr der Fundamentalismen», aber auch – vor allem in der medialen Berichterstattung und in öffentlichen Debatten – dominanten Narrativen wie «der Wertkonflikt der Religionen», der «demokratieferne Muslim», oder der «Konflikt zwischen Islam und der Emanzipation der Frau» artikulieren (Attia, 2009). Dieser diskursive Rahmen ist von einer grundlegenden *Binarität* gekennzeichnet. Das diskursive Feld ist zweigeteilt: die epistemische und diskursive Trennlinie verläuft zwischen «Religion» und «Religion der Anderen»; zwischen einem Sprechen über Religion, das religiöse Phänomene in ihrer Komplexität individuell, gesellschaftlich, historisch und soziologisch kontextualisiert und diskursive Sprechpraxen, die Subjekte in den Blick nehmen und in reduktiver Weise auf «Religion» rekurrieren, um diese Subjekte zu thematisieren, darzustellen, zu erklären und zu positionieren. Einen zugespitzten Typ dieser Praxis des Sprechens über die Religion der Anderen wollen wir mit Hilfe des Begriffs des religiösen Otherings ein wenig genauer ausführen.

2. Religiöses Othering

In ihrer Untersuchung des aktuellen hegemonialen Diskurses über den «Islam» und die «Muslime» stellt Iman Attia (2009) fest, dass es sich bei der generalisierenden Redeweise über «die Muslime» um mehr als um «antimuslimische Stereotypen» handelt: die Verschränkung von Diskursen über «Muslime» in kulturellen und wissenschaftlichen Tradierungen (Orientalistik, Islam- und Religionswissenschaften) mit mächtigen und sich selbst reproduzierenden Negativnarrativen (die «unterdrückte muslimische Frau», der «rückständige islamische Migrant», usw.), politischen Dispositiven und Alltagsdiskursen deutet auf die Wirkmächtigkeit einer bestimmten hegemonialen diskursiven Praxis hin, die eine Gruppe durch Essentialisierung, Attribuierung und Repräsentation hervorbringt. Diese diskursive Hervorbringung der «religiösen Identität» von Muslimen ist nun aber nicht ein zufälliges Phänomen. Sie ist auf eine konstitutive Art und Weise mit der Hervorbringung eines «nicht-muslimischen» Wir-Narrativs verbunden. Die Fixierung der «religiösen Identität» «muslimischer Subjekte» ermöglich in dieser Praxis erst die Konstruktion des Selbstbildes eines komplementären «Wir».

Die diskursive Praxis des Otherings rekurriert auf Religion, um eine epistemische, politische, anthropologische und dadurch quasi-ontologische Grenze zwischen einer – mehr oder weniger expliziten – «Wir-Gruppe» und «den Anderen» zu markieren und zu verobjektivieren. Dies geschieht in einem Kontext, der sich paradoxerweise nicht räumlich (geographisch, territorial) eingrenzen lässt, sondern vielmehr durch die Entterritorialisierung von identitätspolitischen Koordinaten gekennzeichnet ist. Das religiöse Othering findet im Kontext von Globalisierung und Migration statt. Hier zeigt sich eine Figur, in der der Rekurs auf Religion mit einer hegemonialen Zuordnungspraxis verbunden ist, die einen sakralisierten (siehe weiter unten) und symbolischen Raum schafft, in dem Exklusion und Dominanz jenseits von politischen normativen Paradigmen legitimiert werden können. «Bei der Suche nach einer Legitimation für die Behandlung des Einwanderers als Fremden ist man nicht ganz zufällig auf die Religion gestossen. Der religiöse Blick eröffnet eine einmalige Möglichkeit, den als Nicht-EU-Bürger verbliebenen ‹Einwanderer-Resten› ein ein-ein-deutiges Merkmal zuzuschreiben, nämlich eine orientalisch-islamische Grundeinstellung. Das hat noch dazu den Vorteil, dass man dann auf ethnische Distinktionen verzichten kann, die sich bislang alle als sehr flüchtig und nicht belastbar erwiesen haben.» (Bukow/ Heimel, 2003: 34)

Grundlage des religiösen Otherings ist, dass es nicht etwa um soziologische Phänomene oder um historische Entwicklungen des Religiösen geht, sondern um die Kenzeichnung einer «anderen Religion» als solche. Die *Andersheit* der Religion wird hierbei nicht mittels religionswissenschaftlicher Kategorien definiert, sondern in einer grundlegenderen Operation festgestellt: «Religion» wird mit *Andersheit* (*Otherness*) verbunden; die «andere Religion» ist in diesen diskursiven Topoi immer die «Religion der Anderen», womit die Andersheit der Anderen als *quasi-religiöse Setzung* festgelegt wird.

Spätestens seit dem 11.09.2001 ist es «im Westen» üblich, vom Islam als von der anderen Religion zu sprechen. Auf einer globalen Ebene begegnen uns (geo-)politische Diskurse, die den Islam als die Religion bestimmter Gesellschaften thematisieren. So wird von der «islamischen Welt», von «islamischen Ländern», vom «islamischen Einflussgebiet» etc. gesprochen: «Der Islam ist für die ‹westliche Welt› zur zentralen Bedrohung geworden. Seit dem 11.9.2001 hat sich das Bedrohungsgefühl ins Wahnhafte gesteigert. Zwar wird in politischer korrekter Rede, wenn es um den Feind geht, nur vom ‹Islamismus› gesprochen, aber der zweite Code signalisiert: Der Islam ist der Feind» (Hamburger 2009: 53).

Um die *epistemologische Grammatik* dieser (subjektivierenden) Praxen, welche die Etablierung eines hegemonialen Diskurses über die Anderen ermöglichen, besser beschreiben zu können, bietet es sich an, auf den Begriff des *Othering* zu rekurrieren. *Othering* hat sich als Schlüsselbegriff postkolonialer Theorienbildung etabliert. In Anlehnung an psychoanalytisch-theoretische Konzepte von Jaques Lacan wurde der Begriff im postkolonial-theoretischen Kontext von Gayatri Chakravorty Spivak neu geprägt und seit den 1970er Jahren vor allem in anthropologischen Ansätzen breit rezipiert. Lacans Überlegungen bilden den theoretischen Rahmen, in dem Subjektwerdung und Identitätsbildung nicht mehr als solipsistischer Prozess des (wie auch immer aufgefassten) Selbst, sondern als stete «Spiegelungsdynamik» verstanden werden kann.[8] Nach Spivak erkennen kolonialisierte Subjekte sich erst durch dominante diskursive Praxen des kolonialen *Zentrums* als solche und zwar in Abhängigkeit zu diesen (Spivak, 1996). Kolonialisierende Praxen bringen Subjekte hervor.

Eine andere Perspektive fokussiert gerade jene diskursiven Praxen, die Andere zu Anderen macht und dadurch ein kollektives Selbstbild erzeugt. Diese Perspektive wurde vor allem durch die Arbeiten von Edward Said zur Konstruktion des «Orients» als antagonistisches Gegenbild des «Okzidents» bekannt und einflussreich. Im seinem Werk «Orientalism» (Said, 2003, 1978), das als Gründungsdokument postkolonialer Theorie angesehen werden kann (Castro Varela/Dhawan, 2005: 29), analysiert Said jene diskursive Praxen die «den Orient» und «die Orientalen» erst hervorbringen und in einer konstitutiven Relation zum Selbstbild des «Westens» stellen. Die Mechanismen und die Wirkmächtigkeit dieser Praxen lassen sich – so Said – nur im Kontext des europäischen Imperialismus und dadurch als Legitimierungs- und Stabilisierungspraxis von Herrschaftsansprüchen gegenüber den konstruierten «Anderen» verstehen. In dieser Perspektive lässt sich *Othering* als doppelter Prozess verstehen: die «Anderen» werden durch bestimmte Wissensproduktionspraxen konstruiert, die koloniale Herrschaftsbildung legitimeren; es ist aber zugleich diese (politisch, wirtschaftliche und kulturelle) hegemoniale Intention, die diese epistemische Praxen als «plausibel» und «nützlich» erscheinen lässt.[9]

Said analysiert jene Praxen der Wissensproduktion, die den «Orient» orientalisieren. Die Etablierung der Orientalistik als akademisch anerkannte Disziplin korreliert historisch mit der europäischen expansionistischen Politik in

8 So im berühmte Spiegel-Beispiel von Lacan, indem ein Kind durch die Betrachtung seines Spiegelbilds, d.h. erst durch die Entdeckung des «Anderen» zur «Selbstbewusstwerdung» kommt (Lacan 1968, zit. n. Eden, 1991: 309–314).

9 Said verwendete den Begriff *Othering* selbst nicht. Seine Beschreibung des «Orientalismus» wurde aber in der postkolonialen Rezeption seiner Thesen als Analyse einer paradigmatischen *Othering*-Praxis aufgefasst und theoretisch weitergeführt.

den sogenannten Orient. Auf den Verwaltungsstrukturen des Kolonialismus aufbauend gedeiht in Europa ein «obsessives Studium des Orients» (Castro Varela/Dhawan, 2005: 33), das vorgibt, die «Anderen» verstehen zu wollen. In diesem Gestus werden «Informationen» über «die Anderen» gesammelt und zu einem Wissenskorpus formiert, der «die Anderen» erklärt. Diese «Erklärung» setzt freilich voraus, dass in einem Prozess der Essentialisierung «die Anderen» als homogene Gruppe konstruiert worden sind. Kollektivierung und Essentialisierung sind zwei Momente ein und derselben epistemologischen Operation. Durch Essentialisierungspraktiken werden heterogene «Wissensbestände» zu einer kompakten «Wissenshülle» gemacht, die es ermöglicht, produzierte «Informationen» zu relevanten (dominanten und machteffektiven) Aussagen über die «Wesenhaftigkeit» der Anderen zu machen. Diese konstruierte «Wesenhaftigkeit» ist nach Said immer durch die Ambivalenz gekennzeichnet, die die Anderen im Sinne des Anderen als des ahistorischen, quasi-metaphysischen Subjekts repräsentiert und gleichzeitig mit der «Historizität» des eigenen produzierten Wissens argumentiert.[10] Werden Essentialisierungspraktiken zu dominanten, d.h. zu alternativlos plausibel erscheinenden Diskursen, so ermöglichen sie jene epistemischen Praxen, die das absolute Absehen von Subjekten vorzunehmen in der Lage ist. Das Spezifische, das Lebensweltliche, das Subjektive, das Biographische wird als solches aufgehoben bzw. allein als das Allgemeine zugelassen. Die epistemische Wissensproduktion des Orients – so Said – legitimiert, dass ein ‹Orientale› zuerst ein ‹Orientale› ist, dann ist er ein Mensch und letztlich wieder ein ‹Orientale› (Said, 2003:102).

Iman Attia (2009) stellt in ihrer Studie zu antimuslimischen diskursiven Praktiken in Deutschland fest, dass unterschiedlichen und widersprüchlichen Tendenzen im Diskurs über den Islam die Essentialisierung der «Muslime» als zentrales Moment gemeinsam ist, selbst wenn die sprachlichen, pädagogischen oder politischen Intentionen divergieren. Um «Muslime» zu vereinnahmen, zu verstehen, zu diskriminieren, zu tolerieren, zu integrieren, zu bekämpfen oder unter ihnen «Unterscheidungen und Differenzierungen» vorzunehmen, ist es zuerst notwendig, sie in ihrem «Wesen» begriffen, also festgelegt zu haben (vgl. Attia, 2009, S .7).

10 «According to the traditional orientalists, an essence should exist - sometimes even clearly described in metaphysical terms- which constitutes the inalienable and common basis of all the beings considered; this essence is both «historical» since it goes back to the dawn of history, and fundamentally a-historical, since it transfixes the being, «the object» of study, within its alienable and non-evolutive specificity, instead of defining its all other beings, states, nations, peoples, and cultures – as a product, a resultant of the vection of the forces operating in the field of historical evolution ...» (Said, 2003: 97).

Eine der zentralen Thesen Saids besagt, dass die Konstruktion des Orients (Orientalismus) nicht zufällig ist. Ihr geht eine Entscheidung voraus, die als machtpolitisch zu verstehen ist (Said, 2003: 96ff). Die Orientalisierung des Orients folgt einer Dominanzintention. Gerade dieser Punkt wurde in der sogenannten Orientalismus-Kontroverse als monokausal, vereinfachend und sogar essentialistisch kritisiert. In seiner Replik erläuterte Said, dass es ihm nicht um die Schaffung eines neuen Westen-Feindbildes ginge, sondern um die Analyse diskursiver Praktiken. Auf dieser Ebene ist es wiederum möglich, *Othering* als Praxis der Objektivierung von und durch Herrschaft aufzufassen, die eine Beziehung markiert. Objektivierung ist immer eine relationale Operation, die «Andere» als Subjekte hervorbringt unter Bedingungen der eigenen *positionellen Superiorität* («positional superiority»; vgl. Said 2003: 5). Objektivierungspraxen sind Sprachformen, die aus Subjekten «Exemplare» machen. Said hat darauf hingewiesen, dass Objektivierungspraktiken sich vor allem der Mittel der Beschreibung bedienen, um Fakten herzustellen. Diskursive Rekurse sind z.B. der Gebrauch des «*ethnographischen Präsens*» (Fabian 1983), das verobjektivierenden Beobachtungen zu eigen ist und durch die Praxis gekennzeichnet ist, Subjekte (und Kollektive) in einem bestimmten zeitlichen und politischen Kontext «einzufrieren». Verobjektivierende Praktiken erheben nicht nur momentane und subjektive Erfahrungen oder Beobachtungen auf die Ebene von objektivem Wissen, sie abstrahieren und befestigen zugleich die (machtpolitischen) Differenzen, die die Beobachtungen und ihre Artikulation ermöglichen. Diese Praxen materialisieren und verewigen Verhältnisse zwischen Beobachtern und Beobachteten, Beschreibenden und Beschriebenen. «Westliche» Literatur (d.h. jene Literatur, die einen Beitrag zur Selbsterfindung des Westens leistet) über den Islam ist voll von diesen Figuren und in der Iteration dieses symbolischen Mittels erscheint das Bild der Anderen, dem das Bild der Nicht-Anderen unbenannt korrespondiert.

Der Begriff des *Otherings* kann nun für gegenwärtige, postkoloniale Verhältnisse genutzt werden, um Prozesse der Herstellung der Anderen, die an kolonialen Figuren anschliessen, zu erkennen und zu untersuchen. Unter der Perspektive *Othering* werden spezifische Kontexte und Prozesse der Subjektivierung deutlich, die Produkt der Institutionalisierung des «objektiven», hegemonialen Wissens über die Anderen in einem politischen Machtzusammenhang sind. Die diskursive Hervorbringung der «Muslime» ist hierbei als eine Praxis zu verstehen, die nicht von einer «Machtinstanz» zentral ausgeübt wird. Ansätze, die eine politisch orchestrierte antimuslimische Kampagne vermuten, würden nicht nur die Komplexität von Subjektivierungspraxen verfehlen, sondern sie auch verharmlosen. Die Subjektivierungspraxen, mit denen wir es zu tun haben, haben für bestimmte Subjekte alltägliche, lebensweltliche Konsequenzen, die nach einem analytischen Instrumentarium verlangen, das Alltagsdiskurse, Wissensproduktion und die politischen Dimensionen derselben in Rechnung stellt.

Ahmet T. (der Name wurde geändert), ein österreichischer Erwachsenenbildner türkischer Herkunft, verdeutlicht diese Subjektvierungsprozesse kraft diskursiver Praxen folgendermassen: «In den 1980er Jahren wurde ich immer wieder zu Podiumsdiskussionen eingeladen, um über die Türken zu sprechen. Vor allem Sozialarbeiter waren daran interessiert, die ‹Lebensweise› der Türken besser zu verstehen, um mit ihnen besser arbeiten zu können. Da war ich ein Türke. In den 1990er Jahren wurde ich dann eingeladen, um über die Migranten zu sprechen. Gemeindepolitiker, Pädagog/innen und Lehrer/innen wollten mehr über die ‹Kultur›, die Familienstrukturen, die ‹Mentalität› der Migrantinnen und Migranten wissen. Da war ich Migrant. Seit 2001 werde ich sogar zu lokalen Fernsehsendungen und Podiumsdiskussionen auf Universitäten eingeladen, um über den Islam zu sprechen. Seit dem bin ich nicht nur privat, sondern auch beruflich ein Moslem.»

Dieser Bericht (persönliches Gespräch) zeugt von der «epistemischen Macht» diskursiver Praktiken, die Subjekte qua Zuordnung und Differenzierung hervorbringen. Diskurse bringen Subjekte hervor. Auf diesen Fluchtpunkt laufen die diskursanalytischen Arbeiten von Michel Foucault und Ernesto Laclau hinaus. Nach Laclau ist das Subjekt kein Stifter des Diskurses, sondern ein historisch spezifisches Produkt der «Subjektivation» durch den Diskurs. (Reckwitz, 2006: 341) Im Fall des Diskurses über den Islam und über Muslime haben wir es mit einem dominanten Diskurs zu tun, der soziale, kulturelle und poltische (Subjektivations- und Zuordnungs-)Praktiken, die plausibel und alternativlos («normal») erscheinen, legitimiert und gleichzeitig begründet.

Hegemoniale Diskurse stellen diskursive aber auch strukturelle Totalitäten dar, die in einem stetigen Wechselwirkungsprozess mit sozialen und gesellschaftlichen Ordnungen begriffen sind. Diskurse sind Teil einer bestimmten – dynamischen und polysemen – *Ordnung der Dinge*. Sie stellen aber zugleich die Bedingung der Möglichkeit dieser Ordnung dar, da Diskurse – so Laclau – erst im Stande, sind, relativ stabile Ordnungen hervorzurufen. Sie schaffen Differenzkonstruktionen, die eine radikale Abgrenzung zwischen einem *Innen* und einem *Aussen* im Sozialen plausibilisieren und zum Repertoire des Normalen machen. Erst durch die Konstruktion von *sozialen Antagonismen*, von kulturellen Gegenpolen und von epistemischer Dualität ist es möglich, diskursive Stabilität und dadurch Machtstabilisierung zu erlangen. Hegemoniale Diskurse bedürfen nach Laclau (1991) eines radikal Anderen, einer verworfenen Nicht-Identität, eines konstitutiven *Aussen*. Dieses *Aussen* ermöglicht erst jene Grenzziehungen, die das *Innen der Gesellschaft* markieren und ein bedeutungsleeres, an sich unergründbares, aber scheinbar unhinterfragbares «Wir» als gesetzt und gegeben erscheinen lassen. Von dieser analytischen Begrifflichkeit ausgehend, erscheint die Annahme plausibel, dass das Sprechen über die «Religion der Anderen» einen hegemonialen Diskurs darstellt. Hinweise dafür liefern allgegenwärtige (im akademischen Diskurs, in den Massenmedien, in der Literatur, in der öffentlichen Debatte, etc.) dominante Diskurs- und Repräsentationspraktiken, die «Muslime» als eine homogene und geschlossene Gruppe re-präsentieren. Eine Gruppe, deren Lokalisierbarkeit (ihre Fixierung und Benennung, ihre Identifizierung mit bestimmten Subjekten) jedem verständlich zu sein scheint. Ein Paradoxon hegemonialer diskursiver Praktiken besteht darin, dass sie *Fremdheit* und *Vertrautheit* auf konstitutive Art und Weise miteinander verweben: jedem ist vertraut, wer die Fremden sind. Die Fremden sind nie Fremde im eigentlichen Sinne. Sie sind viel eher Vertraute: *man kennt sie*. Dieses «Kennen» bedeutet in unserem Zusammenhang (das Sprechen über die «Religion der Anderen») zweierlei: *jeder weiss, wer zu den Anderen gehört* und *man weiss das Wesentliche über sie*. Dieses «wesentliche Wissen» über Muslime, hat wenig mit den (wie auch immer fundierten) religionswissenschaftlichen Grundlagenkenntnissen über den Islam zu tun. Das «wesentliche Wissen», das in weiteren Schritten auch wissenschaftlich vertieft und untermauert werden kann und wird, ist das Wissen um die «Andersheit der Anderen». Darin besteht, das «minimale» und zugleich konstitutive *Wissensmorphem* hegemonialer Diskurspraxen. Auf dem Boden dieses binären Wissensmorphems können sich unterschiedliche, veränderbare und sogar widersprüchliche diskursive Praxen entwickeln, diese können z.B. von einer fürsorglichen epistemischen Haltung gegenüber «Muslimen» *(man möchte sie verstehen)* über den beständigen Aufruf zur «Differenzierung» bis hin zu offenem Kulturrassismus reichen. Gemeinsam ist ihnen, dass sie durch epistemische Dominanz *bestimmte Subjekte* (Muslime) hervorbringen und durch bestimmte Repräsentationspraktiken diese zum subjektivierten *«konstitutiven Aussen»* (Laclau, 1991), zu *radikal anderen Subjekten* werden lassen.[11]

11 «Jeder» und «man» werden hier als Chiffre für jene diskursive Figuren verwendet, die alltagssprachlich, in den Medien und in politischen Diskursen anzutreffen sind.

3. Der Hinterraum der Kapelle. Subjektivierung mittels religiöser Kommunikation

«Ich bin», führt eine Frau, die hier Ayse Yilmaz heissen soll, in einem Interview aus, «in einer katholischen Gegend aufgewachsen. Eine meiner besten Freundinnen ging sonntags regelmässig in die Kirche und später häufig zur Beichte. Sie sang auch im Kirchenchor. Ihr Vater war Schulleiter am Mädchen-Gymnasium und legte viel Wert auf ein vorbildliches religiöses Leben. Auf mich wirkten sie sehr fromm. Ich hatte dagegen nie die Gelegenheit, etwas Genaueres vom Christentum, von Jesus und der Bibel zu erfahren. Wodurch ich mich in der Grundschulzeit von den anderen unterschied, war auch, dass ich an ihrem Religionsunterricht nicht teilnehmen durfte. Und wenn ich schon einmal eine Kirche betrat, mit den anderen, morgens beim Schulgottesdienst, wies man mir ganz hinten in der Kapelle einen Platz zu. Zu weiteren Zugeständnissen konnte sich meine Lehrerin aus ‹Gewissensgründen› wie sie meinte, nicht entschliessen. Wie gerne wäre ich bei den übrigen Kindern gewesen! Für mich war das sehr bitter» (Swietlik/Yilmaz, 1996: 19f).

Ayse Yilmaz´ Erinnerungen geben Zugehörigkeitserfahrungen wieder.[12] Wie es für alltagsweltliche Darstellungen nicht unüblich ist, wird hier etwas zum Thema, weil es problematisch geworden ist: Erfahrungen, in denen die schwierige Qualität der Relation zwischen Ayse und einem sozialen Zusammenhang angezeigt werden. Eingeleitet wird Ayses Darstellung prekärer Zugehörigkeit durch einen Hinweis auf Differenz, die (noch) keine Differenz auf der Ebene kultureller Handlungsweisen und die auch (noch) kein physiognomisierter Unterschied ist. Ayse sagt nicht, dass der relevante Unterschied zwischen ihr und den anderen darin bestehe, dass sie auf der Ebene von Handlung und Präferenzen, Artikulationen und Handlungen kulturell oder religiös «anders» disponiert sei, noch macht sie auf eine Differenz ihrer Erscheinung im Vergleich zu den Erscheinungen der anderen aufmerksam. Der hier berichtete Unterschied besteht zunächst nur darin, dass für Ayse ein Verbot gültig ist und an ihr wirksam werden kann. Für Ayse gilt eine Einschränkung, die für die anderen nicht gilt. Dies unterscheidet und identifiziert sie. Ayses Gegenwart vergegenwärtigt das Verbot, so wie das Verbot Ayse als von den Anderen Unterschiedene vergegenwärtigt. Das Verbot sondert sie von dem Rest der Schulklasse und es besondert sie. Es bugsiert und lotst sie in die *Position*, eine Andere zu sein, indem es sie sowohl zeitlich (die Religi-

12 Die folgende Passage findet sich in einer etwas ausführlicheren Version im Rahmen von Überlegungen, die herausstellen, dass die Unmöglichkeit des Subjektes Bedingung seiner Möglichkeit ist, auch an einem anderen Ort (Mecheril, 2006b).

onsstunde) wie räumlich (der Gebetsraum) von den Anderen separiert und genauer: von den Anderen zeitlich und räumlich *partiell* trennt. Weil die Aufteilung Ayse innerhalb und im sozialen Rahmen zeitweise und raumspezifisch sondert, weil die Aufteilung nicht vollständige Nicht-Zugehörigkeit, sondern lediglich eine partiell zurückgenommene Zugehörigkeit anzeigt, ist die Unterscheidung alteritätsproduktiv. Denn erst, wenn das Problem des und der Anderen sich im imaginären Raum des Eigenen stellt, wird es zu einem praktisch relevanten Problem, dessen Bearbeitung die «Binnen-Anderen» konstituiert. Die Anderen werden benötigt als existentes Phänomen, damit ein sich von den Anderen abgrenzendes Wir sich konstituieren kann.

Dass die Figur des Positioniert-Werdens als Andere in jedem sozialen Raum, in jedem wodurch auch immer begrenzten und erzeugten sozialen Kontext möglich ist, wird weiterhin dadurch veranschaulicht, dass Ayse, wenn sie den diffus mit einem Verbot belegten und dadurch aufgewerteten Raum betritt, erneut an einen «anderen» Ort verwiesen wird, der ihren Status, eine Andere zu sein, symbolisiert. Für Ayse bedeutet dies, dass sie auch im *allerheiligsten Raum der Zugehörigkeit* (was die Sakralität des Raumes ausmacht, werden wir weiter unten ausführen) damit rechnen muss, mit einer neuen symbolischen Aufteilung des Raumes konfrontiert zu werden, die sie als Andere positioniert, markiert und bestätigt.

In der berichteten Situation ist vor allem die angeordnete Bewegung des Körpers im Raum, die fremdinstruierte, vorgesagte Bewegung des Körpers auf den ihm zugewiesenen Punkt jene Praxis, die Ayses Position im Raum der Kapelle als Position einer Anderen markiert. In jedem «öffentlichen» Raum, den das Kind Ayse betritt, dies ist die *Lektion*, die sie in dem schulischen Kontext lernt, kann diese Praxis der Separierung durch differentielle Zuordnung zu und in symbolisch geordneten Räumen stattfinden.

Aus der Perspektive des Schulkindes, aus der Ayse erzählt, ist die Differenzerfahrung, die Subalternitätserfahrung und die Erfahrung verwehrter frageloser Zugehörigkeit gewissermassen an und für sich repräsentiert und allenfalls diffus auf religiöse, kulturelle oder ethnische Differenz bezogen. Ayses Wunsch, bei den anderen Kindern sein zu wollen, ihr Wunsch, fraglos und unterschiedslos unter ihnen eine von ihnen zu sein, steht im Vordergrund.

Erfahrungen existieren nicht an sich und nicht für sich, sondern sind in einer umfassenden Weise in diskursiv-ideologische Zusammenhänge eingebettet. Der Verknüpfungsprozess wie auch das Ergebnis dieser Verknüpfung von Erfahrungen mit Diskursen, Wissenslehren und Glaubenssystemen kann als Subjektivierung verstanden werden.

So scheint es, wenn danach gefragt wird, wie die oben episodisch begonnene «Geschichte» weiter geht, durchaus vorstellbar, dass Ayses Erfahrungen der partiellen Separierung und ihr Wunsch nach selbstverständlicher Zugehörigkeit mit unterschiedlichen (z.B. ethnisierenden, religiösen, politischen) Diskursen unter zwei Bedingungen eine Verbindung eingehen: Der Geltung der Diskurse (für Ayse) und der Wiederholung der Erfahrung. Diese (gedankenexperimentelle) Verknüpfung von Diskurs und Erfahrung weist darauf hin, dass es sich bei den hier bedeutsamen Anschlüssen weder um willentliche Selbst-Anschlüsse eines überlegten und überlegenden Subjekts handelt, noch um gleichsam mechanische Determinierungen des Individuums durch grosse oder auch nicht ganz so grosse Erzählungen: Mit Hilfe des Begriffs der *Artikulation* kann dies näher erläutert werden.

Das Konzept der Artikulation geht zurück auf die Arbeiten Antonio Gramscis und deren Rezeption insbesondere durch Ernesto Laclau. Die ursprüngliche Stossrichtung des Artikulationsbegriffs richtet sich gegen die orthodoxe marxistische Auffassung, dass politische Handlungsfähigkeit und Subjektivität allein von der klassenspezifischen, gesellschaftlichen Position der Akteure vermittelt sei. Artikulation weist auf die *kontingenten* Verknüpfungen (zwischen Diskursen und sozialen Kräften) hin, aufgrund derer die Genese von (politischer) Subjektivität zwar nicht prognostiziert, aber rekonstruiert und plausibel gemacht werden kann. Ernesto Laclau und Chantal Mouffe (1991) verstehen unter Artikulation das Knüpfen solcher Relationen zwischen unterschiedlichen Elementen, die aufgrund der Verknüpfung ihre Bedeutung oder Identität verändern.

«Artikulation ist die Produktion von Identität auf der Grundlage von Differenz, von Einheiten aus Fragmenten, von Strukturen auf der Grundlage von Praktiken. Artikulation verbindet eine bestimmte Praktik mit einem bestimmten Effekt, einen bestimmten Text mit einer bestimmten Bedeutung, eine bestimmte Bedeutung mit einer bestimmten Realität, eine bestimmte Erfahrung mit einer bestimmten Politik. Und diese Verbindungen fügen sich zu grösseren Strukturen zusammen. Artikulation ist ein fortwährender Kampf, Praktiken in einem Feld von sich ständig ändernden Kräften neu zu positionieren, die Möglichkeiten des Lebens neu zu definieren, in dem man das Feld der Beziehungen – den Kontext – , in dem die Praktik verortet ist, neu definiert.» (Grossberg, zit. n. Lutter, Reisenleiter, 1998: 82ff.)

Das Artikulationskonzept ermöglicht es, soziale und kulturelle Identitäten als in und durch politische(n) und soziale(n) Auseinandersetzungen hergestellte, kontingente Phänomene zu verstehen. «Identität», beispielsweise «religiöse Identität», ist nicht an sich schon vorhanden. Vielmehr wird sie bedeutsam, wenn bestimmte Kräfte und Elemente mit Diskursen artikuliert werden und sich, was sich in Identifikationsprozessen anzeigen kann, artikulieren. Die artikulative Konstituierung des Subjektes als Träger und Empfänger von

Identität wird nun - anders als dies Ansätze behaupten, die die Relevanz nur einer bestimmten (z.B. ökonomischen, kulturellen oder genderbezogenen) Hinsicht auf das Soziale totalisieren - durch eine Pluralität von Anschlüssen und «*Investments*» gekennzeichnet. «[W]as wir erkannten», führen Laclau/ Mouffe mit Bezug auf ihr bereits 1985 erschienenes Buch *Hegemony & Socialist Strategy* aus, «ist, dass das Subjekt durch eine Vielfalt der Subjektpositionen konstruiert wird, dass eine wesentliche Uneinheitlichkeit zwischen diesen Positionen existiert und dass es fortwährende Praktiken der Reartikulation gibt» (Laclau/Mouffe, 1985: 7).

Wenn wir – in einer analytischer Klärung wegen übersteigerten Betrachtungsweise – das Fragment des Berichtes von Ayse als «unartikuliert» verstehen, wird deutlich, dass in der Herstellung des Andersseins durch die Zuordnung im Raum, durch die körperliche Verschiebung das Kind Ayse noch nicht von Diskursen angerufen ist. Das Kind Ayse erfährt ihre Position (noch) unangerufen und unverknüpft, ohne Bezug auf Diskurse ethnischer, religiöser oder kultureller Differenz/Identität. (Kind-)Ayses Erfahrung ist «real», sie ist (nachträglich) auch benennbar, in diesem Sinne artikuliert, aber nicht angebunden; es stellt sich in dem Darstellen und Mitteilen, diesem einen Verständnis von Artikulation der Erfahrung, noch keine Verbindung her zwischen der Erfahrung, die als Variante und Aspekt sozialer Kraft zu verstehen ist, und Systemen von Wissen und Macht, in denen die Erfahrung eingebettet und die soziale Kraft, die in ihr enthalten ist, gebahnt werden kann.

Die Erfahrung von Ayse würde aber – von nun an verlassen wir den engeren Zusammenhang der geschilderten Episode, nutzen diesen nunmehr zu Erwägungen, die an die Episode herangetragen werden, nicht aber in erster Linie aus ihr resultieren - zu einer religiös kodierten und verstandenen Erfahrung in dem Moment der Artikulation mit religiösen Diskursen, Semantiken und Praxen, die weniger diffus sind und bleiben als das von der Lehrerin in der geschilderten Situation geäusserte Unwohlsein und das Zugeständnis, jene Konzession der partiellen Duldung, die das Unwohlsein aufhebt. Religiöse Artikulation verleiht dem Unwohlsein einen konkreten sozialen Sinn und macht die partielle Duldung für die Beteiligten verständlich. Für Ayse ist die Situation – so sich religiöse Anschlüsse an diese und verwandte Situationen ergeben – potenziell mit einer doppelten Subjektivierung verknüpft. Sie macht die Erfahrung der eigenen mangelhaften Andersheit, die Erfahrung, dass sie nicht im Besitz von etwas (Frömmigkeit, Glaube, Zugehhörigkeit) ist, das die Anwesenheit ihres Körpers an dem heiligen Ort fraglos und insofern legitim machte. Dieses Othering ist zunächst also ein *negatives religiöses Othering*. Würde Ayse mit Hilfe religiöser Symbolpraxen ihre negative Erfahrung religiös artikulieren, könnte sich die Subjektivierung auch stärker über positive Attribute auszeichnen. «Religion» artikuliert Erfahrungen, zumindest artikuliert, also verknüpft und versprachlicht Religion Erfahrungen sobald Religion diskursiv und kommunikativ zur Verfügung steht und Erfahrungen bahnt.

Mitte der 1990er Jahre - als das Gespräch mit Ayse Yilmaz stattfand - war «Religion» im deutschsprachigen Raum noch nicht der Topos, der in Bezug auf bestimmte Migrantengruppen vorrangig thematisiert wurde. «Während bis in die 1990er Jahre hinein etwa noch von ‹türkischen Zuwanderern› oder sogar ‹Gastarbeitern› die Rede war, heissen sie jetzt mehr oder minder pauschal Muslime. Im Vergleich etwa zu anderen religiösen Migranten sind orthodoxe Christen immer noch Griechen, während Türkinnen und Türken Muslime geworden sind» (Krech, 2009: 11). Wenn in der politischen, medialen und wissenschaftlichen Behandlung des damals eher als Ausländerproblems bezeichneten Migrationsthemas der 1980er und auch noch 1990er Jahre der Schlüsselbegriff «Kulturkonflikt» gewesen ist, so ist an seine Stelle die «Religion der (Migrations-)Anderen» getreten. Binnen weniger Jahre scheinen die als Migranten oder Jugendliche mit türkischem Migrationshintergrund geltenden Menschen nicht mehr an Kulturkonflikten zu leiden, sondern werden im Hinblick auf ihre Religionsbindungen erkannt und befragt, werden eher im Zuge des seit dem 11.9.2001 entfalteten Sicherheitsdispositivs thematisiert und weniger im Rahmen des vorrangig paternalistischen, sozialpädagogischen und quasi-therapeutischen Dispositivs der Ausländerpädagogik. Es geht mittlerweile weniger um Kompensation von Mängeln als um Risikoabschätzung und -management.

«Religion» verstehen wir als eine auch in pädagogischen Kontexten situierte Handlungs- und Interpretationsoption der Bezeichnung und der Herstellung von Anderen. Mit Franz Hamburger, der sich eigener zwei Jahrzehnte zurück liegender Prognosen erinnert, kann der Beitrag der («interkulturellen») pädagogischen Orte und Akteure auf die Religiösierung der Anderen und komplementär der Selbstreligiösierung bestimmt werden. Er führt aus: die öffentliche Problematisierung und Ablehnung führt zu » Legitimations- und Erklärungsbedürfnissen. Die abwehrende Thematisierung bezieht die Religion in die gesellschaftlichen Konfliktlinien mit ein; die Jugendlichen können sich dann nicht mehr *nicht verhalten.* Dies gilt auch für pädagogische Kommunikation: «Unter der Voraussetzung von struktureller Ungleichheit und Benachteiligung kann die pädagogisch in Gang gebrachte, auf Verständigung zielende interkulturelle Arbeit unter der Hand einen gegenläufigen Prozess der Fehlkommunikation befördern, bei dem stereotype Zuschreibungen verfestigt werden. Im Verlauf eines solchen Prozesses werden deutsche Kinder ‹christlicher› und türkische Kinder ‹muslimischer›, als sie es je waren» (Hamburger, 1990: 321). Diese Prognose hat sich zwischenzeitlich als zutreffend erwiesen» (Hamburger, 2009: 64).

Die religiöse Andere ist different und weil sie different ist, nicht fraglos am richtigen Platz. Dies ist die Lektion, die Kind Ayse lernt, und die sie – noch diffus – zu einer Anderen macht. Andere beginnen sich als Andere zu begreifen und zu erfahren; in Zeiten «postsäkularer Gesellschaften» möglicherweise mit der Konsequenz der Intensivierung eines Glaubens an «andere Religionen». Aber dies interessiert hier nicht so sehr, da in unserem Zusammenhang vorrangig die Struktur und die Logik des Zugehörigkeitsraums interessiert, in dem aus, was immer dies auch heissen mag, Menschen *Andere* werden. Bezogen auf den hegemonialen Raum der Zugehörigkeit können wir sagen, dass die gesellschaftliche (pädagogische) Herstellung eines Ausserweltlichen innerweltliche Differenzierungen ermöglicht, die mit der Sakralität des Ausserweltlichen operieren.

4. Religion als Zugehörigkeitscode und der heilige Raum natio-ethno-kultureller Zugehörigkeit

Dass die innerweltlichen Differenzierungen, in die Ayse Yilmaz durch die Lehrerin eingeführt wurde, Bezug auf ein sakrales Ausserweltliche nehmen, ist nicht zufällig, da das Phänomen natio-ethno-kultureller Zugehörigkeit in einem engen Verhältnis zu dem Sakralen und auch dem Religiösen steht.[13] Bezogen auf den grundsätzlichen Zusammenhang zwischen Religion bzw. Sakralität und natio-ethno-kultureller Zugehörigkeit können mindestens zwei Gesichtspunkte unterschieden werden: (unsere/ihre) Religion als natio-ethno-kultureller Zugehörigkeitscode und die sakrale Dimension des natio-ethno-kulturellen Zugehörigkeitsraums.

Religion als natio-ethno-kultureller Zugehörigkeitscode: Die Freiheitliche Partei Österreichs hat in den letzten Jahren grosse und regelmässige Erfolge bei unterschiedlichen Wahlen in Österreich gewonnen, auch indem sie mit Slogans wie *Abendland in Christenhand* oder *Daham statt Islam* und entsprechenden Visualisierungen in Erscheinung getreten und ganz offensichtlich weite Teile

13 Terminologisch unterschieden wir zwischen *Transzendenz* als Erfahrung und Praxis der Unmittelbarkeitsüberschreitung, *Spiritualität* als Erfahrung und Praxis, dass diese Unmittelbarkeitsüberschreitung von einer überirdischen Instanz vermittelt ist, *Sakralität* als Heiligkeit der überirdischen Instanz und *Religion* als Institutionalisierung und Kodifizierung des Wissens, der Praktiken und der Erfahrungen im Verhältnis «Mensch» – «heilige Instanz».

der wahlberechtigten österreichischen Bevölkerung überzeugen konnte. Was wir hier – ein Stück Österreich – sehen ist, dass religiöse und nationale Semantiken miteinander verwoben sind und oft und immer wieder in eine enge Assoziation gebracht werden. Die Korrespondenz zwischen dem diffus politisch und diffus kulturell kodierten Territorium und einer Religion ist Bestandteil der Erzeugung einer Ordnung, die den Zusammenhang zwischen Körper – Glaube/Kultur – Raum eindeutig macht. Religion wird und muss im Zuge dieser Praxis streng personalistisch gedacht werden, sie dient einer Markierung von Personen, die doppelt eindeutig ist: Menschen haben eine und nur eine Religion (Was aber zum Beispiel ist mit multireligiösen Familien oder anderen synchronen Vervielfältigungen und womöglich Verschmelzungen? Was ist mit der diachronen Dynamik, etwa der Konversion, des Abstandnehmens vom religiösen Glauben?) und diese Religion hat eine territoriale Referenz, die eindeutig ist. «Religion» ist eine soziale Praxis, ein Kommunikations- und Imaginationsschema, das zur Verfügung steht, um zwischen Gruppen zu unterscheiden. Im hegemonialen Blick auf migrationsgesellschaftliche Zusammenhänge werden zwei relevante Gruppen unterschieden: die legitim Zugehörigen und die nicht legitim Zugehörigen. *Lokalisierung*, *Essentialisierung* und *Binarisierung* sind die zentralen Merkmale der hier markierten Praxis «Religion». Diese Merkmale verweisen darauf, dass Religion dann, wenn sie eine Praxis der Fixierung der Menschen zum Zwecke der Legitimierung von Ausschluss und zur Legitimierung von Ungleichbehandlung und Herrschaft ist, an die Logik rassistischer Ordnungen anschliesst und diese bestärkt.

Die sakrale Dimension natio-ethno-kultureller Zugehörigkeit: Die Ayse Yilmaz zugeschriebene und unterstellte Religion dient im wahrsten Sinne des Wortes als Platzanweiser in der konkreten Kapelle. In diesem Raum wird sie eines bestimmten Platzes verwiesen. Dadurch wird die Kapelle zu einem Raum differentiell legitimer Anwesenheiten. Da die Kapelle und die in ihr modulierten Anwesenheiten aber über sich hinaus weisen und Zugehörigkeit symbolisieren, die grösser und bedeutender ist als blosse Anwesenheit und Duldung, geht es um mehr. Die Kapelle repräsentiert den heiligen Raum der Zugehörigkeit, ruft ihn auf und macht ihn vorstellbar (und damit auch die Rechtmässigkeit des Verweises). Ayses Verweis trägt nun weder in ihrer Erinnerung noch in der Bedeutung dieser und verwandter Episoden allein einen religiösen Code, vielmehr verweist die religiöse Differenz auf natio-ethnokulturelle Differenzen (und umgekehrt). Dies ist über den Umstand, dass Religion als Zugehörigkeitscode fungiert, auch davon getragen, dass das Natio-ethno-kulturelle ein konstitutives religiöses Moment in sich trägt: Dass Religion in der berichteten Situation nun Verwendung findet, um natio-ethno-kulturelle Zugehörigkeitsverhältnisse zu vereindeutigen, ist nicht zufällig, denn Religion und natio-ethno-kulturelle Zugehörigkeitsräume weisen funktionale und operationale Äquivalenzen auf; Sakralität ist eine. Der natio-ethno-kulturelle Zugehörigkeitskontext, auch im Übrigen der Nationalstaat, hat nicht nur eine konstitutive transzendente, sondern auch sakrale Dimension, die durch den Bezug auf das Religiöse besonders eindringlich mobilisiert werden kann.

Emile Durkheim hat in einer radikalen und man könnte sagen soziologistischen Weise Religion auf soziale Gemeinschaft rückgeführt (Durkheim, 1981), indem er als Grunddifferenz aller Religionen die, womöglich all zu starre, Unterscheidung zwischen dem Sakralen und dem Profanen eingeführt und das Sakrale letztlich als Symbolisierung der Gemeinschaft selbst verstanden hat.

Ob dies dem Charakter des Sakralen im Allgemeinen gerecht wird, sei dahin gestellt; Durkheims Religionsexplikation führt uns aber auf eine Spur, auf der wir Sakralität als Symbolisierungsmodus von natio-ethno-kultureller Zugehörigkeit verstehen können. Benedict Anderson hat Nationen bekanntermassen als «imagined communities» (Anderson, 1998; Orig. 1983) bezeichnet. Nation ist nach Anderson eine vorgestellte politische Gemeinschaft, weil «die Mitglieder selbst der kleinsten Nation die meisten anderen niemals kennen, ihnen begegnen oder auch nur von ihnen hören werden, aber im Kopf eines jeden die Vorstellung ihrer Gemeinschaft existiert» (ebd., 14ff). Nationen ermöglichen Beziehungen und Verbundenheiten zu Unbekannten im Modus von face-to-face-Kontakten. «Mittels der Form ‹Nation› ist es möglich», führen Armin Nassehi und Dirk Richter aus (1996: 157), «Kommunikationsereignisse jenseits des eigenen Nahbereiches als Eigenes zuzurechnen. Die Form ‹Nation› vermag es, das Eigene als Vertrautes auszuflaggen, ohne dass man sich um die Beflaggung weiter kümmern muss.» Natio-ethno-kulturelle Kontexte sind somit zweierlei: Sie sind *imaginierte Räume mit territorialer Referenz*. Der Nationalstaat ist ein Staat, dessen Ziel es ist, «den Willen» einer in einem bestimmten Gebiet lebenden Nation auszudrücken und ihre Interessen zu vertreten (Brubaker 1994: 53). Dadurch ist es erstens erforderlich, einen allgemeinen Willen zu schaffen und zweitens an ihn *zu glauben*: Die fiktionale Vorstellung des national-ethnischen Zugehörigkeitsraumes gründet in einer Analogie zu lokalen Wir-Gruppen, bei denen Zugehörigkeit geographisch gefasst und in dem Sinne einwertig ist, als sie mit normativer Gewissheit, mit sozialer, status- und prestigebezogener Klarheit einhergeht und im Rahmen eines vertrauten Gemeinsamkeitskontextes situiert ist.

Folgen wir dem israelischen Historiker und Politikwissenschaftler Shmuel Eisenstadt (Eisenstadt, 2000) findet, im modernen Nationalstaat der Versuch seinen Ausdruck, die Spannung zwischen profaner und sakraler Welt zu überwinden. Der Nationalstaat ist «keineswegs nur ein säkulares Gebilde, sondern nimmt vielmehr die spirituellen Ansprüche der Religion auf, samt den Verpflichtungen, die das Individuum nun gegenüber dem Staat als dem Gesamten hat» (Knoblauch, 2009: 35).

Unter den Verfahren, der eigenen Existenz durch Einordnung in grössere Zusammenhänge Sinn zu verleihen, sind zwei Varianten hervorhebenswert. Beide ermöglichen Sinnstiftung durch Einordnung in gemeinschaftliche Zusammenhänge. Sie unterscheiden sich jedoch darin, welchen Status sie «Gemeinschaft» zusprechen. Im einen Fall handelt es sich um eine kontingent bevorzugte, im anderen Fall um eine geweihte Gemeinschaft. Entsprechend handelt es sich beim ersten Vorgehen um ein profanes, beim zweiten um ein sakrales Verfahren der Einordnung. Natio-ethno-kulturelle Zugehörigkeit ereignet sich in Kontexten, die in einem beachtlichen Masse sakrale Verfahren der Sinnstiftung zulassen und benötigen. Auch aus diesem Grund findet gelegentlich ein Rückgriff auf das Religiöse statt, um das Natio-ethno-kulturelle (und Derivate dieser diffusen, aber wirksamen Vorstellungswelt, wie «Kulturkreise», das «Abendland», «Europa») zu bestärken, oder um mittels des Religiösen das Natio-ethno-kulturelle zu bestätigen: «Es ist bezeichnend, dass die unmittelbare ‹Reaktion› auf die Sichtbarkeit des Islam in Europa weniger die Verstärkung der christlichen Kultur ist als die des kulturellen und politischen Nationalismus» (Knoblauch, 2009: 37).

Offensichtlich besteht ein wirksamer Modus der Bindung von Individuen an nicht vom Einzelnen überschaubare, anonyme Zusammenhänge einer imaginierten Grosskollektivität aus zwei Operationen. Zunächst werden diese Zusammenhänge als nicht-kontingente und darin ihre Besonderheit gewinnende Zusammenhänge auszugeben, an denen, zweitens, zu partizipieren mit einer individuellen Aufwertung im Sinne der Partizipation an einer ausserprofanen Realität verknüpft ist. Sobald der Zugehörigkeitskontext von einem überweltlichen, transzendenten Prinzip gerahmt und konstituiert wird, das nicht nur die Dignität, sondern auch die Verlässlichkeit des Rahmens zu garantieren scheint, kann zu den anonymen Anderen, die sich unter dem gleichen Prinzip zusammengefunden haben oder die von dem gleichen Prinzip erfasst und erhellt wurden, interpersonelles Vertrauen mobilisiert werden.

Diese quasi-religiöse Dimension, in der sich Gruppierungen und Gemeinschaften selbst als Auserwählte, als mit einem sie selbstverständlich gegenüber Anderen auszeichnenden Besonderen verstehen und inszenieren, wird auch von Norbert Elias und John Scotson in ihrer Untersuchung über die Figuration der Aussenseiter und der Etablierten in Winston Parva angesprochen.

«Gruppen mit einem hohen Machtübergewicht [schreiben] sich selbst, als Kollektiv, und ihren Angehörigen, als Familien und Individuen, ein auszeichnendes Gruppencharisma zu. Alle, die ‹dazugehören›, haben an dieser Begnadung teil» (Elias/Scotson, 1993: 17f). Die fraglos legitime Teilhabe an einer kollektiven Begnadung, die Teilhabe an dem übermenschlichen Erbarmen, das die Gemeinschaft gegenüber anderen auszeichnet, versichert den Angehörigen des *Wir* ihren (lokalen) Vorrang. Diejenigen, die legitimer Weise nicht an der im sakralisierten und im transzendierenden Flattern der Nationalflaggen und dem wie aus *einer* Kehle aufbrandenden Jubel beim Tor unserer Nationalmannschaft, die nicht an der in solchen Ereignissen symbolisierten Gunst partizipieren, auf die nicht der Strahl der Bevorzugung fällt, sind in ihrer Deplaziertheit, ihrer Unreinheit (Mecheril, 2009) erkenntlich und gerechterweise als Depalzierte zu behandeln, denen bestenfalls Plätze im Hinterraum zugewiesen werden.

Georg Elwert (1989) führt in seinen Überlegungen zu den Prozessen der Bildung nationaler und ethnischer Wir-Gruppen aus, dass angesichts der Ausdehnung der Käuflichkeit jede Verheissung einer Gemeinschaft (und dieser Verheissung des Nationalen oder Natio-Kulturellen eines Wir, des lokalisierten Kulturellen eines Wir, als Gegengift zum heimatlosen, losgelösten, globalen Kapitalismus können wir nahezu täglich bezeugen), als strahlendes Gegenbild wirken muss. «Denn Gemeinschaft bedeutet soziale Beziehungen, bei welchen als Austauschmittel für die Angelegenheiten dieser Gemeinschaft das Geld ausgeschlossen ist und innerhalb deren die relative Gleichheit der Glieder angenommen wird» (Elwert, 1989: 455). Die Verheissung der Gemeinschaft liegt für den Einzelnen darin, dass sie zum einen Gleichheit und zum anderen so etwas wie unverfälschte und umfassende Anerkennung in Aussicht stellt.

Bei jedem Übergang, schreibt Norbert Elias, von einer weniger Menschen umfassenden, weniger differenzierten und komplexen zu einer mehr Menschen umfassenden sozialen Einheit verändert sich «das Verhältnis von Individuum und Gesellschaft [...] in charakteristischer Weise. [...] Die *Reichweite der Identifizierung* wächst» (Elias, 1996: 224; hervorh. von Mecheril/Thomas-Olalde). Und diese Reichweite muss zunehmen, wenn das Phänomen einer Vorrang begründenden Verbundenheit glaubhaft gelebt werden soll. Dies ist aber nur als eine Identifizierung mit Unbekannten, mit anonymen Anderen möglich, deren faktische und potentielle Fremdheit nur dann für die Entwicklung dieser erforderlichen natio-ethno-kulturellen Verbundenheit nicht hinderlich, beunruhigend und gefährlich ist, wenn ein Band der Gemeinsamkeit zwischen ihnen und mir existiert. Verbundenheit mit einem natio-ethno-kulturellen Kontext lebt von Unterstellungen auf der Ebene sozialer Vertrautheit und Nähe, die zurückliegende Erfahrungen, eigene, aber auch vermittelte, so in eine Zukunft verlängern, dass die Mutmassungen, Aus-Legungen eines Weges, verlässlich und vertrauenswürdig erscheinen. Das imaginär bestimmte natio-ethno-kulturelle Wir ist somit auch ein phantasmatisches Wir, das nicht allein, aber doch überwiegend positive Eigenschaften besitzt. Die als gemeinsam betrachteten und erfahrenen Besitztümer, wie auch ihre Pflege und Entwicklung eignet der Status, wertvoll zu sein. Die vorgestellte und alltagsweltlich bestätigte Verbundenheit imaginiert das «gute Wir», das nicht notwendig ein absolut gutes, aber doch ein *für-mich-gutes Wir* ist. Diese regressive Einbildung stellt die natio-ethno-kulturelle Eingebundenheit in den Verweisungsrahmen früherer, grundlegend asymmetrischer Beziehungen der Bedürfnisbefriedigung und Sicherheit. Das regressiv-phantasmatische Moment natio-ethno-kultureller Differenzüberbrückung ist ein Konstitut idealisierter Fraglosigkeit. Dieses Moment energetisiert den heuristischen Übertrag und versetzt die erwachsen gewordenen Kinder in die Lage, sich auf Kontakte mit ihnen tatsächlich Unbekannten einzulassen. Wenn das regressiv-phantasmatische Moment fokussiert wird und Wir-Verständnisse durch Virulenzsteigerung des Regressiven mobilisiert werden, dann ist der psychologische Boden dessen geschaffen, dass «Millionen von Menschen für so begrenzte Vorstellungen [wie es Nationen sind] weniger getötet haben als vielmehr bereitwillig gestorben sind» (Anderson, 1998: 16). Aus einer sozialwissenschaftlichen (und nicht theologischen) Perspektive ist für *den* Einzelnen der charismatische Tod - selbst ein Phantasma, ein disziplinierendes Narrativ - äusserstes Ende des imaginierten Wir und zugleich sein symbolischer Höhepunkt.

Bibliographie

Anderson, Benedict, 1998. Die Erfindung der Nation. Zur Karriere eines folgenreichen Konzepts. Berlin: Ullstein.

Attia, Iman, 2009. Die «westliche Kultur» und ihr Anderes. Zur Dekonstruktion von Orientalismus und antimuslimischem Rassismus. Bielefeld: transcript-Verlag.

Barber, Benjamin R., 1996. Coca Cola und Heiliger Krieg. Wie Kapitalismus und Fundamentalismus Demokratie und Freiheit abschaffen. Bern. München. Wien: Scherz Verlag.

Berger, Peter L., 1973. Zur Dialektik von Religion und Gesellschaft. Elemente einer soziologischen Theorie. Frankfurt a.M.: Fischer.

Berger, Peter L., 1979. The Heretical Imperative. Contemporary possibilities of religious affirmation. Garden City N.Y.: Anchor Press.

Brubaker, Roger, 1994. Staats-Bürger. Deutschland und Frankreich im historischen Vergleich. Hamburg: Junius.

Bukow, Wolf-Dietrich und Heimel, Isabel, 2003. Der Weg zur qualitativen Migrationsforschung. In: Tarek Badawia, Franz Hamburger und Merle Hummrich (Hg.). Wider die Ethnisierung einer Generation. Beiträge zur qualitativen Migrationsforschung. Frankfurt: IKO, 13–40

Casanova, José, 2009. Europas Angst vor der Religion. Berlin: Berlin University Press.

Castro Varela, Maria do Mar; Dhawan, Nikita, 2005. Postkoloniale Theorie. Eine kritische Einführung. Bielefeld: transcript-Verlag.

Dellwing, Michael, 2007. Die entprivatisierte Religion. Religionszugehörigkeit jenseits der Wahl?. Wiesbaden: Deutscher Universitäts-Verlag.

Durkheim, Émile, 1981. Die elementaren Formen des religiösen Lebens Frankfurt a.M.: Suhrkamp.

Eden, Tania, 1991. Lacan. In: Julian Nida-Rümelin (Hg.). Philosophie der Gegenwart. In Einzeldarstellungen von Adorno bis v. Wright. Stuttgart: Kröner, 309–314.

Eisenstadt, Shmuel Noah und Schluchter, Brigitte, 2000. Die Vielfalt der Moderne. Weilerswist: Verlag Velbrück Wissenschaft.

Elias, Norbert und Scotson, John. L., 1993. Etablierte und Aussenseiter. Frankfurt a.M.: Suhrkamp.

Elwert, Georg, 1989. Nationalismus und Ethnizität Über die Bildung von Wir-Gruppen. In: Kölner Zeitschrift für Soziologie und Sozialpsychologie, 41, 440–464.

Fabian, Johannes, 1983. Time and the other. How Anthropology makes its Object. New York: Columbia University Press.

Fallaci, Oriana, 2002. Die Wut und der Stolz. München: List.

Fallaci, Oriana, 2004. Die Kraft der Vernunft. Berlin: List.

Fukuyama, Francis, 1992. Das Ende der Geschichte. Wo stehen wir? München: Kindler Verlag.

Gabriel, Karl, 1996. Religiöse Individualisierung oder Säkularisierung. Gütersloh: Gütersloher Verlagshaus.

Gungwu, Wang, 1997. A Machiavelli for Our Times. In: The National Interest, 12 Winter 1996/97, 46–68.

Hamburger, Franz, 2009. Abschied von der Interkulturellen Pädagogik. Plädoyer für einen Wandel sozialpädagogischer Konzepte. Weinheim: Juventa.

Heinsohn, Gunnar, 2003. Söhne und Weltmacht: Terror im Aufstieg und Fall der Nationen. Zürich: Orell Füssli.

Huntington, Samuel P., 1998. Kampf der Kulturen. Die Neugestaltung der Weltpolitik im 21. Jahrhundert. München: Goldmann.

Kepel, Gilles, 1994. Die Rache Gottes. Radikale Moslems, Christen und Juden auf dem Vormarsch. München. Zürich: Piper.

Knoblauch, Hubert, 2009. Populäre Religion. Auf dem Weg zu einer spirituellen Gesellschaft. Frankfurt a.M.: Campus.

Kojéve, Alexander, 1975. Hegel. Versuch einer Vergegenwärtigung seines Denkens. Kommentar zur Phänomenologie des Geistes. Frankfurt a.M.: Suhrkamp

Krech, Volker, 2009. Islam und Integration - 12 Thesen. In: Friedrich-Ebert-Stiftung (Hg.). Migration – Religion –Integration. Berlin: Friedrich-Ebert-Stiftung, 10–12.

Lacan, Jacques, 1968. The Language of the Self. The Function of Language in Psychoanalyses. Baltimore, MD: John Hopkins University.

Laclau, Ernesto, 1990. New Reflections on the Revolution of Our Time. London: Verso.

Laclau, Ernesto und Mouffe, Chantal, 1991. Hegemonie und radikale Demokratie. Zur Dekonstruktion des Marxismus. Wien: Passagen.

Link, Jürgen und Jäger, Margarete (Hg.), 2006. Macht-Religion-Politik. Zur Renaissance religiöser Praktiken und Mentalitäten. Münster: Unrast.

Luckmann, Thomas, 1963. Das Problem der Religion in der modernen Gesellschaft. Institution, Person und Weltanschauung. Freiburg im Breisgau: Rombach.

Luckmann, Thomas, 1991. Die unsichtbare Religion. Frankfurt a.M.: Suhrkamp.

Lutter, Christina und Reisenleitner, Markus, 1998. Cultural Stduies. Eine Einführung. Wien: Turia + Kant.

Mecheril, Paul, 2006a. Das Besondere ist das Allgemeine. Überlegungen zur Befremdung des `Interkulturellen´. In: Tarek Badawia; Helga Luckas und Heinz Müller (Hg.). Das Soziale gestalten. Über Mögliches und Unmögliches der Sozialpädagogik. Wiesbaden: Verlag für Sozialwissenschaften, 311–326.

Mecheril, Paul, 2006b. Das un-mögliche Subjekt. Ein Blick durch die erkenntnistheoretische Brille der Cultural Studies. In: Heiner Keupp und Joachim Hohl (Hg.). Subjektdiskurse im gesellschaftlichen Wandel. Zur Theorie des Subjekts in der Spätmoderne. Bielefeld: transcript-Verlag, 119–141.

Mecheril, Paul, 2009. Politik der Unreinheit. Über die Anerkennung von Hybridität. 2. Auflage. Wien: Passagen.

Nassehi, Armin und Richter, Dirk, 1996. Die Form «Nation» und der Einschluss durch Ausschluss. Beobachtungen zur Fremdenfeindlichkeit in Deutschland. Sociologia Internationalis. Internationale Zeitschrift für Soziologie, Kommunikations- und Kulturforschung. 34, 1/2, 151–176.

Nietzsche, Friedrich, 1906. Die fröhliche Wissenschaft (aus dem Nachlass 1871-1888 von Friedrich Nietzsche. Nietzsche´s Werke 6. Leipzig: Alfred Kröner Verlag.

Pollack, Detlef, 2003. Säkularisierung - ein moderner Mythos? Studien zum religiösen Wandel in Deutschland. Tübingen: Mohr Siebeck.

Reckwitz, Andreas (2006). Ernesto Laclau. Diskurse, Hegemonien, Antagonismen. In: Stephan Moebius und Dirk Quadflieg, Dirk (Hg.). Kultur. Theorien der Gegenwart Wiesbaden: Verlag für Sozialwissenschaften, 339–349.

Rendtorff, Trutz, 1975. Gesellschaft ohne Religion? Theologische Aspekte einer sozialtheoretischen Kontroverse (Luhmann-Habermas). München: Piper.

Rubenstein, Richard E. und Crocker, Jarle, 1994. Challenging Huntington. In: Foreign Policy. Fall 1994 (96), 113–128.

Ruthven, Malise, 1991. Der göttliche Supermarkt. Auf der Suche nach der Seele Amerikas. Frankfurt a.M.: S. Fischer.

Said, Edward, 2003. Orientalism. London: Penguin Books.

Shulman, Stephen, 1998. Review of The Clash of Civilizations and the Remaking of the World Order by Samuel Huntington. In: Political Science Quarterly Vol. 60 (No 1). (February, 1998), 304–306.

Sloterdijk, Peter, 2006. Zorn und Zeit. Politisch-psychologischer Versuch. Frankfurt a.M.: Suhrkamp.

Spivak, Gayatri Chakravorty, 1985. The Rani of Simur. In: Francis Barker et al. (Hg.). Europe and Its Others. Proceedings of the Essex Conference on the Sociology of Literature, July 1984, Colchester: University of Essex, 128–151.

Spivak, Gayatri Chakravorty, 1996. The Spivak Reader. Landry, Donna; MacLean, Gerald (Hg.). New York, London: Routledge.

Swietlik, Gabriele und Yilmaz, Ayse, 1996. In dem kalten deutschen Boden möchte ich nicht begraben werden. Ein Leben zwischen Deutschland und der Türkei. In: Paul Mecheril (Hg.). Deutsche Geschichten. Menschen unterschiedlicher Herkunft erzählen. Münster: Waxmann, 19–30.

Taylor, Charles, 2002. Die Formen des Religiösen in der Gegenwart. Frankfurt a.M.: Suhrkamp.

Religiosität im Alltag von Migrantenjugendlichen

Merle Hummrich

Was die jüngere Generation mit der älteren will

Generationsbeziehungen in den kollektiven Orientierungsmustern religiöser Migrantenjugendlicher

Der vorliegende Beitrag nimmt seinen Ausgangspunkt bei der These vom Bedeutungsverlust der älteren Generation für die jüngere und fragt danach, wie religiöse Migrantenjugendliche sich vor dem Hintergrund ihrer Gleichaltrigenbeziehungen gegenüber der älteren Generation positionieren. Die Untersuchung des Zusammenhangs von Religion, Migration und Jugend in ihrem Verhältnis zur älteren Generation ist vor allem deshalb interessant, weil gerade die Verbindung von Religion und Migration immer wieder die Annahme traditionaler Beziehungsstrukturen heraufbeschwört, die – im Gegensatz zu Jugendlichen ohne Migrationshintergrund – adoleszente Freisetzungsprozesse verhindern (Hamburger, 2006; Hummrich, 2009). Um die hier eröffnete Fragestellung zu bearbeiten, werden im Folgenden zunächst Generationsbeziehungen im Prozess des Aufwachsens bestimmt und heuristische Annahmen zur Bedeutung der Religion unter den Bedingungen von Moderne und Migration formuliert. Hieran schliesst sich eine Betrachtung dreier Gruppendiskussionen zur Auseinandersetzung mit der älteren Generation und dem Thema Religiosität an. In einer theoretisierenden Schlussbetrachtung werden die eingangs eröffneten theoretischen Linien aufgegriffen und die Bedeutung von Generation, Migration und Religion in der Adoleszenz diskutiert.

1. Generationsbeziehungen im Prozess des Aufwachsens

Modelle von Generationsbeziehungen sind eingebunden in die bestehenden Herrschaftsverhältnisse (Parnes, Vedder, Willer, 2008). Bereits früh wurden sie Bestandteil pädagogischer Metaphern und Metaphoriken (Bilstein, 1996; Lüscher, Liegle, 2003), die sich zwischen Transformation und Reproduktion aufspannen und in eine gesellschaftliche und eine familiale Linie ausdifferenziert werden können (Helsper, Kramer, Hummrich, Busse, 2009). Dabei steht der doppelte Prozess des Umgangs sozialer Kollektive vor dem Hintergrund der historischen Entwicklung und der Umgang des Einzelnen mit der Familie und in pädagogischen Diskussionen zur Disposition (Winkler, 1998: 119). So fragt Schleiermacher 1826: «Was will denn die ältere Generation mit der jüngeren?» (Schleiermacher, 1983), um das Verhältnis von Alt und Jung sowie von Transformation und Reproduktion zu bestimmen. Die jüngere Generation übernimmt dabei die Tradition der Älteren, steht aber zugleich für Innovation – eine Perspektive, die insbesondere in der Reformpädagogik aufgegriffen wurde, um die auratisch, kulturell gestützen Beziehungen zu vorbildhaften Pädagogen dem Zerrbild von Angst einflössenden Despoten, dessen Haltung nur übernommen wird, entgegenzusetzen (Nohl, 1988; Kerschensteiner, 1927). Diese Linienführung hat eine Doppelfunktion der Betrachtung der Generationen im Blick, trennt sie jedoch nicht systematisch. In der jüngeren Geschichte der Theorie zu Generationsbeziehungen erfolgt diese Trennung schliesslich, indem alterskohortenspezifische Habitusformationen, die sich im Wechselspiel von Adoleszenz und historischem Prozess vollziehen, und sich in Beziehungen von Alt und Jung realisierende Individuationsprozesse unterschieden werden (Oevermann, 2001). Schliesslich lassen sich «*Generationsbeziehungen* als konkrete Interaktion zwischen Angehörigen verschiedener Generationen in sorgender oder vermittelnder Absicht, *Jugendgenerationen* als historisch spezifische, mentalitätsähnliche Gebilde und *Generationsverhältnisse* als ein über Institutionen vermitteltes Relationsgefüge» (Helsper, Kramer, Hummrich, Busse, 2009: 21) unterscheiden.

Unter der Bedingung gesellschaftlicher Modernisierung, der Pluralisierung der Lebensstile und der Demokratisierung pädagogischer Beziehungen wurde in diesem Zusammenhang die These entwickelt, dass die ältere Generation für die jüngere an Bedeutung verliere (du Bois-Reymond, 2005, 2007; Winterhager-Schmid, 2000). Dazu werden unterschiedliche Annahmen zum Zusammenspiel generationaler Akteure für den Prozess des Aufwachsens gemacht, die von Annahmen zum Verschwinden der Generationendifferenz (Oswald, Boll, 1992; Ziehe, 1991, 1996) bis hin zur Hypothese der Umkehr pädagogischer Generationsbeziehungen reichen (Winterhager-Schmid, 2001).

Angesichts dieser Feststellungen lässt sich die Schleiermachersche Frage umkehren und fragen: «Was will die jüngere Generation mit der älteren? » (Ecarius, 1998). Empirische Befunde zu diesen weit reichenden Thesen sind jedoch noch selten. Die Betrachtung des Zusammenhangs von Jugend bzw. Adoleszenz und Generationsbeziehungen ist interessant, weil in der Jugendphase eine grundlegende Transformation der Welt-, Sach- und Selbstbezüge erfolgt (Koller, 2002). Das heisst: Jugendliche stehen vor der Aufgabe, sich auch mit den bisherigen Beziehungen auseinanderzusetzen und sich zu individuieren. Dies erfordert einen aktiven Umgang mit dem «Individualisierungsnarrativ» (Reckwitz, 2006), das heisst sich mit den Anforderungen an «altersgemässe» Autonomie- und Selbständigkeitsansprüche auseinanderzusetzen (Mecheril, Hoffarth, 2009; Helsper, 1992). Jugend wird somit zum Möglichkeitsraum und zugleich zur machtvollen Anforderung, die Jugendlichen interaktiv in Generationsbeziehungen und den Beziehungen zu Gleichaltrigen begegnet.

Dabei eröffnen Gleichaltrigenbeziehungen, oder besser: peerkulturelle Zusammenhänge (Breidenstein, Kelle, 1998), Jugendlichen gegenüber familialen und schulischen Zusammenhängen andere Ermöglichungsstrukturen, weil in (freundschaftlichen) Gleichaltrigenbeziehungen Symmetrie und reziproke Perspektivübernahme (Youniss, 1994) im Vordergrund stehen. Die damit bezeichnete «adoleszente Triade (King, 2004: 114) aus Familie, Adoleszenter und Gleichaltriger stellt eine wechselseitige Ermöglichungsstruktur dar, indem Beziehungen zwischen den Generationen durch peer-Beziehungen konterkariert, ergänzt, korrigiert, infrage gestellt und erweitert werden (ebd.: 111). In diesem Zusammenhang stellen religiöse Gruppen für Migrantenjugendliche – so kann an dieser Stelle hypothesenhaft gefolgert werden – einen «Möglichkeitsraum» dar, der in Auseinandersetzung mit den intergenerationalen Beziehungen gefüllt werden kann. Welche Ausdrucksgestalten dabei kollektive Orientierungen im Peer-Zusammenhang annehmen, soll im Folgenden näher betrachtet werden. Doch ist es zuvor notwendig, ein heuristisches Modell jugendlicher Religiosität unter Bedingungen der Migration zu bestimmen.

2. Adoleszente Religiosität unter Bedingungen der Migration

Die Shell-Jugendstudie von 2006 zeigt für die Bundesrepublik Deutschland, dass nur 49% der Jugendlichen sich als eher oder eindeutig als gläubig bezeichnen, während 51% eher nicht oder gar nicht gläubig seien (Deutsche Shell, 2006). Insbesondere die 17-18 jährigen gehen auf deutliche Distanz zur Religion (Helsper, 2000). Auch in der primären (der familialen) Sozialisation nimmt die Bedeutung von Religiosität ab (Fuchs-Heinritz, 2000). Individualisierungstheoretiker wie Ulrich Beck (1986) sprechen hier von einer eher befreienden Wirkung in Bezug auf die Abnahme des Zwangs zu religiösen Lebenshaltungen. Entsprechend rückläufig ist auch die sozialisatorische Bedeutsamkeit von Religiosität. Baumann und Stolz (2007) verweisen für die Schweiz auf ähnliche Tendenzen.

Fest steht, dass Religiosität im Jugendalter nicht mehr nur eine normativ vorgegebene Orientierung ist, sondern dass es unterschiedliche Orientierungen geben kann, die sich zwischen religiöser Traditionsverbundenheit, der Wahl von Religion als subjektivierender Lebensform und der Religiosität als Sinn-Bricolage aufspannt (Helsper, 2000). Dabei wird Religiosität unter Bedingungen der Migration häufig – und insbesondere dann, wenn es um die Thematisierung des Islam als ‹neuen Feind› (Hamburger, 2006) geht – unter den Typus ‹religiöse Traditionsverbundenheit subsumiert, und Annahmen zur gegenmodernen Opposition oder zum Rückzug aus der Mehrheitsgesellschaft das Wort geredet.

Hamburger (ebd.) führt dazu aus, dass eine derartige Perspektivnahme eine Konstellation schaffe, in der nicht vernünftig über das Verhältnis von Religion und Migration geredet werden könne, da sich (auch im wissenschaftlichen Diskurs) immer wieder Problemdiskurse in Bezug auf «*die*» religiösen MigrantInnen aufdrängen und Problemdiskurse fortgeschrieben würden (ebd., Hervorh. durch d. Verf.).

Um jedoch *die* Religiosität *der* Migrantenjugendlichen (Hervorh. durch d. Verf.) hinreichend beschreiben zu können, muss auf einen sozialwissenschaftlich fundierten Religionsbegriff Bezug genommen werden, der weder am kirchlich verfassten Christentum mit seinen Bezügen zu Kolonialisierung und Imperialismus ausgerichtet ist noch auf eine Fixierung auf einen traditionalen islamistischen Fundamentalismus (Hamburger, 2006: 89). Diese Bezüge finden sich bei Max Weber, Ulrich Oevermann und Pierre Bourdieu. Max Weber (1976) versteht Religion als soziale Tatsache, die sich als Gemeinschaftshandeln bestimmen lässt, das von «den subjektiven Erlebnissen, Vorstellungen und Zwecken» her zu bestimmen ist. «Religion kann daher als etwas begriffen werden, das sowohl die soziale Seite des Religiösen als eines gemeinsamen Handelns – auch in Objektivationen symbolisiert – beschreibbar macht, als aich die im Individuum liegenden Menschlichen Orientierungsbedürfnisse berücksichtigt» (Hamburger, 2006: 89). Aus einem so gelagerten Religionsbegriff gewinnt Oevermann (1995) seinen Begriff der strukturellen Religiosität, der eben nicht auf Religiosität als Grund- oder Urfunktion des Menschen eingeht, sondern sie anthropologisch bestimmt als Funktion mit deren Hilfe die Spannung der Frage «Wer bin ich, woher komme ich, wohin gehe ich?» ausbalanciert wird. Denn hierin ist eine prinzipielle Ungewissheit (der Zukunft) angelegt, die sich Menschen, unabhängig davon, ob sie sich als religiös bezeichnen oder nicht, lösen müssen.

Religion muss gleichwohl als interdependente Kategorie verstanden werden, als eine Praxis, die in Zusammenhang mit spezifischen Herrschaftsinteressen steht, durch sie hervorgebracht wird. Dies lässt sich sehr gut entlang

Bourdieus Artikel zum religiösen Feld nachvollziehen (Bourdieu, 1991). Kulturelle Orientierungen sind ein Aspekt dieser Interessen, aber es geht auch um das Verhältnis von Mann und Frau, der Generationen usw. Diese Herrschaftsinteressen lassen sich im Übrigen gut nachvollziehen entlang der mit der Kolonialisierung und Industrialisierung einhergehenden christlichen Mission, ein Muster, das auch im Islam zu finden ist.

Zurück zur Frage von Religion unter Bedingungen der Migration: Mit der massenhaften Migration seit den 1950er Jahren kommt es auch zu spezifischen Formen religiöser Pluralisierung. Versteht man Migration als Teil von Modernisierungsprozesse, so verändert diese auch die Religiosität. Es gibt unterschiedliche Bedingungen, die in diesem Verhältnis wirksam werden. Franz Hamburger (2006: 92 ff.) benennt vier:

1. In der Diasporasituation, wenn also die religiöse Gemeinschaft in einer Minderheitensituation ist, ist Religiosität häufig verbunden mit spezifischen Formen der Volkstümlichkeit. Sie erfüllt Bedingungen der Identifizierung und hält, vermittelt über ‹religiöse Autoritäten› Bewältigungspotenziale für viele Fragen bereit, die im Migrationsprozess anfallen.
2. Die innere Dynamik der religiösen Praktiken hängt auch davon ab, wie der Religiosität im Aufnahmeland begegnet wird. So ist zu beobachten, dass christliche Praktiken von Wohlfahrtsverbänden unterstützt werden und allgemein akzeptiert werden, während etwa muslimische Praktiken diskreditiert werden und eine Ausschlussbedrohung darstellen.
3. Während quantitativ kleine Gruppen unter stärkerem Anpassungsdruck stehen, bilden sich bei grösseren Gruppen häufig eigenständige religiöse Gruppierungen aus. Jedoch beinhaltet Migration in nahezu allen Fällen die Notwendigkeit, sich individuell mit dem bisher gelebten Glauben auseinanderzusetzen, da neue Zugehörigkeiten erst erschlossen werden müssen. Insofern ist die Auseinandersetzung mit Religion im Fall von Migration reflexiv und nicht – wie fälschlicherweise von der Dominanzgesellschaft oft angenommen – traditionell oder rückständig.
4. Religiosität hat eine unterschiedliche Bedeutung, je nach Lebensalter. Während es in der Jugendphase um Fragen der Bestätigung und gleichzeitig Individuation geht, geht es im Alter eher darum soziale Abstützung durch gemeinschaftliche Einbindung zu erfahren.

Auch in Bezug auf das Verhältnis von Jugend und Migration übersteigen jedoch die öffentlichen Auseinandersetzungen kaum die Schwelle der Trivialität (Hamburger, 2006: 95), denn auf Akzeptanz zielende Haltungen, die Religiosität im Zusammenhang mit Migration und Jugend in der Ambivalenz von fundamentalistischer Abwendung von der Gesellschaft sehen, darin aber auch die Möglichkeit der Orientierung verorten (z.B. Schiffauer, 1982, 2002), werden polemisierend kritisiert. Nur wenige Untersuchungen bestätigen die Differenziertheit religiöser Orientierungen (z.B. Kelek, 2002;[1] Boos-Nünning, Karakaşoglu, 2005; Fuchs-Heinritz, 2000; Schrödter, 2002). Perspektiven für eine Distanzierung von der Problemorientierung hin zu einer Sichtweise von Migration als Modernisierungsschritt (Hamburger, Hummrich, 2007) werden mit Bezug auf Religiosität nur in Ausnahmen eröffnet (Sen, Sauer, Halm, 2004; Badawia. 2003). Auffällig ist zugleich, dass sich der grösste Teil an Forschungen zur Bedeutung von Religiosität auf muslimische Migrantenjugendliche bezieht, andere Religionszugehörigkeiten als Vergleichshorizont gar nicht einbezogen werden. So muss doch darüber nachgedacht werden, ob das, was in manchen Studien als islamspezifisch herausgearbeitet wird, nicht doch strukturelle Ähnlichkeiten zu anderen Religionszugehörigkeiten beinhalten kann (Hummrich, 2009).

Zentral bleiben folgende Forschungsdesiderate:

- Die Frage nach Einbindung in religiöse Gruppen unter der Perspektive der Migration.
- Die Bedeutsamkeit der religiösen Gemeinschaft für die Herausbildung eines religiösen Habitus, der auch über unterschiedliche Religionszugehörigkeiten hinweg in den Blick genommen wird.
- Die Bedeutsamkeit von Religionsgemeinschaft als peer-kulturellem Orientierungsrahmen in Auseinandersetzung mit der älteren Generation.

3. Familiale Generationsbeziehungen und die Bedeutung der religiösen Gemeinschaft

3.1 Vorannahmen einer Untersuchung über religiöse Migrantenjugendiche und ihre Beziehungen

Aus den bislang eher unverbundenen Diskurslinien der vorangegangenen Kapitel kann nun ein knappes heuristisches Modell skizziert werden, das die Grundorientierung des im Rahmen der Jacobs Summer Research Group (JSRG) von mit durchgeführten Projektes umreisst. Dabei spielen folgende Feststellungen eine Rolle:

1 Damit stehen die Ergebnisse dieser Studie in fundamentalem Widerspruch zu ihren späteren, problematisierenden Perspektivnahmen.

Generationsbeziehungen und religiöse Praxis stehen in Zusammenhang mit gesellschaftlichen Herrschaftsinteressen. Daraus folgt, dass die oben dargelegte n defizit- und problemorientierten Perspektivnahmen sich insbesondere mit Blick auf islamische Migrantinnen und Migranten radikalisieren. Familiale Generationsbeziehungen werden in diesem Zusammenhang vor allem als Unterdrückungsverhältnisse subsumiert. Die Rede von 1. und 2. Generation verstärkt diesen Effekt, indem sie Zuschreibungen fortsetzt (Hamburger, Hummrich, 2007).

Familiale und religiöse Generationsbeziehungen sind – ebenso wie familiale und schulische Generationsbeziehungen (Helsper, Kramer, Hummrich, Busse, 2009) – strukturell zu unterscheiden, auch wenn diese Unterscheidung nicht nach dem Muster der Analogie getroffen werden kann. Während familiale Generationsbeziehungen naturwüchsig und unkündbar sowie um Nähe und Diffusität zentriert sind (Oevermann, 2008), müssen religiöse Generationsbeziehungen als um die Vermittlung von religiösem Wissen und Gesinnungsfragen zentriert betrachtet werden. Sie müssten insofern spezifische Anteile enthalten, als sie um Wissensvermittlung zentriert sind und es hier möglicherweise zur Ausgestaltung sachorientierter Arbeitsbündnisse (Helsper, Kramer, Hummrich, Busse, 2009) kommt. Jedoch erfordert die Orientierung auf Gesinnungsfragen und die strukturell angelegte Kriselösungskompetenz der prinzipiell ungewissen Zukunft (Kap. 2) der Generationsälteren (z.B. Priester, Imame usw.) auch eine Charismatisierung hinsichtlich des Krisenlösungsversprechens der religiösen Inhalte. Diese Charismatisierung, die hier nicht mystifizierend angelegt ist, sondern im Sinne der Verbürgung des Krisenlösungsversprechens müsste somit in religionsgemeinschaftlichen Generationsbeziehungen eine besondere Bedeutung erhalten, die insbesondere in der Adoleszenz und ihren strukturellen Rahmenbedingungen eine besondere Bedeutung erhalten kann, indem die Neuorientierung einen spezifisch religiösen ‹Input› erhält.

Innerhalb der religiösen Gemeinschaften und der in ihnen organisierten Jugendarbeit haben die religiösen Gleichaltrigen/religiösen Peers eine besondere Bedeutung. Als ausserschulische Peers geht es weniger um die gemeinsame Verständigung in Bezug auf die Haltung zu schulischen Leistungsanforderungen (Breidenstein, 2006); als ausserfamiliale Peers geht es hier weniger um Artikulationen geschwisterlicher Solidarität oder Rivalität. Zugleich handelt es sich um eine institutionell vergemeinschaftete Form von Peerkultur, die an die oben beschriebene Form der Generationsbeziehung innerhalb religiöser Gemeinschaften gebunden ist.

Die Forschungsfragen, die sich hier anschliessen liessen, sind vielfältig. So könnte das Verhältnis familialer und religiöser Generationsbeziehungen in seiner strukturellen Unterschiedlichkeit und seiner interdependenten Struktur näher bestimmt werden und dies auch noch einmal auf schulische Zusammenhänge bezogen werden. Dabei könnte auch gefragt werden, welche Bedeutung Religiosität innerhalb der Schule der Dominanzgesellschaft hat. Doch so interessant diese Untersuchungsfoki sind, sollen in diesem Zusammenhang vor allem die kollektiven Orientierungsrahmen untersucht werden, die Jugendliche im wechselseitigen Austausch innerhalb der religiösen Gemeinschaft entwickeln. Dies wird – und damit wäre ein erstes Ergebnis der Studie zu «Kollektiven Orientierungen religiöser Migrantenjugendlicher benannt – in allen von mir durchgeführten Interviews besonders deutlich entlang der Auseinandersetzung mit den familialen Generationsbeziehungen. Wie sich diese Auseinandersetzung vollzieht und welche Bedeutung sie für die Entwicklung und Entfaltung kollektiver Orientierungsmuster hat, soll im Folgenden dargestellt werden. Der Untersuchungsfokus des vorliegenden Beitrags lässt sich somit wie folgt illustrieren (Abb. 1). Das graue Feld kennzeichnet dabei den Untersuchungsfokus.

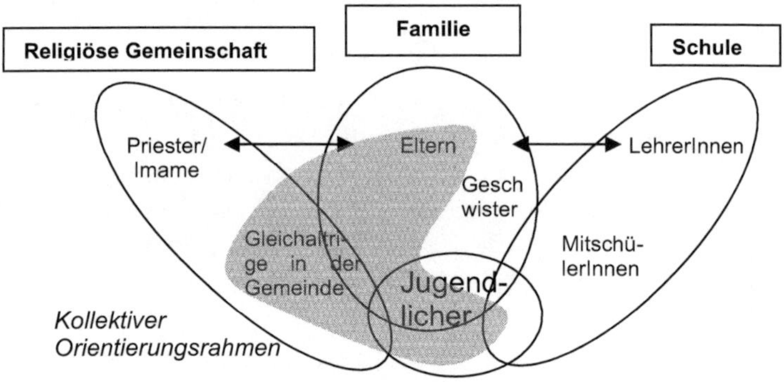

Abb. 1: Gegenstandsbereich der Untersuchung

3.2 Untersuchungsmethode und Methodologie

Um den hier beschriebenen Gegenstand in den Blick zu bekommen, habe ich mich an der Forschungsmethodologie der Dokumentarischen Methode (Bohnsack, 2000) orientiert. Mit dieser Methode können Habitusformationen rekonstruiert werden, indem etwa im Rahmen von Gruppen Diskussionen initiiert werden, in denen es um die Verhandlung gemeinsamer Sinnbezüge geht. Als Untersuchungsgruppen wurden vier Jugendgruppen in einer Schweizer Mittelstadt und vier in einer deutschen Grossstadt ausgewählt. Alle

Gruppen waren migrantisch geprägt, zwei waren muslimisch, zwei christlich. Diese Auswahl orientiert sich an der öffentlich gerne diskutierten Kontrastivität der grossen Religionsgemeinschaften, wobei mit der Einbeziehung muslimischer *und* christlicher Gemeinschaften gerade ein Vergleichshorizont geschaffen werden sollte, der in zahlreichen Untersuchungen vernachlässigt wird. Aus forschungspragmatischen Gründen musste daher jedoch der Vergleich zu nicht-migrantischen und zu nicht-religiösen Peer-Zusammenhängen ausfallen. Dies gemahnt im Ergebnisteil zu besonderer Reflexivität, um nicht Ergebnisse als migrantenspezifisch darzustellen, die es möglicherweise gar nicht sind.

Die Gruppendiskussionen dauerten jeweils zirka eine Stunde und wurde mit dem Verfahren der Dokumentarischen Methode ausgewertet (Bohnsack, 2000, Kramer, Helsper, Thiersch, Ziems, 2009). Im Folgenden werde ich das Verfahren jedoch nicht nachzeichnen, sondern mich darauf beschränken drei Typen religiöser Orientierungen in ihren generationalen Beziehungen vorzustellen.

3.3 Zentrale Erkenntnisse

Im Zentrum dieses Beitrags steht die kollektive Orientierung – als gemeinsam verbürgter Gruppenhabitus – im Verhältnis zu den elterlichen religiösen Beziehungen – als Beziehung, die strukturell durch Generationsdifferenz geprägt ist. Im Rahmen der Gruppendiskussionen werden damit die Peer-Beziehungen in den Mittelpunkt gerückt und auf ihr Verhältnis zu den generationsdifferenten Eltern untersucht. Insbesondere dieser Fokus bietet einen sehr illustrativen Einblick in den jeweiligen Umgang mit Religiosität und die Bedeutung religiöser Zugehörigkeit. Insgesamt liessen sich bislang drei Typen kollektiver Orientierungsmuster herausarbeiten, die sich auch über die Auseinandersetzung mit dem Elternhaus reproduzieren. Diese Typen sind:

Typus 1 «Elterliche Traditionsbindung und Reproduktionsorientierung»
Typus 2 «Religiosität als gemeinschaftliche Individuationsgrundlage»
Typus 3 «Einbindende Freisetzung»

Im Folgenden werde ich den ersten Typus ausführlicher darstellen und die anderen Typen ergänzend kontrastieren.

Typus 1: die «*Elterliche Traditionsbindung und Reproduktionsorientierung*» wird repräsentiert von einer muslimischen Gruppe in der Schweiz und einer italienischen Gruppe, mit denen ein Interview in Deutschland erhoben wurde.

Dazu zunächst ein Interviewausschnitt aus der muslimischen Gemeinde in M-Stadt.

> *Interviewerin:* okee (fragend) ‹uund was bedeutet es dann für euch jeweils hierhin zu kommen› (2)
> *Antonija:* dass wir uns sehen oder ich meine es ist auch wichtig oder
> *Nurishi:* also bedeuten, es ist eigentlich genau as gleiche wie- wie wenn man äh in die schule geht , es ist- es ist genau das gleiche das ist (I: h=hm) einfach (lachend) ‹islamisch› (1) also mehr so religion und schulisch und schule (I: h=hm) nur dort gehen wir fünfmal (1) also äh (I: h=hm) in der woche und da jeden Samstag sonntag auch, (leise) ‹ ((einfach)) so ich meine das ist›, genaus das gleiche also dort lernt man etwas das man , wirklich fürs leben braucht und da lernt man etwas- (I: h=hm) also ich- ich sehe da keinen unterschied

Die Frage der Interviewerin formuliert hier eine Rahmenkonstruktion, innerhalb derer sich die Gruppe verorten soll. Dabei ist der Bedeutungshorizont des «hierhin»-Kommens thematisch. Nach einer zweisekündigen Pause schliesst Antonija an, indem sie einen positiven Gegenhorizont formuliert, den sie argumentativ vertritt: «dass wir uns sehen» ist «auch wichtig». Diese Behauptung wird durch ein zweifaches «oder» strukturell geöffnet – es besteht der Anspruch sich beim Vergemeinschaftungszusammenhang zu vergewissern. Dabei fällt auf, dass mit dem «auch wichtig» gleichzeitig andere Relevanzstrukturen ins Feld geführt werden. Antonija betont also, dass die gemeinsame Zeit und das einander Sehen eine hohe Bedeutung hat. Sie fokussiert spontan den peerkulturellen Zusammenhang als zentralen Bezug, wenngleich deutlich wird, dass es daneben weitere Relevanzsetzungen gibt. Sie wird jedoch abgelöst durch Nurishi, die der ins Stocken geratenen Ausführung scheinbar zur Hilfe eilt. Jedoch gibt sie dem Gespräch eine andere Wendung. Sie geht sozusagen hinter die Formulierung Antonijas zurück und greift auf, was die Interviewerin gefragt hat, indem sie ein kurzes Zitat («bedeuten») verwendet. Die scheinbare Hilfe liest sich somit als Revision der Antwort Antonijas. Gegenüber dem peerkulturellen Vergemeinschaftungszusammenhang wird die Schule als analoge Veranstaltung eingeführt und versucht, das Konzept der Analogie über den zentralen Bestandteil der Schule – die Wissensvermittlung – zu entfalten. Dies gelingt ihr jedoch nicht vollständig, denn sie nimmt immer wieder Bezug auf vereinfachende Perspektivnahmen (es ist genau das gleiche das ist einfach islamisch») und bricht in letzter Konsequenz ab (dort [in der Schule] lernt man etwas das man wirklich fürs leben braucht und da [in der Gemeinde] lernt man etwas-»). Nurishi greift also den Wissensvermittlungsaspekt der religiösen Gemeinschaft auf. In ihrer Darstellung, kristallisiert sich ein Orientierungsmuster heraus, das strukturell den Pflichtcharakter des Gemeindebezugs in den Vordergrund rückt, von dem ihr jedoch nicht klar ist, wozu sie ihn später braucht. Dahinter kann nur eine Orientierung stehen, mit der an bestehende Ordnungen angeschlossen wird: man geht zur Schule, weil man zur Schule gehen muss, man geht zur Gemeinde, weil man zur Gemeinde gehen muss. Dabei ist der Zwang zur Schule zu gehen gesetzlich verankert, der zur Gemeinde zu gehen, nicht. Der Pflichtcharakter muss hier vielmehr in einer gemeinschaftlich verankerten Bezugnahme liegen, mit denen eine konventionelle Haltung gegenüber der Bezugnahme auf religiöse Gemeinschaft dokumentiert wird. Dies bestätigt sich auch Berishi im darauffolgenden Segment, in dem sie ausführt:

> *Berishi:* meistens religion ist mit eltern oder onkels (I: h=hm) oder so also bei uns jetzt

Religiosität hat etwas mit den Eltern oder Verwandten zu tun. Mit dieser Haltung stellt Berishi einen verbürgten Orientierungsrahmen in Bezug auf Religiosität dar: weniger die eigene Gesinnung oder eine jugendkulturelle Verortung stehen im Vordergrund des Gemeindebezugs, als vielmehr der Anschluss an die elterlichen Haltungen und die pflichtgetreue Einübung und Aneignung religiösen Wissens. Die religiöse Weiterbildung wird im Anschluss an familiale Positionierungen eingeübt, wobei nicht besonders klar ist, wofür man das hier erworbene Wissen braucht – im Gegensatz zur Schule, wo man etwas für das Leben lernt.

Nun wäre es verkürzt hier nur den Pflichtcharakter und das Unwissen darüber, was eigentlich gelernt wird, als Defizit herauszuheben. Vielmehr geht es hier um den Anschluss an die religiöse Haltung der Eltern, wie auch in einer katholischen italienischen Mission geäussert wird, wenn gesagt wird:

> *Naomi:* als elternteil macht- tauft man ja den , tochter oder den sohn, und da ham die auch eigentlich schon den anfang halt ähm meist isses so dass die tochter oder=und der sohn einfach machen was die eltern, welche religion die eltern sind, also es is immer so
> *Nancy:* meistens ja
> *Naomi:* meistens weil sie die eltern nich enttäuschen wolln oder meistens weil die äh=äh rei-gion selber den gefällt
> *Angelo:* ich würd se halt katholisch erziehen (3) so wie meine eltern mich

Hier wird nun besonders deutlich, dass Religiosität im Anschluss an die elterlichen Vorstellungen verstanden wird und dass ein eher praktizierender oder pragmatischer Umgang mit Religiosität herrscht. Die familialen Generationsbeziehungen bieten bei diesem Typus die grundlegenden Orientierungen, denen gefolgt wird, die Gemeindeintegration erfolgt im Sinne einer verordneten Religiosität und Homologieorientierung, die gegenüber der Vergemeinschaftungsorientierung dominiert.

Einen maximalen Kontrast zu diesem auf harmonische Beziehungen gerichteten Typus bildet der *Typus 2 «Religiosität als gemeinschaftliche Individuationsgrundlage»*. Hier erfolgt eine dezidierte Abgrenzung vom Elternhaus, was die unreflektierte Übernahme religiöser Haltungen angeht, die gekoppelt ist an eine eigenständige Vorstellung davon, was die Gemeindebindung bedeutet. Als Beispiel dient hier ein selbst organisierter Verein muslimischer Jugendlicher in Deutschland. Antonija holt in diesem Zusammenhang weit aus, um sich von der religiösen Orientierung ihrer Eltern abzugrenzen. Die Eltern haben sie im frühen Kindesalter (mit 5-7 Jahren) in eine Koranschule schicken wollen, ohne ihr dies zu begründen. Dies ist für sie Anlass, den gemeinsamen Besuch der Moschee abzulehnen, auch wenn sie betont, dass sie sich ausgesprochen gut mit ihren Eltern versteht und vor ihnen grosse Achtung hat.

> *Aisha:* sie [die eltern] zwingen die kinder (lachend) ‹okay du gehst jetzt in die moschee und du lernst arabisch› (verstellte tiefe stimme, streng) zum beispiel , ähm und das kind hat keine ahnung warum das arabisch lernen soll ich mein das is , sieben jahre alt fünf jahre alt sechs jahre alt
> *Sahara:* das war auch
> *Aisha:* es hat keine , äh=äh es weiss gar nich zum beispiel meine eltern haben irgendwann gesagt ‹okay nächste woche gehn wir in die moschee mit dir› (verstellte stimme)
> *?w:* hm
> *Aisha:* und meine eltern warn noch nie davor mit mir in der moschee und die sin auch nich so aktiv also das ich jetzt ein vorbild- so ein grosses vorbild hab ich liebe meine eltern über alles aber , in dem punkt sind die so bisschen- auf jeden fall und ähm wo die es gesagt haben ich so ‹nee ich geh nich hin› (verstellte stimme)

Im Hintergrund dieser Passage stand die Frage danach, was die Befragten ihren Kindern einmal in Bezug auf Religion vermitteln wollen. Hier ist zum einen die eigene Haltung zur Religion gefragt, zum anderen steht im Hintergrund der eigene imaginäre Entwurf von Religiosität in familialen Generationsbeziehungen. Nach einem kurzen Aushandlungsprozess setzt sich die auszugsweise vorgestellte Ausführung von Antonija durch, die einerseits mit Respekt und Achtung von ihren Eltern spricht und in Bezug auf die sie eine positive Beziehung herausstreicht. Die Einbettung in eine positive Haltung zu den Eltern wird jedoch unterwandert, indem herausgestellt wird, dass in Bezug auf die religiöse Erziehung Uneinigkeit herrscht. Hier werden Differenzen zwischen Antonija und ihren Eltern deutlich, die bereits in der frühen Kindheit vorhanden waren, als die Eltern ihrer Tochter vorschreiben wollten, dass sie zur Moschee gehen und arabisch lernen solle. Diese Erzählung dient als Belegerzählung für Fehler, die Eltern in Bezug auf die religiöse Erziehung ihrer Kinder machen können: sie dazu anzuhalten die Religiosität aufgrund von tradierten Haltungen unreflektiert zu übernehmen und damit Zwang in der Eltern-Kind-Beziehung zu setzen. Vor diesem negativen Gegenhorizont wird die eigene Entscheidung sich der muslimischen Vereinigung, in der Antonija aktuell ist anzuschliessen, entfaltet. Hier erscheint die Entscheidung zur Religiosität als Akt der autonomen Entscheidung:

> *Aisha:* und ich hatte damals die bedeutung nich gesehn warum ich jetzt arabisch lernen sollte ((schluckt hörbar)) das hab ich auch nich angefang , erst jetzt ‹hab ich es angefang von mir aus› (lachend) und meine eltern sagen so ‹ja kannste nich noch ein bisschen warten weil jetzt hast du abitur› (leicht verstellte stimme) ‹also jetzt isses umgekehrt› (lachend)
> *Lisa:* ((lacht, 2 sek.)) okay
> *Aisha:* jetz isses mehr umgekehrt
> *Lisa:* hammer
> *Aisha:* und dis würd ich an meine kinder ähm anders , also erstmal würd ich sehr gerne ein vorbild für sie sein

Vor dem Hintergrund dieser autonomen Entscheidung wird dann der eigene positive Bezugshorizont entfaltet: den Kindern ein Vorbild sein und ihnen begründen können, warum Glauben wichtig ist. Damit schliesst Antonija an ein modernes Verständnis von Religiosität an, das vor allem auf subjektiver Erfüllung und Weitergabe auf der Grundlage rational nachvollziehbarer Gründe fusst. Dabei wählt Antonija eine selbstorganisierte Gruppe aus, die sich vor allem durch hohe Bildungsaspirationen auszeichnet und das gemeinschaftliche Zusammenkommen nicht nur zum Zweck der gemeinsamen gläubigen Praxis nutzt, sondern auch dazu, um wechselseitig Bildungsambitionen zu bestätigen, sich zu stützen und fördern. Die generationalen Beziehungen in der Familie werden daher kritisiert, wenn sie die eigene Autonomieentwicklung stören, aber dennoch als emotionaler Rückhalt wertgeschätzt, was auch die anderen Gruppenmitglieder bestätigen. In der Gemeinde wird vor allem auf «peer-Beziehungen» rekurriert, wichtig ist der gleichberechtigte Umgang miteinander. Dabei wird sich funktional auf Beziehungen zur älteren Generation bezogen, insofern es die Glaubenspraxis erfordert. Während also in der Familie eine gewisse Hierarchie der Generationsbeziehungen gewahrt wird, ist es in der Gemeinde von höchster Relevanz, dass das Miteinander «von jugendlichen für jugendliche» gestaltet wird.

Während in diesem zweiten Typus noch die gemeinsame Bildungsarbeit in den Vordergrund gerückt wird, nimmt der *Typus 3* , den man mit «*Einbindende Freisetzung*» bezeichnen kann, die religiöse Gemeinschaft als Rahmen, um peer-kulturellen Interessen nachzugehen. Gemeindeorientierung ist deshalb wichtig, weil hier unproblematisch Freunde getroffen werden können und die Eltern hier auch nichts gegen Beziehungen zu Gleichaltrigen haben. Der eigene Glaubensentwurf wird jedoch den elterlichen Orientierungen entgegengesetzt:

> *Loän:* also ich denk wahrscheinlich werden wir die kinder auch nich so streng erziehn wie unsere eltern uns erzogen ha-ben, und es wird dann sozusagen
> *Sophia:* ‹lockerer werden› (leise)
> *Loän:* lockerer genau also lockerer- etwas locker einfach nur (2) (flüstern)

Der hier artikulierte gemeinsam verbürgte Orientierungsrahmen ist, dass religiöse Gemeinschaft den Eltern zuliebe praktiziert wird, es aber auf der Hinterbühne um die Ermöglichung peerkultureller Orientuenrsmuster geht. Der durch die Eltern verordnete Rahmen wird gemeinsam reflektiert und die Distanzierung vom Elternhaus kollektiv abgestimmt. Während mit dem Pflichtcharakter durchaus Nähen zum ersten Typus bestehen, impliziert die Reflexion eine Nähe zum zweiten Typus.

4. Generation, Migration und Religion in der Adoleszenz

Adoleszenz als Phase der grundlegenden Transformation der Welt- Sach- und Selbstbezüge (King/Koller 2009) beinhaltet generell Aushandlungsprozesse und Neuorientierungen in Bezug auf die Individuationsentwürfe und Bildungsaspirationen. Im Fall von Migration kann von einer gesteigerten Anforderungsstruktur gesprochen werden (ebd.), die sich aus Zuschreibungsprozessen einerseits, aus der Notwendigkeit andererseits ergibt, den Migrationsprozess lebensgeschichtlich zu verarbeiten. Welchen Stellenwert hierin die Einbindung in religiöse Gemeinschaften haben – gerade vor dem Hintergrund, dass auch die Beziehungen zu den Eltern neu balanciert werden müssen – sollte in diesem Beitrag festgehalten werden.Um die hieraus resultierenden Erkenntnisse bündeln zu können, soll an dieser Stelle noch einmal herausgearbeitet werden, wie die Typen zueinander zu relationieren sind und welche zentralen theoretischen Erkenntnisse sich daraus ableiten lassen.

Typus I nutzt Religiosität in einem praktischen Selbstverständnis, das sich an der elterlichen Religionsausübung und den Erwartungen der Eltern orientiert. Diese Orientierung an den elterlichen Haltungen und die Übernahme eines religiösen Regelbewusstseins hat gegenüber der gemeinschaftlichen Einbindung den Vorrang, wenngleich die peer-Beziehungen als Bereicherung erlebt werden. In den Orientierungen setzt sich die Haltung es so machen zu wollen, wie die Eltern – also die eigene Haltung homolog zu gestalten und ein harmonisches Passungsverhältnis zu den Eltern herzustellen durch. Religionsgemeinschaft stellt sich als Teil des Ziels dar, sich in eine Gemeinde zu integrieren – ebenso wie Schule (und damit wird die Parallelisierung von Schule und Religionsgemeinschaft wiederum nachvollziehbar) die Möglichkeit eröffnet sich in die Gesellschaft zu integrieren. Insgesamt dominiert in den Generationsbeziehungen eine reproduktive Orientierung (auf die Erhaltung der Tradition gerichtet).

Typus 2 zeichnet sich dadurch aus, dass Religiosität genutzt wird, um sich aktiv mit dem Elternhaus auseinanderzusetzen. Die Einbindung in die religiöse Gemeinschaft dient als Katalysator für die Ermöglichung von Autonomie. Das Elternhaus wird hier nicht abgestreift und Ablösung und Autonomieentwicklung vollziehen sich nicht zwingend im Sinne konflikthafter Auseinandersetzungen, sondern es dient als Grundlage der Ermöglichung emotionaler Anerkennung. Zugleich werden seine Ermöglichungsstrukturen als begrenzt eingeschätzt. Die religiöse Gemeinschaft wird demgegenüber komplementär entworfen als Möglichkeit kognitiver Achtung und individueller Wertschätzung. Religiöse Praktiken nehmen einen Grossteil der gemeinschaftlichen Handlungen ein, aber die Beziehungen zu ausserfamilialen Gleichaltrigen (darin sind sich die Befragten einig) ermöglicht auch individuelle Transformation zu vollziehen – in Form der Entwicklung nicht-familialer Haltungen, die reflexiv auf die Eltern Bezug nehmen.

Bei Typus 3 dominiert der Bezug auf die Ermöglichung peer-kultureller Erfahrungsräume. Ähnlich zum Typus 1 geht es um die Befolgung elterlicher Wünsche beim Gottesdienst- und Gemeindebesuch. Diese wird jedoch in eine Haltung gewendet, in der es vor allem darum geht, dass die peer-Bezüge im Rahmen der Gemeinde ausgelebt werden können. Perspektivisch überführen die hier befragten Jugendlichen die gemeindlich-religiöse Haltung in eine säkularisierte Orientierung, der sich deutlich von den elterlichen Haltungen «strenger Gläubigkeit» distanziert.

Im Vergleich der drei unterschiedlichen ‹typischen› Orientierungsmuster wird deutlich, dass die peerkulturelle Orientierung und die familiale religiöse Orientierung sich widersprüchlich, harmonisch passförmig oder ambivalent zueinander verhalten. Dies kann in einem einfachen Raummodell illustriert werden (Abb. 2). Dabei ist das Raummodell weniger im Stande die religiöse Orientierung zu bemessen (darum fehlen auch quantifizierende Bezugnahmen), als dass es die Positionierung der Typen im sozialen Raum zwischen peerkulturellen Orientierungen und familialen Generationsbeziehungen verortet. Darüber wird der maximale Kontrast zwischen dem ersten und dem zweiten Typus noch einmal besonders deutlich und gleichzeitig weden die Nähebezüge beider Orientierungen im Vergleich zum dritten Typus hervorgehoben, denn dieser Typus vereint eine Orientierung an den elterlichen Haltungen, die jedoch schwächer ausgeprägt ist als bei Typus 1, und eine Orientierung an Peer-Bezügen, die jedoch weniger dominant sind als die des Typus 2.

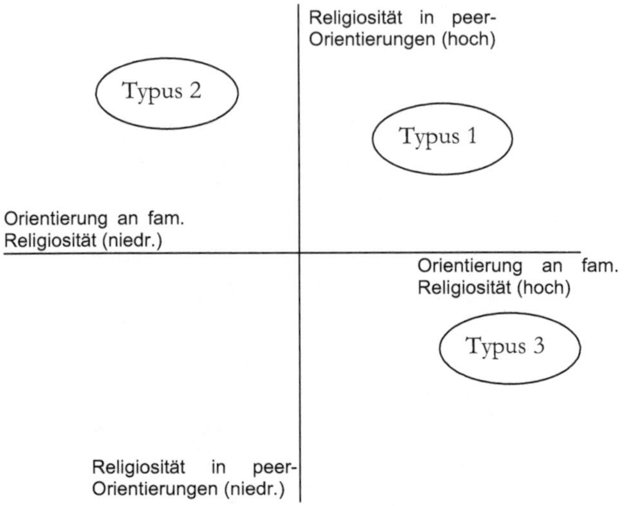

Abb. 2: Relationierung der Typen «kollektiver Orientierungsmuster Jugendlicher in religiösen Gemeinschaften im Umgang mit familialen Generationsbeziehungen»

Hieran anschliessend können nun einige theoretisierende Schlussfolgerungen abgeleitet werden:

1. Es wird deutlich, dass Jugendliche religiöse Orientierungen unter Bedingungen der Migration vor dem Hintergrund unterschiedlicher Balanceverhältnisse familialer Generationsbeziehungen und religiös-gemeinschaftlicher Einbindungen ausgestalten. Dabei finden sich in meinem Sample sowohl in christlichen als auch in muslimischen religiösen Gemeinschaften subjektivierende *und* tradierend-vergemeinschaftende Bezüge (Helsper, 2000). Die Entwicklung habitueller Orientierungen erfolgt dabei mit Blick auf die elterlichen Orientierungen, aber auch auf die Einbindungsmöglichkeiten in die religiöse Gemeinschaft. Dabei werden die elterlichen Bezugnahmen auf Religiosität durch die jugendlichen Bezugnahmen ‹gebrochen›, das heisst: selbst dann wenn die Jugendlichen eine eher übernehmende Haltung repräsentieren bedeutet diese ‹Übernahme› eine reflexive Auseinandersetzung mit den elterlichen Erfahrungen und der eignen Zugeordnetheit zu einer migrantischen Gruppe. Die Annahme spezifischer Identifizierungsmöglichkeiten von religiöse Gemein-

schaften in der Diasporasituation (Hamburger 2006), kann daher vor dem Hintergrund unterschiedlicher generationaler Zugehörigkeiten ausdifferenziert werden: während für die eingewanderte Generation die Identifizierung und spezifische Formen der Volkstümlichkeit eine zentrale Bedeutung haben mögen, kommt für die Jugendlichen die vergemeinschaftete Auseinandersetzung mit der Elterngeneration hinzu. Der Hintergrund ethnischer Vergemeinschaftung, der in die religiöse Gemeinschaft auch eingelagert ist, bringt somit die Möglichkeit eines gemeinschaftlichen Erfahrungshintergrundes im Umgang mit der Elterngeneration mit sich, ebenso wie eine darauf basierende Verständigung über Umgangstrategien damit ermöglicht wird.

2. Die religiöse Einbindung bietet also nicht nur individuelles Bewältigungspotenzial, sondern auch kollektive Orientierungsmuster, die gemeinschaftlich hervorgebracht werden und als Reflexionsfolie des individuellen und kollektiven Handelns genutzt werden. Dies zeigt sich bei Typus 1 in der gemeinsamen Ausbildung von ressourcenhafter Nutzung der Eingebundenheit und Reproduktionsorientierung, bei Typus 2 in der gemeinsamen Bezugnahme auf die transformatorische Bildungsorientierung bei gleichzeitiger Abgrenzung tradierter und unhinterfragter Glaubensgrundsätze und bei Typus 3 in der gemeinsamen funktionalen Verwendung der Glaubensgemeinschaft zur Verwirklichung jugendkultureller Interessen. Dabei sind die Typen nicht zwingend einer Religionszugehörigkeit zugeordnet. Wenn etwa die Shell Jugendstudie (2006) darauf verweist, dass traditionelle und gegenmoderne Orientierungen eher in muslimischen Bezügen vorzufinden seien, während subjektivierende Orientierungen eher in christlichen Bezügen artikuliert werden könnten, so ist dieser Befund zweifach zu relativieren: zum einen finden wir den Typus 1 der traditionalen Orientierung auch in christlichen Gemeinden, zum anderen wird der Typus 2 – die subjektivierende Variante – hier besonders durch eine muslimische Gemeinschaft repräsentiert. Diese Er<gebnisse sind auch anschlussfähig an die von Wensierski und Lübcke (in diesem Band. Die Modernität des Handelns von Migrantinnen und Migranten, die durch den Akt der Migration bereits begründet wird (Hamburger, 2009), wird in der Reflexion über Religiosität fortgesetzt. Selbst in Orientierungen, die sich als traditionsorientiert erweisen, wird diese Orientierung reflexiv ‹gebrochen› durch die bewusste Gegenüberstellung nicht-religiöser und nicht-migrantischer Lebensführungen und Habitusformationen.
3. Religiöse Orientierungen sind eingebettet in eine Vielzahl an weiteren Orientierungen. Wie jedes andere Feld im gesellschaftlichen Raum, verhalten sich Religionen auch zueinander (Bourdieu, 1991). Auch wenn bis-

lang vor allem festgestellt wurde, dass es gerade in Bezug auf die Auseinandersetzungen mit den familialen Generationsbeziehungen sowohl in christlichen als auch in muslimischen Orientierungen von Migrantinnen und Migranten ähnliche Haltungen gibt, so kann doch festgehalten werden, was sich im Durchgang durch das Material andeutet und was auf weitere Auswertungs- und Kontrastierungsmöglichkeiten verweist: während sich die christlichen Migrantenjugendlichen deutlich von muslimischen abgrenzen und darüber Distinktionsgewinne verzeichnen, geht es muslimischen Jugendlichen um Anerkennung ihrer religiösen Orientierung und die Plausibilisierung ihrer Haltung für die Mehrheitsgesellschaft. Insofern repräsentieren die Gruppendiskussionen den symbolischen Kampf um Distinktion und Anerkennung in einer auf christlichen Traditionen fussenden Dominanzgesellschaft (Rommelspacher, 1997). Dabei ist für christliche Migrantenjugendliche die distinktive Abgrenzung als Strategie zu werten, sich grundlegende Teilhaberechte an der Gesellschaft zu sichern und sich in der Zugehörigkeitsordnung als dominant zu behaupten. Die Abgrenzung, die hier vor allem mit Bezug auf muslimische Migrantenjugendliche erfolgt, ist Ausdrucksgestalt des symbolischen Kampfes um diese Zugehörigkeit und bringt damit immer auch die Möglichkeit der Nicht-Zugehörigkeit ins Spiel (Mecheril, 2005). Die Aussage, auf keinen Fall einen Moslem heiraten zu wollen, die in den mit weiblichen chrislichen Migrantenjugendlichen geführten Gruppendiskussionen immer wieder zum Ausdruck kam, kann hier als Symbolisierungsstrategie der eigenen Zugehörigkeit gesehen werden, die jedoch zugleich die eigene Prekarisierung (den Ausschluss bei falscher Partnerwahl) thematisiert. Die Aussage junger Muslima hingegen, genauso anerkannt sein zu wollen wie Nicht-Muslima, lässt die Randständigkeit unvermittelt erscheinen. Insofern repräsentiert sich im Verhältnis von Religiosität und Migration die Ausdifferenzierung gesellschaftlicher Milieus und der in sie eingelagerten Kämpfe um Zugehörigkeit und Anerkennung.

4. Die Frage nach der spezifischen Struktur religiöser Generationsbeziehungen kann an dieser Stelle nur hypothesenhaft beantwortet werden. Hier liegt mithin ein interessantes Forschungsfeld, das in Anschlussstudien vergleichend zu bearbeiten wäre: Gegenüber der Familie und Schule muss die religiöse Gemeinschaft strukturell unterschieden werden. Zugleich vermittelt sich die Zugehörigkeit zur religiösen Gemeinschaft über die Auseinandersetzung mit der Familie – entweder indem der Familie gefolgt wird oder indem sich durch die Religiosität bewusst mit der Familie auseinandergesetzt wird (von Wensierski/Lübcke in diesem Band). Dabei kommt es in den unterschiedlichen Typen zu unterschiedlichen Bezug-

nahmen auf den strukturell Generationsälteren: in Typus 1 folgt man dem Imam und dem Priester wie einem Lehrer (was sich stimmig an die Haltung gegenüber der religiösen Gemeinschaft als tradierende und verpflichtende Veranstaltung anschliessen lässt). Religiosität kommt damit aber in eine Charismatisierungskrise, da die Generationsälteren vor allem als Wissensvermittler wahrgenommen werden und nicht aufgrund ihrer Ermöglichungsstruktur die lebenspraktische Krise des «Wer bin ich, woher komme ich, wohin gehe ich?» zu lösen. Typus 2 kontrastiert maximal mit dieser Haltung. Sie nehmen bewusst Bezug auf Priester und Imame, die mit ihnen beten und durch ihre vorbildliche Haltung nicht nur Wissensvermittlung verheissen, sondern auch die gemeinsame Arbeit an der Gesinnung ermöglichen. Für den dritten Typus liegen hier noch keine Erkenntnisse vor. Es wäre vorstellbar, dass hier eine grosse Ähnlichkeit zum ersten Typus vorliegt und eher eine pragmatische Haltung gegenüber den religiösen Generationsbeziehungen erfolgt.

Bibliographie

Badawia, Tarek, 2003. «Ana laha»: «Ich nehme es selbst in die Hand» – Muslimische Jugendliche und ein islamischer Bildungsauftrag, für den sich sonst keiner zuständig fühlt. In: Wolf-Dietrich Bukow, und Erol Yildiz (Hg.), *Islam und Bildung*. Opladen, Leske + Budrich, 115–133.

Baumann, Martin und Stolz, Jürgen, 2007. *Eine Schweiz – viele Religionen*. Bielefeld, transcript-Verlag.

Beck, Ulrich, 1986. *Risikogesellschaft. Auf dem Weg in eine andere Moderne*. Frankfurt a. M., Suhrkamp.

Bilstein, Johannes, 1996. Zur Metaphorik des Generationsverhältnisses. In: Eckard Liebau und Christoph Wulf (Hg.). *Generation. Versuche über eine pädagogisch-anthropologische Grundbedingung*. Weinheim, Juventa, 157–189.

Bohnsack, Ralf, 2000. *Rekonstruktive Sozialforschung. Einführung in Methodologie und Praxis qualitativer Forschung,* Opladen.

Bois-Reymond, Manuela du, 2005. Neue Lernformen – neues Generationenverhältnis? In Heinz Hengst und Helga Zeiher (Hg.), *Kindheit soziologisch*. Wiesbaden, 227–244.

Bois-Reymond, Manuela du, 2007. *Europas neue Lerner*. Opladen, Barbara Budrich.

Boos-Nünning, Ursula und Karakasoglu, Yasemin, 2005. *Viele Welten leben. Lebenslagen von Mädchen und jungen Frauen mit griechischem, italienischem, jugoslawischem, türkischem und Aussiedlerhintergrund*. Münster, Waxmann.

Bourdieu, Pierre, 1991. *Das religiöse Feld. Texte zur Ökonomie des Heilsgeschehens*. Konstanz: UVK.

Breidenstein, Georg, 2006. *Teilnahme am Unterricht*. Wiesbaden, VS-Verlag für Sozialwissenschaften.

Breidenstein, Georg und Kelle, Helga, 1998: *Geschlechteralltag in der Schulklasse. Weinheim/München,* Juventa.

Ecarius, Jutta. (Hg.), 1998. *Was will die jüngere mit der älteren Generation? Generationenbeziehungen in der Erziehungswissenschaft*. Opladen, Leske + Budrich

Fuchs-Heinritz, Werner, 2000. Jugend und Religion 2000. In: Deutsche Shell (Hg.), *Jugend 2000. 13. Shell-Jugendstudie. Band 1*, Opladen, Leske + Budrich.

Hamburger, Franz, 2006. *Migration und Religion*. In: Zeitschrift für Migration und soziale Arbeit, Heft 2/106, 2006, 88–97.

Hamburger, Franz und Hummrich, Merle, 2007. Familie und Migration. In: Jutta Ecarius (Hg.), *Handbuch der erziehungswissenschaftlichen Familienforschung*. Wiesbaden, VS-Verlag für Sozialwissenschaften, 112–136.

Helsper, Werner, 1992. *Individualisierung, Individuation, Idealtität: Zur Rekonstruktion einer Fallstruktur »fiktionaler Individuierung« in Mädchenbiographien.* In: Jahrbuch für psychoanalytische Pädagogik 4, Mainz.

Helsper, Werner, 2000. Jugend und Religion. In: Uwe Sander und Ralf Volbrecht, (Hg.), *Jugend im 20. Jahrhundert.* Neuwied, Luchterhand, 279–315.

Helsper, Werner; Kramer, Rolf-Torsten; Hummrich, Merle und Busse; Susann, 2009. *Zwischen Familie und Schule. Rekonstruktionen zu pädagogischen Generationsbeziehungen.* Wiesbaden, VS-Verlag für Sozialwissenschaften.

Hummrich, Merle, 2009. *Bildungserfolg und Migration. Biografien junger Frauen in der Einwanderungsgesellschaft.* Wiesbaden: VS-Verlag für Sozialwissenschaften.

Kelek, Necla, 2002. *Islam im Alltag. Islamische Religiosität und ihre Bedeutung für die Lebenswelt von Schülern und Schülerinnen türkischer Herkunft.* Münster, Waxmann.

Kerschensteiner, Georg, 1927: *Die Seele des Erziehers und das Problem der Lehrerbildung.* Leipzig/Berlin, BG Teubner.

King, Vera, 2004. *Die Entstehung des Neuen in der Adoleszenz, Individuation, Generativität und Geschlecht in modernisierten Gesellschaften.* Wiesbaden, VS-Verlag für Sozialwissenschaften.

King, Vera und Koller, Hans-Christoph, 2006. Adoleszenz als Möglichkeitsraum für Bildungsprozesse unter Migrationsbedingungen. Eine Einführung. In: Vera King und Hans-Christoph Koller (Hg.), *Adoleszenz – Migration – Bildung,* Wiesbaden, VS-Verlag für Sozialwissenschaften, 9–26.

Koller, Hans-Christoph. 2002. Bildung und kulturelle Differenz. Zur Erforschung biogaphischer Bildungsprozesse von MigrantInnen. In: Margret Kraul und Wilfried Marotzki (Hg.), *Biographische Arbeit. Perspektiven einer erziehungswissenschaftlichen Biographieforschung.* Opladen, Leske + Budrich, 92–116.

Kramer, Rolf-Torsten; Helsper, Werner; Thiersch, Sven und Ziems, Carolin, 2009. *Selektion und Schulkarriere.* Wiesbaden: VS-Verlag für Sozialwissenschaften.

Lüscher, Karl und Liegle, Ludwig, 2003. *Generationenbeziehungen in Familie und Gesellschaft. Konstanz,* UVK.

Mecheril, Paul, 2005. Pädagogik der Anerkennung. Eine programmatische Kritik. In: Franz Hamburger; Tarek Badawia und Merle Hummrich (Hg.), *Migration und Bildung. Über das Verhältnis von Anerkennung und Zumutung in der Einwanderungsgesellschaft.* Wiesbaden, VS-Verlag für Sozialwissenschaften, 311–328.

Mecheril, Paul und Hoffarth, Britta, 2006. Adoleszenz und Migration. Zur Bedeutung von Zugehörigkeitsordnungen. In: Vera King und Hans-Christoph Koller (Hg.), *Adoleszenz – Migration – Bildung*, Wiesbaden, VS-Verlag für Sozialwissenschaften, 221–140.

Nohl, Hermann, 1988: *Die pädagogische Bewegung in Deutschland und ihre Theorie.* Frankfurt a. M., Klostermann.

Oevermann, Ulrich, 1995. Ein Modell der Struktur von Religiosität. Zugleich ein Strukturmodell von Lebenspraxis und von sozialer Zeit. In: Monika Wohlrab-Sahr (Hg.), *Biographie und Religion. Zwischen Ritual und Selbstsuche.* Frankfurt am Main, Campus, 27–102.

Oevermann, Ulrich, 2001. Die Soziologie der Generationenbeziehungen und der historischen Generationen aus strukturalistischer Sicht und ihre Bedeutung für die Schulpädagogik. In: Rolf-Torsten Kramer; Werner Helsper und Susann Busse: (Hg.), *Pädagogische Generationsbeziehungen. Jugendliche im Spannungsfeld von Schule und Familie.* Opladen, Leske + Budrich, 78–128.

Oevermann, Ulrich, 2008b. *Krise und Routine» als analytisches Paradigma in den Sozialwissenschaften* (Abschiedsvorlsung). http://www.agoh.de/cms/index.php?option=-com_remository&Itemid=293&func= fileinfo&id=68. [Zugriff am 13.02.2009]

Oswald, Hans und Walter Boll, 1992. *Das Ende des Generationskonflikts? Zum Verhältnis von Jugendlichen zu ihren Eltern.* In: Zeitschrift für Sozialisationsforschung und Erziehungssoziologie 12, H. 1, 30–52

Parnes, Ohad; Vedder, Ulrike und Willer, Stefan, 2008. *Das Konzept der Generation. Eine Wissenschafts- und Kulturgeschichte.* Frankfurt a. M., Suhrkamp.

Reckwitz, Andreas, 2006. *Das hybride Subjekt. Eine Theorie der Subjektkulturen von der bürgerlichen Moderne zur Postmoderne.* Weilerswist: Velbrück.

Rommelspacher, Birgit, 1997. *Dominanzgesellschaft. Texte zu Fremdheit und Macht.* Berlin, Orlanda Frauenverlag.

Schiffauer, Werner, 1982. *Die Gewalt der Ehre.* Frankfurt am Main, Suhrkamp.

Schiffauer, Werner, 2002. *Migration und kulturelle Differenz.* Studie für das Büro der Ausländerbeauftragten des Senats von Berlin. Berlin, Ausländerbeauftragte des Senats.

Schleiermacher, Friedrich. E. D., 1983. *Ausgewählte pädagogische Schriften.* Paderborn, Schönigh.

Schröter, Hiltrud, 2002. *Mohammeds deutsche Töchter.* Frankfurt am Main, Helmer-Verlag.

Sen, Faruk; Halm, Dirk und Sauer, Martina, 2004. *Euro-Islam: eine Religion etabliert sich in Europa.* Essen, ZFT-Aktuell 102.

Shell Deutschland Holding (Hg.), 2006. *Jugend 2006.* 15. Shell Jugendstudie. Bonn: Bpb.

Weber, Max, 1976. *Wirtschaft und Gesellschaft.* Tübingen, Mohr.

Winkler, Michael, 1998. Friedrich Schleiermacher revisited: Gelegentliche Gedanken über Generationsverhältnisse in pädagogischer Absicht. In: Jutta Ecarius (Hg.). *Was will die jüngere mit der älteren Generation? Generationenbeziehungen in der Erziehungswissenschaft.* Opladen: Leske + Budrich, 115–138.

Winterhager-Schmid, Luise, (Hg.), 2000. *Erfahrung mit Generationendifferenz.* Weinheim, Juventa.

Winterhager-Schmid, Luise, 2001. Der pädagogische Generationenvertrag: Wandlungen in den pädagogischen Generationsbeziehungen in Schule und Familie. In: Rolf-Torsten Kramer; Werner Helsper und Susann Busse: (Hg.), *Pädagogische Generationsbeziehungen. Jugendliche im Spannungsfeld von Schule und Familie.* Opladen, Leske + Budrich, 239–255.

Youniss, James, 1994. *Soziale Konstruktion und psychische Entwicklung: Beiträge zur Soziogenese der Handlungsfähigkeit.* Frankfurt am Main: Suhrkamp.

Ziehe, Thomas, 1991. Vom vorläufigen Ende der Erregung – Die Normalität kultureller Modernisierungen hat die Jugend-Subkulturen entmächtigt. In: Werner Helsper (Hg.), *Jugend zwischen Moderne und Postmoderne.* Opladen, Leske + Budrich, 57–72.

Ziehe, Thomas, 1996. Vom Preis des selbstbezüglichen Wissens. Entzauberungseffekte in Pädagogik, Schule und Identitätsbildung. In: Arno Combe und Werner Helsper (Hg.), *Pädagogische Professionalität.* Frankfurt a. M., Suhrkamp, 924–942.

Hans-Jürgen von Wensierski und Claudia Lübcke

«In Deutschland habe ich mit meinem Kopftuch nie Probleme gehabt»

Zur Religiosität junger Muslime der Zweiten Generation in Deutschland

Die gesellschaftspolitische Auseinandersetzung um Muslime in den westlichen Gesellschaften hat in den letzten Jahren insbesondere auch die Aufmerksamkeit auf die Sozialisations- und Identitätsbildungsprozesse junger Muslime der sog. Zweiten Generation aus Migrantenfamilien gelenkt. Der mediale Diskurs ist dabei leider zu oft durch die Reizthemen einer aufgeregten und verunsicherten Öffentlichkeit gekennzeichnet – die Kopftuchfrage, Moscheebauten, atavistische Ehrkonzepte und vor allem der islamistische Extremismus beherrschen in regelmässigen Wellen die öffentlichen Debatten und zeichnen so mediale Zerrbilder einer grossen und bedeutenden Bevölkerungsgruppe, die sich nicht erst seit dem «11. September» zu Unrecht unter Generalverdacht gestellt sieht.

In einem DFG-Forschungsprojekt haben wir in Rostock seit 2006 die Jugendbiographien von Muslimen in Deutschland untersucht. Im Mittelpunkt dieser qualitativen Studie standen die Aufwachsprozesse, die Struktur und Prozesse der Jugendphase sowie die Alltags- und Jugendkulturen (Wensierski, Lübcke, 2007).[1] Der Fokus der Untersuchung war somit keineswegs vorrangig auf kulturalistische Deutungen der Lebenslagen und Lebensstile gerichtet. Vielmehr sollte das gewählte methodische Verfahren der narrativen Interviews ermöglichen, die biographischen Erfahrungen, Bildungs- und Sozialisationsprozesse der Muslime im Kontext der sozialen Lebenslagen, der fa-

1 Befragt wurden 107 Muslime aus Migrantenfamilien im Alter zwischen 20 und 30 Jahren, die seit Geburt oder seit ihrer Kindheit in Deutschland leben. Untersuchungsorte waren westdeutsche Grossstädte und Ballungsräume mit grossen muslimischen Communities. Das methodische Auswertungsverfahren basiert auf dem Konzept des Narrativen Interviews (Schütze, 1978, 1981, 1983, 1987), d.h. es werden auf der Basis einer offenen biographischen Ersterzählung und einer sequenzanalytischen Auswertung Fallstudien erstellt und im kontrastiven Vergleich der Einzelfälle zu einer Typologie entwickelt.

miliären Herkunftsmilieus sowie der jugendlichen Peergroups zu beleuchten. Dabei gingen wir von der erkenntnisleitenden Hypothese aus, dass der religiös-kulturelle Kontext der muslimischen Herkunftsmilieus der Jugendlichen einen prägenden und strukturierenden Einfluss auf die Alltags- und Lebenswelten, die Orientierungsmuster und die biographischen Lebensentwürfe der Jugendlichen hat. Allerdings bleibt zunächst offen, wie dieser Einfluss der Religion und des Islam konkret gestaltet ist. Im Rahmen der Studie verstehen wir in Anlehnung an Clifford Geertz (1988) den Islam als kulturelles System, das über soziale Institutionen, über Traditionen, Rituale und Konventionen in der Lebenswelt der Jugendlichen verankert ist und dessen Symbolwelten und Diskurse spezifische Sinnstiftungsangebote, Menschen- und Weltbilder sowie normative, wertegestützte Modelle einer – absolut gesetzten – moralischen Lebensführung vermitteln. Als kulturelles System konkurriert die Religion allerdings in der Strukturierung der alltäglichen Lebensführung wie in der Konstruktion eines konsistenten Weltbildes mit anderen kulturellen Systemen und sozialen Institutionen.

Die (biographische) Bedeutung von Religiosität und die Formen einer potenziell religiösen Lebensführung stellen sich dann aber bei jedem Individuum jeweils anders dar. Kelek spricht von einem «muslimischen Habitus» (Kelek, 2002: 64) und macht damit auch auf die Pluralisierung und die Prozesshaftigkeit der Lebensstile und der sozialen Orientierungen im Kontext muslimischer Communities aufmerksam.

Im Rahmen unserer Biographiestudie haben wir eine Typologie entwickelt, die den Pluralismus der Jugendbiographien in muslimischen Milieus spiegelt. Dabei werden fünf Typen mit jeweiligen Varianten differenziert:

1. Säkularisierter jugendbiographischer Verselbständigungsprozess
   a. Säkularisierter Verselbständigungsprozess mit westlich-expressivem Bildungs- oder Szenemoratorium
   b. Säkularisierte interkulturell-polyglotte Bildungsbiographie
   c. Säkularisiert-assimilierte Jugendbiographie
   d. ethnisch-säkulare Biografie mit traditionalen Bezügen
2. Bi-kulturelle Identitätsproblematik
   a. Kritische Selbstvergewisserung über die kulturelle Identität
   b. Weibliche Selbstbehauptungsmuster gegenüber einer traditionellen Frauenrolle
   c. Konflikthafte, selbstbehauptete Identitätsbildung gegenüber Migrantenmilieu
   d. konflikthafte, selbstbehauptete Identitätsbildung im Kontext sozialer Benachteiligung gegenüber der Mehrheitsgesellschaft

3. Re-Islamisierung im Gefolge der Adoleszenz
   a. Re-Islamisierung im Kontrast zum Elternhaus
   b. Re-Islamisierung nach expressiver Jugendphase
   c. Re-Islamisierung nach biographischer Problemlage
4. Islamisch-selektiv modernisierte Jugendbiographie
   a. Islamisch-traditionale Jugendbiographie
   b. Traditionale Jugendbiographie mit partiellen religiösen Orientierungen
   c. Islamisch-traditionale Jugendbiographie mit Individualisierungstendenzen
   d. Individualisierte Neo-Muslima mit erfolgreicher Verselbständigung
   e. Neo-Muslima mit krisenhaften Verselbständigungsprozessen
5. Anomisch-delinquente Migrantenbiographie

Sieht man sich die Struktur der Typologie im Überblick an, dann lässt sich ein Spannungsverhältnis zwischen säkularen und religiös geprägten Biographien ausmachen. Die Typen 1 (säkular) und 4 (religiös) bilden dabei die beiden maximalen Pole. Die Typen 2 und 3 stellen in unterschiedlicher Ausprägung jeweils spannungsgeladene Biographien zwischen diesen Polen dar. Typus 2 kennzeichnet ebenfalls durchgehend säkulare Lebensverläufe, ist aber in besonderer Weise durch die biographische Erfahrung einer bi-kulturellen Identität zwischen Migrantenmilieu und deutscher Mehrheitskultur geprägt. Den Typus 3 prägt eine ähnliche Ambivalenz, allerdings ist sie hier zugleich und vorrangig religiös überformt. Diese Jugendbiographien tragen das Spannungsfeld zwischen Mehrheitsgesellschaft und Migrantencommunity als biographisches Problem zwischen säkularer Mehrheitskultur und islamischer Herkunftskultur in sich. Die Fallanalysen belegen, dass diese biographische Identitätskrise und Problemlage vorrangig im Verlauf der Adoleszenz ausgetragen und entschieden wird.

Den Typus 5 kennzeichnet der empirische Befund, dass sich einige Biographien der Zuordnung zu der oben skizzierten Systematik sperrten. Diese Biographien waren allesamt durch massive anomische und delinquente Entwicklungsverläufe und hochgradig problembelastete und desintegrative Lebenswelten und Familienmilieus gekennzeichnet. Wir haben uns deshalb entschieden, diese dominant desintegrativen biographischen Verläufe einem eigenständigen Typus zuzuordnen.

Für den vorliegenden Aufsatz möchten wir uns auf spezifische Aspekte der Religiosität unserer gläubigen Interviewpartner (Typ 3 und 4) konzentrieren. Dazu werden wir zunächst einige quantitative Befunde der empirischen Sozialforschung zur Religiosität bei Muslimen skizzieren, um dann im weiteren an zwei biographischen Fallbeispielen einige Besonderheiten der

Entwicklung einer religiösen Lebensführung von Angehörigen der Zweiten Generation in Deutschland aufzuzeigen und zu diskutieren. Die religiöse Entwicklung von Farad (Typ 3a) und Polyana (Typ 4d) – so wird deutlich – erscheint nicht einfach als spiritueller Prozess der Auseinandersetzung mit dem islamischen Glaubenssystem, sondern erweist sich als komplexer sozialer Identitätsbildungsprozess in Auseinandersetzung mit der eigenen Elterngeneration, dem familiären Herkunftsmilieu, mit den Zumutungen der jeweiligen Mehrheitsgesellschaft im Kontext von Migrationsprozessen sowie den eigenen biographischen Bildungsprozessen.

1. Religiosität von Muslimen in Deutschland – einige empirische Befunde

Zur Religiosität von Muslimen und muslimischen Jugendlichen in Deutschland sind in den letzten Jahren eine ganze Reihe von quantitativen (Heitmeyer u.a., 1997; Worbs, Heckmann, 2004; Brettfeld, Wetzels, 2004; 2007; Religionsmonitor, 2008; Haug u.a., 2009) und qualitativen Studien (Klinkhammer, 2000; Kelek, 2002; Nökel, 2002; Karakasoglu-Aydin, 2000; Frese, 2002; Tietze, 2001; Gültekin, 2003) entstanden. Auch wenn die Einzelbefunde in den Analysen sich bisweilen signifikant voneinander unterscheiden, belegen die Studien doch letztlich übereinstimmend die grosse Bedeutung, die Glauben, Religion und Religiosität für die Orientierungen, aber auch im Alltag und in den Lebenswelten von Muslimen haben. Die Religiosität und auch die religiösen Alltagspraxen sind durchweg wesentlich stärker ausgeprägt als in der christlich geprägten und tendenziell säkularen deutschen Bevölkerung. Zudem bekennt sich jeweils nur ein sehr geringer Teil aus den muslimischen Milieus als nicht-gläubig oder ist keiner Glaubensgemeinschaft zugehörig.

Brettfeld und Wetzels (2007) errechnen in ihrer Studie zur muslimischen Wohnbevölkerung, dass sich 8,9% als nicht religiös, 35% als etwas religiös, rund 40% als religiös und knapp 17% als sehr religiös beschreiben lassen (ebd.: 112). Sauer kommt in einer Regionalstudie zu Türken in NRW auf 68% religiöse Muslime (Sauer, 2007: 48). Ihre mehrjährige Wiederholungsbefragung lässt auch erkennen, dass Religiosität in einer sozialen Gruppe keine statische Grösse ist, sondern periodischen Schwankungen unterliegt. So hat die Gruppe der sehr Religiösen nach 2001 deutlich zugenommen, sank dann seit 2005 wieder, um 2008 erneut auf das Niveau von 2005 zu steigen (Sauer, 2009: 62). Zugleich verteilen sich die religiösen Muslime ziemlich gleichmässig auf die Generationen, Altersgruppen und auf die Bildungsniveaus. Zwischen der

Ersten und Zweiten Migrantengeneration besteht in der Ausprägung der Religiosität kein grosser Unterschied (jeweils ca. 71%). Unter den Abiturienten finden sich 68% Religiöse, während Türken mit Hauptschulabschluss zu 73% religiös sind. Frauen (77,2%) sind etwas religiöser als Männer (65,7%) (Sauer, 2007: 52; Haug u.a., 2009: 140).

Haug u.a. (2009: 139) ermitteln auf der Basis einer vierteiligen Skala bei einer Selbsteinschätzung der Befragten 38% «sehr stark gläubiger» und 50% «eher gläubiger» Muslime. Bei dem Vergleich unterschiedlicher Herkunftskulturen erweisen sich die türkischen Muslime als die mit der höchsten Religiosität. 41% bezeichnen sich als «sehr stark gläubig», während dies nur für 23% der Muslime aus dem Nahen Osten gilt. Lediglich die Muslime aus dem Iran geben überwiegend (55%) an, nicht gläubig zu sein (ebd.: 141; auch Religionsmonitor 2008: 16f.).

Rund jeder zweite Muslim in Deutschland hat seine religiöse Erziehung in einer Koranschule erfahren. Dabei ist der Anteil umso höher, je jünger die Betreffenden bei der Einwanderung nach Deutschland waren. Unter den in Deutschland geborenen Muslimen besuchten 60% eine Koranschule – durchschnittlich 3,5 Jahre (Brettfeld, Wetzels, 2007: 112ff.). Für rund 80% der Muslime ist die Religion zudem eher oder sehr wichtig im Alltag, wobei 67% den Glauben zu einer orientierungsleitenden Richtschnur für «alle meine Entscheidungen im Alltag» erklären. Dieser dominanten alltagsrelevanten Religiosität unter den Muslimen entspricht auch der Gehorsam gegenüber religiösen Ge- und Verboten sowie die bereitwillige Beachtung religiöser Rituale. 87% der Muslime essen kein Schweinefleisch, 62% trinken keinen Alkohol, ebenso viele beachten penibel die Fastenregeln, und jeder Zweite isst nur geschächtetes Fleisch (ebd.: 114ff.). Knapp ein Drittel folgt den vorgeschriebenen täglichen Gebeten und rund 28% gehen mindestens einmal wöchentlich in eine Moschee (ebd. 110; ähnlich: Haug u.a., 2009: 146-162).

Während Heitmeyer u.a. bereits 1997 in einer kontrovers diskutierten Studie den islamischen «Fundamentalismus» bei türkischen Jugendlichen untersuchten, gehen Brettfeld/Wetzels (2007) im Auftrag des Bundesinnenministeriums dem Zusammenhang von Religiosität, Fundamentalismus und Gewaltakzeptanz nach. Insgesamt ergeben die drei Teilstudien zu muslimischen Schülern, zu Studierenden sowie zur muslimischen Allgemeinbevölkerung im Grunde ein unspektakuläres Bild, das insbesondere allen Formen von Alarmismus und politischer Hysterie eine Absage erteilt.

Bei etwa 10% der Muslimen finden die Autoren «eine ausgeprägte Distanz zu Grundprinzipien von Demokratie und Rechtsstaat» (Brettfeld, Wetzels 2007: 173), wobei es einen deutlichen Zusammenhang zwischen Demokratiedistanz und dem Grad an Religiosität gibt. Unter den fundamental orientierten Muslimen finden sich 16% mit hoher Demokratiedistanz (ebd.: 173). Allerdings bedeutet Demokratiedistanz nicht zugleich extremistische Gewaltbereitschaft. Insgesamt zeichnen sich etwa 6% der Befragten durch eine «hohe Akzeptanz politisch-religiös motivierter Gewalt» aus (ebd.: 184), allerdings weisen davon nur 2% zugleich eine ausgeprägte Demokratiedistanz und nur knapp ein Prozent der Befragten zeigt zugleich islamistische Orientierungen *und* Gewaltakzeptanz (ebd.: 184).

Die Daten der Studie bestätigen einmal mehr die grosse Bedeutung von Religion unter den Muslimen in Deutschland, auch die normative und orientierungsleitende Kraft religiöser Gebote und Verbote für diese Gruppe. Innerhalb der Religiösen gibt es kleinere Gruppen von orthodox-konservativen religiösen Einstellungsmustern. Die Kumulation solcher Einstellungen zu einem komplexen islamismus-affinen Orientierungsmuster ergibt dann für die einzelnen Teilgruppen der Studie lediglich Grössenordnungen von 5-6%, die sich allerdings noch deutlich reduzieren, wenn zugleich nach gewaltaffinen Orientierungen gefragt wird. Insofern irritiert es, wenn die Autoren auf der Basis weitergehender kumulierender Rechenverfahren von einem «Radikalisierungspotenzial» (ebd.: 419) sprechen, das in dieser Definition nicht durch die Daten gedeckt scheint.

Die Studie des Innenministeriums über «Muslime in Deutschland» bestätigt letztlich, dass das Interessante an Muslimen in westlichen Gesellschaften nicht ihr religiöser Fundamentalismus oder politisch-ideologischer Extremismus ist, sondern die Bedeutung des Islam für die Orientierungsmuster, die Wertvorstellungen und die alltägliche Lebensführung der Muslime. Zu diesen Fragen der Bedeutung von Religion für die Orientierungen und das Handeln von Muslimen im alltags- und lebensweltlichen Kontext kann die Studie von Brettfeld/Wetzels (2007) allerdings nur wenig Auskunft geben.

2. Das Kopftuch

Eines der umstrittensten religiösen Symbole im öffentlichen Diskurs ist das Tragen des Kopftuchs (Karakasoglu, 2003; Bielefeldt, 2004; Halm, 2006; Amir-Moazami, 2007). Die verschiedenen Studien ergeben hier – je nach Fragestellung – jeweils unterschiedliche Befunde. Bei Brettfeld und Wetzels (2007) bekennen rund 33% der Frauen, dass es ihnen ein Bedürfnis ist, das Kopftuch zu tragen. Rund jeder vierte Mann bekennt dies auch als Bedürfnis gegenüber den Frauen der eigenen Familie (ebd.: 135). Je religiöser die Befragten sind, desto grösser fällt die Zustimmung zum Kopftuch aus: Von den sehr Religiösen wollen 78,4% der Frauen ein Kopftuch tragen, und 69% der

Männer erwarten dies von den Frauen. Bei den Altersgruppen sind es die Erwachsenenjahrgänge zwischen 26 und 45 Jahren, in denen das Kopftuch bei den Frauen mit etwa 38% dominiert. Haug u.a. (2009) fragen nicht nach den Einstellungen, sondern nach dem Verhalten. Die Befunde sind ähnlich: Insgesamt tragen rund 28% aller Musliminnen ein Kopftuch, aber jeweils rund ein Drittel der türkischen und nordafrikanischen Muslima (ebd.: 195). Nach Haug u.a. nimmt das Tragen mit dem Alter zu: Bei den 16-25jährigen tragen 22% die religiöse Kopfbedeckung, während es bei 26-65jährigen etwa 38% sind. Unter den älteren Muslima trägt jede Zweite das Tuch. Im Religionsmonitor der Bertelsmann-Stiftung sind etwa 50% der Frauen und 44% der Männer für das Tragen des Kopftuchs sowie 63% der ‹hochreligiösen› Muslime (Religionsmonitor: 2008: 20).[2]

Insgesamt zeigen sich auch zwischen den muslimischen Konfessionen deutliche Unterschiede im Grad der Religiosität, aber auch in den religiösen Alltagspraxen. Generell erweisen sich die Sunniten unter den muslimischen Migranten in Deutschland als stärker religiös und als aktiver in ihrer religiösen Praxis. Rund 35% der sunnitischen Frauen tragen ein Kopftuch.

Bei einem Vergleich nach sozialen Merkmalen sind Kopftuchträgerinnen etwas seltener Bildungsinländerinnen, haben etwas seltener gute bis sehr gute Deutschkenntnisse, etwas geringere Schulabschlüsse, sind etwas seltener berufstätig, haben weniger häufig Kontakt zu Deutschen und leben häufiger in Ausländervierteln. Allerdings fühlen sie sich in gleicher Weise mit Deutschland verbunden wie Muslima ohne Kopftuch und sind durchschnittlich genauso lange in Deutschland (Haug u.a., 2009: 204).

In einer nicht repräsentativen Studie der Adenauerstiftung zu türkischen Kopftuchträgerinnen erscheint das Kopftuchtragen überwiegend als Ausdruck einer persönlichen Entscheidung. Am ehesten wird noch der Mutter ein gewisser Einfluss auf das Kopftuchtragen zugestanden. 74% der jungen Muslima schliessen indes aus, dass der Vater bei der Entscheidung eine Rolle gespielt habe (Jessen u.a., 2006: 25). Das Kopftuchtragen ist gleichwohl überwiegend eingebunden in die kulturellen Konventionen des familiären Herkunftsmilieus. Bei fast allen jungen Muslima trägt auch die Mutter das Tuch, ebenso wie ein Teil der Freundinnen (85%) (ebd.: 26f.). Das Kopftuch ist zugleich Ausdruck für einen expliziten islamisch-religiösen Lebensstil, der einhergeht mit dem Leitbild eines eher traditionellen Familienmodells, aller-

2 Die Daten des Religionsmonitors weichen in diversen Aspekten von anderen Studien ab. Vgl. etwa die Skepsis von Sökefeld zu 5% kopftuchtragenden Aleviten (Religionsmonitor, 2008: 32–37.).

dings auf der Basis einer hohen Akzeptanz berufsbiographischer Perspektiven der Frau (ebd.: 28-34).

Die Wiederholungsbefragungen des Zentrums für Türkeistudien (ZfT) zeigen, dass die Zustimmung zum Kopftragen unter der türkischen Bevölkerung in Deutschland seit dem Jahr 2000 zugenommen hat. Während 2000 insgesamt 27% der Befragten für das Tragen des Kopftuchs in der Öffentlichkeit plädierten, stieg diese Quote im Jahr 2005 auf 47% (Sen, Sauer, 2006: 62). Für das Kopftuch plädieren in der ZfT-Studie vor allem Frauen (61,5%), sowie junge Erwachsene bis 30 Jahren (59,2%) (ebd., 65). Nach Goldberg steht die Zustimmung zum Kopftuch auch in einem signifikanten Zusammenhang zum Bildungsniveau – je höher der Bildungsabschluss, desto geringer ist die Zustimmung zum Kopftuchgebot (ebd., 66).

3. «Mein Vater erwartet von mir, dass ich eine gute Muslimin bin, mit Karriere» – die feministische Kopftuchträgerin Polyana

Polyana wird 1982 als Tochter türkischer Migranten in Bremen geboren. Sie hat noch drei Brüder und ist die Zweitälteste in der Geschwisterreihe. Der Vater ist als Arbeiter im Einzelhandel beschäftigt, die Mutter ist Reinigungskraft.

Polyana, die sich an eine «*sehr tolle Kindheit*» inmitten ihrer Geschwister erinnert, hat besonders zum Vater ein enges Verhältnis, der sie gegenüber den Söhnen auch mal bevorzugt. Sie beschreibt die Erziehung aber als ausgeglichen und gerecht. «*Als Mädchen war ich sehr aufgehoben zu Hause*», «*ein sehr geliebtes Kind*». Mit der Mutter, die sich sehr aktiv im muslimischen Milieu, vor allem in der Arbeit mit Frauen, engagiert, ist Polyana als Kind viel unterwegs und reist mit ihr zu öffentlichen Aktivitäten und Veranstaltungen in andere Städte. So ist das Kind bereits früh an ein grosses und lebendiges soziales Umfeld sowie öffentliche Auftritte gewöhnt – es macht ihr nichts aus, als Fünf- oder Sechsjährige auf der Bühne vor vielen Leuten zu singen. Im Alter von sechs Jahren beginnt das Mädchen das Kopftuch zu tragen. Warum, kann sie nicht genau sagen, allerdings fällt die Entscheidung in eine Zeit, in der auch die Eltern – besonders die Mutter – den islamischen Glauben für sich entdecken und einen zunehmend religiösen Lebensstil pflegen.

> Dann hab ich's in meiner Umgebung gesehen, dass auch äh meine Freundinnen anfangen zu tragen und dann war's auch ganz normal für mich.

Die schulischen Leistungen von Polyana sind gut, allerdings ist ihr die Schule nicht so wichtig – sie bekennt, dass sie eher ein «bisschen faul» war. Mit ihrem

Kopftuch ist sie zu dieser Zeit – Ende der 1980er Jahre – noch eher in der Minderheit, hat aber nie irgendwelche Nachteile dadurch. Seit der Grundschule bekommt das Mädchen türkischen muttersprachlichen Unterricht: Die Eltern legen viel Wert auf die Enkulturation in die türkische Herkunftskultur und Sprache, auch auf eine islamisch konforme Lebensführung. Aufgrund der religiösen Orientierung der Mutter wird schon seit der Kindergartenzeit darauf geachtet, dass Polyana nicht am Schwimmunterricht teilnimmt, allerdings nimmt die Mutter sie an den Wochenenden zum Ausgleich mit zum Frauenschwimmen. Auch an Klassenfahrten darf das Mädchen seit der Grundschule nicht teilnehmen.

Polyana wächst zunächst bis zum dreizehnten Lebensjahr in Deutschland auf, dann schicken die Eltern sie in die Türkei auf ein Internat. Die Eltern haben Angst vor dem sozialisatorischen Einfluss des deutschen, nicht-muslimischen Umfelds auf die Tochter, der «*gefährlicher als in der Türkei*» sei. In der Türkei wachse sie demgegenüber unter Muslimen auf, während sie in Deutschland den halben Tag «*unter ähm . nicht muslimischen Leuten (sei). Und da kann es dich mehr prägen als zu Hause.*» Das Mädchen soll demgegenüber muslimisch aufwachsen und «*halt muslimisch lebe(n)*». In der Retrospektive kann Polyana diese Befürchtungen der Eltern vor den verderblichen Einflüssen der deutschen Mehrheitskultur nachvollziehen («Und ich meine irgendwo kann ich's auch verstehen») und sie weiss zugleich zu schätzen, dass die Eltern für den erfolgreichen Bildungsweg der Tochter grosse finanzielle Anstrengungen unternehmen. Für Polyana ist dies ein besonderer Ausweis für die Wertschätzung, die sie als einziges Mädchen in dieser türkischen Familie erfährt, in der beide Elternteile aus eher bildungsfernen Milieus stammen.

Im Internat lernt sie muslimische Mädchen aus unterschiedlichen Ländern kennen und registriert den Unterschied zwischen Muslimen aus der Türkei und aus Europa. «*Wir haben unterschiedliche Sprachen gehabt, aber . von der Kultur her waren wir echt gleich, halt Europa, kurz gefasst*». Die sozialisatorische und kulturelle Auseinandersetzung mit der türkischen Heimat im Internat bleibt dabei stets ambivalent: einerseits erscheint sie als kulturelle Wurzel und Hort der eigenen ethnischen und religiösen Identität, andererseits erweist sich das türkische Internat der europäischen Migranten-Tochter auch als sozialer Ort der Konfrontation mit der türkischen Kultur und der Selbstvergewisserung der eigenen westlich-europäischen Prägungen und Identitäten. Polyana hat insgesamt positive Erinnerungen an diese Zeit, «*obwohl es dort schwieriger war zu leben*». Die Schülerinnen müssen früh aufstehen, einen stark reglementierten Tagesplan einhalten, haben kaum Freizeit und müssen auch am Wochenende zusätzliche Aufgaben wie Wäschewaschen übernehmen. Im Internat erhält sie jedoch auch Unterricht in Stimmbildung und gründet mit Mitschülerinnen eine Musikgruppe, in der sie mit Kopftuch recht erfolgreich auftreten – in der Türkei eine Seltenheit.

Polyana verlebt ihre gesamte Adoleszenz im Internat und ist auch im Rückblick froh darüber, alle gesetzten Tabus eingehalten zu haben – etwa das Rauchverbot und den Kontakt zu Jungen. «*Das hat mich äh geschützt, dieses Mädcheninternat (lachen)*»

In einem retrospektiven Kommentar würdigt die junge Frau diese soziale Situation im Internat, da es sie «sauber» gehalten habe. Und dabei geht es Polyana nicht nur um die Wahrung ihrer Jungfräulichkeit, sondern insbesondere auch um das «innerliche Reinsein». Damit meint sie, dass sie auch sonst keine erotischen oder geschlechtlichen Gedanken und Handlungsmuster entwickelt habe, die eben mit ihrer Religiosität nicht vereinbar seien. «Ich bin froh, dass ich das alles bei meinem Mann erlebt habe. Also das hat mich damals geschützt und das ist auch gut so. Ich freu mich also dafür.»

Aufgrund der Gesetzeslage in der laizistischen Türkei ist es den Mädchen in der Schule verboten, ein Kopftuch zu tragen. Polyanas Eltern erlauben ihr in dieser Situation zwar, auf das Kopftuch zu verzichten, sie besteht jedoch darauf, um ihrem Glauben zu entsprechen. Eine subversive Lösung stellt für die Schülerinnen die Perücke dar, die es ihnen erlaubt, dem religiösen Gebot zu entsprechen und die Haare zu verdecken und gleichzeitig gegenüber der säkularen Öffentlichkeit das religiöse Symbol zu verschleiern. Andererseits ist diese stillschweigende Nötigung zur Perücke ein Affront für die religiösen Schülerinnen und Lehrer. Ein Riss geht durch Kollegium und Schülerschaft.

In einer zugespitzten Situation kommt es im Internat zu einem Konflikt mit einem Vertreter der türkischen Armee, der als kemalistische Kontrollinstanz bisweilen im Internat Unterricht gibt. Polyana verweigert sich diesem Unterricht, dem sie ohne Kopftuch und ohne Perücke folgen müsste. Sie beruft sich auf ihre deutsche Staatsbürgerschaft und droht mit der Abreise nach Deutschland. «*Also ich war dann irgendwo stolz, dass ich aus Deutschland komme und keinen türkischen Pass habe. Obwohl ich mein Land über alles liebe.*» Die junge Frau muss trotzdem nachgeben und bleibt auch weiterhin bis zum Abitur in der Türkei. Eigentlich hat sie auch gar «*nicht vor, zurückzukommen.*» Zu einer krisenhaften Zuspitzung kommt es jedoch nach dem Abitur, als Polyana an einer Prüfung teilnehmen will, die über die Möglichkeit zu einem Studium entscheidet. Die jungen Frauen müssen auf das Kopftuch und die Perücke verzichten – und so entscheidet sich Polyana endgültig, nach Deutschland zurückzukommen.

Die Rückkehr nach Deutschland fällt ihr dennoch zunächst nicht leicht, «obwohl *meine Eltern hier leben.*» «*Ich habe dann halt erst mal das Problem gehabt, mich noch mal ähm hier anzupassen.*» Die Beziehung zwischen Eltern und

Tochter ist nicht mehr die Gleiche wie vor dem Türkeiaufenthalt. «Das war für mich so nicht mehr wie früher.» Der Internatsaufenthalt während der gesamten Adoleszenz zwischen 13 und 18 Jahren bedeutet für die junge Frau auch einen umfassenden Verselbständigungsprozess, den sie jetzt auch gegenüber den Eltern geltend macht. «*Diese Gleichberechtigung ist für mich sehr wichtig und ähm meine Eltern kamen am Anfang damit nicht klar, dass ich mal nachts um zwei nach Hause komme.*» Sie verweigert sich auch den Erwartungen an eine traditionelle Frauenrolle, etwa wenn sie die Zimmer der Brüder mit aufräumen oder Wäsche waschen soll. Polyana sieht diese Phase als eine Art zweite «Pubertät». Dennoch geht es bei diesen Konfliktlinien nicht um die Durchsetzung einer expressiven Jugendphase, vielmehr um die Selbstbestimmung als eigenverantwortliche junge Frau. Das Kopftuch hilft ihr dabei, diesen Grad an Selbstbestimmung über den eigenen Lebensstil auch gegenüber den Eltern und dem kulturellen Herkunftsmilieu durchzusetzen. Es wird zum sichtbaren und demonstrativen Symbol für die eigene religiöse Sittlichkeit und den prinzipiellen selbstkontrollierten Gehorsam gegenüber den normativen Erwartungen des islamischen Milieus. Penibel achtet sie in der Familie darauf, sich den traditionellen weiblichen Rollenerwartungen in der türkischen Familie zu widersetzen.

Die Spannungen in der Eltern-Tochter-Beziehung legen sich im weiteren Verlauf wieder, nicht zuletzt aufgrund Polyanas unbefangener Offenheit gegenüber den Eltern. In der Folge wird die Moschee für die junge Frau zum wichtigsten Bezugssystem in ihrem sozialen Milieu.

> Ich bin fast jeden Wochenende in der Moschee, manchmal auch in der Woche (...) Und ich habe vielmehr in meinem Leben mit meinen Freundinnen etwas zu tun, die in der Moschee sind, als mit der Familie.

Über ihren Internatsaufenhalt hingegen zieht sie im Nachhinein eine kritische Bilanz, da ihr der Bildungsabschluss in Deutschland nichts nutzt. Eine Berufsausbildung kommt für sie schon wegen des Kopftuchs nicht infrage und für ihr Wunschfach Psychologie fehlt ihr das Abitur. Nach einer längeren Wartezeit entschliesst sich die junge Frau, wenigstens auf einer evangelischen Fachoberschule für Sozialwesen die Fachhochschulreife nachzuholen. «*In Deutschland habe ich mit meinem Kopftuch nie Probleme gehabt.*» Allerdings prüft man in einem Aufnahmegespräch, ob es für ihr Kopftuch einen politischen Hintergrund gibt und verpflichtet sie an der Schule als Muslima zu politischer Enthaltsamkeit. Ihre Erfahrungen an dieser christlichen Schule sind durchweg positiv. Gegenwärtig studiert Polyana an der Fachhochschule Sozialpädagogik. Sie ist die einzige Kopftuchträgerin, erfährt aber auch dort keinerlei Nachteile.

Nach ihrer Rückkehr nach Deutschland lernt Polyana mit 18 Jahren auch ihren ersten Freund und zukünftigen Ehemann kennen. Der 23jährige Cengiz ist ihr Nachhilfelehrer in der Moschee und erweist sich, ungeachtet der Warnungen ihrer Freundinnen, als hilfsbereit und aufmerksam. Zugleich gibt er sich desinteressiert an ihr. Der fromme Muslim lehnt eine informelle Beziehung zu der jungen Frau ab. Für ihn kommt nur eine islamische Ehe infrage, aufgrund seiner Ausbildung aber frühestens in einigen Jahren. Polyana hätte sich auch ein anderes Modell vorstellen können. Cengiz verordnet ihr stattdessen ein dreijähriges Moratorium – danach will er sich entscheiden, wenn sie noch interessiert ist. «*Er hat sich dann nach drei Jahren bei mir gemeldet.*» Über einige Monate praktizieren die beiden eine islamisch korrekte «Näherkommphase», sie treffen sich regelmässig und auch die Familien werden einbezogen. «*Und danach ging's bei uns ruck zuck*», sie verloben sich und heiraten. Allerdings plant Polyana keineswegs, in einer traditionellen Frauenrolle als Hausfrau und Mutter aufzugehen. Von Anfang an kommt für die junge Muslima nur ein selbstbestimmter weiblicher Lebensentwurf in Frage: «Also ich würde mich niemals äh unterdrücken lassen oder ich würde niemals äh eine Köchin sein, also oder ich würde niemals eine Matratze sein.» Anders als in ihren türkischen Familien üblich, kocht Polyana keineswegs regelmässig für ihren Mann oder für Gäste.

Ihre Religion ist insgesamt ein umfassend wichtiger Teil ihres Lebens, der sich gerade nicht in dem Gehorsam gegenüber einigen religiösen Alltagsritualen erschöpft. Allerdings liefert sie doch auch das verbindliche normative Leitbild für ihre gesamte Lebensführung und den gesamten Alltag.

> Also ich heirate so, wie es Religion vorschreibt, ich versuche zu leben, so wie es Religion vorschreibt, ich versuch mich zu zu verhalten, ich versuche so zu essen, wie Religion vor- vorschreibt, also alles, was ich mache, äh so wie ich lebe, ist eigentlich Religion. (I.: Mhm) Deswegen kann ich das niemals trennen.

Polyana trägt gegenwärtig das Kopftuch und ihr soziales Umfeld ist vor allem über das islamische Milieu ihrer Moschee und des islamischen Verbandes geprägt, bei dem sie ehrenamtlich tätig ist. Hier möchte sie auch in Zukunft weiter mitarbeiten und sich vor allem in der Frauenarbeit und der Migrationsarbeit engagieren.

Der biographische Lebensentwurf Polyanas bleibt so stets ambivalent. Auf der Ebene der eigenen familialen Lebensplanung verbleibt Polyana auf der Handlungsebene mit ihrer frühen Ehe scheinbar ganz innerhalb der Konformitätserwartung ihres muslimischen Milieus. Auf der Ebene der biographischen Selbstthematisierung sowie der weiteren biographischen Planung erweist sich dieses vordergründig traditionelle Modell aber als hochgradig gebrochen. Es dominiert bei der 25jährigen nicht das Leitbild einer klassischen Kleinfamilie mit ausgeprägtem Kinderwunsch, sondern eine individuelle biographische Karriereplanung, innerhalb derer die Zweierbeziehung allenfalls als freiwilliges und möglicherweise zeitlich begrenztes Arrangements zweier eigenverantwortlicher und gleichberechtigter Partner erscheint. Ein hochgradig individualisiertes und an Gleichberechtigung orientiertes Familienkonzept auf der Basis eines explizit feministischen Geschlechter-Konzepts, das auch in einer pointierten Kulturkritik an der Geschlechterordnung innerhalb des eigenen muslimischen Milieus mündet. Die eigene berufsbiographische Zukunft der angehenden Akademikerin ist denn auch – ganz in der Tradition der eigenen Mutter – konsequent auf eine frauenpolitische Bildungsarbeit gerichtet.

4. «Als Moslem fühlt man sich hier auch eigentlich zu Hause» – Farad, der türkische Moscheevorbeter aus sozialdemokratischer Familie

Farad wird 1976 in Hamburg geboren und wächst zusammen mit einem älteren Bruder in einem Stadtteil mit hohem Ausländeranteil auf. Seine Eltern sind als Gastarbeiter aus der Türkei nach Deutschland gekommen und legen viel Wert auf die Bildung der beiden Söhne. Als Farad zunächst in eine reine Ausländerklasse eingeschult wird, bestehen die Eltern auf einem Wechsel in eine ‹gemischte› Klasse. Sie befürchten, dass die Lehrer in einer überwiegend ausländischen Klasse dem Unterricht ein geringeres Bildungsniveau zugrunde legen würden. Später zieht die Familie bewusst aus dem Viertel fort in einen ausgesprochen bürgerlichen Stadtteil, der überwiegend von Deutschen bewohnt wird. Nach der Grundschule besucht der Junge ein Gymnasium, das er später erfolgreich mit dem Abitur abschliesst.

Die eigene Erziehung beschreibt Farad als säkularisiert.

> Wir kommen aus der, einer der westlichsten Orte der Türkei, wo Religion nicht so'ne starke Rolle spielt bei den Menschen und auch nicht tief verwurzelte Traditionen.

Vater und Mutter sind entsprechend keine aktiven Muslime, und Religion spielt in der Familie so gut wie keine Rolle, weshalb Farad als Kind auch «nie eine Moschee besucht.» Die Eltern bemühen sich stets um eine soziale Integration des Jungen und ermuntern ihn zu Sportvereinen und Gitarrekursen, wenngleich sein selbst gewählter Freundeskreis in der Jugend eher aus türkischen und arabischen Jugendlichen besteht.

Ein religiöses Interesse entsteht bei Farad erst im Gymnasium. Der Anstoss dazu geht einerseits von seinen Klassenkameraden, insbesondere aber auch von seinen Lehrern aus. «*Da waren nämlich die Fragen immer von den Lehrern über unsere Religion, die ich halt damals nicht so kannte.*» Sie konfrontieren die Schüler aus Migrantenfamilien mit ihrer islamischen Religion und ihrer Herkunftskultur, stellen Fragen zur «Unterdrückung» der «Frauen im Islam», zum Schweinfleischverbot und diskutieren «Menschenrechte in der Türkei». Farad fühlt sich in diesen Situationen überfordert, weil «*da . hatte man ja echt keinen Draht dazu, weil man ja hier aufgewachsen ist.*» Andererseits beobachtet der Junge Identifikationsprozesse an sich. Wenn die Lehrer auf die Kolonialgeschichte des Osmanischen Reichs eingehen oder die «Unterdrückung der Frau» im Islam kritisieren, fühlt Farad sich unmittelbar angesprochen, oder auch von diesen ethnischen Stigmatisierungen «*in die Ecke gedrängt. Man gehört halt zu denen, also musst du ja auch ne Stellung nehmen und so.*» In der Oberstufe polarisieren sich zunehmend die kontroversen Diskussionen unter den Klassenkameraden. Die Stereotype zum Islam und die Stigmatisierungen als Muslim befördern sukzessive eine gewisse Distanz zu deutschen Schülern, andererseits sieht er sich auch gefühlsmässig eher zu seinen türkischen und islamischen Freunden hingezogen.

> Wir hatten auch ehrlich gesagt das Gefühl, das man mit muslimischen Schülern eher eine Freundschaft schliessen kann, eher was teilen kann, als jetzt mit deutschen Schülern.

In der Folge intensiviert der Junge im Jugendalter nach und nach sein religiöses Interesse, sucht verstärkt den Anschluss an türkische Jugendliche und findet auch Zugang zu islamischen Vereinen und Verbänden. «*Glücklicherweise waren das dann ähh damals halt Vereine, die aufklärerisch waren.*» Innerhalb der Familie bleibt Farad mit dieser neuen Religiosität alleine, sein Bruder ist auch weiterhin «ein Atheist». Seine neue Identifikation mit dem Islam wird jetzt auch zum Thema der Auseinandersetzung mit den Eltern, die überzeugte türkisch-säkulare Sozialdemokraten sind. Die sukzessive Durchsetzung seiner religiösen Interessen und Überzeugungen wird für Farad so zu einem wichtigen Merkmal der Verselbständigung gegenüber dem familiären Herkunftsmilieu.

Der Moscheeverein, den der junge Mann jetzt besucht, gehört zum halbstaatlichen türkischen Verband der DITIB, die in Deutschland die staatliche türkische Religionsbehörde repräsentiert;[3] auch seine engen Freunde kommen nun v.a. aus diesem Kontext. Die Jugendlichen betreiben nicht nur gemeinsam religiöse Studien und lesen den Koran, sie unternehmen auch sonst einiges zusammen.

> Bei uns ist auch ein Hobby z. B. dass wir viel in der Natur halt zusammen machen, wir waren Ski fahren z. B. gemeinschaftlich, dann waren wir also (.) mal raus aus Hamburg, rein in die Natur und z. B. das ist sehr oft bei uns der Fall.

Seine religiöse Entwicklung beschreibt Farad nicht allein als sozialen Prozess oder Verbandssozialisation, sondern auch als theologischen Bildungsprozess, in dem die religiöse Auseinandersetzung mit «Sinnfragen» eine wichtige Rolle spielt. Farad erläutert seinen weiteren Glaubensprozess entlang von theologischen Gleichnissen, Metaphern und Bildern, die der Islam dem Gläubigen zur Verfügung stellt, um ihn mit seiner Religion auch theologisch vertraut zu machen.

Erst mit etwa 18 Jahren beginnt Farad mehrmals täglich zu beten. Die religiösen Rituale und das Beten sind ihm wichtig und ein meditativer Kontrapunkt zum Alltagsstress. Als Initiation in einen stärker religiösen Lebensstil dient ihm die Erfahrung in einem türkischen Dorf während des Urlaubs.

> Und als ich mal in den Sommerferien war, dann im Dorf, ehm. dann war's halt so, dass ich immer die Gebetsrufe dann gehört habe, die Gebetsrufe hören sich auch schön an und harmonisch an und dann war das so, das ich dann halt auch die Moschee besucht habe und seit dem bete ich eigentlich fünf mal am Tag.

Farads Eltern reagieren auf den Islamisierungsprozess ihres Jungen zunächst mit sorgenvoller Irritation. Sie haben Angst vor einer Radikalisierung des Jungen. Als sie sehen, dass ihrem Sohn die Religion zwar beständig wichtig ist, ohne dass ihn dies in den Kontext radikaler Kreise treibt, arrangieren sie sich schliesslich mit dieser Entwicklung. Allerdings bleibt der Islam bis heute eine Kluft zwischen Eltern und Sohn, die immer wieder zu «kleinen Auseinandersetzungen» führt.

Auch wenn die Religion im Verlaufe seiner Jugendphase immer wichtiger wird, sind Farads Interessen in der Jugendzeit doch nicht nur vorrangig durch den Islam geprägt. Neben seinen Aktivitäten in verschiedenen Vereinen spielt er Gitarre, allerdings ohne grosse Leidenschaft. Als sein Interesse an türkischer Kultur wächst, wandelt er seinen Gitarrenkurs in einen Saz-Kurs um

3 Türkisch-Islamische Union der Anstalt für Religion (türkisch: Diyanet İşleri Türk İslam Birliği - DITIB). Die DITIB ist ein verbandliche Ausgründung des türkischen Religionsministeriums, dem sie untersteht und als solches Dachverband für die Koordinierung der angeschlossenen türkisch-islamischen Moscheegemeinden in Deutschland.

und lernt fortan dieses traditionelle türkische Saiteninstrument. Auch der Fussball begleitet den Jungen bis zum Beginn des Erwachsenenalter, allerdings muss er die «A-Jugend» wegen Knieproblemen verlassen. Stattdessen beginnt er mit fernöstlichen Kampfsportarten wie Tai Chi und Kung Fu in einem «Shaolin-Tempel». Die Begegnung mit dem Buddhismus ist für ihn eine neue und interessante Erfahrung, wenngleich die religiösen Elemente des Trainings, wie das rituelle Gebet, für ihn Hürden darstellen. «Das hab ich nie mitgemacht, weil ich daran nicht glaube.»

Nach dem Abitur entschliesst sich Farad – zunächst noch unschlüssig – zu einem sozialwissenschaftlichen Studium. Gleichzeitig beginnt er, sich ehrenamtlich bei der DITIB zu engagieren. Nach dem erfolgreichen Studienabschluss betreut er zunächst sozial Benachteiligte im Kontext sozialer Dienste, *«aber parallel dazu kam dann halt ehm das Angebot, dass ich auch bei der Organisation DITIB auch mitarbeiten kann.»* Er beginnt nun hauptberuflich für DITIB zu arbeiten und übernimmt pädagogische Tätigkeiten, aber auch Funktionärsaufgaben im Verband. Gegenwärtig ist er hauptberuflich in den Moscheevereinen tätig und schätzt an dieser Arbeit vor allem auch den kulturellen Dialog mit Nicht-Muslimen, für den er u.a. zuständig ist.

Mit 20 lernt Farad im Kontext seines Studiums die sechs Jahre jüngere Devrim kennen – eine «100%»ige Muslima. Wie Farad hat auch sie ihre Religiosität nicht vom Elternhaus mitbekommen, sondern den Glauben im Verlaufe der Jugendphase selbst entdeckt und weiterentwickelt – bis sie sich entschliesst das Kopftuch zu tragen. Auch sie trifft ihre Entscheidung für eine explizit religiöse Lebensführung gegen die eigenen Eltern, die eher «traditionell» als islamisch orientiert sind. Farad ist angetan von der jungen Frau, die einen ähnlichen Lebensweg wie er selbst hat. Aus einer anfänglich eher «geschwisterlichen Beziehung» – sie nennt ihn «Abi» (grosser Bruder) – entwickelt sich später eine Liebesbeziehung. Sie verheimlichen die Beziehung zunächst vor Devrims Eltern – aus Angst, gleich heiraten zu müssen. Als die beiden nach Farads Studium – er ist 26 Jahre alt – dann doch heiraten wollen, ist auch seine Familie zuerst gegen die Heirat. Die Eltern sind strikt gegen ein «Mädchen mit Kopftuch». Der junge Mann, für den Devrim – gebildet, religiös, engagiert – die ideale Partnerin ist, bemüht sich von nun an um einen persönlichen Kontakt zwischen Eltern und Freundin. Letztlich gelingt es der jungen Frau durch ihr persönliches Wesen und ihre freundliche und offene Art die «Herzen meiner Eltern zu erobern». Einige Zeit später heiraten beide.

Farad versteht sich selbst nicht als einen traditionellen Muslim. Diese Differenz zwischen Tradition und Islam ist ihm auch für seinen Glauben wichtig. Er plädiert für einen aufgeklärten Islam, der sich auch kritisch und in einem pluralistischen Diskurs mit den islamischen Wurzeln und theologischen Quellen auseinandersetzt. Für ihn stehen religiöse Gebote immer unter dem Vorbehalt einer kritischen Prüfung durch den Gläubigen. Gegenüber unhinterfragten Dogmen im religiösen Alltag plädiert Farad stets für die Berücksichtigung alternativer und konkurrierender Lesarten. «Es kann nicht nur ein Richtig geben, sondern, bei, bei der Lebensweise kann es auch viele Verschiedenartigkeiten geben.»

Während die eigene Islamisierung während der Adoleszenz vor allem auch in der Selbstbehauptung gegenüber dem Elternhaus und in Abgrenzung gegenüber einer deutschen jugendlichen Peergroup behauptet und durchgesetzt wird, kommt es am Ende der Jugendphase bei Farad zu einer Biographisierung der eigenen Religiosität, die die begonnene Islamisierung zum Konzept einer umfassenden islamischen Lebensführung auch für das Erwachsenenalter weiterentwickelt. Das umfasst zum einen die selbstdisziplinierte Internalisierung und Befolgung der islamischen Alltagsrituale (v.a. fünf Gebete, Moscheebesuche usw.), zum zweiten nach dem erfolgreichen Studium die Eröffnung einer akademischen berufsbiographischen Perspektive im Kontext des islamischen Verbandes und drittens die erfolgreiche Planung einer islamischen Familienbiographie durch eine gläubige und kopftuchtragende Muslima als Frau. Dabei erreicht der junge Mann mit Hilfe der sympathischen Schwiegertochter, vor dem Hintergrund des eigenen beruflichen Erfolgs und durch den glaubwürdigen Nachweis des eigenen nicht-radikalen Islam letztlich auch die Akzeptanz und den Respekt durch das säkulare Elternhaus.

Für die Zukunft plant Farad evtl. eine akademische Laufbahn. Er möchte vielleicht noch promovieren und könnte sich auch vorstellen, künftig in der Forschung an einer Universität zu arbeiten.

5. Ein Resümee

Die beiden Fallanalysen sind keine repräsentativen Biographien junger Muslime in Deutschland, aber doch exemplarische Fälle, die zum einen auf die vielschichtige Verankerung religiöser Orientierungen in Biographie und Lebenswelt aufmerksam machen, zum anderen sind Sie geeignet, gängige Stereotype über Muslime zu irritieren oder zu dekonstruieren. In beiden Fällen entwickelt sich die Religiosität nicht einfach als selbstverständliche Reproduktion traditioneller Glaubenssätze und Werthaltungen im Kontext eines religiösen familiären Herkunftsmilieus. Und in beiden Fällen steht die eigene explizit islamische Lebensführung nicht einfach für die spirituelle Kontemplation und Auseinandersetzung mit einem persönlichen, religiösen Glaubenssystem, sondern ist das prozesshafte Ergebnis der sozialen Auseinandersetzung mit der eigenen Lebenswelt, den sozialen Erwartungen, den sozialen Rollenzuschreibungen, der eigenen ethnischen und kulturellen Identität und den sozialen Bezugsgruppen und Bezugspersonen im eigenen Umfeld.

Bei Farad entwickelt sich die eigene Religiosität ganz im Kontrast zum eigenen säkularen familiären Herkunftsmilieu – nicht als Protest, wohl aber als Distinktion. Dabei sind die Verselbständigungs- und Identitätsbildungsprozesse des Jungen im Verlauf der Adoleszenz durch die zunehmende Herausbildung einer kulturellen Identität als türkischstämmiger Muslim geprägt, die in ihrer ethnischen Dimension insbesondere in Abgrenzung zu den Bezugspersonen der deutschen Mehrheitskultur und in ihrer religiösen Dimension in Abgrenzung gegenüber dem Elternhaus positioniert wird. Der daraus folgende Islamisierungsprozess im Kontext des islamischen Verbandes ist sowohl durch religiöse Selbstbildungs- und Ausbildungsprozesse, als auch durch die Ausbildung und Inszenierung einer explizit islamischen Lebensführung, die soziale Vergemeinschaftung unter Gleichen (türkischen Muslimen) in Moschee und Verband sowie durch den Karriereverlauf als Funktionsträger innerhalb des islamischen Verbandes gekennzeichnet. Dabei wird offenbar das biographische Handlungsschemata des selbstgewählten islamischen Lebensstils im Verlauf von Bildungsprozess und Jugendbiographie sukzessive durch das institutionelle Ablaufmuster des islamischen Verbandsfunktionärs überformt.

Bei Polyana steht demgegenüber die eigene Religiosität zwar in der Tradition der Familie. Allerdings erweist sich gerade die Strategie der Eltern, bei ihrer Tochter Bildungsambitionen mit der Sicherung traditioneller islamischer Werte und einer traditionellen Frauenrolle zu verbinden, als höchst brüchig. Das Mädcheninternat in der Türkei wird nicht zum Hort für Tradition, sondern generiert eine hochgradig individualisierte weibliche Jugendbiographie mit ausgeprägtem Selbstbehauptungsmuster, einem adoleszenten Verselbständigungsprozess und – in der Auseinandersetzung mit dem türkisch-laizistischen Kemalismus – einem politisierten Religiositätsverständnis. Die adoleszente Türkeisozialisation der jungen Kopftuchträgerin stärkt mithin beides: das eigene islamische Weltbild, aber auch die Identifikation mit dem Pluralismus und Liberalismus der westlich-europäischen Gesellschaften. Zurück in Deutschland entfaltet sich dies auch weiterhin in seiner ganzen Ambivalenz: als konflikthafter Ablösungsprozess vom Elternhaus, als selbstbewusst emanzipierte islamische Ehefrau mit Kopftuch, als bildungserfolgreiche angehende Akademikerin und als islamische Verbandsmitarbeiterin, die in der Frauenbildung für das Kopftuch, für islamische Lebensführung und für die Selbstbestimmung islamischer Frauen arbeitet.

Beide Fälle sind gleichsam Prototypen innerhalb der vielschichtigen Typologie unserer Studie. Farad als typischer Vertreter des Typs Re-Islamisierung im Gefolge der Adoleszenz; Polyana als Beispiel einer jungen Neo-Muslima – einer selbstbewussten, bildungserfolgreichen und religiös reflektierten Kopftuchträgerin mit kritischem Akzent gegenüber unreflektierten islamischen Traditionalismen.

Insgesamt machen sowohl unsere Studie als auch die quantitativen Befunde der Muslime-Studien auf die grosse Bedeutung von Religiosität, religiösen Alltagspraxen und islamischer Lebensführung gerade auch unter jungen Muslimen in der Bundesrepublik aufmerksam. Die oben referierten Daten deuten darauf hin, dass bis zu zwei Dritteln der Muslime religiöse Überzeugungen aufweisen, die sich – wenngleich heterogen – auch in religiös motiviertem Alltagshandeln und einer islamisch konnotierten Lebensführung niederschlagen. Qualitative und quantitative Studien zeigen: die muslimische Bevölkerung ist keineswegs in gleicher Weise wie die nicht-muslimische von Säkularisierungsprozessen und einem vergleichbaren Bindungsverlust der Kirchen geprägt. Vielmehr deuten Religiosität und die pluralistische Kultivierung explizit ‹islamischer Habitus› auf das Beharrungsvermögen religiös fundierter sozialmoralischer Milieus in Deutschland hin (Lepsius, 1966; Joas, Adloff, 2002), in diesem Fall auf die Existenz eines islamischen Sozialmilieus, das insbesondere auch den jungen Muslimen vielfältige orientierungsleitende und identitätsstiftende Anknüpfungspunkte für ihre islamisierten und zugleich individualisierten Lebensstile bietet (Wensierski 2007). Mit dieser religiösen Grundierung muslimischer Lebensführungskonzepte ist somit auch in Zukunft zu rechnen, mit all den Auswirkungen, die dies für Fragen der Sexualmoral, für die Struktur familialer Lebensformen und vermutlich auch für die Geschlechterverhältnisse hat. Unsere beiden Fallbeispiele zeigen indes, dass in diesem Spannungsverhältnis zwischen islamischen Milieus und säkulärer Mehrheitskultur ein variantenreiches Spektrum von individualisierten Lebensverläufen möglich ist, wenn es denn gelingt, die jungen Muslime aus Migrantenfamilien stärker als bisher am Bildungserfolg und an den Berufschancen innerhalb der Gesellschaft teilhaben zu lassen.

Bibliographie

Adloff, Frank und Joas, Hans, 2002. Milieuwandel und Gemeinsinn. In: Mübkeler, herfried und Bluhm, Harald (Hg.), *Gemeinwohl und Gemeinsinn - Zwischen Normativität und Faktizität.* Berlin: Akademie-Verlag, 153–185

Amir-Moazami, Schirin, 2007. *Politisierte Religion. Der Kopftuchstreit in Deutschland und Frankreich.* Bielefeld: transcript-Verlag.

Bielefeldt, Heiner. 2004. *Zur aktuellen Kopftuchdebatte in Deutschland. Anmerkungen aus der Perspektive der Menschenrechte.* Policy Paper No. 3, des Deutschen Instituts für Menschenrechte, Berlin.

Brettfeld, Katrin und Wetzels, Peter; 2004. Junge Muslime in Deutschland. Eine kriminologische Analyse zur Alltagsrelevanz von Religion und Zusammenhängen von individueller Religiosität mit Gewalterfahrungen, -einstellungen und -handeln. In: Bundesministerium des Inneren (Hg.), *Islamismus. Texte zur Inneren Sicherheit.* 3. Auflage. Berlin, 221–316

Brettfeld, Katrin und Wetzels Peter. 2007. Muslime in Deutschland. Texte zur Inneren Sicherheit. Hamburg, Studie der Universität Hamburg.

Frese, Hans-Ludwig. 2002. «Den Islam ausleben». Konzepte authentischer Lebensführung junger türkischer Muslime in der Diaspora. Bielefeld, transcript-Verlag

Geertz, Clifford, 1988. *Religiöse Entwicklungen im Islam – beobachtet in Marokko und Indonesien.* Frankfurt am Main: Suhrkamp

Gültekin, Neval, 2003. *Bildung, Autonomie, Tradition und Migration. Doppelperspektivität biographischer Prozesse junger Frauen aus der Türkei.* Opladen: Leske + Budrich

Halm, Dirk, 2006. *Zur Wahrnehmung des Islams und zur sozio-kulturellen Teilhabe der Muslime in Deutschland.* Essen: Zentrum für Türkeistudien.

Heckmann, Friedrich und Worbs, Susanne, 2004. Islam in Deutschland. Aufarbeitung des gegenwärtigen Forschungsstandes und Auswertung eines Datensatzes zur zweiten Migrantengeneration. In: Bundesministerium des Inneren (Hg.): *Islamismus*, Berlin: Bundesministerium des Inneren, 133–220.

Haug, Sonja, Sticks, Anja und Meissing, Stephanie, 2009. *Muslimisches Leben in Deutschland. Im Auftrag der deutschen Islam-Konferenz. Herausgegeben vom Bundesamt für Migration und Flüchtlinge.* Nürnberg.

Heitmeyer, Wilhelm; Müller, Joachim und Schröder, Helmut, 1997. *Verlockender Fundamentalismus. Türkische Jugendliche in Deutschland.* Frankfurt am Main: Suhrkamp.

Jessen, Frank und Wilamowitz-Moellendorf, Ulrich von, 2006. *Das Kopftuch. Die Entschleierung eines Symbols?* Sankt Augustin: Konrad-Adenauer-Stiftung.

Karakasoglu-Aydin, Yasemin, 2000. *Muslimische Religiosität und Erziehungsvorstellungen. Eine empirische Untersuchung bei türkischen Lehramts- und Pädagogik-Studentinnen in Deutschland.* Frankfurt am Main: IKO-Verlag.

Karakasoglu, Yasemin, 2003. *Stellungnahme zu den Motiven von jungen Musliminnen in Deutschland für das Anlegen eines Kopftuches.* Stellungnahme des Instituts für Migrationsforschung, Essen: Universität Duisburg-Essen.

Kelek, Necla, 2002. *Islamische Religiosität und ihre Bedeutung in der Lebenswelt türkischer Jugendlicher in der BRD.* Münster, Waxmann

Klinkhammer, Gritt, 2000. *Moderne Formen islamischer Lebensführung. Eine qualitativ-empirische Untersuchung zur Religiosität sunnitisch geprägter Türkinnen in Deutschland.* Marburg: diagonal-Verlag

Lepsius, M. Rainer, 1993. *Demokratie in Deutschland.* Göttingen: Vandenhoeck & Ruprecht.

Nökel, Sigrid, 2002. *Die Töchter der Gastarbeiter und der Islam. Zur Soziologie alltagsweltlicher Anerkennungspolitiken. Eine Fallstudie.* Bielefeld: transcript-Verlag

Religionsmonitor, 2008. Bertelsmann Stiftung (Hg.), *Religionsmonitor 2008. Muslimische Religiosität in Deutschland. Überblick zu religiösen Einstellungen und Praktiken.* Gütersloh: Bertelsmann.

Sauer, Martina, 2007. *Perspektiven des Zusammenlebens: Die Integration türkischstämmiger Migrantinnen und Migranten in Nordrhein-Westfalen. Ergebnisse der achten Mehrthemenbefragung. Eine Analyse im Auftrag des Ministeriums für Generationen, Familie, Frauen und Integration des Landes Nordrhein-Westfalen.* Essen: Zentrum für Türkeistudien.

Sauer, Martina, 2009. *Türkeistämmige Migranten in Nordrhein-Westfalen und in Deutschland: Lebenssituation und Integrationsstand. Ergebnisse der neunten Mehrthemenbefragung. Eine Analyse im Auftrag des Ministeriums für Generationen, Familie, Frauen und Integration des Landes Nordrhein-Westfalen.* Essen: Zentrum für Türkeitstudien.

Schütze, Fritz, 1978. *Die Technik des narrativen Interviews in Interaktionsfeldstudien - dargestellt an einem Projekt zur Erforschung von kommunalen Machtstrukturen.* Arbeitsbericht Universität Bielefeld. 2.Auflage. Bielefeld: Universität Bielefeld.

Schütze, Fritz, 1981. Prozessstrukturen des Lebensablaufs. In: Joachim Matthes; Arno Pfeifenberger und Manfred Stosberg (Hg.), *Biographie in handlungswissenschaftlicher Perspektive.* Nürnberg: Verlag der Nürnberger Forschungsvereinigung, 67–156

Schütze, Fritz, 1983. *Biographieforschung und narratives Interview.* In: Neue Praxis, 3: 283–293.

Schütze, Fritz. 1987, *Das narrative Interview.* Kurs der Fernuniversität Hagen. Hagen.

Şen, Faruk und Sauer, Martina, 2006. *Islam in Deutschland. Einstellungen der türkischstämmigen Muslime. Religiöse Praxis und organisatorische Vertretung türkischstämmiger Muslime in Deutschland. Ergebnisse einer bundesweiten Befragung.* Essen: Zentrum für Türkeistudien.

Tietze, Nikola, 2001. *Islamische Identität. Formen muslimischer Religiosität junger Männer in Deutschland und Frankreich.* Hamburg: Hamburger Edition.

Wensierski, Hans-Jürgen von, 2007. Die islamisch-selektive Modernisierung – Zur Struktur der Jugendphase junger Muslime in Deutschland. In: Hans-Jürgen von Wensierski und Claudia Lübcke (Hg.), *Junge Muslime in Deutschland. Lebenslagen, Aufwachsprozesse und Jugendkulturen.* Opladen & Farmington Hills: Verlag Barbara Budrich, 55–82.

Wensierski, Hans-Jürgen von und Lübcke, Claudia (Hg.), 2007. *Junge Muslime in Deutschland. Lebenslagen, Aufwachsprozesse und Jugendkulturen.* Opladen & Farmington Hills: Verlag Barbara Budrich

Erol Yildiz

Ein Ausflug in die Alltagspraxis migrantischer Jugendlicher

1. Einleitende Bemerkungen

Wenn es im öffentlichen wie wissenschaftlichen Diskurs um «die Jugend von heute» geht, sehen wir uns oft mit Zuschreibungen und stigmatisierenden Metaphern konfrontiert. Gerade bei Migrantenjugendlichen werden zusätzlich ethnisierende und kulturalisierende Argumente ins Feld geführt. «Eine Erziehung zur Gewalt», so wurde ein Bericht im April 2006 in der Frankfurter Allgemeinen Sonntagszeitung betitelt (30. April 2006). Hier wird die Frage gestellt, warum junge Türken öfter gewalttätig werden. Die Antwort darauf liegt parat: Die brutalen Erziehungsmethoden in den Familien würden den Nährboden für diese Entwicklung bereiten. Diese pauschale und generalisierende Perspektive hat sich normalisiert und gehört inzwischen zum Repertoire vieler Journalisten (Yildiz, 2006b). Migrantenjugendliche würden eher als die einheimischen zu Gewalt und Fundamentalismus neigen, sich immer mehr abschotten und Parallelgesellschaften gründen. So haben sich in der Gesellschaft hegemoniale Diskurse etabliert, die Differenzen strategisch konstruieren und einsetzen, um Macht zu organisieren, Fremd- und Feindbilder zu erzeugen und die betroffenen Jugendlichen ins gesellschaftliche Abseits zu drängen (Bukow, 2008: 56). In diesen Debatten geht es nicht um die gelebte Normalität von Jugendlichen, im Gegenteil, ihre Lebenswirklichkeit in einer Migrationsgesellschaft wird verkannt. Diese Perspektive wirkt nicht nur diskriminierend, sondern versperrt auch den Blick auf eine Vielzahl von Alltagsstrategien, Lebensweisen und Verortungspraktiken von Jugendlichen, eine Art epistemologischer Sperre (Terkessidis, 2004). Stattdessen plädiere ich hier für eine Entskandalisierung und Entdramatisierung dieses öffentlichen Diskurses. Da religiöse Orientierung bei diesen Jugendlichen oft automatisch als konstitutiv für ihre Lebensentwürfe angenommen wird, werde ich in meinem Beitrag die religiöse Zugehörigkeit nicht zum Ausgangspunkt machen, sondern erst aufgreifen und interpretieren, wenn sie von den betroffenen Jugendlichen selbst thematisiert wird. Vor allem kommt es auf die Kontexte an, in denen Religionszugehörigkeit thematisch wird. Mir geht es vor allem darum, die vielfältigen Lebenswirklichkeiten von migrantischen Jugendlichen in der globalisierten Welt, ihre transnationale Orientierungen, «bewegte Zugehörigkeiten» (Strasser, 2009) ins Blickfeld zu rücken, die für Bildungsprozesse von Bedeutung sind. Es sollen auch die Kontexte, Orte und Bedingungen untersucht werden, die für die Lebensentwürfe migrantischer Jugendlicher bedeutsam sind.

Nach den theoretischen Überlegungen im zweiten Abschnitt werde ich im dritten Teil anhand von zwei biographischen Beispielen zeigen, wie sich migrantische Jugendliche verorten und welche Rolle dabei die religiöse Zugehörigkeit spielt bzw. spielen kann. Dabei handelt es sich um eine junge Frau, die zur zweiten Migrationsgeneration gehört und im schulischen Umfeld auf ihr Kopftuch reduziert wird. Beim zweiten Beispiel geht es um einen Jugendlichen, der in der Türkei aufgewachsen ist und zum Studium nach Deutschland gekommen ist und versucht, in Köln sein Leben zu organisieren.

2. Theoretischer Referenzrahmen

«Die Jugend von heute» ist ein vielfältiges und vielstimmiges Phänomen. Dennoch erscheint sie im öffentlichen Diskurs als eine Art «homogene Masse». Neben dieser Homogenisierung wird Jugend stets als defizitär wahrgenommen. Jugendliche treten nahezu in allen Krisenszenarien auf und je nach Standpunkt werden sie als gefährlich oder gefährdet eingestuft. Jenseits dieser Polarisierung scheint es keinen Spielraum zu geben. Gegenwärtig wird das Thema zunehmend in Verbindung mit global gesellschaftlichen Transformationsprozessen diskutiert. Jugendlichen wird Orientierungslosigkeit und daraus resultierende Gewaltbereitschaft unterstellt (dazu exemplarisch Heitmeyer, 1994; Heitmeyer, Müller, Schröder, 1997).

Auf der Suche nach Desorientierungstendenzen wird man übrigens immer fündig, weil die Gesellschaft, in der wir leben, nun einmal aus einer komplexen und widersprüchlichen Gleichzeitigkeit von Differenzierung und Entdifferenzierung, von Inklusion und Exklusion besteht. Eine Forschungsperspektive, die nur nach Orientierungslosigkeit oder desintegrativen Momenten sucht, läuft Gefahr, dem Topos einer Zeitkritik aufzusitzen, die sich auf nostalgische Vergangenheitsbeschwörung reduziert.

In der kritischen Sozialforschung scheint es eine gewisse Tradition zu geben, hinter jedem Wandel desintegrative und krisenhafte Impulse zu vermuten. Tatsächlich aber scheint mir das Bild zerfallener Städte und damit einhergehend das Bild einer desorientierten Jugend eine grobe Überzeichnung und das Ergebnis einseitiger, ideologiegeleiteter Recherchen zu sein. Diese unter Sozialwissenschaftlern populäre Klage über die desorientierte Jugend ist überzogen. Vor allem überschätzt sie die Lebenspraxis der Jugend in der Vergangenheit, und sie unterschätzt die faktische Diversität in gegenwärtigen Städten und die vielfältigen Lebenswirklichkeiten heutiger Jugendlicher.

Wie einführend fällt in diesem Krisendiskurs auf, dass diese pessimistische Haltung immer wieder im Zusammenhang mit der Situation von Jugendlichen aus Migrantenfamilien auftaucht. Ihre soziale Praxis wird automatisch als defizitär und konflikthaft beschrieben und je nachdem entweder auf ethnisch-kulturelle oder religiöse Gegebenheiten reduziert. Es fällt hier auf, dass die Entscheidung, was zur Krise erklärt wird und was nicht, wird schon im Vorfeld getroffen und zwar durch festgelegte Kategorien bzw. Mythen, also bevor man sich überhaupt die Mühe macht, sich in die Alltagspraxis von Migrantenjugendlichen zu begeben. Statt die Bedingungen zu untersuchen, unter denen diese Jugendliche aufwachsen, ihr Leben zu organisieren versuchen, orientieren sich viele Analysen an ethnischen oder religiösen Deutungsmustern, setzen ethnische Kategorien primär als naturgegeben voraus und reduzieren die Gesellschaft auf «Wir und die Anderen» (Beck-Gernsheim, 2004). Es herrscht fast Einigkeit darüber, dass die so genannte Integration von migrantischen Jugendlichen vor allem mit türkischem Hintergrund gescheitert sei, weil sie angeblich aus einem «anderen Kulturkreis» stammen und ihre familiäre Erziehung immer noch traditionalistisch orientiert sei: «Viele Darstellungen folgen dem Grundmuster einer Rhetorik, die die Unterschiede akzentuiert, ihr Augenmerk auf das Ungewöhnliche und Exotische richtet. Damit erzeugen sie eine ‹Folklore des Halbwissens›, die sich immer wieder fortschreibt und selbst bestätigt» (Beck-Gernsheim, 2004: 11).

Fuhrer und Uslucan (2005: 11) verweisen in diesem Kontext auf «ganz spezifische Konfliktpotentiale, die sich ihrer Meinung nach aufgrund der «doppelten Bewältigung von Kulturkonflikt und Modernisierungsrückstand» ergeben und die negativ auf das familiäre Zusammenleben und die Eltern-Kind-Beziehungen auswirken könnten. Daraus wir abgeleitet, dass migrantische Jugendliche in zwei entgegen gesetzte Kulturen geraten seien. Dieses «Leben zwischen zwei Welten» wird für ihre gesellschaftliche Sozialisation als hinderlich interpretiert wird, eine Art «kulturelle Schizophrenie». Es wird davon ausgegangen, dass sich Kinder von Migrantenfamilien im Prozess der Akkulturation meist zwischen zwei Kulturen bewegen, zwischen der Herkunftskultur ihrer Eltern und der Mehrheitskultur des Aufnahmelandes. Nicht selten würden, so Urs Fuhrer und Simone Mayer (2005: 62), die von den Eltern auf die Kinder ausgehenden Einflüsse in wesentlichen lebensthematischen Bereichen im Widerspruch zu den ausserfamiliären Einflüssen stehen.

Nun erscheint in dieser Argumentationslogik die Familie nicht nur als ein zentraler Ort, um bestimmte kulturelle Ressourcen und Wissensbestände zu übertragen, sondern, was die Migranten betrifft, wird sie explizit als Ort gesehen, an dem diese Übertragung scheitert, weil hier angeblich die für die einheimische Gesellschaft dysfunktionalen Praktiken des Heimatlandes eingeübt werden. Die migrantische Familie erscheint in diesem Fall gegenüber der zur Norm erhobenen einheimischen Familie als abweichend und defizitär.

Historisch betrachtet hat diese krisenhafte Wahrnehmung den Migrationsdiskurs in Europa von Anfang an begleitet. Augenfällig ist auch, dass die Identitätsforschung im Migrationskontext stets durch eine spezifische pädagogisch-paternalistische Haltung dominiert wurde (Yildiz, 2006b). Ein Ergebnis dieser Orientierung ist die Thematisierung eines angeblichen Identitätsdefizits, das durch gezielte Erziehungsmassnahmen kompensiert werden müsste. Migration wird nicht als eine Form der Mobilität und damit als Neuorientierung verstanden, sondern als ein «pädagogisches Problem». Nicht zufällig wurde die so genannte Ausländerpädagogik als eine kompensatorische Erziehung konzipiert, mit dem Ziel, den Migrantenjugendlichen bei der Eingliederung zu helfen. Unter dieser Prämisse wurde ihnen von vornherein eine «falsche» Sozialisation auch von wissenschaftlicher Seite unterstellt, ihre faktische familiäre und die erforderliche schulische Sozialisation wurden automatisch als unvereinbar betrachtet – als ein «Passungsproblem». Später entwickelte man zwar interkulturelle und sogar transkulturelle Konzepte, die weitere Perspektiven eröffneten. Gemeinsam bleibt ihnen jedoch bis heute die Fokussierung auf den kulturellen Faktor als das eigentliche Problem (Kulturdifferenzhypothese). Obwohl seit einigen Jahren diese Ansätze entweder wegen ihrer «Sonderpädagogisierung» oder/und wegen ihrer kulturellen und ethnischen Überpointierung kritisiert wurden (vor allem Hamburger, 2009; Mecheril, 2004; Radtke, 1991; Bukow, 1996; Yildiz, 1997), hat sich diese defizitorientierte Deutung bis heute gehalten und gehört in den meisten europäischen Migrationsgesellschaften längst zur Normalität. Eine solche pauschalisierende, defizitäre Sicht etabliert einen ethnisch zentrierten Blick auf die Gesellschaft und erzeugt den Mythos ethnischer Identität. Was die Identitätsforschung dazu veranlasst, Mobilität in Form von Migration mit besorgtem Blick zu betrachten ist bei genauerer Betrachtung kaum nachzuvollziehen.

Reduktion auf die religiöse Zugehörigkeit

Der andere Aspekt, der im Umgang mit Migrantenjugendlichen auftaucht, ist die Hervorhebung religiöser Zugehörigkeit. Ein Ergebnis dieser Reduktion ist, dass ihre vielfältigen und vielstimmigen Orientierungen ausser Blick geraten. Der reduktionistische Blick verkennt auch die unterschiedlichen Bedeutungen, die religiöse Bezüge für die betroffenen Jugendlichen in der konkreten Alltagspraxis haben (können). Unsere Kölner Studien zeigen dagegen, dass sie in der Lebenspraxis von Jugendlichen nur einen Aspekt unter anderen darstellen (Bukow u.a., 2001: 243ff.). Wenn man die Religiosität unter Migrantenjugendlichen und deren Bedeutung für ihre Lebenskonstruktionen diskutieren will, dann sollte man die gesellschaftlichen Kontexte, in denen sich die Jugendlichen bewegen, zum Ausgangspunkt machen. Wie Nikola Tietze (2001) in ihrer Studie herausgearbeitet hat, gibt es unterschiedliche Motive, warum sich jemand dem Islam zugewandt hat oder warum eine junge Frau, die in Deutschland geboren und aufgewachsen ist, plötzlich ein Kopftuch anlegt, obwohl ihre Eltern dies nicht befürworten. Der eine ist vielleicht Muslim, weil seine Eltern religiös sind und ihn religiös erzogen haben. Eine andere kann aber eine fromme Muslima sein, obwohl ihre Eltern nicht religiös sind und sie liberal erzogen haben. Für andere wiederum wird die islamische Orientierung zu einer subversiven politischen Strategie, dient zum Kampf um gesellschaftliche Anerkennung. In diesem Kontext bedeutet Religiosität, ähnlich wie Ethnizität, eine Strategie, die in der Auseinandersetzung mit den hegemonialen Verhältnissen entwickelt wird. Religiosität wird zu einer Verhandlungsstrategie. Es gibt auch Jugendliche, die die religiöse Orientierung strategisch einsetzen, um sich Zugang zu bestimmten Ressourcen zu verschaffen (soziale Einrichtungen und Angebote in Moscheen, kostenloses Mittagessen usw.), andere folgen ihrem Freundeskreis. Unabhängig davon, aus welchen Motiven die Hinwendung zur Religion geschieht, handelt es sich dabei um eine soziale Praxis, deren Bedeutung für die Jugendlichen erst aus dem jeweiligen Lebenszusammenhang erschlossen werden kann.

Obwohl die religiöse Orientierung in der Lebenspraxis der Jugendlichen also vielfältig, differenziert und komplex ist, stossen wir in der Öffentlichkeit auf eine homogenisierende Deutung, die auf eine Entkontextualisierung religiöser Zugehörigkeiten und Praktiken im Alltag hinausläuft, weil mit fest gefügten Kategorien bzw. Mythen gearbeitet wird, die ihre eigene Normalität schaffen und in der muslimische Orientierung automatisch als eine Desorientierung und als desintegratives Moment interpretiert wird. Die ablehnenden

Reaktionen der letzten Jahre auf das Anliegen von Migranten, angemessene Gebetshäuser zu errichten, ist nur in diesem Zusammenhang verständlich.

Das ist vor allem auf die Wahrnehmung des Islam als Feindbild zurückzuführen. Die Ereignisse vom 11. September haben die Konstruktion des Islam als Feindbild und als Gefahr der westlichen Zivilisation erneut ins Blickfeld der Öffentlichkeit gerückt; die Folgen sind bis heute spürbar. Binäre Kategorien wie Muslime/Christen sind aus historischer Perspektive kein neues Phänomen. Je nach politischer Lage und Machtverhältnissen wurde diese binäre Codierung islamisch/christlich immer wieder aufgegriffen, politisch instrumentalisiert und strategisch eingesetzt. So ist ein ausgeprägter Islam-Mythos entstanden, der fast in allen gesellschaftlichen Bereichen als Wegweiser der Wahrnehmung fungiert (Bukow, 2003: 63ff). Das Hauptproblem dabei ist die pauschale und unreflektierte Verknüpfung von Islam und Migranten. Wenn es in der Öffentlichkeit um Migrationsfragen geht, taucht regelmässig das Thema Islam auf. Diese Normalisierung des Islam-Mythos ist nicht ohne Folgen auf die Verortungsprozesse von migrantischen Jugendlichen geblieben. Oft fühlen sie sich in unterschiedlichen Alltagssituationen dazu genötigt, sich mit den Zuschreibungen und Stigmatisierungen auseinander zu setzen und Position zu beziehen. In diesen Auseinandersetzungen werden Selbstpositionierungen sichtbar, die nur aus dem beschriebenen Kontext heraus plausibel erscheinen. In solchen Verortungsprozessen entwickeln einige Jugendliche Gegenstrategien, indem sie die religiösen Zuschreibungen übernehmen und in eine politische Strategie umfunktionieren. Mit anderen Worten: Jugendliche Migranten der zweiten und dritten Generation übernehmen in der Selbstpositionierung und Selbstidentifikation genau jene Konzepte, die in der Dominanzgesellschaft als Ausschlussmechanismen fungieren und benutzen sie als gemeinsame Basis für ihren Widerstand gegen hegemoniale Verhältnisse.

Die muslimische Selbstidentifikation, die sich in der Auseinandersetzung mit der Fremddefinition formiert, ist das Ergebnis gesellschaftlicher Machtverhältnisse. Dass migrantische Jugendliche sich inzwischen selbst als «Ausländer» definieren, hat nichts mit so genannten mitgebrachten Herkunftskulturen zu tun, sondern ist ein Produkt von Exklusions- und Inklusionsverhandlungen (Lutz, 1991: 55). In diesem Zusammenhang spricht Mark Terkessidis zu Recht von der Erfindung strategischer Fremdheit (Terkessidis, 2002: 31ff). In diesem strategischen Prozess werden alte und neue Erfahrungen, unterschiedliche kulturelle Elemente zusammengefügt und synthetisiert.

Zusammenfassend kann festgehalten werden, dass durch Zuschreibungsprozesse und Diskriminierungserfahrungen ethnische und religiöse Verortungsstrategien in Gang gesetzt werden, die für die betroffenen Jugendlichen eine soziale Praxis darstellen und für ihre Lebensentwürfe bedeutsam sind oder sein können. Diese Verortungspraxis ist für sie zum zentralen Ausgangspunkt ihrer Repräsentationspraktiken geworden (Said, 1994: 407f).

Zur Normalisierung kultureller Hegemonie

Es zeigt sich, dass solche binären Kategorien «Wir» (Christen) und die «Anderen» (Muslime) durch eine gesellschaftliche Praxis erst hervorgebracht werden. Sind solche Mythen als Hegemoniediskurse einmal etabliert, dann wird über Migrantenjugendliche eine Art Wissen produziert. Der gesamte Macht/Wissen-Komplex kann in Anlehnung an Michel Foucault (1978) ein *Islam-Dispositiv*[1] genannt werden, das wie ein Rezeptwissen in unterschiedlichen sozialen Praktiken funktioniert, eine Deutungsgrammatik (Willems, 1997: 254ff).

Unsere Studien in der Kölner Region haben gezeigt, dass es bezüglich des gesellschaftlichen Umgangs mit Migrantenjugendlichen ein solches Deutungswissen gibt. Dabei handelt es sich nicht einfach um individuelle Vorurteile, sondern um gesellschaftliche Wissensbestände, die auf den stigmatisierenden Umgang mit migrantischen Jugendlichen zurückzuführen ist.

Dieses ethnisch-religiöse Deutungswissen macht eine bestimmte Gruppe überhaupt erst sichtbar, die dann als Problem identifiziert wird. Diese Art der Objektivierung des Anderen hat eine normalisierende Wirkung, die tief in die Alltagspraxis hineinreicht. Konflikte und Differenzen werden von da an automatisch als ethnisch-kulturelle oder religiöse Probleme identifiziert. Migrantenjugendliche erscheinen potentiell als therapiebedürftig bzw. als «reparaturbedürftiges Objekt» (Goffman, 1973: 9) und erhalten einen ontologischen Status. Die erkenntnistheoretische Basis dieses ethnisch-religiösen Rezeptwissens ist eine homogene deutsche Gesellschaft, die einen angemessenen Umgang mit den «Anderen» und «Fremden» finden müsse. Diese ethnisch-religiöse Fokussierung von Konflikten konstruiert schliesslich ihre eigene Wirklichkeit und stellt die Grundlage für weitere sozialpädagogische Interventionen dar, in einer Art *sich selbst erfüllender Prophezeiung* (Dannenbeck u.a., 1999: 125).

Aus diesem Blick bleibt unsichtbar, wie sich die Migrantenjugendlichen selbst verorten, sich orientieren, welche Elemente sie dabei nutzen, welche neue Lebensentwürfe sichtbar werden, auf welche Weise sie sich mit den

1 Foucault ging davon aus, dass bestimmte gesellschaftliche Kategorien – wie etwa der psychisch Kranke – durch eine bestimmte Praxis erst geschaffen werden.

gesellschaftlichen Bedingungen, unter denen sie leben, auseinander setzen und Lebensstrategien entwickeln.

3. Ein anderer Blick

Im Gegensatz zu der in der Öffentlichkeit vorherrschenden Auffassung, Migranten schaffen vor allem Probleme und Konflikte, vor allem Akkulturations- und Integrationsprobleme, zeigen einige Studien, dass sich bei migrantischen Verortungsprozessen in den meisten Fällen um biographische und kulturelle Neuorientierungen handelt (Badawia, 2002; Hummrich, 2002; Schahzad, 2007). Migrantenjugendliche entwickeln selbstverständlich ihre eigenen biographischen Erfahrungen aus unterschiedlichen Kontexten in ihrer Verortungspraxis als Ressource und entwickeln daraus hybride Lebensentwürfe und bewegte Zugehörigkeiten.

Kulturelle und nationale Kategorien, die aus Jugendlichen Türken, Marokkaner, Muslime oder einfach «Ausländer» machen und sie auf eine spezifische ethnische und religiöse Zugehörigkeit reduzieren, ignorieren die Kontexte, in denen sich das Leben von Migrantenjugendlichen abspielt und in denen Biographien entworfen und zusammengefügt werden. In dieser Hinsicht wurde in der kritischen Migrationsforschung seit Jahren ein radikaler Perspektivenwechsel gefordert, der aber bisher innerhalb der Forschungslandschaft eher marginal geblieben ist.

Die Ergebnisse unserer Studien belegen, dass Städte und städtische Quartiere hoch differenzierte und vor allem durch Migration und Mobilität geprägte Gebilde sind, in denen Kinder und Jugendliche aufwachsen. Sie richten sich in unterschiedlichen Alltagskontexten ein, suchen «ihre» Orte und schaffen neue. Sie organisieren sich lebensweltliche Inseln, Orte des Alltags und der Nähe, und eignen sich auf diese Weise die Stadt, den Stadtteil an (Bukow u.a., 2001). Diese unterschiedlichen Aneignungsprozesse im jeweiligen alltagsweltlichen und gesellschaftlichen Kontext haben für die betroffenen Jugendlichen eine nicht zu unterschätzende Sozialisierungsfunktion.

Auf der Grundlage der Ergebnisse unserer Studien soll hier die Perspektive gewechselt und die Alltagspraxis von Jugendlichen in differenzgeprägten städtischen Kontexten in den Mittelpunkt gerückt werden. Dabei soll es darum gehen, die lebenspraktischen und selbstverständlichen Alltagspraxen sichtbar zu machen, in den sich das Leben von Jugendlichen abspielt und in denen sie sich positionieren. Um diese im Kern selbstverständliche Lebenspraxis zu erhellen, muss man sich zunächst Einblicke in die *soziale Grammatik* urbaner Lebenskontexte verschaffen, Kontexte, in deren Alltäglichkeit überhaupt erst sichtbar wird, was im konventionellen Diskurs oft ausgeblendet wird, wie nämlich Jugendliche in differenz- und mobilitätsgeprägten Städten oder Stadtquartieren lebenspraktisch miteinander umgehen, mit welchen Konflikten und Krisen sie konfrontiert sind, wie sie sich organisieren, welche Lebensformen und Milieus gebildet werden. So kann auch sichtbar gemacht werden, welche Kontexte für sie im formalen gesellschaftlichen Zusammenhang, ökonomisch, schulisch, politisch relevant werden, wie sie sich privat einrichten, einen entsprechenden Lebensstil entfalten und ihn biographisch einarbeiten, wie sie all dies nutzen, um eigene Interessen zum Ausdruck zu bringen, mit welchen Konflikten und Barrieren sie konfrontiert werden, welche Strategien dabei entwickelt werden, welche Rolle die Familie, die Freundschaften, persönliche Netzwerke, ethnische oder andere Zugehörigkeiten dabei spielen.

4. Biographische Entwürfe

Zeliha (24) – Selbstbewusste Verortung im religiösen Kontext

> Zeliha ist als Tochter einer ehemaligen Gastarbeiterfamilie in Köln geboren. Während ihrer ersten Lebensjahre wohnt die Familie in Köln-Kalk in einer multikulturellen Nachbarschaft. Im Alter von 3 Jahren wird Zeliha von Freundinnen in die Moschee mitgenommen. Dort lernt sie auch Arabisch. Sie besucht keinen Kindergarten. In der Grundschule bleibt sie einmal sitzen. Sie nimmt am muttersprachlichen Unterricht teil und besucht nachmittags einen Kinderhort. Mit den Lehrern kommt es oft zu sprachlichen Missverständnissen. Zeliha wechselt auf die Realschule und beginnt in der sechsten Klasse ihr Kopftuch zu tragen, weswegen sie Probleme mit den Lehrern hat. Später wechselt sie auf das Gymnasium, macht Abitur und nimmt ihr Studium für das Lehramt Sekundarstufe 1 mit den Unterrichtsfächern Biologie und Geschichte auf. Bei der Bewerbung um einen Praktikumsplatz bekommt sie eine Absage mit der Begründung, dass ihr Kopftuch nicht ins Profil passe. Trotz familiärer Bedenken heiratet Zeliha einen BWL-Studenten aus Aachen. Im Jahr 2002 gründet sie mit ihrem Ehemann eine Nachhilfe-Schule in Köln-Kalk. Zum Zeitpunkt des Interviews machte Zeliha ihr Examen und wird anschliessend ihr Referendariat beginnen.

Zwei Themen durchziehen das gesamte Gespräch: Einerseits das Kopftuch, das sie seit der sechsten Klasse freiwillig zu tragen begann und weshalb sie sowohl innerhalb als auch ausserhalb schulischer Kontexte kontinuierlich mit Diskriminierungserfahrungen konfrontiert wurde. Andererseits ihr Willen, ihre biographischen Ziele durchzusetzen. Interessant erscheint in der Biographie von Zeliha, dass sie zu dem gängigen Mythos der unterdrückten türkischen Frau, die noch dazu gezwungen sei, Kopftuch zu tragen, nicht passt.

Das Kopftuch zu tragen war ihre eigene Entscheidung. Was ihre berufliche Karriere betrifft, so spielten ihre Eltern dabei eine wesentliche Rolle. Sie haben Zeliha von Anfang an dazu motiviert und ihr die notwendigen Freiräume eingeräumt, Abitur zu machen, zu studieren und einen guten Beruf zu ergreifen.

Zeliha besuchte keinen Kindergarten und hatte daher in der Grundschule wegen schlechter Deutschkenntnisse Schwierigkeiten, fühlte sich oft überfordert. In der ersten Klasse hatte sie nicht viel Kontakt zu deutschen Mitschülern, was sie auf die Sprachbarriere zurückführt. In der Realschule und im Gymnasium verbesserte sie ihre Deutschkenntnisse, so dass sie ihr Abitur erfolgreich absolvieren konnte. Ihre Cousine, die 16 Jahre älter ist als sie und über sehr gute Deutschkenntnisse verfügt, hat ihr dabei viel geholfen. Ohne ihre Hilfestellung hätte sie die Schule wahrscheinlich nicht geschafft.

Während ihrer Realschulzeit wurde sie oft gehänselt wegen ihrer schlechten Aussprache beim Vorlesen: «Wie meine Aussprache ist, ob sie besser oder schlechter wird, hat mich so in meinem ganzen Leben schon geprägt». Sie beschloss von da an, ihre Leistungen zu verbessern.

Weil ihr Bruder früh die Schule abgebrochen hatte, setzten ihre Eltern alle Hoffnungen auf sie: «Sie wollten, dass ich eh eine Karrierefrau bin und mich nur auf die Schule konzentriere». Die Eltern wollten nicht, dass Zeliha von irgendeinem Mann abhängig wird und sich als Putzkraft den Lebensunterhalt verdient.

Mit drei Jahren bereits war sie aus Neugier mit anderen Kindern regelmässig in die Moschee gegangen. Später hatte ihre beste Freundin angefangen, ein Kopftuch zu tragen, und das war für sie der Anlass, sich selbst auch dafür zu entscheiden. Ihre Lehrerin in der Grundschule war dagegen: «Sie hat zwar eine Klassenkonferenz einberufen, weil sie dachte, ich würde dazu getrieben oder ich würde irgendwie unter Zwang das Kopftuch tragen». Die Lehrerin führte deshalb ein Gespräch mit ihren Eltern: «Die Lehrerin wollte nicht einsehen, weil ich nicht ihren Vorstellungen von einer Kopftuchträgerin entsprochen habe und ich war auch ziemlich vorlaut gewesen (...)». Ihre Eigenständigkeit als Frau wurde in der Schule kaum Kenntnis genommen, weil das mit dem fest gefügten Mythos von der unterdrückten muslimischen Frau nicht vereinbar ist. In dieser Auseinandersetzung geht es vor allem gesellschaftliche «Deutungsmacht» (Rommelspacher 2002: 124). Dass Zeliha wegen dem Kopftuch diskriminiert wurde, bringt die folgende Passage deutlich zum Ausdruck: «Ich wurde manchmal gemobbt zum Beispiel, wenn ich gefragt habe, ich habe das nicht richtig verstanden, können sie das noch mal bitte wiederholen: Ja zieh dein Kopftuch aus, dann hörst du besser».

Erst im Gymnasium entwickelte Zeliha ein neues Selbstbewusstsein und begann zu rebellieren und ihre Interessen durchzusetzen. Sie schloss ihre Prüfungen als Zweitbeste ab, obwohl sie immer die Sorge gehabt habe, durchzufallen.

Zum Zeitpunkt des Interviews hatte sie ihr Studium in Biologie und Geschichte fast abgeschlossen und erzählte uns von den Schwierigkeiten, auf die sie bei der Suche nach einer Praktikumsstelle wegen des Kopftuches gestossen sei. Sie wurde oft mit dem Argument weggeschickt, «Sie entsprechen nicht unserem Profil».

Die Biographie von Zeliha erscheint für Jugendliche mit Migrationshintergrund, die in der Bundesrepublik Deutschland geboren und aufgewachsen sind, typisch. Ihr biographischer Entwurf widerspricht den gesellschaftlichen Erwartungen gegenüber (muslimischen) Frauen. Durch ihre biographischen Ziele wirkt sie auf die gesellschaftlichen Normalitätsvorstellungen irritierend. Der Mythos, das Leben zwischen unterschiedlichen Kulturen und Traditionen sei für die Betroffenen problematisch, korrespondiert mit der biographischen Konstruktion von Zeliha kaum, weil sie gerade in der Auseinandersetzung mit den gesellschaftlichen Bedingungen eine Art von Subjektivität entwickelt, die für ihre Lebenskonstruktion immer bedeutsamer wird. In dieser Hinsicht wird die «Grenzsubjektivität» im Sinne des «marginal man» von Robert Ezra Park, der zwischen zwei unterschiedlichen Traditionen aufwächst und der Gruppe der «voll» integrierten homogenen Kulturgemeinschaft gegenübersteht, zum Normalfall. Damit realisiert der «marginale Mensch» in der Figur des Migranten prototypisch einen Selbst- und Weltbezug, für den die Krise nach und nach zur Lebensform *sui generis* und damit zur Alltagsnormalität in der globalisierten Migrationsgesellschaft wird. Insofern repräsentiert die biographische Konstruktion von Zeliha eine kosmopolitische Identität und Nicht-Identität zugleich.

An diesem biographischen Lebensentwurf wird eine selbstethnisierende Verortungsstrategie sichtbar, die zum Teil «als ein strategisch-politisches Moment» (Gutiérrez Rodríguez 1999: 173) gegen die Prozesse der Fremdethnisierung eingesetzt wird. In dieser Hinsicht erscheint die religiöse Selbstethnisierung als eine gezielte Reaktion gegen die strukturellen Machtverhältnisse. Die Auseinandersetzung um das Kopftuch ist ein Beleg dafür. Viele junge Frauen, die in Deutschland geboren und aufgewachsen sind, tragen nicht unbedingt aus religiöser Überzeugung Kopftücher, wie der Islam-Mythos suggeriert, sondern sie übernehmen die von aussen zugeschriebenen Eigenschaften und drehen sie in ihrer Funktion um. Auf diese Weise versuchen sie, sich gesellschaftlich sichtbar zu machen und in dieser Sichtbarkeit anerkannt zu werden.

So wird Fremdheit strategisch inszeniert. Diese Strategie des Sichtbarmachens markiert «neue Formen des Selbstverständnisses und der Verortung» (Gutiérrez Rodríguez 1999: 253) der betroffenen jungen Frauen. Zwischen den Selbstethnisierung- und Fremdethnisierungsprozessen existiert ein kompliziertes Wechselverhältnis. Das heisst, Frauen, die nicht anerkannt und diskriminiert werden, stilisieren sich selbst als Fremde und stellen sich polemisch der Gesellschaft entgegen, deren Bestandteil sie sind. Diese Strategie wird von Horst Stenger als «reflexive Fremdheit» bezeichnet (1998: 348ff).

Ertan – Kosmopolitische Subjektivität

Ertan (22) ist in Istanbul geboren und aufgewachsen. Nach dem Abitur, kam er mit 18 Jahren zum Studium nach Köln, weil er schon immer im Ausland studieren wollte. Um sein Studium der Pädagogik zu finanzieren, arbeitet er nebenbei in unterschiedlichen Bereichen. Skaten gehörte zu seinen Hobbies in Istanbul, und auch in Köln hat er in seiner Freizeit schnell an die entsprechenden Kreise Anschluss gefunden. Die Beziehungen zu seinen Eltern und einigen Freunden in Istanbul werden durch Telefonate und Mails weitergepflegt. Wenn er genug Geld hat, fliegt er nach Istanbul, um seine Eltern, Bekannten und Verwandten zu besuchen. Auch mit seinem Cousin, der in Chicago studiert, hat er weiterhin Kontakt. Ausserdem gibt es noch Kontakte zu seinen Freunden aus dem Skater-Milieu in Istanbul, die jedoch flüchtig sind, was er bedauert. In unserem Gespräch vergleicht er die Istanbuler mit der Kölner HipHop-Szene und kommt zu dem Schluss, dass die Beziehungen hier anonymer und distanzierter seien, was ihn zwar stört, woran er sich aber im Laufe der Zeit gewöhnt habe. Dass er Englisch in der Schule gelernt hat, inzwischen die deutsche Sprache beherrscht und Türkisch seine Muttersprache ist, ermöglicht ihm die Nutzung mehrsprachiger Medien und anderer Informationsquellen.

Ertan beschreibt im Gespräch, welche Schwierigkeiten er anfangs in Köln hatte, wie er sich die Stadt nach und nach angeeignet und welche Strategien er entwickelt hat, um Freunde zu finden und seine sozialen Netze aufzubauen. Er kaufte ein Skateboard und ging fast täglich zur «Domplatte»,[2] um dort zu skaten. Mit der Zeit gewann dieser Ort in seiner Biographie an Relevanz, weil er viele Nachmittage und Wochenenden dort verbrachte und gleichgesinnte Jugendliche dort traf. Interessen und Hobbies waren bei diesen Bekanntschaften bestimmend. Die Freundschaften in Istanbul findet er stabiler und wärmer, und immer wieder vergleicht er seine Erfahrungen in Istanbul mit denen hier in Köln. Die Beziehungen seien hier anonymer, wobei er sich mit der Zeit damit abgefunden habe. Seitdem er hier sei, denke er über das Leben, über die Situation in Istanbul immer wieder neu nach. Einerseits kritisiert er

2 Beliebter Platz am Kölner Dom, auf dem sich vor allem Strassenkünstler und Skater treffen.

die Verhältnisse dort, andererseits fühlt er sich durch seine Auslandserfahrungen mit Istanbul emotional stärker verbunden.

Im Gegensatz zum offiziellen Einwanderungsdiskurs, in dem migrantische Jugendliche eher als defizitär wahrgenommen werden, und in dem die neue Verortungspraxis ignoriert wird, demonstriert Ertan die Öffnung der Orte zur Welt. Er ist in Istanbul geboren und aufgewachsen, einer Stadt, die immer schon eine kosmopolitische und offene Stadt war. Schon in Istanbul wurde er mit kulturellen Unterschieden konfrontiert, unabhängig davon, dass sich sein Lebensstil und Musikgeschmack ohnehin im weltweiten Kontext bewegen. Auch die HipHop-Kultur, die er sich in Köln «angeeignet» hat, ist ein globaler Trend, der sich lokal manifestiert.

Im Gegensatz zu der gängigen Praxis, migrantische Jugendliche automatisch auf ethnische und religiöse Dimensionen festzulegen, zeigt der Lebensentwurf Ertans zunächst, dass auch sein aktuelles Leben in Köln viele grenzüberschreitende Bezüge aufweist. Diese grenzüberschreitenden Alltagskontexte, in denen er sich bewegt und seine Biographie formuliert, spielen für seine Verortungspraxis eine wesentliche Rolle. Dabei erscheinen seine biographische Entwürfe nicht als etwas Festgelegtes, sondern als ein dynamisches Gebilde, das immer wieder reflexiv hergestellt wird. Sein Lebensentwurf ist ein gutes Beispiel dafür, wie unterschiedliche Elemente in lokalen Kontexten ständig reflektiert und neu entworfen werden. Gerade dieser selbstbewusste Umgang mit lokaler Diversität, der mit Mehrfachcodierung und Multiperspektivität einhergeht, stellt einen (interkulturellen) Bildungsprozess im Alltäglichen dar.

Wie Ertan seine Biographie gestaltet und wie er daraus seinen aktuellen Lebensstil formuliert, macht das neue Alltagsverständnis deutlich. Er nutzt verschiedene Bausteine aus unterschiedlichen Regionen der Welt. Unter lokalen Bedingungen in Köln verbindet er diese Elemente zu einem biographischen Entwurf. Was dabei sichtbar wird, ist eine gewisse Alltäglichkeit bzw. Selbstverständlichkeit grenzüberschreitender Bezüge. Diese Niederungen des Alltags bleiben in der öffentlichen Wahrnehmung doch weitgehend unsichtbar, weil die fest gefügten Mythen über migrantische Jugendlich heute noch als Wegweiser der Wahrnehmung fungieren – auch in der gegenwärtigen Debatte über Zuwanderung. Seine Lebenskonstruktion widerspricht den konventionellen Vorstellungen von Identität und Integration. Die Fähigkeit, konkrete Prozesse vor Ort aufzunehmen und auf der Basis weltweiter Vernetzungen und Bindungen neu zu kodieren, macht seine «kosmopolitische Kompetenz» (Römhild, 2003: 18) aus.

Bei diesen weltweiten Netzwerken und Beziehungen von Migrantenjugendlichen handelt es sich nicht um eine Erweiterung oder Verlängerung der

Herkunftsgesellschaft, sondern vielmehr um eine qualitativ neue Lebenslage, die sich auf lokaler Ebene formiert (Pries, 1997: 34ff). Aus dieser Perspektive sind auch verschiedene Kulturformen, Moden und Trends, etwa Teile der Club- und Discoszene, Musik- und Tanzstile, die von der zweiten und dritten Generation der Migranten in den deutschen und anderen westlichen Metropolen entwickelt werden, etwas *Neues,* das in Grossstädten unter spezifischen Bedingungen entsteht und nicht etwa so «mitgebracht» wird. Ebenso entspringt jede ethnische und religiöser Inszenierung jugendlicher Migranten in der Gegenwart keiner *ungebrochene Traditionalität*, ist kein mitgebrachter Rest der Herkunftskultur, sondern es sind *neue reflexive Traditionsbildungen*. Das Leben zwischen zwei Kulturen, das bisher als «Zerrissenheit» oder «Leidenprozess» dramatisiert wurde, erfährt jetzt eine biographische Bedeutung für die Betroffenen. Konzepte wie «Hybridität» oder «Synkretismus» gewinnen zunehmend an Relevanz (Caglar, 1998: 42).

Bei den sich neu formierenden migrantischen Lebensentwürfen Kulturen handelt es sich also nicht um die Essentialisierung von «Herkunftskulturen», sondern um die Rekonstruktion unterschiedlicher weltweit gespannter Elemente in neuen Situationen (Apitzsch, 1999: 19). «Biographische Reflexivität» erweist sich dabei als ein wichtiger Faktor dafür, dass sich in der Interaktion zwischen Menschen unterschiedlicher Erfahrungen, Hintergründe und Lebenskonstruktionen die Wissensbestände moderner oder traditioneller Art weder hermetisch abgrenzend gegenüberstehen noch im Zuge neuer Transformationsprozesse einfach verschwinden. Sie werden von Individuen permanent bearbeitet und reflexiv angeeignet, wobei individuelle Differenzen als biographische Ressourcen in den Reflexionsprozess einfliessen (Lutz, 2004). In diesem Sinne könnte man von einer «reflexiven Traditionalität» (Apitzsch, 1996: 135) oder «reflexiven Interkulturalität» sprechen. Die Lebensentwürfe zeigen, wie diverse Elemente unter bestimmten gesellschaftlichen Bedingungen situativ reflektiert und je nach Kontext neu zusammengefügt werden.

5. Schlussfolgerung

Wie wir exemplarisch gesehen haben, sind die (jungen) Migranten nicht mehr die «Fremden», die eine stabile Struktur verlassen, um in der Ankunftsgesellschaft integriert zu werden, sondern die «Fremden», die dekonstruktiv auf die angestammten Vorstellungen und Konventionen wirken, indem sie Grenzsubjektivitäten entwerfen, die mit konventionellen Kategorien nicht zu fassen sind. Gerade anhand von Migrationsbiographien wird anschaulich, wie unterschiedliche Perspektiven und radikale Differenzen in der Alltagspraxis aufeinander treffen, miteinander in Bezug gesetzt und biographisch reflektiert werden und wie es dabei zu hybriden Lebensentwürfen kommt.

Die im öffentlichen Diskurs gebrauchten Mythen zeigen deutlich, wie die hybride, vielgestaltige und vielstimmige Migrationswirklichkeit auf die binäre Formel «Wir» die «Anderen» reduziert wird. Die Lebenspraxis und ihre konkreten Ausdrucksformen kommen in dieser binären Konstruktion kaum vor. Die Jugendlichen werden vielmehr als Vertreter einer kollektiven Einheit wahrgenommen. Wie Mark Terkessidis feststellt, findet in dieser Situation eine «Entantwortung» statt (2010: 83). Urbane Welten und Lebenswirklichkeiten zeigen dagegen, dass das Alltagsleben eher einer *undramatischen sozialen Grammatik* folgt, die stärker an konkreten Prozessen und Erfahrungskontexten orientiert ist, als es die allzu einfachen kulturellen Zuschreibungen suggerieren (Nikodem u.a., 2001; Yildiz, Mattausch , 2008). Aus dieser Perspektive wird sichtbar, dass gerade die im öffentlichen Diskurs skandalisierten migrantischen Lebensentwürfe, die weder zum einen noch zum anderen «Kulturkreis» gehören, sondern sich dauerhaft in Zwischen-Räumen befinden, in Zukunft die Weltgesellschaft prägen werden. Die Grenzsubjekte wirken auf die vertrauten Strukturen irritierend, stellen Gewohnheiten und Routinen in Frage und verweisen auf den Konstruktcharakter existierender Wirklichkeitsordnungen. Daher können Entortungspraxen und desintegrative Momente, die aus der Sicht der Sesshaftigkeit und des Verwurzeltseins als «Problemfall» erscheinen, ein innovatives Potential entfalten und für die betroffenen Individuen biographisch relevant werden.

Wie die beiden unterschiedlichen biographischen Beispiele gezeigt haben, entwickeln besonders junge Migranten in der Auseinandersetzung mit ihren Lebensbedingungen neue Strategien der Selbstverortung, indem sie in ihrer Alltagspraxis aus unterschiedlichen Elementen neue Biographien entwerfen und auf diese Weise «eine doppelte, ja mehrfache Perspektivität» (Tschernokoshewa, 2005: 20) und kosmopolitische Kompetenzen entwickeln. Wie wir gesehen haben, bedeutet auch die religiöse Zugehörigkeit für die betroffenen Jugendlichen eine subversive Verortungsstrategie, um gegen Diskriminierung vorzugehen. Religiöse Orientierung kann - aus welchen Motiven auch immer - zu einer biographischen Ressource werden: Religiosität wird zum Lebensentwurf.

Diese Transformationsprozesse zeigen, dass wir auch in Zukunft mit einer extensiven kulturellen und historischen Diversität konfrontiert sein werden, die eine neue *soziale Grammatik der Differenz* hervorbringen wird. Daher brauchen wir neue Perspektiven auf die globalisierte Migrationsgesellschaft und damit eine adäquate Sicht auf die bisherige Migrationspraxis (vgl Yildiz 2004: 319ff).

Bibliographie

Apitzsch, Ursula, 1999. Traditionsbildung im Zusammenhang gesellschaftlicher Migrations- und Umbruchsprozesse. In: Ursula Apitzsch (Hg.), *Migration und Traditionsbildung*. Opladen: Westdeutscher Verlag, 7–20.

Apitzsch, Ursula. 1996. Biographien und berufliche Orientierung von Migrantinnen. In: Ralph Kersten; Doron Kiesel,und Sener Sargut (Hg.). *Ausbilden statt Ausgrenzen. Jugendliche ausländischer Herkunft in Schule, Ausbildung und Beruf*. Frankfurt am Main, 133–149.

Badawia, Tarek, 2002. *Der dritte Stuhl. Eine Grounded Theory-Studie zum kreativen Umgang bildungserfolgreicher Migrantenjugendlicher mit kultureller Differenz*. Frankfurt am Main: IKO-Verlag

Beck-Gernsheim, Elisabeth, 2004. *Wir und die Anderen*. Frankfurt am Main: Suhrkamp.

Bukow, Wolf-Dietrich, 1996. *Feindbild Minderheit: Zur Funktion von Ethnisierung*. Opladen, Leske + Budrich.

Bukow, Wolf-Dietrich, 2003: Der Islam – ein bildungspolitisches Thema. In: Wolf-Dietrich Bukow und Erol Yildiz (Hg.). *Islam und Bildung*. Opladen, Leske + Budrich, 57–80.

Bukow, Wolf-Dietrich, 2008: Überlegungen zu einer Reformulierung der interkulturellen Pädagogik unter den Bedingungen der Postmoderne. In: Lisa Rosen, Lisa und Schahrzad Farrokhzad (Hg.). *Macht - Kultur - Bildung. Festschrift für Georg Auernheimer*. Münster, New York u.a., Waxmann, 53–70.

Bukow, Wolf-Dietrich; Jünchke, Klaus; Spindler, Suzanne und Tekin, Ugur (Hg.), 2003. *Ausgegrenzt, eingesperrt und abgeschoben. Migration und Jugendkriminalität*. Opladen: Leske + Budrich.

Bukow, Wolf-Dietrich; Nikodem, Claudia; Schulze, Erika und Yildiz, Erol, 2001. *Multikulturelle Stadt. Von der Selbstverständlichkeit im städtischen Alltag*. Opladen, Leske + Budrich.

Caglar, Ayse, 1998. Verordnete Rebellion. Deutsch-türkischer Rap und türkischer Pop in Berlin. In: Ruth Mayer und Mark Terkessidis (Hg.). *Globalkolorit. Kulturalismus und Populärkultur*. St. Andrä/Wördern: Hanniball Verlagsgruppe, 41–56.

Dannenbeck, Clemens; Esser, Felicitas und Lösch, Hans, 1999. *Herkunft (er)zählt. Befunde über Zugehörigkeiten Jugendlicher*. Münster u.a., Waxmann.

Foucault, Michel. 1973, Wahnsinn und Gesellschaft. Geschichte des Wahnsinns im Zeitalter der Vernunft. Frankfurt am Main: Suhrkamp.

Foucault, Michel, 1978. *Historisches Wissen der Kämpfe und Macht. In: Dispositive der Macht. Über Sexualität, Wissen und Wahrheit.* Frankfurt am Main: Suhrkamp.

Farrokhzad, Schahrzad, 2007. *«Ich versuche immer, das Beste daraus zu machen». Akademikerinnen mit Migrationshintergrund: Gesellschaftliche Rahmenbedingungen und biographische Erfahrungen.* Berlin: verlag regina regener.

Fuhrer, Urs und Uslucan, Haci-Halil, 2005. Immigration und Akkulturation als ein intergenerationales Familienprojekt: eine Einleitung. In: Urs Fuhrer und Haci-Halil Uslucan (Hg.), *Familie, Akkulturation und Erziehung. Migration zwischen Eigen- und Fremdkultur.* Stuttgart: Kohlhammer, 9–16.

Fuhrer, Urs und Mayer, Simone, 2005. Familiäre Erziehung im Prozess der Akkulturation. In: Urs Fuhrer und Haci-Halil Uslucan (Hg.), *Familie, Akkulturation und Erziehung. Migration zwischen Eigen- und Fremdkultur.* Stuttgart: Kohlhammer, 59–85.

Goffman, Erving, 1973. *Asyle. Über die soziale Situation psychiatrischer Patienten und anderer Insassen.* Frankfurt am Main: Suhrkamp.

Hamburger, Franz, 2009. *Abschied von der Interkulturellen Pädagogik.* Weinheim/München: Juventa.

Heitmeyer, Wilhelm, 1994. Entsicherungen. Desintegrationsprozesse und Gewalt. In: Ulrich Beck und Elisabeth Beck-Gernsheim, (Hg.). *Riskante Freiheiten.* Frankfurt am Main: Suhrkamp, 376–401.

Heitmeyer, Wilhelm; Müller, Joachim und Schröder, Helmut, 1997. *Verlockender Fundamentalismus.* Frankfurt am Main: Suhrkamp.

Hummrich, Merle. 2002, *Bildungserfolg und Migration.* Opladen: Leske + Budrich.

Lutz, Helma, 2004. Transnationale Biographien in globalisierten Gesellschaften. In: Markus Ottersbach und Erol Yildiz (Hg.). *Migration in der metropolitanen Gesellschaft. Zwischen Ethnisierung und globaler Neuorientierung.* Münster u.a., Waxmann, 207–216.

Lutz, Helma, 1991. *Welten verbinden. Türkische Sozialarbeiterinnen in den Niederlanden und in der Bundesrepublik Deutschland.* Frankfurt am Main: Suhrkamp.

Mecheril, Paul, 2004. *Migrationspädagogik.* Weinheim/Basel: Beltz.

Mönch, Regina, 2006. *Eine Erziehung zur Gewalt.* In: Frankfurter Allgemeine Sonntagszeitung vom 30. April 2006, 78.

Nikodem, Claudia; Schulze, Erika und Yildiz, Erol, 2001. *Die soziale Grammatik des urbanen Zusammenlebens.* In: Wolf-Dietrich Bukow, Claudia Nikodem, Erika Schulze und Erol Yildiz (Hg.), *Auf dem Weg zur Stadtgesellschaft. Die multikulturelle Stadt zwischen globaler Neuorientierung und Restauration.* Opladen, Leske + Budrich, 209–226.

Pries, Ludger, 1997. Neue Migration im transnationalen Raum. In: Ludger Pries (Hg.). *Transnationale Migration* (Sozialer Welt: Sonderband 12). Baden Baden: Nomos Verlagsgesellschaft : 15–44.

Radtke, Frank-Olaf, 1991. Lob der Gleich-Gültigkeit. Zur Konstruktion des Fremden im Diskurs des Multikulturalismus. In: Ulrich Bielefeld (Hg.), *Das Eigene und das Fremde. Neuer Rassismus in der Alten Welt?* Hamburg: Hamburger Edition, 79–96.

Rommelspacher, Birgit, 2002. *Anerkennung und Ausgrenzung. Deutschland als multikulturelle Gesellschaft.* Frankfurt am Main: Campus Verlag.

Römhild, Regina, 2003. Welt Raum Frankfurt. In: Sven Bergmann und Regina Römhild (Hg.). *Globale Heimat. Ethnographische Recherchen im transnationalen Frankfurt.* Frankfurt am Main: Universität Frankfurt, Inst. für Kulturanthropologie, 7–20.

Said, Edward, 1994. *Culture and Imperialism.* London: Vintage.

Schütz, Alfred, 1991. *Der sinnhafte Aufbau der sozialen Welt. Eine Einleitung in die verstehende Soziologie* (5. Auflage). Frankfurt am Main: Suhrkamp.

Strasser, Sabine, 2009. *Bewegte Zugehörigkeiten. Nationale Spannungen, transnationale Praktiken und transversale Politik.* Wien.

Terkessidis, Mark, 2002. *Der lange Abschied von der Fremdheit. Kulturelle Globalisierung und Migration.* In: Aus Politik und Zeitgeschichte. Beilage zur Wochenzeitung das Parlament, B 12/2002, 31–38.

Terkessidis, Mark, 2004. *Die Banalität des Rassismus. Migranten zweiter Generation entwickeln eine neue Perspektive.* Bielefeld, transcript-Verlag.

Terkessidis, Mark, 2010. *Interkultur.* Frankfurt am Main: Suhrkamp.

Tillmann, Klaus-Jürgen, 2006. *Sozialisationstheorien.* Reinbek bei Hamburg: Rowohlt.

Tschernokoshewa, Elka, 2005. Geschichten von hybriden Leben: Begriffe und Erwahrungswege. In: Elka Tschernokoshewa und Marija Jurić Pahor (Hg.), *Auf der Suche nach hybriden Lebensgeschichten. Theorie – Feldforschung – Praxis.* Münster/New York: Waxmann, 9–42.

Willems, Helmut, 1997. *Rahmen und Habitus. Zum theoretischen und methodischen Ansatz Erving Goffmans: Vergleiche, Anschlüsse und Anwendungen.* Frankfurt am Main: Suhrkamp.

Yildiz, Erol, 1997. *Halbierte Gesellschaft der Postmoderne. Probleme des Minderheitendiskurses in der BRD unter besonderer Berücksichtigung alternativer Ansätze in den Niederlanden.* Opladen: Leske + Budrich.

Yildiz, Erol, 2004. *Leben in der kosmopolitanen Moderne: Die Öffnung der Orte zur Welt.* (Unveröffentlichte Habilitationsschrift) Köln.

Yildiz, Erol, 2006a. Stigmatisierende Mediendiskurse in der kosmopolitanen Einwanderungsgesellschaft. In: Christoph Butterwegge und Gudrun Hentges (Hg.), *Massenmedien, Migration und Integration.* Wiesbaden: VS Verlag für Sozialwissenschaften, 35–52.

Yildiz, Erol, 2006b. *Identitätsdiskurs zu Beginn des 21. Jahrhunderts.* In: Soziologische Revue, H. 1/2006, 36–50.

Yildiz, Erol und Mattausch, Birgit (Hg.), 2008. *Urban Recycling. Migration als Grossstadt-Ressource.* Basel/Boston/Berlin: Birkhäuser Architektur.

Religion und Mehrfachzugehörigkeit – die Bedeutung von Generationsbeziehungen

Asiye Kaya

Generation, Geschlecht und soziale Vererbung

Am Beispiel von Lebensgeschichten von Frauen aus drei Generationen mit alevitischer Zugehörigkeit

Der Beitrag befasst sich mit der Übertragung der Zugehörigkeitserfahrung als «soziales Erbe» von einer auf die nächste Generation in der Migration. Dieses Thema wird am Fallbeispiel von Lebensgeschichten von Frauen aus drei Generationen mit alevitischer Zugehörigkeit diskutiert. Hierbei wird der Frage nachgegangen, welche Auswirkungen sich in Folge der sozialen Vererbung von Verfolgungs- und Diskriminierungserfahrungen in den Folgegenerationen zeigen (können). Hierzu wird das Konzept der «Figuration» nach Elias (1986), der «Übertragung» nach Mannheim (1964) sowie der «sozialen Vererbung» nach Elias und Scotson (1993) herangezogen. Anschliessend wird ein Fallbeispiel ausgeführt, um daran zu diskutieren, inwieweit die Konzepte der sozialen Vererbung und Figuration helfen, die Auswirkungen von Verfolgungs- und Diskriminierungserfahrungen in den Folgegenerationen herauszuarbeiten.

1. Aleviten und alevitisch-sunnitische Figuration

Aleviten sind eine sozial-religiöse Minderheitsgruppe in der Türkei. Sie selbst begreifen sich als eine «Wir-Gruppe» (Elwert, 1989; 1997), unabhängig von ihrer sprachlichen Zugehörigkeit.[1] Die Selbstzuschreibung als «Wir-Gruppe» baut auf einer subjektiven Grenzziehung zu den Anderen – der sunniti-

1 Es leben in der Türkei «zaza»-, kurdisch- und türkischsprachige Aleviten. Es gibt keine offiziellen Angaben über die Zahl der Aleviten unter der Gesamtbevölkerung der Türkei. Schätzungsweise sind die Aleviten mit etwa 20–25 Prozent der Bevölkerung die zweitgrösste Glaubensgemeinschaft in der Türkei (ihre Selbsteinschätzungen reichen teilweise bis zu über 40 Prozent). Die alevitische Glaubensgemeinschaft setzt sich grösstenteils aus türkischen und zu etwa 20 bis 30 Prozent aus kurdischen und «zazaki»-MuttersprachlerInnen zusammen (Kehl-Bodrogi, 2002). Ihr Anteil an der Gesamtzahl der aus der Türkei stammenden MigrantInnen in Deutschland wird auf 30 Prozent geschätzt.

schen Mehrheitsgesellschaft – auf (Barth, 1969). Weitere Aspekte ihrer Wir-Bezogenheit sind die gemeinsamen historischen und sozialen Erinnerungen, soziokulturellen und religiösen Traditionen sowie das gemeinsame Symbolsystem. Aus der religiösen Perspektive wird die Genese des Alevitentums auf die Spaltung im Islam nach dem Tod des Propheten Mohammed zurückgeführt. Die alevitische Religiosität ist Kehl-Bodrogi (1988: 121) zufolge weitgehend auf die «Erfordernisse der sozialen Wirklichkeit» ausgerichtet. Demnach legen Aleviten mehr Gewicht auf die Bewältigung des Alltags als auf theologische Spekulationen und die Einhaltung formaler religiöser Vorschriften. Zu den wichtigsten Charakteristika des Alevitentums als Glaubenssystem gehört die Nichtbeachtung der sunnitisch islamischen Pflichtenlehre, da sie den Aleviten zufolge nur die Äusserlichkeit des Glaubens beinhalte.[2] Die meisten Aleviten glauben, dass sie aufgrund ihrer Zugehörigkeit zum Alevitentum den Gehorsam gegenüber den religiösen Gesetzen, d.h. der Scharia, überwunden haben und von der formalen Glaubenspflichtenlehre der Sunniten entbunden sind (vgl. Vorhoff, 1995: 65). Dies wird als Grund vor allem dafür angegeben, warum Frauen im alevitischen Glauben nicht dazu verpflichtet seien, sich zu verhüllen. Die sich vom orthodox sunnitischen Verständnis vom Islam abgrenzende religiöse Vorstellung und Praxis waren u.a. der Grund, dass Aleviten in der soziopolitischen Gesellschaftgeschichte der Türkei als Nichtgläubige etikettiert, verfolgt und unterdrückt wurden. Die Beispiele über die historischen Verfolgungs- und Unterdrückungserfahrungen von Aleviten werden in der Falldarstellung an der betreffenden Stelle ausgeführt. Ihr Status als historisch immer wieder verfolgte und unterdrückte sozial-religiöse Minderheit, ihre eigene Rechtsprechung und diverse soziokulturelle Regelungen führten dazu, dass sie sich historisch zu einer «geschlossenen Gesellschaft»[3] entwickelten. Gegenwärtig variieren Selbstdefinition und -verständnis der Aleviten und die Fremdzuschreibungen über sie in Abhängigkeit mit der Struktur der jeweiligen Gesellschaft, in der sie leben. Dabei spielt die internationale Migration eine bedeutende Rolle. Um einige Beispiele zu nennen: Während für die Selbstdefinition und das Gemeindeverständnis bei den Aleviten, die in den Grossstädten der Türkei leben, die Schichtzugehörigkeit eine bedeutende Funktion hat, zeigt sich in den USA alevitische Zugehörigkeit vielmehr in Verbindung mit politischer Zugehörig-

2 Nach alevitischer Auffassung stellen das Glaubensbekenntnis, das fünfmalige Gebet, die rituelle Waschung, die Almosensteuer, die Wallfahrt nach Mekka sowie das Fasten im Monat Ramadan Äusserlichkeiten dar.

3 Für eine detaillierte Ausführung siehe Kehl-Bodrogi (2002), Kaya (2006) und Sökefeld (2008).

keit. In Deutschland ist die religiöse Zugehörigkeit für die Selbstdefinition sehr bedeutend, da die deutschlandspezifische Migrationsdebatte religiöse Orientierung von zugewanderten Menschen für den eigenen Ein- und Ausschluss-mechanismus instrumentalisiert (Kaya, 2008; 2009).

Die in diesem Beitrag verwendete Definition von Aleviten als Minderheit beruht auf soziologischen Überlegungen. Demzufolge beruht der Minderheitenstatus einer Gruppe weder auf ihrer Zahl noch auf ihrer offiziellen Anerkennung in der Gesamtgesellschaft. Sondern der Status der Minderheit wird bestimmt über die Beteiligung einer Gruppe an gesellschaftlichen Machtquellen, an sozialen und wirtschaftlichen Ressourcen, an Entscheidungsprozessen und an der Kontrolle der öffentlichen Diskurse innerhalb einer Gesellschaft. Diese Definition von Minderheits- und Mehrheitsgruppen nach ihren Machtverhältnissen macht es erforderlich, die für ihre Existenz notwendigen wechselseitigen Abhängigkeitsbeziehungen in den Blick zu nehmen. Für solche Beziehungsverflechtungen, die ein Machtgefüge zwischen Menschen konstituiert, benutzt Elias (1986) den Begriff Figuration. Die Interdependenzen von Menschen oder Menschengruppen sind die Voraussetzung dafür, dass sie eine spezifische Figuration miteinander bilden. Nach diesem Begriff der Figuration von Elias wird die Beziehungsverflechtung als ein Prozess, als ein sich wandelndes Muster von Beziehungen betrachtet (Elias, 1986: 142). Durch die Organisation und Integration von Menschen entstehen ständig neue Strukturen, wobei Figurationen auch Spannungsgefüge bilden können. Interdependenzen zwischen Menschen können daher sowohl aus einer Beziehung als Verbündete («wir») wie auch als Gegner («sie») bestehen. Darüber hinaus macht Elias in seinem Begriff von Figuration darauf aufmerksam, dass die sozialen Systeme nicht nur aus Handlungen, sondern auch aus Menschen bestehen, die miteinander in wechselseitigen Abhängigkeiten verbunden sind. Dies heisst, der Begriff der Figuration ist ein anderer Ausdruck für diverse Verflechtungen zwischen Menschen.

In Orientierung an Elias` Begriffsbildung werde ich in meiner Fallanalyse den Begriff Figuration auf zwei unterschiedlichen Ebenen verwenden. Zum einen spreche ich von Figuration, um die Beziehung zwischen den Mehrheits- und Minderheitsgruppen zu beschreiben. Und zum anderen verwende ich den Figurationsbegriff, um das Verhältnis zwischen den Generationen, anhand des Fallbeispiels an einer alevitischen Mehrgenerationenfamilie,[4] aufzuzeigen.[5]

2. Übertragung und soziale Vererbung

Es handelt sich bei Verflechtung auch um eine «Übertragung» der Zugehörigkeitserfahrung. In seinem Werk über die Generationen diskutiert Mannheim (1964) den Begriff der Übertragung hinsichtlich der Notwendigkeit des steten Tradierens (Übertragens) der akkumulierten Kulturgüter. Die bewusste und die nicht bewusste Übertragung sozialer Erinnerungen betrachtet Mannheim dabei als zentral. Demnach kann sich die bewusste Übertragung durch die öffentlichen Diskurse verändern. Im Unterschied dazu würden all jene Gehalte und Einstellungen, die in der neuen Lebenssituation unproblematisch weiter funktionieren, die den Fond des Lebens ausmachen, unbewusst und ungewollt vererbt, d.h. an die jüngere Generation als Wissen und Emotionen übertragen (Mannheim, 1964: 538). Elias und Scotson (1993) sprechen insbesondere im Kontext von «Etablierten-Aussenseiter-Figurationen» von einer soziologischen Vererbung. Anhand des Vergesellschaftungsprozesses eines Kindes heben sie den Zusammenhang zwischen der Innenperspektive der Individuen und der Aussenperspektive hervor. Als Innenperspektive wird hier die innerfamiliale Perspektive verstanden, als Aussenperspektive gilt die

4 Ich verwende hier Generation als familial bestimmte empirische Generation. Von der Perspektive der Tochter als jüngste Generation ausgehend, repräsentiert die Mutter die zweite Generation und die Grossmutter die dritte Generation eines biographischen Erfahrungszusammenhangs. Zu einer ausführlichen Diskussion über die Verwendung des Generationsbegriffs im familienbiographischen Kontext siehe Völter (2008).

5 Es handelt sich hierbei um die empirischen Daten einer im Jahre 2006 beendeten biographietheoretisch angelegten Studie. Basis für die empirischen Daten waren die Familien- und Lebensgeschichten von Müttern mit alevitischen und sunnitischen Zugehörigkeitserfahrungen, die Ende der 1960er bzw. Anfang der 1970er Jahre aus der Türkei nach Deutschland migrierten sowie von deren in der Adoleszenz befindlichen Töchtern, die in Deutschland geboren und aufgewachsen sind. Die Studie befasste sich aus der Geschlechterperspektive vergleichend mit der Tradierung der Mehrheit- und Minderheitserfahrungen zwischen den Generationen in der Migration. Die empirischen Daten wurden mit der Methode biographisch-narrativer Interviews (Schütze, 1977; Rosenthal, 1995) erhoben und nach der von Rosenthal (1995) entwickelten Methode der biographischen Fallrekonstruktion ausgewertet (Kaya, 2009). Mit der in diesem Beitrag vorgestellten Tochter Ayla Toprak und ihrer Mutter Elif Toprak habe ich mehrere Interviews in Deutschland geführt. Die stark lückenhafte Darstellung der Familiengeschichte war die Motivation, auch mit der Grossmutter Fatma Düzgün zu sprechen, die zu der Zeit in der Türkei lebte. Das Interview mit Fatma Düzgün führte ich am Telefon.

Sicht der Gesellschaft. Ferner unterstreichen Elias und Scotson (1993) – aufbauend auf den Arbeiten von G. H. Mead (1934/ 1968) und Howe (1955) – den Zusammenhang zwischen Identifizierung und sozialer Vererbung. Den Autoren zufolge hat die soziale Vererbung als Übertragungsmechanismus eine wichtige Funktion bei der Übertragung von Normen und Werten zwischen den Generationen, die bei Kindern für deren Identitätsbildung und deren Wahrnehmung ihrer Lebenswelt eine bedeutende Rolle spielen. Hierbei betonen Elias und Scotson den über die «psychologische» Autonomieentwicklung hinausgehenden sozialen Aspekt. Als besonders bedeutsam markieren sie die Aussenperspektive für das Statusbewusstsein von Kindern. Das Erleben von Sicherheit, das ein Mensch als Kind aus dem gesellschaftlichen Status seiner Familie bezieht, hinterlasse Spuren in seinem späteren Selbstbild, in seiner späteren Selbstsicherheit (Elias und Scotson, 1993: 271). Umgekehrt gelte dies auch für das Erleben von Unsicherheit.

Im folgenden Abschnitt wird die Geschichte dreier Frauengenerationen mit alevitischer Zugehörigkeit zusammenfassend dargestellt. Der Begriff Zugehörigkeit wird in diesem Beitrag im Sinne einer Selbstverortung verwendet, die einen geschlechtsspezifischen Prozess inne hat (vgl. Anthias, 2006). Aus der Perspektive der in Deutschland lebenden jüngsten Generation (Ayla Toprak), die zentrale Person in dieser Fallanalyse, und beginnend mit der Grossmutter (Fatma Düzgün) wird die Entstehung dieser Mehrgenerationenbiographie, ihre Dynamik von wechselseitiger Abhängigkeit und Bezogenheit durch die Struktureigentümlichkeiten unterschiedlicher Gesellschaften (Türkei und Deutschland) in ihrer Prozesshaftigkeit rekonstruiert. Der Schwerpunkt der Darstellung in diesem Artikel liegt auf der in Deutschland aufwachsenden Enkelin Ayla Toprak als zentrale Person, da sie in besonderem Masse die Verbindung zwischen der Türkei und Deutschland verkörpert. Sie präsentiert die unterschiedlichen Formen des Minderheitendaseins und macht darüber das «soziale Erbe« sichtbar.

3. Die Analyse einer Mehrgenerationenbiographie

Die Grossmutter Fatma Düzgün

Ayla Topraks Grossmutter Fatma Düzgün kam als zweites und letztes Kind ihrer Familie ungefähr 1919/1920 in einem ausschliesslich von Aleviten bewohnten Dorf in der Osttürkei zur Welt.[6] Diese Zeit war in der östlichen Türkei durch die Verfolgung und Einschüchterung von ethnisch-religiösen Minderheitengruppen durch die türkische Armee geprägt. Damit zusammenhängend war die starke Präsenz der Militär- bzw. Staatsgewalt als Bedrohung für die Minderheitsgruppen in Fatma Düzgüns Lebensgeschichte ein Anhaltspunkt für ihr vermutliches Geburtsdatum. Ihre Familie gehörte zu einer als «heilig» geltenden Familie («Dedefamilie»)[7] innerhalb der alevitischen Glaubensgemeinschaft. Dies bedeutet, dass die Familie zwar einen wichtigen Platz innerhalb der alevitischen Gemeinde hatte und durch diese besondere Abstammung in Verfolgungszeiten besonderer Gefahr ausgesetzt war. Fatma Düzgüns Vater starb kurz nach ihrer Geburt. Sie wurde von ihrer Mutter aufgezogen und mit dem Beginn ihrer Pubertät mit einem viel älteren Verwandten verheiratet. Sie bekam etwa im Alter von 15 Jahren (ca. 1930) ihr erstes Kind.

Infolge der historisch entstandenen gesellschaftlichen Figuration fanden 1937–1938 im Gebiet Dersim in der Osttürkei die «zaza»-kurdisch-alevitischen Aufstände gegen die militärische Durchdringung statt, die mit einem Massaker an den *zaza*-kurdischen Aleviten beendet wurde (vgl. Kieser, 2000). Viele Aleviten aus dem Osten wurden zwangsweise innerhalb der Türkei umgesiedelt. Van Bruinessen (1994) bezeichnet dieses Massaker als Ethnozid, als gewaltvolle Zerstörung einer Kultur. Durch das Massaker wurden Fatma Düzgün zufolge auch entfernte Familienangehörige von ihr ermordet. «Angst», so erzählte sie, prägte die tägliche Lebenserfahrung der Familie nachhaltig, sie bestimmte die familieninterne Atmosphäre und wurde als bestimmendes Lebensgefühl an die Kindergeneration weitergegeben. Auffallend war im Interview mit Fatma Düzgün in diesem Zusammenhang, dass sie ihre (Familien-)Geschichte als kollektive Geschichte erzählte, bei der die Verfolgungsdaten der ethnisch-religiösen Gruppe(n) für die Familie viel präsenter waren als familieninterne Daten. So konnte sie über dieses Ereignis viele Details erzählen, während sie sich zum Beispiel nicht daran erinnerte, ob sie zum

6 Zur ausführlichen Darstellung dieser Familie siehe Kaya (2006: 221–330) oder in etwas komprimierter Form Kaya (2009: 152–226).

7 Der «dede» (dtsch.: Grossvater) in der alevitischen Glaubensgemeinschaft kommt aus einer heiligen Familien (*Ocak*-Abstammung) und wird als «Vater des Ordens» bezeichnet. Eine Frau, die aus einer *Ocak*-Linie abstammt, oder die Ehefrau eines *dede,* wird als «ana» (dtsch.: Mutter) bezeichnet und wird von der Gemeinde ebenfalls in besonderer Weise respektiert. Fatma Düzgün hatte also in ihrer Gemeinde den Status einer *ana*. Zu den Aufgaben des *dede* gehört u.a. auch die mündliche Tradierung des Wissens über das Alevitentum und über die sozio-historischen Erfahrungen der Aleviten innerhalb der alevitischen Glaubensgemeinschaft.

Zeitpunkt der Massaker bereits verheiratet war (nach den vorhandenen Daten war sie bereits verheiratet und hatte zu dieser Zeit mindestens ein Kind). Sie übernahm innerhalb der Familie die Position, die über ein starkes kollektives Gedächtnis (Assmann, 2000) bezüglich der politische(n) Verfolgungsgeschichte(n) verfügte. Innerhalb ihrer alevitischen Gemeinde übernahm sie als Mitglied einer heilig geltenden *Dede*familie somit auch die Verantwortung für die Tradierung der Kollektivgeschichte. Dies brachte ihr als Frau einen zusätzlichen Statusgewinn neben ihrer bewussten Zugehörigkeit zur heiligen *Dede*familie, da diese Aufgabe in der Regel von den männlichen Mitgliedern einer *Dede*familie übernommen wurde. Trotz dieser veränderten geschlechterbezogenen Figuration innerhalb der alevitischen Familienkonstellation identifizierte sie sich in Bezug auf Geschlechterrollen grundsätzlich mit der in ihrer Umgebung vorhandenen Form des Familienlebens, bei dem männliche Familienmitglieder dominante Rollen hatten. Da sie ihren Ehemann im Zuge der (vermutlich wirtschaftlich motivierten) Binnenmigration in der Türkei Anfang der 1950er Jahre als schwach erlebte, delegierte sie die Erwartung hinsichtlich Schutz und finanzieller Absicherung in der neuen von sunnitischer Mehrheit überwiegenden Umgebung an ihre Söhne. Sie erwartete von ihren Söhnen wirtschaftlichen Erfolg, damit sie an der Macht in der sunnitisch geprägten Mehrheitsgesellschaft partizipieren und damit der Familie Sicherheit bieten könnten. Von ihren Töchtern, wie Elif (Aylas Mutter), erwartete sie hingegen soziale Anpassung, damit sie als Frauen in der sunnitischen Nachbarschaft nicht auffielen und somit keine Gefahr für die eigene Familie wurden. Diese Haltung verursachte in weiteren Jahren immer wieder Konflikte zwischen ihr und ihren Töchtern. Denn sie repräsentierte für ihre Töchter das Bild einer einflussreichen und starken Frau, sowohl innerhalb der Familie als auch in der sozialen Umwelt, die sie kontrollierte und vor der sie Angst hatten.

Die Mutter Elif Toprak

Aylas Mutter Elif Toprak wurde Anfang der 1950er Jahre gleich nach der Binnenmigration der Familie als siebtes bzw. achtes Kind in ihre Mehrkinderfamilie in der Türkei hineingeboren. Elif Toprak bezog sich in den Interviews immer wieder auf Erzählungen ihrer Mutter, als sie über ihre Kindheit sprach. Sie beschrieb sich in ihrer Selbstdarstellung als stilles Kind, das «*tagelang stundenlang in der Ecke gestanden[hat], hungrig und durstig*».[8]

8 Zur besseren Kenntlichkeit der Interviewzitate im Fliesstext werden diese kursiv gesetzt.

Im Allgemeinen kann eine solche Erzählung so gedeutet werden, dass Elif in der Familie zu wenig Aufmerksamkeit geschenkt wurde. Im Kontext der Familiengeschichte deutet diese Aussage jedoch darauf hin, dass «Hunger und Durst» auf der einen Seite ein metaphorischer Ausdruck für ihr Empfinden von Entbehrung und Hilflosigkeit war: Hunger und Durst sind Symbole emotionaler Schutzlosigkeit. Auf der anderen Seite drückten sich hierin gesellschaftlich hergestellte Armutserfahrungen, basierend auf der Familiengeschichte, aus. Vor dem Hintergrund der gesellschaftlichen Verfolgung von Aleviten und dem damit einhergehenden familiären Zwang, in der nicht-alevitischen Umgebung nicht aufzufallen, erlebte Aylas Mutter Elif Toprak zu Hause ihre eigene Mutter unterdrückend und kontrollierend. In den öffentlichen Räumen wie der Schule erlebte sie die LehrerInnen als Angstfiguren, da sie sich als RepräsentantInnen der sunnitisch-türkischen Mehrheitsgesellschaft betrachteten und von ihr entsprechende Verhaltensweisen erwarteten. Ihre Eltern erlebte Elif Toprak im gesellschaftlichen Verfolgungskontext der Türkei und in konkreten Alltagssituationen dabei nicht als schützend. Sie stellte sich in dem gesamten Interview bzgl. der Verfolgungs- und Unterdrückungserfahrung als ein von ihrer Familie entkoppeltes und einsames Kind dar. Das ist auch eine Form der Flucht aus der aktuellen Figuration, auch wenn sie aufgrund der Geheimhaltung nicht genügend Wissen hatte, um dieser zu entkommen. Aufgrund der vorangegangenen Verfolgungen innerhalb der Türkei war ihr Leben in der Stadt damit grundlegend von einer *Kultur der Geheimhaltung* (Kaya, 2006), nicht aber einem transparenten Wissen über ihre alevitische Zugehörigkeit und deren Implikationen gekennzeichnet.

Dabei wurde die Geheimhaltung der alevitischen Herkunft gesellschaftlich mitproduziert. Während des Osmanischen Reiches, das den sunnitischen Islam als Regierungs- und Rechtssystem (Scharia) in der heutigen Türkei etablierte, galten die Aleviten als Ungläubige, als Ketzer. Mit der türkischen Nationsbildung seit Anfang der 1920er Jahre veränderte sich der gesellschaftlich dominante Diskurs dahingehend, dass es fortan alle, die in der Türkei lebten, Türken mit sunnitisch-islamischem Religionshintergrund seien. Sich als nicht-türkisch oder nicht sunnitisch-islamisch zu bezeichnen, wurde als separatistisch und gesellschaftsfeindlich betrachtet. Die Aleviten wurden somit im Diskurs des Nationalismus zu den «Anderen», zu den «Frem-

Fortsetzung der Fussnote 8: Für die Transkription der gesprochenen Sprache wurde nach folgenden Regeln verfahren: Komma und Punkt stehen für unterschiedlich kurze Pausen. Die Zahlen in Klammern bedeuten eine Pause in Sekunden. Die Grossschreibung eines Wortes bedeutet eine Betonung der Biographin. Das Gleichheitszeichen steht für schnellen Anschluss. Die Worte in Doppelklammern sind die parasprachlichen Bemerkungen.

den» des «Türkentums» erklärt. Besonders nach den 1960er Jahren entwickelte sich in den Städten zwischen den sunnitisch-islamistischen Nationalisten, die vom Staat durch die türkisch-islamistische Nationalstaatsideologie unterstützt wurden, und den Aleviten, die laut dieser Ideologie keinen Anteil an der Konstruktion der islamisch-türkischen Geschichte hatten, sich vielmehr mit den linken Gruppierungen verbündeten und sich an den staatlichen ökonomischen Ressourcen und Machtressourcen auch beteiligen wollten, eine ähnliche Machtstruktur wie zwischen Etablierten und Aussenseitern im Elias'schen Sinne. Dies führte zu einer Verflechtung zwischen ihren Handlungen und produzierte eine Spannung zwischen den beiden Gruppierungen (Elias und Scotson, 1993). Mit diesem Versuch der Teilhabe zumindest an wirtschaftlicher Macht unter der Bedingung der Geheimhaltung ging eine lediglich fragmentarische Tradierung der Familiengeschichte Hand in Hand, weshalb die folgenden Generationen kaum Zugang zu ihrer Familiengeschichte und kaum Wissen über die spezifische Geschichte des Alevitentums in der Türkei haben.

Trotz der Geheimhaltung und aufgrund dieses gesellschaftlichen Diskurses konnten Ayla Topraks Grosseltern ihre Tochter Elif (also Aylas Mutter) dennoch nicht vor bestehender Stigmatisierung und Verfolgung in öffentlichen Räumen beschützen. Dies wirkte sich in folgender Weise aus: Während die Mehrheitsgesellschaft die Existenz der Aleviten und Alevitentum regelrecht leugnete, wurde innerhalb der alevitischen Minderheitsgruppe durch die Geheimhaltung aus Angst vor Verfolgung die Entwicklung von Erinnerungskulturen und Vermittlung von Wissen an die Folgegeneration verhindert. An die Stelle von Erinnerungen und Traditionen traten Phantasien, mit denen Aylas Mutter Elif Toprak bis heute versucht, die eigenen Lücken in ihrer Familiengeschichte, die sie in einem Interview als «*sehr kompliziert*» bezeichnete, plausibel zu schliessen. Damit bewegte sich diese Generation in einer doppelten Matrix der gesellschaftlichen Ausgrenzung: zum einen in Bezug auf die sunnitische Mehrheitsgesellschaft, zum anderen hinsichtlich der Religions-, Wissens- und Erinnerungsgemeinschaft der Aleviten.

Ende der 1960er Jahre, als Elif Toprak 15 Jahre alt war, wurde sie durch ihre älteren Schwestern nach Deutschland zum Arbeiten gebracht. Durch die Migration nach Deutschland entstand für sie ein doppelter Minderheitenstatus. Mit der Migration verlor einerseits die alevitische Zugehörigkeit ihre Gefährlichkeit, andererseits wurde sie von der deutschen Mehrheitsgesellschaft pauschal als «Türkin» bezeichnet. Damit wurde sie von der Ankunftsgesellschaft eindeutig als Mitglied der türkischen Nationalgesellschaft identifiziert, in der sie als Alevitin jedoch stigmatisiert und familienhistorisch verfolgt worden war. Diese pauschalisierende und stereotype Wahrnehmung der deutschen Mehrheitsgesellschaft förderte das Nicht-Thematisieren der alevitischen Zugehörigkeit und es reproduzierte das Gefühl der Verheimlichung der eigenen Abstammung und der damit verbundenen weiblichen Schutzlosigkeit. Die drei Schwestern lebten und arbeiteten in Deutschland ohne männliche Begleitung aus ihrer Familie und fühlten sich als Frauen aufgrund fragmentarisch übertragener Verfolgungsgeschichten innerhalb der Familie und alevitischer Zugehörigkeitsgruppe von Männern bedroht. Auch in Deutschland wurde die Geheimhaltung der alevitischen Zugehörigkeit in der neu entstandenen Figuration der «Migranten und Einheimischen» gesellschaftlich mit produziert. Gleichzeitig ging die Erwartung der Partizipation an der Macht der Mehrheitsgesellschaft durch Anpassung und wirtschaftlichen Erfolg gänzlich auf die weiblichen Mitglieder der Familie über, da ihr Bruder, der durch seinen wirtschaftlichen Erfolg innerhalb der Familie das Oberhaupt bildete, verstarb. Mit zunehmendem wirtschaftlichem Erfolg versuchte Aylas Mutter Elif Toprak, über den materiellen Bereich Sicherheit und Bestätigung zu finden und bisherige Verluste und Verunsicherungen zu kompensieren. Dieses Muster übernahm sie über viele Jahre, bedingt durch das damalige Ausländergesetz in Deutschland, auch erfolgreich in ihre zwei Ehen. Denn ihren Ehemännern, die jeweils durch Heiratsmigration aus der Türkei nach Deutschland gekommen waren, wurde in den ersten Jahren keine Arbeitserlaubnis erteilt.

Erst in der Schwangerschaft mit ihrer dritten Tochter Ayla kam es zum Zusammenbruch dieses Musters: Elif wurde krank. Vor dem Hintergrund ihrer Lebensgeschichte kann ihre Krankheit als Ersatzhandlung verstanden werden, mittels derer sie sich in legitimierter Weise von den belastenden Rollenerwartungen zu distanzieren sowie Aufmerksamkeit für ihre Bedürfnisse zu erhalten suchte. Erst im Zuge der auftretenden Krankheit schien sie einen sicheren, weil von der Mehrheitsgesellschaft anerkannten Ort zu finden. Anfang der 1990er Jahre ging sie in Frührente und zwang ihren Ehemann damit, die materielle Versorgung der Familie zu übernehmen. Ihr Rückkehrversuch in die Türkei mit ihren Töchtern scheiterte und reaktivierte die in der Kindheit gemachten Stigma-Erfahrungen, als ihre Töchter in der Schule wegen ihren schlechten Türkisch- und islamischen Religionskenntnissen stigmatisiert wurden. Als Anfang der 1990er Jahre in Deutschland die rassistischen Anschläge auf Migrantengruppen zunahmen und es 1993 in der Türkei zu einem Massaker an Aleviten kam, begann sie mit Hilfe einer alevitischen Organisation in Deutschland, sich mit der Frage der Zugehörigkeit auseinander zu setzen, sich das versäumte Wissen zu erarbeiten. Gleichzeitig entrann sie der Figuration der mehrfachen Minderheitensituation nicht, die Etablierte-Aussenseiter-Figuration änderte sich nicht. Sie versuchte, auch ihre drei Töchter an ihre Gemeinde anzubinden.

Die Tochter Ayla Toprak

Ayla Toprak (Elif Topraks Tochter) wurde 1983 als drittes Kind ihrer Familie in Deutschland geboren. Sie wuchs in eine schwierige Familienkonstellation hinein, da ihre Geburt innerhalb der Familie als der Auslöser der Krankheit ihrer Mutter galt. Ayla Toprak lernte entsprechend der familiären Tradierung, durch Gehorsamkeit und Anpassung Anerkennung und Akzeptanz zu erlangen. Dies galt sowohl gegenüber ihrer Mutter, die Ayla in ihrer Kindheit überwiegend als eine kranke Frau erlebte und deswegen auf sie stets Rücksicht nahm, als auch gegenüber der Mehrheitsgesellschaft in der Schule. Ihre Mutter unterstützte ihre Orientierung, indem sie Ayla zum Beispiel schon vor ihrem Eintritt in die alevitische Organisation erlaubte, am christlichen Religionsunterricht teilzunehmen.

Der Zugang ihrer Mutter zu einer alevitischen Organisation und somit die auch für adoleszente Ayla neu entdeckte Zugehörigkeit brachte sie in der Schule gegenüber den Schülerinnen, die Kopftuch trugen, in eine besondere Position. Nicht ihre Familie, sondern die alevitische Organisation ermöglichte ihr einen Zugang zum Wissen darüber, inwiefern sie als Alevi anders sei, was dazu führte, dass sie beim Thema Islam in einem unterschiedlichen Lager im Vergleich zu ihren MitschülerInnen mit türkisch-sunnitischem Hintergrund stand. Sie fühlte sich mehr zu ihren christlich sozialisierten und nicht praktizierenden sunnitischen MitschülerInnen hingezogen. So wurde sie in der Schule wegen ihrer alevitischen Zugehörigkeit besonders mit der Problematisierung der MigrantInnen mit islamischem Glauben und vor allem der Schülerinnen mit Kopftuch aus der Perspektive ihrer deutschen LehrerInnen und KlassenkameradInnen zu einer Exotin und zur Expertin in Fragen zum Alevitentum. Diese neue Pointierung der Unterschiede über die bislang meistens so homogen betrachtete Gruppe der «türkischen SchülerInnen» führte zu Spannungen zwischen den SchülerInnen. Durch die Erzählungen über die Selbsterfahrungen der Angehörigen ihrer Elterngeneration in der alevitischen Organisation sowie durch die in der zweiten Hälfte der 1990er Jahren in den Medien zu erfahrenen Repressalien der staatlichen Organe und der fundamentalistischen Sunniten gegen die Aleviten in der Türkei wurde Deutschland für Ayla zugleich gewissermassen zu einem sicheren Ort, den sie nicht verlieren mochte. Dies hob sie zum Zeitpunkt des Interviews in der allgemeinen Forderung hervor, indem sie sagte:

> Ich denke mal auch, äh hm Türken, die: =also überhaupt Ausländer, die hier geboren sind, dass sie sich hm, ANPASSEN MÜSSEN EBBEND. [9]

Vor dem Hintergrund ihrer Familiengeschichte drückte sich hierin eine ererbte soziale Bewältigungsstrategie ihrer Grossmutter und Mutter aus, nämlich Anpassung an die Mehrheitsgesellschaft. Diese Forderung nach absoluter Anpassung stellte sie auch an sich selbst, da es auch ihrer familialen Lebenserfahrung entsprach, dass Anpassung am ehesten Sicherheit gebe.

Den Zugang zur alevitischen Organisation fand Ayla Toprak über ihre Mutter, die aufgrund ihrer Zugehörigkeit zu einer *Dede*familie eine besondere Stellung in der alevitischen Organisation hatte. Durch sie konnte sie eine grössere Nähe zur Geschichte ihrer Mutter gewinnen, jedoch bot ihr die alevitische Organisation, zumindest bis zum Zeitpunkt der Interviews, kein zufriedenstellendes Gefühl der kollektiven Zugehörigkeit zu einem imaginierten «Wir» als Aleviten. Zu dieser Zeit befand sich die mittlere Generation (Eltern) in einer Verarbeitungsphase der vergangenen Erfahrungen in der Türkei, indem sie sich in ihrer doppelten Minderheitenposition in der bestehenden Figuration in Deutschland der deutschen Mehrheitsgesellschaft gegenüber als angepasste Migrantengruppe stets mit dem sunnitischen Islam verglichen, der in der Öffentlichkeit zunehmend zum gefährlichen «Anderen» deklariert wurde. Durch die fehlende Offenheit der mittleren Generation gegenüber den Heranwachsenden wurde die alevitische Organisation für Ayla in erster Linie zu einem Ort der sozialen Kontrolle. Denn die mittlere Generation konzentriert sich auf die Erfordernisse und die Diskurse der deutschen Dominanzgesellschaft dahingehend, dass sie sich in der Gesellschaft einen Platz der angepassten Migrantengruppe sichern können. Die alevitische Organisation blieb zur Zeit unseres Interviews ein Ort, den sie überwiegend ihrer Mutter zu Liebe besuchte. Aus diesem Grund praktizierte Ayla ihren Glauben nicht kontinuierlich.

Eine entscheidende Bedeutung haben zwei Themen für die Lebensgeschichte von Ayla Toprak und für die Figurationen, in denen sie generiert wurde: Sprache und Nicht-Wissen über die Herkunfts- und Familiengeschichte. In den folgenden Abschnitten wird der Fokus auf diese beiden Themen gelegt.

In Ayla Topraks Lebensgeschichte stellte die Frage der Sprachkompetenz im Türkischen ein zentrales Scharnier dar, wie die emotionale Nähe oder Distanz zur Herkunftsfamilie reguliert werden kann. Die türkische Sprachwelt war innerhalb der Familie mit leidvollen Erlebnissen und der lückenhaft

9 Die Transkriptionsregeln finden sich in der vorhergehenden Fussnote.

überlieferten Familiengeschichte verbunden. In Ayla's Lebensgeschichte nahmen sowohl eine bewusste Weitergabe der Tradition und Wissen (nach dem Motto «wir sind nicht nur Aleviten, sondern sind mit unserer als heilig geltenden Abstammung als Dedefamilie etwas Besonderes») als auch eine unbewusste Übertragung von emotionalen Haltungen (wie Armut, Angst, Stigmatisierung, Bedrohung und mangelndes Sicherheits- und Geborgenheitsgefühl) einen wichtigen Platz ein. Die türkische Sprache bot ihr sowohl auf der Beziehungsebene als auch auf der Erlebensebene keinen sicheren Ort.

Darüber hinaus zeigte die Fallrekonstruktion, dass das (Nicht-)Sprechen der türkischen Sprache ebenfalls ein verbindendes Thema zwischen dem Zuhause und der Schule war. Ihre Distanzierung und ihren Protest gegenüber MitschülerInnen mit türkisch-sunnitischem Hintergrund (vor allem nachdem die alevitische Abstammung für ihre Mutter an Bedeutung gewonnen hatte) zeigte sie über das Nichtsprechen der türkischen Sprache und die Anpassung an die schulischen Sprachregeln in Deutschland. Manifest deutet Aylas Entscheidung, in der Schule nicht Türkisch zu sprechen, darauf hin, dass sie ihren deutschsprachigen MitschülerInnen gegenüber nicht diskriminierend auftreten möchte. Jedoch im Zusammenhang mit ihrer Familiengeschichte kann ihr Insistieren auf das Nicht-Sprechen der türkischen Sprache («*ICH REDE DENN NICHT aus Trotz so weisst du ((lacht))*») im schulischen Kontext auf einen impliziten Protest gegen das, «was mit sunnitisch-türkisch» zusammenhängt, sowie auf ihre Solidarität mit ihrer Mutter (die wegen ihrer alevitischen Abstammung in der Türkei gelitten hat) zurückgeführt werden. In dieser sich ändernden Figuration zwischen Aleviten und Sunniten in Deutschland kam es zu einem Rollenwechsel gegenüber der «türkisch-sunnitischen Mehrheit» in Aylas Schulleben. Ayla übernahm stellvertretend die aktive Rolle der Klagenden für die verfolgte Grosseltern- und Elterngeneration. Mit anderen Worten, durch diesen Rollenwechsel griff sie mit den Worten von Elias und Scotson (1993: 15) zur «Gegenstigmatisierung» durch die Veränderung der Machtbalancierung in einem anderen gesellschaftlichen Kontext.

Während die Schule auf der einen Seite einen Platz bot, in dem sich Ayla in Sicherheit fühlte, war es auf der anderen Seite ein Ort, wo sich die aktuelle Situation der deutschen Einwanderungsgesellschaft spiegelte, wo die SchülerInnen die Grenzen der ethnisch-religiösen Unterschiede aushandelten und somit alle Konflikte in Bezug auf ihre Zugehörigkeiten durchlebten. Die bereits angesprochenen soziopolitischen Veränderungen wirkten sich besonders in der zweiten Hälfte der 1990er Jahre aus, so dass dies häufiger zu Auseinandersetzungen unter den Heranwachsenden mit alevitischem, sunnitischem und christlichem Glauben führte. Hierbei traten religiöse Zugehörigkeitsmarkierungen wie beispielsweise das (Nicht-)Essen von Schweinefleisch, das (Nicht-)Fasten sowie nationale Zugehörigkeitsmarkierungen, wie die Sprache, als Themen dieser Verhandlungen auf. Ayla hörte stets von ihren MitschülerInnen mit türkisch-sunnitischem Hintergrund, dass sie mit ihrer Lebensform nicht das Bild der «normalen» Türkin repräsentiere. Sie wurde von denen mit Verrat beschuldigt (*«du bist ja richtig Deutsch»*), während sie von ihren deutschen MitschülerInnen als «nicht Dazugehörende» beschrieben wurde (*«du bist einfach Türkin»*). Im Endeffekt betonten beide Gruppen, dass Ayla nicht eindeutig zu ihren imaginären «Wir»-Vorstellungen passte.

Auch Ayla Toprak fehlte das Wissen über die Geschichte ihrer Familie und deren ethnisch-religiöse Zugehörigkeit sowie deren darauf beruhende Besonderheit. Die Bedeutung der alevitischen Abstammung fiel mit der intensiven Bindung an ihre Mutter zusammen. Ayla hatte keine vergleichbare Bindung an ihren Vater, daher spielte er keine Rolle bei der Frage der Herkunft. Ihr Vater habe *«nichts mit Religion zu tun»* und halte sich von diesem Thema und der alevitischen Organisation fern. Sie sprach über das Thema Sprache am Beispiel ihres Vaters. Ihr Vater habe die kurdische Sprache verlernt, er stand in diesem Sinne für die Distanz zur eigenen Herkunft. Auch auf der Mutterseite verband sie den Bruch, somit auch den fehlenden Dialog, mit der Sprache. Sie sagte, dass sie das Türkisch, dass ihre Grossmutter Fatma Düzgün spreche, überhaupt nicht verstehe. Auf meine Frage, was sie ihre Grossmutter fragen würde, wenn sie beide eine gemeinsame Sprache sprechen würden, antwortete sie im letzten Interview:

> Also erstens würde ich wissen, wie sie mit der Situation klar gekommen ist dass sie VERSTECKT, leben mussten (2) Eigentlich würde ich sie fragen, ob sie stolz auf ihre Kinder ist. Also ob sie zufrieden=AUCH ZUFRIEDEN mit ihrem Leben ist (2) Mehr so. DASS ES SCHWER WAR und so, kann ich mir vorstellen Kinder das werde ich gar nicht fragen. Mit so vielen Kindern und so und Türkei und so (3) Aber ob sie, also zufrieden ist, würde ich eher fragen (2) Aber ich glaube, sie kann eher zufrieden sein. (14)

Die Fallanalyse zeigte, dass die Themen, von denen Ayla sich wünschte, darüber mit ihrer Grossmutter sprechen zu können, nämlich «als Alevi versteckt leben zu müssen», «stolz auf die eigenen Kinder zu sein» und schliesslich «mit dem eigenem Leben zufrieden zu sein» auch die Themen waren, die Ayla noch bis zum Zeitpunkt unseres Interviews mit ihrer eigenen Mutter besprechen mochte, mit der sie zunehmend Konflikte hatte. In der Beziehungsdynamik zu ihrer Mutter hatte Ayla die Rolle einer loyalen Tochter, Hoffnungsträgerin, die in vielen Lebensbereichen (vor allem Bildung) ihre nicht ausgelebten Wünsche verwirklichen sollte. Ein Versuch, sich von der Zukunftsvorstellung ihrer Mutter über ihr Leben zu distanzieren und sich nicht mehr loyal an die Erwartungen der Mutter anzupassen, führte zu einem Beziehungsbruch mit ihrer Mutter. Daher ist zu vermuten, dass das lange Schweigen am Schluss des oben gewählten Gesprächsausschnitts (s.o. 14 Sekunden Pause) für ihre Phantasien in Bezug auf beide Frauen (ihre Mutter und die Grossmutter) stand, die sie nicht aussprechen konnte oder wollte. Das Bedürfnis nach Wissen steht hier symbolisch entgegen der Kultur der Geheimhaltung innerhalb der Generationen und der ererbten Handlungsstrategie der Geheimhaltung bzw. des Schweigens für einen Versuch, mit den beiden vorangehenden Frauengenerationen in Dialog zu kommen.

Insgesamt zeigt die Analyse der Lebensgeschichten der hier vorgestellten Frauen aus drei Generationen, dass Armut, Unterdrückung, Bedrohung, Angst, Gewalt und Stigmatisierung sowie fehlende Sicherheit für Frauen und Kinder in der Familie und in der (deutschen sowie türkischen) Dominanzgesellschaft die Hauptthemen der Frauen bildeten. Die Männer der Familie wurden von den Frauen in Erzählkontexten über das Nichterfüllen der traditionellen «Beschützerrollen» eingeführt. Diese Depotenzierung im Familiendialog fand sich in den nachfolgenden Generationen im Umgang der Frauen mit den Männern wieder. Dies führte zur Veränderung der Rollenverteilung im Familienleben. Für die Frauen bedeutete dies sowohl eine Stärkung ihrer Position als auch eine Überforderung. Soziale und wirtschaftliche Anpassung an die Mehrheitsgesellschaft wurde als Überlebensstrategie an die Folgegeneration weitergegeben.

4. Schluss

Verfolgungs- und Diskriminierungserfahrungen erzeugen spezifische Figurationen zwischen den betreffenden Generationen. Ihre Auswirkungen zeigen sich in den Folgegenerationen bedingt durch biographische Erfahrungen unter spezifischen gesellschaftlichen Bedingungen zum Teil als soziale Vererbung in unterschiedlichen Formen. Die Analyse der Beziehungsverflechtungen zwischen unterschiedlichen Generationen zeigt, wie sich die Beziehungsmuster im Prozess der (familien-)biographischen Erfahrungen im Zusammenhang mit gesellschaftlichen Kontexten transformieren und wie sich neue Handlungsstrukturen bilden können.

Als Figuration zeigt sich in der hier ausgeführten Generationenbiographie, wie verflochten die nationalen bzw. ethnopolitischen Imaginationen von Gesellschaft(en) und biographischen Erfahrungen sind. Die Mehr- und Minderheitsfigurationen existieren sowohl in der Herkunftsgesellschaft als auch in der Einwanderungsgesellschaft und zeigen durch die transnationalen und intergenerativen Verflechtungen eine langfristige Wirkung am Subjekt. Es entsteht eine Figuration, in der die Machtgefüge der Gruppen sich in dem Erleben der heranwachsenden Ayla Toprak als angehörige der jüngsten Generation ändern. Dabei bedient sie sich der Strategie der Anpassung im Sinne einer sozialen Vererbung. Die Anpassungsleistung ist von der Suche nach Sicherheit geprägt. Es ist ein lebensgeschichtlich relevantes Muster im Umgang mit der Mutter und mit einer Autoritätsperson und gleichzeitig ein Anpassungsmechanismus, mit dem die Grossmutter und Mutter als Angehörige von Minderheiten lernten, an Machtpotenzialen der Mehrheitsgesellschaft zu partizipieren. Ayla Toprak versuchte, sich an alle Figurationen anzupassen. Ihre Anpassungsstrategien scheiterten zum Teil, da sie von ihrem Gegenüber nicht immer angenommen wurden. Das heisst, wenn Anpassung zu weit getrieben wird, kann sie auch viel Leiden produzieren und garantiert dennoch keine Anerkennung und soziale Inklusion von der Dominanzgesellschaft. Besonders in Bezug auf die (politischen) Integrationsdebatten in den letzten Dekaden ist dieses Ergebnis hervorzuheben: Die Erfahrungen der Jugendlichen mit (familialen) Zuwanderungsgeschichten werden in den Integrationsdebatten kaum berücksichtigt oder sie werden immer wieder defizitär wahrgenommen und präsentiert (vgl. Schramkowski, 2007).

Für eine weitere Form der sozialen Vererbung steht der Umgang mit der Sprache durch die gesellschaftliche Wandlung in der Migration, die u.a. den Dialog zwischen den Generationen symbolisiert. Sprache und Sprachkenntnisse spielen bei der Bindung an die Vergangenheit bzw. deren Vermittlung und dem Austausch zwischen den Generationen eine wichtige Rolle. Die Sprache der (Gross-)Eltern ging in diesem Fall verloren. Das Verlernen der elterlichen Herkunftssprache steht in diesem Sinne für die Distanz zur Herkunft. Durch die fehlenden Sprachkenntnisse kommt es zu einem Bruch zwischen der Grosselterngeneration und der Enkelgeneration. Diese Entwicklung formt sich entsprechend der Sprach- und Religionspolitik der deutschen Dominanzgesellschaft in den Schulen: Kinder und Jugendliche aus Familien mit Zuwanderungsgeschichten, die Türkisch sprechen, werden sehr häufig durch die LehrerInnen oder Schulleitung deswegen stigmatisiert bzw. bestraft. Sie lernen somit die Schule als einen Ort kennen, an dem lediglich die gesellschaftlich erwünschten und erlaubten Sprachen gesprochen und Religionen praktiziert werden können. Somit bietet die Schule eine Arena der Figurationen an, in der die Machtverhältnisse zwischen den Kindern und Jugendlichen mit alevitischer, sunnitischer Zugehörigkeit und aus der christlichen Dominanzgesellschaft ersichtlich werden, wobei die interaktiven Dynamiken, die Themen der sozialen Inklusion und Exklusion eine wichtige Rolle spielen. Die Erfahrungen der heranwachsenden Ayla Toprak in der Schule zeigten, dass sie auch in der Schule von ihren MitschülerInnen und LehrerInnen eine andere Form der sozialen Vererbung erlebt und zwar durch die Übertragung von bestehenden Vorurteilen über «Türkinnen» auf sie und durch ihre diskriminierenden und/oder rassistischen Einstellungen gegenüber Ayla.

Sie erfuhr hier, dass weder ihre erlernte Anpassungsstrategie an die Dominanzgesellschaft noch ihre zeitweilige Instrumentalisierung als nicht Kopftuchtragende und damit potenziell besser und angepasste «Ausländerin» sie vor dieser Stereotypisierung und Ethnisierung als «Türkin» schützen konnte. Die etablierte Aussenseiterposition durch alevitische Zugehörigkeit existierte durch die Kategorisierung als «Türken» in einer anderen Form der etablierten Aussenseiterposition in Deutschland weiter. Mit anderen Worten, die sozialpolitischen und historischen Wandlungen haben kaum etwas daran geändert, dass Aleviten sowohl in der Türkei als auch in Deutschland in einer Figuration mit den Sunniten stehen, indem sie immer noch eine Abhängigkeitsbeziehung zu der (jeweiligen) Mehrheitsgesellschaft bilden.

Die Verflechtung zwischen den Generationen wird durch Übertragung von bislang bewährten unterschiedlichen Überlebens- und Bewältigungsstrategien aufrecht gehalten (z.B. sich stets an die soziale Umgebung anpassen, um nicht aufzufallen, und wirtschaftlich aufsteigen). Es wird eine Kontinuität in dem Familienzusammenhang durch Anpassen an die (jeweilige) Mehrheitsgesellschaft geschaffen. Das ist aber eine gebrochene Kontinuität, weil die Elterngeneration versäumt hat, das Wissen darüber, warum sie diese Anpassungsstrategien entwickelte, an die Kindergeneration weiter zu geben. Um sich und die nachfolgende Generation zu schützen, wurde gleichsam anstatt einer Kultur des Erinnerns eine Kultur der Geheimhaltung entwickelt. Die Geheimhaltung diente historisch zur Sicherung des Überlebens der Gemeinschaft gegenüber den Aussenstehenden. Demzufolge wurde zwar nach einem bekannten Muster gehandelt, diesmal richtete sich die Geheimhaltung jedoch auf die Folgegenerationen der eigenen Gemeinschaft mit dem Ziel, die Folgegenerationen vor Stigmatisierung zu schützen und nach wie vor Sicherheit zu garantieren.

Zwischen Erinnerung und Wissen stellt Mannheim (1964: 534) einen Zusammenhang her und macht dabei einen Unterschied zwischen der von anderen angeeigneten und der durch eigenes Erleben erworbenen Erinnerung. Demzufolge besitze der Mensch nur selbst erworbene Erinnerung wahrhaft, d.h. in der aktuellen Situation erworbenes Wissen – nur dieses Wissen «sitze fest» und binde wirklich. Diese Erinnerungs- und Wissensschemata lassen sich nicht für alle Erfahrungsbereiche verallgemeinern. Denn die Ergebnisse der Fallanalyse zeigen, dass bei den Familien mit Stigmatisierungs- oder Verfolgungserfahrungen an die Stelle von Erinnerungen und Traditionen Phantasien treten können, mit denen die Nachkommen versuchen, die Lücken in ihrer Familiengeschichte plausibel zu schliessen. Diese Phantasien «sitzen fest» und wirken auch, so die Ergebnisse der Fallanalyse, wie eine selbst erworbene Erinnerung bzw. als ein selbst erworbenes Wissen, das besonders in der Beziehung zum verfolgten Elternteil bindend wirkt (vgl. Rosenthal, 1997: 2002). Dieses Ergebnis markiert u.a. auch die psychosozialen Folgen von unterschiedlichen Verfolgungserfahrungen auf die Folgegeneration (Kestenberg und Khan, 1998; Krokowski, 2001; Bohleber, 2008). Am Beispiel von Ayla Toprak wird deutlich, dass die Tochter in (un)bewusste und (un)gewollte Vererbung, Tradierung der Lebenshaltungen, Gefühlsgehalte, Einstellungen ihrer Mutter hinein wächst. Von ihr wurde die Situation der Mutter durch die nicht existierende Erinnerungskultur ähnlich reflektiert, so dass ihre Mutter wegen ihrem Leiden Verständnis und Respekt bekam. Ferner erzeugten die Lebensbedingungen der Mutter Schuldgefühle, denn die Tochter erschwerte mit ihrem Dasein die Lebensbedingungen der Mutter.

Die belastenden Verfolgungs-, Ausgrenzungs- oder Diskriminierungserfahrungen zwischen den Generationen werden in unterschiedlichen Formen tradiert bzw. sozial vererbt und wirken sich auf Biographien der Folgegenerationen aus. Diese Form der sozialen Vererbung ist jedoch nicht als eine blosse Weitergabe zu verstehen, bei der die Folgegeneration ausschliesslich eine passive Rolle hat oder Opfer der Geschichte ihrer (Gross-)Eltern und deren Folgen ist. Die soziale Vererbung als Übertragung findet in einem wechselseitigen Austausch statt, bei dem jüngere Generationen auch aktiv sind (vgl. Völter, 2008: 102). Das Generationskonzept von Mannheim (1964), die Konzepte der «sozialen Vererbung» (Elias und Scotson, 1993) und der «Figuration» (Elias, 1986) helfen die Auswirkungen von Verfolgungserfahrungen und die Formen und Funktionen ihrer Tradierungen zu analysieren. Für eine mehrperspektivische Analyse ist jedoch eine interdisziplinäre Vorgehensweise von Vorteil. Eine biographietheoretische Analyse ermöglicht, unterschiedliche Perspektiven in die Analyse einzubeziehen. Denn die Analyse von sozial konstruierten Biographien, die als Schnittstelle fungieren, die Individuum und Gesellschaft miteinander verbinden, bedeutet auch die interdependente Analyse sozialer Strukturkategorien wie beispielsweise Alter, Milieu, Ethnie und Geschlecht.

Bibliographie

Anthias, Floya, 2006. Belongings in a globalising and unequal world: rethinking translocations. In: Nira Yuval-Davis, Kalpana Kannabiran und Ulrike Vieten (Hg.), *The situated politics of belonging*. London: Sage Publications, 17–31.

Assman, Jan, 2000. *Das kulturelle Gedächtnis. Schrift, Erinnerung und politische Identität in frühen Hochkulturen.* 3. Auflage. München: Beck.

Barth, Fredrik, 1969. Introduction. In: Fredrik Barth (Hg.), *Ethnic groups and boundaries: the social organisation of culture difference.* London: Allen & Unwin, 9–38.

Bohleber, Werner, 2008. Wege und Inhalte transgenerationaler Weitergabe. Psychoanalytische Perspektiven. In: Hartmut Radebold, Werner Bohleber und Jürgen Zinnecker (Hg.), *Transgenerationale Weitergabe kriegsbelasteter Kindheiten.* Weinheim, München: Juventa, 107–118.

Bruinessen, Martin van, 1994. Genocide in Kurdistan? The suppression of the Dersim rebellion in Turkey (1937–38) and the chemical war against the Iraqi Kurds. In: George J. Andreopoulos (Hg.), *Genocide: conceptual and historical dimensions.* Philadelphia: University of Pennsylvania Press, 141–170 (Orig. 1988).

Elias, Norbert, 1986. *Was ist Soziologie?* Weinheim und München: Juventa.

Elias, Norbert und Scotson, John L., 1993. *Etablierte und Aussenseiter.* Frankfurt a.M.: Suhrkamp.

Elwert, Georg, 1989. *Ethnizität und Nationalismus: Über die Bildung von Wir-Gruppen.* Berlin: Das Arabische Buch.

Elwert, Georg, 1997. Switching of we-group identities: the Alevis as a case among many others. In: Krisztina Kehl-Bodrogi, Barbara Kellner-Heinkele und Anke Otter-Beaujean (Hg.), *Syncretistic Religious Communities in the Near East.* Leiden: Brill, 65–85.

Howe, Louisa P., 1955. Some sociological aspects of identification. In: *Psychoanalysis and the social sciences.* Volume IV. New York: International Universities Press inc.

Kaya, Asiye, 2006. *Soziale Vererbung von der Mutter zur Tochter. Mutter-Tochter-Beziehungen im alevitischen und sunnitischen Kontext in Deutschland – eine migrationsbiographische Vergleichsstudie.* Unveröffentlichte Dissertation, Sozialwissenschaftliche Fakultät der Universität Göttingen, UB 7.

Kaya, Asiye, 2008. Migration, migrant policies and changing cultures of belongings – Alevis from Turkey in Germany and the United States. In: *AICGS-Advisor*. Zugänglich auf: www.aicgs.org/documents/advisor/kaya.daad0608.pdf. [Zugriff im Juni 2008].

Kaya, Asiye, 2009. *Mutter-Tochter-Beziehungen in der Migration. Biographische Erfahrungen im alevitischen und sunnitischen Kontext*. Wiesbaden: VS-Verlag.

Kehl-Bodrogi, Krisztina, 1988. *Die Kızılbaş/ Aleviten – Untersuchungen über eine esoterische Glaubensgemeinschaft in Anatolien*. Berlin: Schwarz.

Kehl-Bodrogi, Krisztina, 2002. *Aleviten (nicht nur) in Berlin*. Die Ausländerbeauftragte des Senats. Berlin.

Kestenberg, Judith S. und Khan, Charlotte 1998. *Children surviving persecution*. Westport: Praeger Publishers.

Kieser, Hans-Lukas, 2000. Der verpasste Friede. Mission, Ethnie und Staat in den Ostprovinzen der Türkei 1893–1938. Zürich: Chronos.

Krokowski, Heike, 2001. *Die Last der Vergangenheit. Auswirkungen nationalsozialistischer* Verfolgung auf deutsche Sinti. Frankfurt a.M.: Campus.

Mannheim, Karl, 1964. Wissenssoziologie. In: Kurt H. Wolff (Hg.), *Soziologische Texte, Band 28*. Berlin: Luchterhand.

Mead, Georg Herbert, 1968. *Geist, Identität und Gesellschaft*. Frankfurt a.M.: Suhrkamp (Orig. 1934).

Rosenthal, Gabriele, 1995. *Erlebte und erzählte Lebensgeschichte - Gestalt und Struktur biographischer Selbstbeschreibung*. Frankfurt a. M.: Campus.

Rosenthal, Gabriele 1997. Traumatische Familienvergangenheiten. In: Gabriele Rosenthal (Hg.), *Der Holocaust im Leben von drei Generationen. Familien von Überlebenden der Shoah und von Nazi-Tätern*. Giessen: Psychosozial-Verlag, 35–50.

Rosenthal, Gabriele, 2002. Transgenerationale Folgen von Verfolgung und von Täterschaft. Familien von Shoah-Überlebenden und von Nazi-Tätern. In: Annette Streeck-Fischer, Ulrich Sachse und Ibrahim Özkan (Hg.), *Körper-Seele-Trauma. Biologie, Klinik und Praxis*. Göttingen: Vandenhoeck & Ruprecht, 174–206.

Schramkowski, Barbara 2007. «Für mich hat dieses Integrationswort mit der Zeit seinen Wert verloren.» Perspektiven junger Erwachsener mit Migrationshintergrund. In: Thomas Geisen und Christine Riegel (Hg.), *Jugend, Partizipation und Migration*. Wiesbaden: VS-Verlag, 149–167.

Schütze, Fritz, 1977. *Die Technik des narrativen Interviews in Interaktionsfeldstudien*. Arbeitsberichte und Forschungsmaterialien Nr. 1 der Universität Bielefeld, Fakultät für Soziologie.

Sökefeld, Martin, 2008. *Struggling for Recognition – The Alevi Movement in Germany and in Transnational Space*. New York, Oxford: Berghahn.

Vorhoff, Karin, 1995. *Zwischen Glaube, Nation und neuer Gemeinschaft: Alevitische Identität in der Türkei der Gegenwart*. Berlin: Schwarz.

Völter, Bettina, 2008. Generationenforschung und «transgenerationale Weitergabe» aus biografietheoretischer Perspektive. In: Hartmut Radebold, Werner Bohleber und Jürgen Zinnecker (Hg.), *Transgenerationale Weitergabe kriegsbelasteter Kindheiten*. Weinheim, München: Juventa, 95–105.

Cordula Weissköppel

Die Kultur der Väter verstehen

Ethnoreligiöse Sozialisation von Jugendlichen im transnationalen Beziehungsgefüge der koptisch-orthodoxen Kirche in der Schweiz

1. Religion im Kontext von Migration

Eine der zentralen Erkenntnisse aus kulturwissenschaftlichen Arbeiten über die Zusammenhänge von religiösen Praxen im Kontext von Einwanderung und Transnationalisierung (Adogame und Weissköppel, 2005; Lauser und Weissköppel, 2008a+b; Levitt und Jaworsky, 2007) ist, dass die Frage der intergenerativen Weitergabe von religiösen Traditionen eine wichtige für die Akteure ist, um ihre Religion in der Situation von Emigration und multilokaler Verstreuung zu erhalten. Wie ich an diversen Netzwerken sudanesischer Migranten[1] analysiert habe (Weissköppel, 2005 a-d, 2008), werden (verschiedene) religiöse Identitäten im Einwanderungsland zur Ressource, um die spezifische Herkunftskultur fortzusetzen, sie als ein Element vertrauter Alltagspraxis in den neuen Lebenskontext zu integrieren und demzufolge möglichst auch die Kinder mit diesen Kompetenzen, Gewohnheiten und Moralvorstellungen auszustatten (Assal, 2004; 2005; Fabos, 2008). Ob man diese Prozesse aus einwanderungspolitischer Perspektive eher als separatistisch oder als integrativ deuten will, hängt stark von den jeweiligen Handlungskontexten ab: Wenn sich religiöse Gruppen auch ethnisch und sprachlich sehr distinkt organisieren, wird in den Wissenschaften wie im öffentlichen Diskurs dazu tendiert, sie als separatistisch zu charakterisieren; wenn sie sich hingegen bereits bestehenden Gemeinden im Einwanderungsland anschliessen, wird die integrative Dynamik höher bewertet. Im letzteren Fall sind in der Tat neue soziale

1 Diese waren in der Mehrzahl männlich. Im Folgenden werde ich die Explikation geschlechtsspezifischer Akteure nur vornehmen, wenn es für den dargestellten Sachverhalt von Bedeutung ist. Wenn alle potenziellen Geschlechtsidentitäten gemeint sind, verwende ich die Schreibweise mit «grossem I» (z.B. «KoptInnen»), ansonsten bemühe ich mich um eine präzise Benennung.

und kulturelle Konstellationen zu beobachten, wenn MigrantInnen mit einheimischen PartnerInnen kooperieren und jenseits der gemeinsamen Religion verschiedene ethnische, nationale und kulturelle Ressourcen einbringen (Weissköppel, 2005d; 2008; Glick-Schiller, Caglar und Guldbrandsen, 2006). Religiöse Gemeinden im Einwanderungsland können somit zu Schauplätzen werden, an denen transkulturelle Vermischungsprozesse bzw. spezifische Kombinationsstrategien zu beobachten sind, wie Akteure auf verschiedene kulturelle Handlungsrepertoires zugreifen und diese wechselseitig *aneignen* (Schneider, 2003; Weissköppel, 2005d). Solche integrationspolitisch motivierten Fragestellungen sind in diesem Artikel aber weniger beabsichtigt. Mir geht es hier um die *transnationale* Perspektive, inwiefern religiöse Gemeinden in westeuropäischen Einwanderungsländern wie der Schweiz durch Formen der transnationalen Vernetzung strukturiert sind. Wie wird gerade in den Beziehungen zwischen den MigrantInnen an durchaus verschiedenen Standorten und den Akteuren aus den Herkunftsländern – so das zentrale Postulat der transnationalen Migrationsforschung – die religiöse Sozialisation der nachfolgenden Generationen vollzogen?

2. Im Fokus: Religiöse Sozialisation im transnationalen Beziehungsgefüge

Die aus Ägypten stammende, koptisch-orthodoxe Kirche in der Schweiz, die ich zum Untersuchungsgegenstand im Rahmen des Jacobs Fellowships von 2008 bis 2009 machte, repräsentiert das für transnationale Migrationen so charakteristische Kennzeichen der *triadischen* bzw. *multilokalen* Vernetzung (Kokot, 2002; 2000; Schwalgin, 2004; Pries, 2008): Hier treffen sporadische (Arbeits-)Migranten aus Ägypten auf dauerhafte Immigranten aus Ägypten, die entweder in der Schweiz oder Süddeutschland und Österreich leben, oder aber von anderen Standorten stammen und inzwischen in die Schweiz gelangt sind. Durch die periodische Präsenz von Priestern oder Bischöfen aus Ägypten sowie von anderen ägyptischen Verwandten sind immer auch Personen aus dem Herkunftsland vertreten. Diese in erster Linie *sozialen* Vernetzungen sind als *transnationale* zu charakterisieren (Basch, Blanc und Glick-Schiller, 1994; Pries, 2008; Faist, 2000; Faist und Özveren 2004), weil *Kontakte* und *Verbindungen* zwischen Herkunftsnation und Einwanderungsnationen konstituierend sind. Diese entstehen durch die grenzüberschreitende Mobilität der Menschen, die mit Menschen aus dem Herkunftsland in Kontakt bleiben und dadurch soziale und kulturelle Verbindungen mit sich bringen oder neue entstehen lassen.

Wichtig für meinen Untersuchungskontext in der koptisch-orthodoxen Kirche ist, dass auf diesem Wege handlungsrelevante Räume, nämlich familiäre und andere soziale Beziehungen zwischen Herkunfts- und Einwanderungsland gepflegt werden, in die auch die nachwachsenden Kinder und Jugendlichen in der Schweiz involviert sind: zum Beispiel durch den Besuch des koptischen Gottesdienstes, der durch diese verschiedenen Akteure geprägt wird und in dem die Verkehrssprache Arabisch dominiert; oder durch die meist väterliche Verwandtschaft aus Ägypten, die Besuche in die Schweiz unternimmt; umgekehrt die eigene Familie Urlaube in Ägypten verbringt und dadurch wechselseitige emotionale Bindungen zur Verwandtschaft in Ägypten bzw. in der Schweiz entstehen; aber auch durch interne Vernetzung der deutschsprachigen koptischen Gemeinden, z.B. indem Pfingstausflüge zu anderen Gemeinden in Deutschland oder Österreich unternommen werden; und schliesslich durch internationale Treffen, die speziell für jugendliche Kopten aus Europa organisiert werden, z.B. 2008 bei Rom und 2009 bei Wien (sog. European Youth Mission, im Folgenden abgekürzt EYM).[2] Allgemeiner spreche ich daher von *transnationalen Beziehungsgefügen*, die mir durch die lokalen Gemeinden zugänglich wurden sowie durch die weiteren Erzählungen über Prozesse der religiösen Sozialisation in den koptischen Familien.

3. Intergenerative Dynamiken in transnationalen Beziehungsgefügen

In der jüngeren Theoriebildung der Transnationalen Studien beschäftigt man sich u.a. mit der Frage, inwieweit gerade die intergenerative Aufrechterhaltung solch transnationaler sozialer Räume als Kriterium erhoben werden sollte, um von dauerhafter Transnationalität sprechen zu können (Weissköppel, 2005c; Nieswand, 2005a). Die empirische Perspektive von Studien zu transnationalen Wanderungsprozessen ermöglichte bislang kaum Prognosen, weil es oft an einer Langzeitperspektive mangelt. Allerdings herrscht Einigkeit darüber, dass die Dynamiken zwischen erster, zweiter und dritter Wanderergeneration

2 Bei diesen Grossveranstaltungen, an denen ich forschend teilnehmen konnte, war ein zentraler Eindruck, von welcher Bedeutung das *Ägyptisch-Arabische* für die Jugendlichen – überwiegend Angehörige der 2. und 3. Generation in der Migration – als interne, eben *transnationale Verkehrssprache* war, so dass Jugendliche aus England, Schweden, Italien und Österreich miteinander kommunizieren konnten.

entscheidende sind, ob kontinuierliche Beziehungen zur Herkunftsregion etabliert oder eher unterbrochen werden. Daher ist in jüngeren Arbeiten von besonderem Interesse, wie Angehörige *verschiedener* Generationen im bestehenden transnationalen Raum positioniert sind und welche (nicht nur geografischen) Bewegungen sie zwischen Residenzländern und Herkunftsland vollziehen.

Die Forschung von Wessendorf (2007a+b) über italienische «Secondos» in der Schweiz ist eine der wenigen, die die transnationale Aktivität der zweiten Generation[3] von italienischen Arbeitsmigranten untersucht hat, indem sie denjenigen gefolgt ist, die den Rückkehrwunsch nach Italien realisiert haben. Wessendorf spricht in diesem Zusammenhang von «roots migrants» (2007b), die dem Mythos um die «Heimat» der Eltern, die sie selbst nur aus (transnational organisierten) Urlaubszeiten und besonderen Familienereignissen in ihrer Kindheit kannten, auf den Grund gehen, indem sie sich in Süditalien selbst eine neue Existenz aufbauen. Sie sind dabei mehr oder weniger gezwungen, den Mythos um die «Heimat» und die eigenen «Wurzeln» zu dekonstruieren, weil die Verklärung süditalienischer Lebensverhältnisse vor Ort einer Desillusionierung und einem neuen Realitätssinn weicht.

3 In einem Artikel zur «zweiten Generation», in dem ich Forschungen zu Kindern und Jugendlichen aus Migrationsfamilien in Deutschland resümierte (Weissköppel, 2007), habe ich dargelegt, wie ich den Generations-Begriff theoretisch herleite und selbst anwende. Mir geht es zunächst deskriptiv um die Verortung dieser Akteure in der Generationslage (n. Mannheim, 1964), dass es sich um die Kinder von Eltern handelt, die eine langfristige Migration vollzogen haben und ihre Kinder daher mit den strukturellen, aber auch soziokulturellen Konsequenzen der Migrationsentscheidung der Eltern konfrontiert sind. Das schafft in ihrer Identitätsbildung *Potenziale* für Gemeinsamkeitskonstruktionen mit Anderen in ähnlicher Situation, die aber als *geteilte Erfahrung* von den Akteuren selbst artikuliert werden müssen, um von einer spezifischen Identität der «2. » oder « 3. Generation» sprechen zu können. Da sich sowohl in Deutschland als auch in der Schweiz solche Phänomene der generativen Selbstverortung von Jugendlichen aus Migrationsfamilien finden (z.B. die Selbstbezeichnung von «Secondos» in der Schweiz, siehe Wessendorf, 2007a+b sowie Allenbach in diesem Buch), haben wir als WissenschaftlerInnen Anlass, diese generative Verortung, jenseits ethnischer oder etwa geschlechtsspezifischer Zuordnungen, zu einem Kriterium der Analyse zu machen. Auch wenn damit Gefahren der wissenschaftlichen Festschreibung auf eine spezifische Identitätsposition bestehen, auf die bereits ausführlich hingewiesen worden ist (Hamburger und Hummrich, 2007), will ich betonen, dass es um einen gewählten Analysefokus geht, der die Wechselwirkung mit anderen Faktoren der Identitätsbildung nicht ausblendet, sondern geradezu dafür sensibilisieren kann, dass zum Beispiel ethno-nationale Zugehörigkeit der Eltern bzw. die eigene ethno-natio-kulturelle Mehrfachzugehörigkeit nur ein Aspekt unter anderen sein kann, der zur spezifischen, letztlich individuellen Identitätskonfiguration beiträgt (siehe auch. Geisen und Riegel, 2007a+b).

In meiner Studie zur koptisch-orthodoxen Kirche in der Schweiz ging es weniger um Fragen der konkreten Wiederaneignung von »Heimat«, sondern um die Aktivitäten, die die Eltern entwickeln, um den Kindern ein Verständnis und möglichst eine Identifikation mit der koptisch-orthodoxen Religion zu vermitteln, so dass diese auch im Kontext einer neuen Gesellschaft eine Heimat stiftet (Ibrahim, 2005) und intergenerativ fortleben kann.

Damit folge ich dem Konzept der Generationsbeziehung (Helsper, Kramer, Hummrich und Busse, 2009), in dem es zunächst um das Verhältnis von Vermittlung und Aneignung zwischen älterer und jüngerer Generation geht (siehe auch Hummrich in diesem Band):

> Es dominiert vielmehr die Vorstellung einer bewahrenden Einführung in das Alte und gleichzeitig der transformatorischen Veränderung durch die junge Generation, die jedoch erst wesentliche Bildungsinhalte durch die ältere Generation vermittelt bekommen haben muss. (Helsper, Kramer, Hummrich und Busse, 2009: 23)

Während Schleiermacher (1959, n. Helsper, Kramer, Hummrich und Busse, 2009: 23) noch auf die bewahrende Einführung in das Alte und gleichzeitig auf die transformierende Veränderung durch die junge Generation setzte (vgl. Turner, 1967), kristallisierten sich später Konzepte heraus, die mehr auf die *Interdependenzen* von Reproduktion und Transformation Bezug nehmen.

In meinem Forschungskontext geht es in dieser interdependenten Perspektive darum zu untersuchen, wie aus Sicht der Elterngeneration die Anbindung an die koptische Herkunftskultur aus der Entfernung ermöglicht wird, aber auch wie es gelingen kann, überhaupt das Interesse der jungen, nachwachsenden Generation für ihr ethno-religiöses «Erbe» zu gewinnen: Was nehmen Jugendliche von den Erziehungspraktiken ihrer Eltern und der religiösen Autoritäten auf und wie setzen sie es weiter um?

Mit dieser zentralen Fragestellung ziele ich darauf, die frühere Ein-Weg-Vermittlungslogik pädagogischer Beziehungen von alter *zu* junger Generation zu überwinden (Helsper, Kramer, Hummrich und Busse, 2009: 23) und fokussiere umso mehr Prozesse der Tradierung *und* Transformation (Herv. durch CW): Welche Formen des kulturellen Wandels und der Innovation entstehen durch die Auseinandersetzungen und Verhandlungen *zwischen* Mitgliedern verschiedener Altersgruppen (also auf der Mikroebene), so dass gesamtgesellschaftlich (also auf der Makroebene) überhaupt von verschiedenen *Generationen* im Sinne eines Generationenverhältnisses (Mannheim, 1964; Matthes, 1985; Weissköppel, 2007) gesprochen werden kann?

Wie Zinnecker (2002 n. Helsper, Kramer, Hummrich und Busse, 2009: 21) fordert, ist es in dieser Hinsicht bedeutsam, die «Mesoebene» der Vermittlung, also verschiedene Orte der Interaktionen zwischen Angehörigen verschiedener Generationen empirisch zu beleuchten: eben nicht nur die (Kern-)Familie als zentralen Ort der intergenerativen Deszendenzbeziehungen (Lévi-Strauss, 1993), sondern in modernen Gesellschaften entsprechend pädagogische Institutionen wie Kindergärten, Schulen und weitere Ausbildungsstätten, aber auch Institutionen der informellen Pädagogik wie Vereine und religiöse Gemeinden. Genau hier ist meine Studie anzusiedeln, den in der Jugendforschung bislang vernachlässigten Bereich der *religiösen* Nachwuchsarbeit zu fokussieren: Welche Formen der intergenerativen Beziehungen existieren in religiösen Einrichtungen und wie werden sie gestaltet bzw. pädagogisiert? Auch mangelt es hier noch an vergleichenden Ansätzen, die die familiäre und kirchliche religiöse Sozialisation ins Verhältnis setzen und danach fragen, inwiefern religiöse Kontexte für Jugendliche attraktiver sind als familiäre: Bieten diese eine gänzlich andere, eine erweiternde oder aber eine kompensatorische Option für religiöse Orientierungen im Kontrast zur familiären Sozialisation? (siehe auch Beitrag von Hummrich in diesem Band).

An dieser Stelle ist bereits auf meine ethnografischen Beobachtungen in zwei koptisch-orthodoxen Gemeinden der Schweiz im Sommer 2008 und 2009[4] zu verweisen, die deutlich machten, dass hier ein wechselseitig ergänzendes Verhältnis zwischen familiärer und kirchlicher religiöser Sozialisation besteht. Analytisch machte es in diesem Kontext Sinn, zwischen religiöser *Sozialisation* und religiöser *Erziehung* zu unterscheiden: Ein Grossteil der Religionsvermittlung ist nämlich in die informellen Sozialisationspraktiken der frühen Kindheit sowohl in den Familien als auch in der kirchlichen Institution eingelagert. Insbesondere in den koptischen Gottesdiensten kann man das *performative* Erlernen ritueller und liturgischer Praxen (Wulf und Zirfas, 2004; Hauser, 2006; Weissköppel, 2010) bereits durch Kleinkinder beobachten, die stark durch Techniken der Imitation und sinnlichen Teilhabe an besonderen Ereignissen bestimmt sind.[5] Diese informellen Sozialisationsprozesse werden mit zunehmendem Alter punktuell flankiert von expliziten religiösen Einweisungen durch die Geistlichen sowie durch religiösen Unterricht. Dieser wird in den so genannten «Sonntagsschulen» vollzogen, die von engagierten erwachsenen Laien in Kooperation mit den lokalen Priestern or-

4 Mein Dank gilt den Mitgliedern dieser Gemeinden sowie der Jacobs Foundation Zürich, die insgesamt drei Monate Forschungsaufenthalte finanzierte, inklusive meiner Reisen nach Rom und Wien zu den internationalen Jugendtreffen von Kopten in Europa.

5 Diese theoretische Einschätzung wird von einem internen Experten, Bischof Moussa, der für Kinder- und Jugendfragen der koptisch–orthodoxen Kirche weltweit zuständig ist, in eigenen Worten formuliert: «Gathering daily to read the Bible and pray together and having Holy Communion together are basic means of strengthening the family`s Christian life. The children also drink it as easily and naturally as they drink milk.» (Bishop Moussa, 2009: 13).

ganisiert werden – also eine horizontal strukturierte Institution, die aus einer zentralen Reformbewegung des Koptentums im Herkunftsland Ägypten hervorgegangen ist (Reiss, 1994; 1998) und je nach Grösse und Bedarf auch von Diaspora-Gemeinden praktiziert wird. Diesen religiösen Unterricht, differenziert nach Altersgruppen und vermittelt durch erwachsene Mitglieder, bezeichne ich als religiöse *Erziehung* in Abgrenzung zu den weiteren, oftmals informellen Praxen religiöser Sozialisation, die im transnationalen Beziehungsgefüge zwischen Älteren und Jüngeren stattfinden. Bevor ich vertieft auf diese interaktiven Prozesse eingehe, will ich zunächst näher ausführen, wie es überhaupt zur Transnationalisierung der koptisch-orthodoxen Kirche gekommen ist.

4. Die transnationale Verstreuung von Kopten aus Ägypten

Die Geschichte der koptischen Christen ist seit ihrer Gründung durch den Evangelisten und Apostel Markus von Verfolgung geprägt, so die Überlieferung. Auf der Flucht vor Kaiser König Herodes fand die «heilige Familie» in Ägypten Zuflucht, so dass sich die dort siedelnden Anhänger von Markus als «Urchristen» dieser Zeit verstehen, in der Jesus Christus geboren und die Erneuerung des (alttestamentarischen) Christentums initiiert wurde.[6] Insbesondere Alexandria wurde zu einem missionarischen und geistlichen Zentrum, wo der Evangelist Markus eine erste theologische Schule der christlichen Welt gründete (die katechetische Schule von Alexandrien), um heidnischen, philosophischen Lehren der Antike wirksam begegnen zu können (Girgis, 2004a+b; Brakmann, 1994:13–14). Seit dieser Zeit waren die ä-gyptischen[7] Christen von Fremdherrschaften betroffen (im Lauf der Geschichte von den Römern, Griechen, Persern, Arabern, Osmanen, Franzosen und Engländern; Aziz, 2008; Ibrahim, 2001: 16), so dass sie immer gezwungen waren, ihren Glauben unter grösster Opferbereitschaft zu verteidigen, zur Not mit dem eigenen Leben oder durch Flucht vor den Fremdherrschern.

6 In vielen Selbstdarstellungen wird gar eine Kontinuität zwischen der pharaonischen und der koptischen Kultur bzw. Religion angenommen, da sich in der koptischen Sprache Zeichen des demotischen Altägyptisch finden, die auf die Hieroglyphen der Pharaonen verweisen (Aziz, 2008: 6–7). Aber auch in einschlägiger historischer Literatur wird diese Verbindung zwischen pharaonischer Kultur bzw. Altem Ägypten und frühen Christen in Ägypten hergestellt, siehe Brakmann (1994: 9), Alt (1980: 6) oder Ibrahim (2001).

7 An diesem Wort wird bereits eine etymologische Verbindung zwischen Kopt-en und Ägypt-en hergestellt in dem Sinne, dass Kopten die Urbevölkerung Ägyptens darstellten, siehe Aziz (2008: Coverseiten).

Ein Martyrium für die eigenen, religiösen Überzeugungen, so wie es Jesus Christus vorgelebt hat, gehört daher zum historisch tief verankerten Selbstbild der Kopten. Diese konsequente Loyalität zur eigenen Religion, somit eine strenge Abgrenzung gegenüber anderen Religionen, wurde insbesondere durch den Prozess der arabischen Besiedlung und Eroberung und der damit verbundenen Islamisierung seit des 6. und 12./13. Jahrhunderts befördert (Brakmann, 1994: 20), durch den die Kopten langfristig zur religiösen Minderheit in Ägypten wurden (Ibrahim, 1996: 15). In dieser Hinsicht treffen die Kriterien einer «Opfer-Diaspora»[8] auf die Kopten zu, wie sie Cohen (1997: 31) herausgearbeitet hat, was sich auch daran ausdrückt, dass es eine ausgeprägte Erinnerungs- bzw. Bewahrungskultur gibt (Schwalgin, 2004): In spezifischen Ritualen und Liturgien halten Kopten an den *orthodoxen* Traditionen aus ihrer Gründungszeit fest, womit sie die rechte (also «wahre» oder «authentische») christliche Lehre verbinden. Seit dem Bruch mit der Römischen Kirche im Jahr 451 n. Chr. auf dem Konzil von Chalcedon (Brakmann, 1994: 15) beanspruchten sie einen autonomen Status und somit das Recht, ihren Papst weiterhin selbst zu wählen (sog. «Autokephalie» n. Baumer, 2007: 163). Dies gilt bis heute, so dass die koptisch-orthodoxe Kirche sich nach wie vor unabhängig vom Staat Ägyptens organisiert und finanziert. Seit 1971 steht Papst Shenouda, der III. und Patriarch des Stuhles des Heiligen Markus, der Koptischen Kirche vor.[9] Die heutige Situation von Kopten im Nationalstaat Ägypten ist von diversen, strukturellen wie konkreten Diskriminierungen durch die muslimische Mehrheitskultur geprägt (Reiss, 2006; Peterson, 2006; El-Shahed, 2006). Zudem nehmen auch in Ägypten fundamentalistische Positionen innerhalb der verschiedenen islamischen Gruppierungen zu, so dass sich orthodoxe wie andere Christen in ihrer Daseinsberechtigung bedroht oder religiös verfolgt fühlen.[10] Aus diesen politisch-religiösen Gründen entschliessen sich immer mehr Kopten für eine Auswande-

8 Begriff entstammt der Typologie von Cohen (1997), mit der er verschiedene, historische Formen von Diaspora erfasst und vergleicht. Mit «Opfer-Diaspora» (1997: 31) werden vor allem die Phänomene demografischer Verstreuung durch *erzwungene* Vertreibung, Verfolgung oder Diskriminierung durch einen expliziten Aggressor charakterisiert, wie sie im Judentum vorlagen (1997: 1), aber etwa auch bei den Armeniern oder in der Sklavereigeschichte Afrikas.

9 Von 1991 bis 1998 war Papst Shenouda III. Präsident des Ökumenischen Rates der Kirchen, so dass er auch von internationaler Bekanntheit ist. Siehe seine offizielle Website: Coptic Pope (2009).

10 Das jüngste Bombenattentat vor einer koptisch-orthodoxen Kirche in Alexandria am 1.1.2011, das 22 Opfer und ca. 70 Verletzte aus der koptischen Gemeinde forderte, zeigt eine Verschärfung dieser Entwicklung an.

rung (Ibrahim, 2000; 2004; 2005; Neue Zürcher Zeitung, 2008), zumal die gebildeten Schichten ihre ökonomische Lage in «westlichen» Einwanderungsländern oftmals schnell verbessern können (Martin, Van Nispen und Sidarouss, 1994: 113).[11] Neben ihrer Stammbevölkerung in Ober- und Mittel-Ägypten (ca. acht Millionen, etwa 13% der ägyptischen Gesamtbevölkerung, siehe Ibrahim, 1996: 16; Martin, Van Nispen und Sidarouss, 1994: 111;[12] Baumer, 2007) bilden KoptInnen heute eine weltweit anzutreffende Diaspora zwischen ein und zwei Millionen Mitgliedern. Die grössten Populationen finden sich in den Vereinigten Staaten Amerikas, in Kanada und Australien (Martin, Van Nispen und Sidarouss, 1994: 113) sowie in europäischen Ländern wie England, Deutschland (ca. 6000 n. Müller, 2008), die Schweiz (ca. 1000; laut Schweizer Volkszählung aus dem Jahr 2000 n. Burnand, 2004) oder Österreich (ca. 6000 n. Riedl, 2009). Attraktive Zielländer sind also vor allem Gesellschaften, die von einer christlichen Mehrheits- bzw. «abendländischen» Kultur geprägt sind.

Trotz dieser gegenwärtigen geografischen Verstreuung verfügt die koptisch-orthodoxe Kirche nach wie vor über eine klare Organisationsstruktur: Die Berufung von Amts- und Würdenträgern ist bis heute streng hierarchisch nach geistlichen Statusunterschieden, Senioritäts- und patriarchal-androzentrischen Prinzipien geregelt. Alle repräsentativen und geistlichen Ämter werden in der koptisch-orthodoxen Kirche von Männern besetzt.[13] Die regional zuständigen Bischöfe werden vom koptischen Papst ernannt; Priester werden nach ihrer Ausbildung in einem koptischen Theologie-Kolleg oder in einem der ägyptischen Klöster vom Bischof geweiht und in ihre Zuständigkeitsbereiche eingeführt. Wie alle orthodoxen Kirchen sieht die koptische Kirche kein Zölibat für Gemeindepriester vor, sondern sie sollten, wenn sie eine Ehe und Familiengründung beabsichtigen, vor der Priesterweihe heiraten. Mön-

11 Die prekäre Situation der koptischen Schweine-Züchter in Kairo während der «Schweine-Grippe» im Jahr 2009 bot dafür Anschauung, da sie von der muslimischen Mehrheitsgesellschaft gezwungen wurden, ihre Tierbestände Not zu schlachten. Die Tiere wurden mit Bulldozern abtransportiert und getötet. Die betroffenen Kopten gerieten somit nicht nur in finanziellen Ruin, sondern galten erneut als potenziell Stigmatisierte; siehe Svensson (2009).

12 Martin u.a. (1994: 111–112) weisen darauf hin, dass diese Zahl wie ein statisches Dogma behandelt wird, und aktuelle demografische Dynamiken dabei nicht berücksichtigt werden. So konstatieren sie in den 1980er Jahren einen Bevölkerungsrückgang der Kopten auf 5,8 Prozent, und sie spekulieren darüber, ob dies durch Rückgang der Geburtenrate, Konversionen zum Islam oder Emigration zu erklären sei.

13 Nach mündlichen Berichten von Informanten während meiner Forschung existieren auch koptische Nonnen bzw. Schwestern-Orden, die in eigenen Klöstern leben und agieren. Ein Statusaufstieg ist für sie nicht vorgesehen.

chen, die unverheiratet bleiben müssen, steht die Aufstiegsmöglichkeit als Bischof offen. Die in der Diaspora eingesetzten Priester sind oftmals Mönche, da verheiratete Priester inklusive ihrer familiären Mitglieder grossen finanziellen Aufwand für die jeweiligen Gemeinden bedeuten und sie für die Anforderung einer *multilokalen* Gemeindebetreuung nicht so mobil sein könnten wie die unverheirateten Mönche.

5. Die Gemeinden meiner Forschung

Die Situation der koptisch-orthodoxen Kirche in der Schweiz war lange Zeit davon bestimmt, dass *ein* Priester bzw. Bischof für die gesamte Schweiz zuständig war und entsprechend Sonntag für Sonntag zu den verschiedenen Grüppchen von Kopten reiste. Girgis (2004a+b) zählte acht verschiedene Priester auf, die im Zeitraum von 1983 bis 1998 im Wechsel zuständig waren, oftmals in Doppelfunktion für Süd-Deutschland oder Österreich. Seit Ende der 1990er Jahre, da die koptische Gemeinde in der Schweiz stetig gewachsen war, wurden zwei offizielle Zuständigkeiten eingerichtet: für die französischsprachige Westschweiz (v.a. Genf) und für die deutschsprachige Zentral- und Ostschweiz (Zürich, Basel, Bern).[14] Die Gemeinde in Zürich bestand zum Zeitpunkt meiner Forschungen (2008, 2009) aus zwei Gruppen, die sich an verschiedenen Orten treffen und von zwei verschiedenen Priestern betreut werden. Charakteristisch für beide Gemeinden ist, dass Mitglieder von weit, etwa aus einem Umkreis von 200 km anreisen, um die koptisch-orthodoxe Messe zu feiern und andere koptische Familien oder Einzelpersonen zu treffen.[15] Die je lokale Gemeindesituation war durch Personen aus der Schweiz, Deutschland und Ägypten geprägt; in der einen Gruppe, so von den Mitgliedern deklariert, überwogen «vermischte» Ehen und Familien zwischen Ägyptern und Schweizerinnen, in der anderen «rein» ägyptische Familien, allerdings mit zweisprachigen Kindern. Die zuständigen Priester stammten aus Ägypten, hatten dort in einem der koptischen Klöster ihre Ausbildung als Mönche absolviert. Schliesslich waren sie für den «Aussendienst» in der deutschsprachigen Diaspora berufen worden. Die deutsche Sprache mussten sie vor Ort

14 Für diese Region sind ca. 75 koptische Familien registriert, die sich entsprechend auf die verschiedenen lokalen Gemeinden verteilen.

15 Unter den männlichen Ägyptern dominierten die Motive der Bildungs- und Arbeitsmigration. Einzelne waren aber auch durch Heiratsmigration in die Schweiz gelangt, da sie im ägyptischen Tourismussektor Schweizerinnen kennen gelernt hatten.

und durch entsprechende Fortbildungen erlernen, parallel zu den Aufgaben der multilokalen Gemeindebetreuung.

6. Die Rolle der koptischen Priester im Verhältnis zu anderen Erwachsenen

Trotz des mobilen Habitus von Priestern in den Diaspora-Gemeinden dominieren sie das lokale Geschehen, da sie die rituellen, geistlichen und seelsorgerischen Führungskräfte der koptisch-orthodoxen Kirche sind. Durch ihre schwarze Ganzkörper-Robe, die spezifische Kopfbedeckung,[16] einen langen Bart und das zentral über Brust und Bauch hängende Metall- oder Lederkreuz[17] heben sie sich visuell-materiell von den anderen Gemeindemitgliedern ab. Durch spezifische Begrüssungsgesten erweist man dem «Abuna» (arabisch für «unser Vater») Ehre und Respekt. Zum lokal präsenten Priester entwickeln viele Kopten und Koptinnen eine persönliche, vertrauensvolle Beziehung, die über ein formal-funktionales Verhältnis hinausgeht und oftmals lebenslang andauern kann.[18]

Deshalb interessierte mich in den Gesprächen mit koptischen Jugendlichen besonders, ob und wie sie über ihre geistlichen Autoritäten sprachen, um Anhaltspunkte zu gewinnen, von welcher Bedeutung *sie* oder andere *erwachsene* Bezugspersonen[19] für ihre religiösen Identitätsprozesse[20] sind. Denn die jüngere Diskussion in den Ansätzen der kulturwissenschaftlichen Kinder-

16 Bei den Mönchen eine mit Kreuzstichen verzierte schwarze Kapuze; bei den verheirateten Priestern eine schwarze Kappe.

17 Siehe zur detaillierten Symbolik des Kreuzes: Müller (2008).

18 Dabei spielt auch die Beichtpflicht eine Rolle, aber meine teilnehmenden Beobachtungen und Gespräche in den zwei Gemeinden in Zürich gaben weitere Hinweise darauf, wie persönliche Bindungen hergestellt werden, z.B. durch das gemeinsamen Mittagsmahl nach dem Gottesdienst, bei dem sich der Priester unter die Gemeindeglieder mischte und im Rahmen von Smalltalk sich nach der je individuellen Situation erkundigte. Auch wurde mir berichtet, dass manche Priester in den Familien zu Gast waren, sie dort beherbergt wurden, wenn sie für mehrere Tage nach Zürich gekommen waren. So entstand für diese Familien meist eine besondere Beziehungen zu ihrem «Abuna» (s.o. arab.= unser Vater).

19 Das können primäre Fürsorgepersonen (engl. «caretaker») wie Mutter, Vater, Grosseltern oder andere sekundäre Autoritätspersonen wie LehrerInnen, andere PädagogInnen oder aber geistliche Führungspersonen aus dem religiösen Umfeld sein.

20 In der Theoretisierung von «Identität» folge ich dem interaktionistischen Paradigma (in der historischen Linie von G.H. Mead, E. Goffman, R. Jenkins bis St. Hall), indem die Lern- und Aushandlungsprozesse zwischen relevanten Bezugspersonen von Subjekten zu fokussieren sind; siehe Weissköppel (2001).

und Jugendforschung (Dracklé, 1996; Amit-Talai und Wulf, 1996; Luig und Seebode, 2003; Knörr, 2005)[21] legt nahe, dass die Kontextualisierung und strukturelle Einbindung von Kinder- und Jugendkulturen in die der Erwachsenen wieder stärker notwendig wird, um ihre lokale, aber auch globale Positionierung in spezifischen Machtbeziehungen angemessen zu erfassen (de Boeck und Honwana, 2005; Comaroff und Comaroff, 2005).[22] Neben relevanten Stratifikationen wie Schichtzugehörigkeit, ethnischer und nationaler Herkunft sowie Geschlechtsidentität bildet die, wenn auch kulturell verschieden gestaltete, Dichotomie zwischen «Erwachsenen» und «Nachwachsenden» nach wie vor einen zentralen Motor in den kulturellen Identitätsdynamiken von Jugendlichen (Hall, Jefferson et. al., 1976). Diese bewegen sich im Spektrum von Widerstand und Ablehnung von Erwachsenen, Gegenkultur und Autonomiebestrebung bis hin zu Nachahmung und Kooperation mit Erwachsenen. Gerade letzter Aspekt wurde in früheren Ansätzen der Jugendforschung eher vernachlässigt und rückt jetzt vermehrt in den Blick: Obwohl ein hohes Mass an Wissens- und Erfahrungsgefälle, somit historisch bedingte Fremdheit (Mannheim, 1964; Matthes, 1985) in der Altersdifferenz anzusiedeln ist (s.o.), sollte diese Vorannahme nicht dazu verführen, diese Beziehungen kategorisch mit Hierarchie und Differenz aufzuladen. In jüngeren Ansätzen der Pädagogik wird daher postuliert, die Beziehungen zwischen Personen verschiedener Generationen mehr als «Arbeitsbündnisse» zu konzipieren (Helsper, Kramer, Hummrich und Busse, 2009: 38), in denen Erziehung bzw. elementare kulturelle Lernprozesse stattfinden. Auch wenn dieser Ansatz zunächst für den schulischen Kontext entwickelt wurde, in dem es um die Vermittlung weniger emotionaler denn sachlicher Wissensrepertoires und praktischer Kompetenzen geht, spiegelt sich in dem Begriff des Arbeitsbündnisses stark die interdependente Perspektive (s.o.), die inzwi-

21 Geradezu bewusst wurden die unmittelbaren (Abhängigkeits-)Beziehungen zu Erwachsenen ausgeblendet, um von adultzentrierten und eurozentrischen Konzepten des zu erziehenden oder zu entwickelnden Kindes Abstand zu gewinnen und soziale und kulturelle Dynamiken aufzudecken, die Kinder und Jugendliche *untereinander*, wenn auch sehr kontextspezifisch und rahmenbedingt, ausbilden (sog. *peer group*-Ansätze n. Corsaro, 1985; Kelle und Breidenstein, 1998; Weissköppel, 2001).

22 Bereits in meiner Schulforschung (Weissköppel 2001) habe ich betont, dass Mikro- oder Sub-Kultur unter SchülerInnen in die Machtbeziehungen einer schulischen Organisation und der umgebenden (National-) Gesellschaft eingebettet werden müssen, um spezifische Praxen und Symboliken der SchülerInnen dechiffrieren zu können (vgl. Willis, 1977), was in den frühen Cultural Studies als Theorie der Verschränkung zwischen Klassenkulturen und Erwachsenen- versus Jugend-Kulturen formuliert wurde (Clarke, Hall, Jefferson and Robertson, 1993).

schen verstärkt bei der Analyse von Generationsbeziehungen angelegt wird. In meiner Forschung interessierte mich ja gerade diese Frage, wie junge Menschen in koptisch-orthodoxen Gemeinden mit älteren Mitgliedern interagierten und welche Lern- und Sozialisationsprozesse, d.h. auch welche Identitätsprozesse dadurch vollzogen wurden. Dabei sollten kultur- bzw. religionsspezifische Muster wie die ausgeprägte Senioritäts- und sakrale Statushierarchie nicht geleugnet werden. Umgekehrt sollten diese zentralen Ordnungsprinzipien aber auch nicht überbewertet werden, sondern es war Ziel des empirischen Prozesses herauszuarbeiten, wie junge KoptInnen in der Schweiz sich zu diesen Prinzipien verhielten.

Vor diesem Hintergrund werde ich im Folgenden die Ergebnisse einer rekonstruktiven Analyse eines Gruppengespräches mit drei Jugendlichen[23] aus einer meiner Forschungsgemeinden präsentieren.[24]

7. Ergebnisse aus einem Gruppengespräch mit jungen KoptInnen in der Schweiz

Die Relevanz des Vaters aus Ägypten

Im Sinne der Postulate von Gruppendiskussionen (Bohnsack, 2007) gestaltete ich die Gesprächsführung zwar stimulierend, aber *offen* hinsichtlich der Themenwahl. In der Erzählung dieser Gruppe kristallisierte sich schnell die Beziehung zum eigenen, ägyptischen und koptischen *Vater* als die entscheidende, an der sich zentrale Prozesse adoleszenter Identitätsarbeit festmachten. Interessanterweise betraf das nicht nur Fragen der religiösen Zugehörigkeit. Der Konflikt um religiöse Moralvorstellungen des Vaters generierte nämlich die Auseinandersetzung mit ethno-natio-kulturellen Mehrfachzugehörigkeiten, die die Kinder aus binationalen oder bikulturellen Ehen zwischen Ägyptern und Schweizerinnen als konstituierend erlebten. Der sprachlich etwas sperrige Term der ethno-natio-kulturellen Mehrfachzugehörigkeit, geprägt von Mecheril (2003a), muss in diesem Fallbeispiel sogar noch um das Präfix des Religiösen erweitert werden, da sich, wie zu zeigen sein wird, Fragen der religiösen Zugehörigkeit unmittelbar mit Fragen der ethnischen Zugehörigkeit *verschränkten* (Baumann, 1999; Lauser und Weissköppel, 2008: 10–11). Das

23 Diese Jugendlichen waren zum Zeitpunkt des Gespräches zwischen 18 und 20 Jahren.

24 Folglich werde ich nur sparsam aus dem Transkript zitieren, weil es in dieser Darstellung um die Verdichtung meiner Interpretation geht und weniger um eine transparente Aufbereitung einzelner Deutungsschritte.

theoretisch Wichtige ist hier, dass weder das religiöse Bezugssystem unter das ethnische zu subsumieren ist noch umgekehrt der ethnonationale Kontext der religiösen Identität untergeordnet werden sollte, sondern je nach Argumentationsziel diese verschiedenen Aspekte eingebracht und miteinander verzahnt wurden.

Gruppengeschichte und Identitätsartikulation im Kontext binationaler Familien

Die drei Jugendlichen[25] kannten sich seit ihrer Kindheit durch die koptische Gemeinde. Während ihre Eltern sonntags den Gottesdienst besuchten, spielten sie, die Kinder, zusammen im Hof der Gemeinde. Später organisierten ihre Mütter für sie eine «Sonntagsschule» (s.o.), vergleichbar mit einem Kindergottesdienst, da die Länge und Unverständlichkeit der koptischen Messe in Arabisch für die Kinder sowie für die Mütter langweilig wurde, und sie stattdessen für eine religiöse, christliche Erziehung ihrer Kinder sorgen wollten. Verbindend waren daher gemeinsame Aktivitäten wie Spiel, die Sonntagsschule sowie das anschliessende Mittagessen mit der gesamten Gemeinde. Da ihre Eltern befreundet waren und Feste wie den Jahreswechsel zusammen feierten, trafen sich die Kinder dort ebenfalls. Diese sukzessiv gewachsene Freundschaft unter ihnen (im Sinne einer Peergroup, zu der auch Geschwister zählten) hielt sich bis in die Gegenwart, da die drei sich sporadisch am Wochenende trafen, um gemeinsam auszugehen. Damit waren auch gegenseitige Übernachtungsbesuche verbunden, was sich durch die früheren Familienfeste etabliert hatte.

Nach dieser anfänglichen Erläuterung der Gruppengeschichte hob eine Teilnehmerin hervor, dass eine weitere Ähnlichkeit unter ihnen darin bestand, dass sie gleiche Probleme mit ihren *Vätern*[26] in der Pubertät hatten. Der Austausch über diese Probleme habe sie sehr verbunden, was von den anderen bestätigt wurde: Es war positiv, dass sie andere Jugendliche kannten, die auch «halb-halb» waren, so ihre Selbstbeschreibung der Tatsache, dass ihre Väter aus Ägypten und ihre Mütter aus der Schweiz stammten.

Die binationale Ehe der Eltern wurde somit zum Ausgangspunkt, sich als Personen zu artikulieren, die über nationale Mehrfachzugehörigkeiten (s.o.

25 Zu dieser Gruppe gehörte ursprünglich eine vierte Person, die zum Gruppengespräch nicht anwesend sein konnte. Alle Namen wurden anonymisiert.

26 Im Folgenden werde ich manchmal zwischen Singular «Vater» oder Plural «Vätern» wechseln, da im Gespräch sowohl die «Väter» als Kollektiv angesprochen wurden als auch vom individuellen «Vater» als Einzelpersonen geredet wurde.

Mecheril, 2003a) verfügten, wofür sie die Bezeichnung «halb-halb» wählten. Dies kann zunächst als eine pragmatische Formulierung gedeutet werden, um sich zur einen Hälfte dem ägyptischen Vater, zur anderen Hälfte der Schweizer Mutter zuzuordnen.[27] Entscheidend für meine weitere Interpretation ist jedoch, dass sie diese Erfahrung des «halb-halb»-Seins als Peergroup teilten, auch in der spezifischen Konstellation von Schweizer Mutter und ägyptischem Vater, und dieser Selbstbezeichnung somit eine zentrale *soziale* Relevanz im Sinne einer *ingroup*-Identität zukam.[28]

Die Probleme mit den Vätern: Ödipale Konfliktkonstellationen in der Adoleszenz

Auf meine Nachfrage, worin die Probleme mit den Vätern bestanden, entfaltete sich eine selbstläufige Narration über 400 Zeilen unter Claudia, Anna und Paul.[29] Die Probleme mit den Vätern wurden aus der Retrospektive geschildert, heute könnten sie darüber lachen, so eine zentrale Rahmung im Gespräch, die auf eine gewisse Distanz und Bewältigung der Probleme hindeutete.

Insbesondere war es zu Auseinandersetzungen gekommen, als die drei nach einem Fest wie üblich im selben Zimmer übernachten wollten. Einer der Väter wollte nicht länger zulassen, dass die heranwachsenden Frauen mit jungen Männern im gleichen Raum schliefen. Interessanterweise wurden seine Argumente aber nicht weiter detailliert, sondern eine der Jugendlichen ging gleich dazu über zu erklären, *warum* der Vater so gehandelt hatte: das sei «eine typisch ägyptische Reaktion». Sie deutete die Haltung ihres Vaters, den sonst freundschaftlichen Kontakt unter den Jugendlichen nachts verbieten zu wollen, um potenzielle heterosexuelle Annäherungen auszuschliessen, als *kulturelles* Verhaltensmuster, wie man in Ägypten mit dieser Frage umging.

Damals konnte die gesamte Peergroup den Vater davon überzeugen, allerdings nur mit der Unterstützung der anwesenden Mütter, dass seine Sorge absurd sei, da die lange Freundschaft unter den Jugendlichen «dagegen» spre-

27 Bei Anwendung der Typisierungen nach Mecheril (2003a in Weissköppel, 2007: 201): Fall «Rava», der den Typ der bistabilen Verhältnissetzung repräsentiert versus Ayse, die den Typ «halb-halb» als Dopplung von Inklusion *und* Exklusion repräsentiert) geht es bei dieser *Selbstbezeichnung* «halb-halb» paradoxerweise um den Typ der bistabilen Verhältnissetzung.

28 Somit zeigte sich hier eine *geteilte und artikulierte Erfahrung*, die ein Kriterium sein sollte, überhaupt von einer Gemeinsamkeit unter dem Label «2. Generation» zu sprechen (s.o., Weissköppel 2007: 186).

29 Anna war die Schwester von Paul.

che. Für meine Analyse war aufschlussreich, dass die potenzielle Sexualisierung ihrer Beziehungen, wie in der Argumentation des Vaters angedeutet, niemals direkt von den Jugendlichen ausgesprochen wurde. Paradoxerweise wurde nur die Qualität ihrer langjährigen Freundschaft als kontinuierliches Argument genutzt, die Angst und Sorge des Vaters zu besänftigen, die Jugendlichen könnten insbesondere ihre gegenseitigen Übernachtungsbesuche nutzen, um sexuelle Erfahrungen miteinander zu machen. Die nur latent angedeutete, zudem heteronormativ eingebettete Angst des Vaters bezüglich einer aktiven Sexualität unter den Jugendlichen wurde von den Jugendlichen insofern bestätigt, als sie seine Vermutungen in diese Richtung vehement abwehrten: entweder weil ihre damalige freundschaftliche Realität noch fern von sexuellen Begehren verlief; oder weil sie diese Tabus, in der Peergroup sexuell aktiv zu sein und dabei möglicherweise das Inzest-Tabu zu verletzen, selbst verinnerlicht hatten. Im geschilderten Konflikt hatten nicht sie selbst, sondern der Vater an dem Unbewussten gerüttelt.

Ich folge dieser letzten Erklärungsvariante, da diese eine für die Adoleszenz typische Psychodynamik zwischen Eltern- und Kinder-Generation spiegelt: Der ödipale Konflikt zwischen Vater und Tochter und die damit verbundenen Tabus werden in der Adoleszenz einer neuen Bearbeitung unterzogen (Erdheim, 1990: 274). Ganz im Sinne Erdheims wurde eine dritte Instanz, nämlich die andere «Kultur» der Väter ins Spiel gebracht, die zunächst aus Perspektive der Jugendlichen dazu verhalf, den Konflikt zu verlagern und dadurch zu entschärfen.

Die weitere Detaillierung des Gespräches bestätigte diese psychoanalytisch orientierte Deutung insofern, als dieser Konflikt tatsächlich die Vater-Töchter-Beziehungen betraf. Interessanterweise wies der einzige männliche Teilnehmer der Gruppe, Paul, auf die Geschlechterdifferenz hin: Er könne die väterliche Position gut nachvollziehen, dass mehr auf die Töchter geachtet werde und dass es etwas anderes sei, wenn die Tochter einen Freund habe oder der Sohn eine Freundin. Neben seiner deutlichen Identifikation mit der väterlichen Position in dieser Aussage rechtfertigte er diese nach Geschlecht differenzierende Behandlung des Vaters folgend als *kulturbedingt*, zunächst ohne dies weiter zu erläutern. Ich fragte mich, warum die Jugendlichen hier so auffällig *kulturalisierend* argumentierten, um die pubertären Auseinandersetzungen mit den Vätern zu schildern.

Die Kulturalisierung der Väter

An weiteren Beispielerzählungen hatten vor allem die zwei jungen Frauen illustriert, dass es weitere, emotional «heftige» Konflikte mit den Vätern gegeben hatte, die (für westlich-moderne Gesellschaften) typisch adoleszentes, auch provokatives Experimentierverhalten betrafen, wie lange ausgehen und feiern, masslos Alkohol trinken oder bei unbekannten Personen zu übernachten. Letztlich kam es aber immer zu einer konstruktiven Lösung der Konflikte, da sich ihre *Mütter,* mal auch der *Bruder* als zentrale *Mittler* zu den Vätern erwiesen hatten mit erfolgreichem Ergebnis: Die angedrohten Verbote der Väter wurden nicht realisiert, sondern die Väter liessen sich sukzessive auf die liberaleren Schweizer Verhältnisse ein bzw. lernten sie durch das gute Zureden der Mütter, ihren Töchtern wieder zu vertrauen – was diese dann auch sukzessive erwidern konnten.

Im Rahmen einer innerfamiliären, dennoch *arbeitsteiligen* Verhandlungsdynamik hatten die Jugendlichen also gelernt, wie diese emotional aufgeheizten Interessenskonflikte mit ihren Vätern abzukühlen (Thorne, 1994: 84–85) waren, nämlich durch die Strategie der Verschiebung auf *kulturelle* Ursachen dieser Konflikte:

Einerseits verstanden sich die Jugendlichen selbst als «Aufklärer», die ihren Vätern die aktuellen Schweizer Verhältnisse nahe brachten.[30] Andererseits konnten vor allem die jungen Frauen sich auf ihre Mütter verlassen, die sich beim Vater für ein Verständnis der töchterlichen Position einsetzten. Umgekehrt ist anzunehmen, dass die Mütter ihren Kindern vermittelten, dass die *Herkunftskultur* ihrer Ehemänner und Väter für manch fremde und strenge Regel (hier Sexualmoral) sorgte, die es zu kennen galt, um ihr Verhalten annähernd verstehen und tolerieren zu können. Gerade weil man die «ägyptische Kultur» dazwischen schieben konnte, war es schliesslich möglich, die persönlichen Verstrickungen mit dem Vater zu relativieren – so meiner Analyse

30 Damit zeigte sich hier eine potenzielle Rollen-Konversion, die in der Literatur über Angehörige der zweiten Generation in der Migration öfter beobachtet wird: Die Jugendlichen übernehmen Rollen, die normalerweise den Erwachsenen zugedacht sind, eben die Kinder mit einem entsprechenden Wissenstand der Gesellschaft auszustatten. Durch das Aufwachsen in der Einwanderungsgesellschaft verfügen die Kinder in mancher Hinsicht über einen Wissens- oder Kompetenzvorsprung gegenüber ihren Eltern, so dass die Jugendlichen die Rolle der (Wissens-)vermittlung über die Einwanderungsgesellschaft übernehmen.

nach zunächst der zentrale Mechanismus, der durch die Kulturalisierung der väterlichen Haltungen bewirkt wurde.[31]

Im weiteren Gespräch, durchaus zu variierenden Themen, legten die Jugendlichen aber fortlaufend Wert darauf, mir ihren *eigenen* Lernprozess zu schildern: «Man lernt das ja auch selber zu verstehen».

Die Kultur der Väter verstehen lernen

Die Jugendlichen evaluierten, was alles dazu beigetragen hatte, dass sie die Väter besser verstehen konnten und sich die Beziehungen auf diesem Wege wieder beruhigt und stabilisiert hatten.[32] Im Folgenden werde ich einige Argumentationslinien dieser kulturalisierenden Verstehensleistung nachzeichnen, die über den Effekt der Konfliktverschiebung hinaus dazu beigetragen haben, dass die Jugendlichen ihre andere «Hälfte» der ethno-nationalen Mehrfachzugehörigkeit, nämlich das Ägyptische, aktiv aneignen und mit Bedeutungen füllen konnten.

Die Väter als Repräsentanten der ägyptischen Kultur bzw. Mentalität

In den Schilderungen über die Väter waren die drei Jugendlichen sich einig, dass diese über eine «temperamentvolle Art» verfügten, womit ihre sehr emotionale und unkontrollierte Reaktion in den genannten Konflikten erklärt wurde. Das, worunter die Töchter in den «heftigen» Auseinandersetzungen gelitten hatten, wurde aus dieser verstehenden Perspektive eher wohlwollend dargestellt. In Ägypten hätten «Väter» allgemein die strenge, autoritär und konservative Rolle inne, was in Schweizer Familien tendenziell umgekehrt sei: Die Mütter seien die strengen, die Väter eher die liberalen und toleranten. So, wie sich der Vater ihnen gegenüber in den Adoleszenzkonflikten gezeigt hatte,

31 Gegen diese Lesart könnte man anführen, dass die Strategie, Konflikte zu kulturalisieren, inzwischen zur Alltagskompetenz in Einwanderungsgesellschaften gehört und die Jugendlichen nur imitierten, was sie im Umfeld erlebten und erlernten.

32 Dies ging sogar so weit, dass die Jugendlichen sich zum Zeitpunkt unseres Gespräches selbst im «Stolz» ihrer Väter über «die eigenen, wohlgeratenen Kinder» sonnten. Diese Selbstevaluation hatte mich im Gespräch sehr irritiert, da ich mir am Horizont *junger* Erwachsener (noch vor dem Studium bzw. einer Ausbildung stehend) durchaus noch weiteres Konfliktpotenzial mit den elterlichen Autoritäten ausmalen konnte.

entsprach er dem ägyptischen *role-model* einer strengen, väterlichen Autorität.[33]

Die transnationale Kompetenz des Gesellschaftsvergleichs

Insbesondere die eigenen Reisen zur Verwandtschaft nach Ägypten wurden von den Jugendlichen als Erkenntnis fördernd angeführt. Dort hätten sie realisiert, dass ihre Väter eine völlig andere Kindheit und Jugend durchlebt hatten als sie selbst, da dort bis heute «andere» Verhältnisse herrschten: Ägyptische Jugendliche hätten kaum Möglichkeiten der autonomen Freizeitgestaltung, so dass sich spezielle Probleme in der Adoleszenz, wie etwa das selbstständige Ausgehen am Abend oder an Feiertagen, gar nicht stellten. In Pauls Worten hätten koptische Jugendliche in Ägypten nur «zwei Hobbies: Kirche und Lernen für die Schule». Somit spiele Religion und Ausbildung die zentrale Rolle, was wohl auch in der Jugend ihrer Väter so war.

Durch ein anderes Familien- und Gemeinschaftsverständnis in Ägypten würden wechselseitige Besuche der Verwandtschaft immer im «Kollektiv» stattfinden, so dass die Übernachtungsfrage für Jugendliche nie zum Problem werde. Dort seien immer genug Erwachsene präsent, die die Lage im Blick hätten. Dieser Sachverhalt von selbstläufiger sozialer Kontrolle sei in der Schweiz nicht gegeben, so dass die Jugendlichen im Nachhinein verstanden, dass die Väter insbesondere mit dieser Übernachtungssituation angespannt umgingen. In dieser Argumentation wurde interessanterweise wiederum das Tabu vorehelicher Sexualität von den Jugendlichen befolgt, indem der potenzielle Sachverhalt weder ausgesprochen noch das Verbot als vielleicht hinfällige ägyptische Tradition kritisiert wurde.

Berufliche Leistungs- und Aufstiegsideale unter Kopten, verkörpert durch die Väter

In den weiteren Erzählungen der Jugendlichen wurde explizit, dass die Väter hohe Leistungsideale verfolgten und ihre Kinder (also sie selbst) möglichst Abitur machen und akademische Berufe erlernen sollten. Die drei Jugendlichen erklärten, dass diese Haltung sehr typisch für die Kopten in Ägypten sei, da sie nur auf dem Wege eines hohen beruflichen Status ihre marginalisierte Position als gesellschaftliche bzw. religiöse Minderheit kompensieren könn-

33 Und ihre Schweizer Mütter übernahmen entsprechend die komplementäre Rolle: sie waren die Liberaleren und Vermittelnden.

ten: Strukturellen Ausgrenzungen aus höheren Ämtern oder von Studienplätzen sei nur beizukommen, indem man generell zu den Besten gehöre. Um eine annähernd lukrative Arbeit in Ägypten zu erhalten, müsse man den akademischen Bildungsweg einschlagen, und das oft sogar im Ausland. Genau aus dieser Motivlage waren die Väter als Bildungsmigranten in die Schweiz gekommen. Der Bildungsaufstieg und die erfolgreichen Berufskarrieren, die sie in ihrer Biografie verwirklicht hatten, der gleichzeitig als kollektive Überlebensstrategie bzw. als Ideal unter Kopten gilt, sollte von den Jugendlichen zumindest erhalten, wenn nicht übertroffen werden. So formuliert die Psychoanalytikerin und Adoleszenzforscherin King:

> Für Kinder aus Migrantenfamilien besteht daher ein verstärkter Druck: Im Verhältnis zur Herkunftsfamilie sind sie häufig familialen Erwartungen und Ansprüchen ausgesetzt, bildungserfolgreich zu sein, damit den Erfolg des familialen Migrationsprojektes zu bestätigen und den Status der Familien zu verbessern. (King, 2006: 34–35)

Solch eine intergenerative Übertragungsdynamik (siehe auch Beitrag von Kaya in diesem Band), hier im Rahmen eines elterlichen Erfolgsdrucks, spürten die Jugendlichen insbesondere, als sie bei der eigenen Berufswahl nicht den aktuellen Trends des Arbeitsmarktes, sondern eigene Interessen a priori setzten. Das war für die Väter schwer zu akzeptieren, dass sich ihre Kinder z.B. dazu entschieden, zunächst eine Lehre zu machen oder den zweiten Bildungsweg einzuschlagen. Die Jugendlichen mussten ihnen erst erklären, dass sie in der Schweiz mit solchen Bildungsverläufen nicht im Abseits landen, sondern ihnen damit viele Möglichkeiten des beruflichen Ein- und Aufstiegs offen stehen. Insofern stellte sich eine für die Situation der zweiten Generation in der Migration typische Autoritätskonversion ein: Die Kinder mussten ihrem Vater erklären, wie die Schweizer Gesellschaft funktionierte, nicht umgekehrt (Weissköppel, 2007; Kaya, 2007).

Die Un-Vereinbarkeit von Familie und Beruf in der weiblichen Biografie

Vor diesem Hintergrund des ausgeprägten Leistungsideals der Väter wurde insbesondere den Töchtern verständlicher, warum die väterliche Sorge sich um eine potenzielle voreheliche Partnerschaft und mögliche Schwangerschaft zentrierte. Mit dem Ziel, einen negativen Gegenhorizont zu schaffen, führten sie einen Beispielfall aus der ägyptischen Verwandtschaft an, wo eine junge Frau ihre berufliche Ausbildung und Karriere abbrechen musste, weil sie ungeplant bzw. vorehelich schwanger wurde. Solch eine prekäre Situation wollte der Vater für seine Töchter unbedingt ausschliessen. Während die Töchter diese Haltung fast als emanzipative Förderung durch den Vater darstellten, machten sie aber auch deutlich, dass es in Ägypten keine Frage von Emanzipation sei: Um dort über ein annähernd gutes Einkommen zu verfügen, müssten Frauen wie Männer für Lohn arbeiten - eine Einstellung vor allem der gebildeten Mittelschicht, wie Spenlen (1994: 128) durch ihre Analysen zur geschlechtlichen Arbeitsteilung unter KoptInnen unterschiedlicher Klassenzugehörigkeit herausfand.

Insbesondere diese Erkenntnis, dass den Vätern viel an schulischem und beruflichem Erfolg lag, führte bei den jungen Frauen des Gruppengesprächs dazu, sich vor ihnen zu beweisen: Nachdem sie zu verschiedenen Anlässen (Prüfungen u.ä.) demonstriert hatten, dass sie trotz ihrer Freizeit- und Abendaktivitäten leistungsstark blieben, waren die Väter überzeugt, dass eine aktive Freizeitgestaltung[34] und Schulerfolg sich nicht ausschliessen mussten. Auf diesem Boden konnten sie wieder Vertrauen zu ihren Töchtern entwickeln.

Respekt vor den väterlichen Tabus

Trotz dieser wechselseitigen Lernprozesse zwischen den Jugendlichen und ihren Vätern, die jeweiligen Lebensrealitäten besser einschätzen zu können, benannten die jungen Frauen es als eine gewachsene Einsicht, die Väter nicht mehr unnötig zu «provozieren». Sie hatten gelernt, die Gesprächsthemen mit ihnen entsprechend zu selektieren. «Manches bleibt besser unausgesprochen», resümierte Anna, um die moralischen Grenzen der Väter nicht weiter zu belasten. Es existierte also auch ein geteiltes Wissen darüber, dass Grenzen des Verstehens oder der Kompromissfindung bestanden, die nur durch Respekt im Rahmen des Autoritäts- und Senioritätsprinzip gegenüber dem eigenen Vater einzuhalten waren.

Kopte sein: Zur Verflechtung von religiöser und ethnischer Zugehörigkeit

Ich resümiere: Auf dem Wege sukzessiver Verstehensprozesse im transnationalen familiären Beziehungsgefüge, befördert durch biographische Erfahrungen in der ägyptischen Gesellschaft und der daraus erwachsenden Kompetenz des Gesellschaftsvergleichs zwischen Ägypten und der Schweiz, ent-

34 Einzelne waren sehr aktiv in einem Leistungssport, auch am Wochenende, so dass Konflikte mit der Teilnahme am koptischen Gemeindeleben entstehen konnten, die auch mit dem Vater verhandelt werden mussten.

stand für die Jugendlichen ein Bild der Herkunftskultur des Vaters. Die Rekonstruktion der obigen Argumentationslinien macht sichtbar, dass die «Kultur» des Vaters einerseits durch *ägyptische* Mentalität und Sozialität (Familien- und Gruppenorientierung), durch die «ägyptische» (=arabische) Sprache[35] und durch eine spezifische Topographie und Verhaltensweisen[36] geprägt war. Oftmals gleichzeitig ging es um die *koptische* Kultur bzw. Religion, die in vieler Hinsicht eine besondere Position in der ägyptischen Gesellschaft innehat: Der Minderheitsstatus der Kopten in der muslimisch dominierten Gesellschaft Ägyptens war den Jugendlichen sehr bewusst. Dieses nur in mancher Hinsicht ausgesprochene Wissen trug umso mehr dazu bei, das Verhalten der ägyptisch-koptischen Väter nicht nur besser zu verstehen, sondern auch *aufzuwerten*. Um als unterdrückte Minderheit über zwei Jahrtausende hinweg zu überleben, bedurfte es besonderer Strategien, die sich auch an spezifischen Verhaltensmustern, Idealen oder Moralvorstellungen der eigenen Väter zeigten.

Somit wird am koptisch-orthodoxen Christentum sehr deutlich, was für zahlreiche andere Religionen auch gilt: Ihr Status im Herkunftsland ist insbesondere verflochten mit historisch-politischen, eben ethnonationalen Prozessen der Identitätskonstruktion (Baumann, 1999; Hall, 1994). Kopte sein in der Diaspora, das realisierten die Jugendlichen aus einer binationalen Ehe in der Schweiz sehr klar, hängt unmittelbar mit Fragen der Positionierung von Kopten als einer *ethnischen* und *religiösen* Minderheit in *Ägypten* zusammen. Auch wenn es von den Jugendlichen nicht so explizit formuliert wurde, lieferten sie in unserem Gespräch die Fragmente eines Diasporabewusstseins (Vertovec, 2000), dass Kopte sein somit auch bedeutete, erhöhte Verantwortung für den Fortbestand der eigenen, wenn man so will *ethnischen* Gruppe zu haben. Dass hier die religiöse Zugehörigkeit mit der ethnischen zusammenfällt, erklärt sich zum einen aus der Selbstbeschreibung der Kopten, von der Urbevölkerung Ägyptens zu stammen (s.o.). Dieser Mythos eines gemeinsamen ethnischen Ursprungs hat sich insbesondere mit den historisch späteren Verboten verschränkt, keine Allianzbeziehungen mit Muslimen einzugehen, woraus strikte Endogamie-Regeln resultierten, so dass Kopten sich möglichst nur untereinander reproduzierten.

35 Ich war zunächst überrascht, als sie von «Ägyptisch» sprachen, ging ich davon aus, dass die Verkehrssprache «Arabisch» heisst, wenn auch mit ägyptischem Dialekt. Inzwischen ist mir diese Formulierung häufiger begegnet, dass das Ägyptisch-Arabische abgekürzt als Ägyptisch bezeichnet wird. So oder so, diese Formulierung deutet darauf hin, dass die Verkehrssprache *national* zugeordnet wird.

36 Eine Teilnehmerin beschrieb ihren Lernprozess so: dass sie anfangs nur die differente «Landschaft» wahrgenommen habe, immer mehr dann auch die differente «Kultur».

Diese Hintergründe erschlossen sich durch die weitere Ethnografie, eben in diversen informellen Gesprächen mit anderen Gemeindemitgliedern und Experten unabhängig von diesem Gruppengespräch. Durch diese informell erworbenen Kontextinformationen, die die ethnografische Methode neben den formellen Interviewtechniken charakterisieren, erweiterte sich mein Verstehensprozess, warum das Tabu der vorehelichen Sexualität neben der Befolgung biblischer Gebote (Bishop Moussa, 2009: 12) auch von zentraler Bedeutung für die ethnische Homogenität der Kopten ist. Deshalb ziehe ich an dieser Stelle meiner Interpretation weitere Quellen[37] hinzu, die den spezifischen Umgang der Jugendlichen mit dem Adoleszenzkonflikt mit ihren koptischen Vätern weiter erhellen. Dieser spezifische Umgang im Sinne einer kulturellen Logik bestand meiner Einschätzung nach darin, dass das Tabu vorehelicher Sexualität, kontrolliert durch die väterliche Autorität, weder von den Jugendlichen explizit angegriffen noch verteidigt wurde, sondern in der Grauzone des Unausgesprochenen belassen wurde.

8. Emische Diskurse um das Tabu der vorehelichen Sexualität

Wenn es in einer Kultur verboten ist, über gewisse Dinge zu reden bzw. sie auszuführen, wird es für Ethnografen zur Herausforderung, sich dafür zu sensibilisieren, worüber geredet werden *darf* und welche Diskurse sich um ein Tabu ranken (Foucault, 1992; Weissköppel, 2000). Das kann zum Beispiel Aufschluss darüber geben, wie und von wem ein Tabu kontrolliert bzw. in welchen Macht- und Autoritätsbeziehungen es vermittelt wird.

So wurde mir von einem Schweizer Sonntagsschullehrer im Alter von Mitte 40 erzählt, dass die Kopten auf dem biblisch herzuleitenden Tabu der vorehelichen Sexualität beharren. Es sei eine besondere Schwierigkeit, dieses Tabu an Jugendliche heutiger Zeit bzw. in den überwiegend «westlichen» Diasporaländern zu kommunizieren. Seine zentrale Strategie ist, den jungen Menschen klarzumachen, dass sie als Kopten etwas Besonderes sind und sie sich in dieser Hinsicht von anderen Menschen, auch von anderen Christen, unterscheiden. Sexualität gilt als «heilig»,[38] demzufolge sei sie nichts für kurzfristige Beziehungen, wie es in der liberalen Moderne zwar erlaubt,

37 Es handelt sich um weitere Gesprächsaussagen, aber auch um eine Eigenpublikation (Bishop Moussa 2009), die im Internet zugänglich ist.

38 «Sexuality is the holy of holies of the human body and that is why we must approach this topic with great reverence and complete dignity», schreibt der Bischof für Jugend in «Youth and pure living», Bishop Moussa (2009: 2); siehe zu kulturellen Konstruktionen des Heiligen und Profanen Eliade (1998).

aber nicht zwingend notwendig sei. Aus koptischer Sicht gehe es in erster Linie darum, einen Partner oder eine Partnerin fürs Leben zu finden, also einen *Ehe*partner und das erfordere Geduld.

Dieser Sonntagsschullehrer aktivierte einen Diskurs der exklusiven Identität als Kopte sowie das (christliche) Ideal der lebenslangen Partnerschaft (die dann auch Sexualität einschliesse), womit er die Phase der Adoleszenz für junge Kopten als eine deklarierte, in der primär die Partner*suche* im Hinblick auf eine Eheschliessung zu bewältigen sei. Diese pädagogische Strategie, sexuellen Experimenten in der Adoleszenz keinen Raum zu geben, sondern diese Begehren oder Phantasien im Rahmen der (Ehe-)Partnersuche zu sublimieren, begegnete mir wieder während meiner Teilnahme auf den EYMs, den internationalen Konferenzen für koptische Jugendliche aus Europa. In öffentlichen, aber anonymisierten Frage- und Antwort-Runden wendeten sich Jugendliche vermehrt mit dem Anliegen an die Priester oder Bischöfe, nach welchen Kriterien sie ihre PartnerInnen wählen sollten. Während in einzelnen Fragen verhalten «Liebes»-Konflikte thematisiert wurden, drehte es sich in der Mehrzahl von Anfragen um das Anliegen, wie man den optimalen Partner finden könne. Der über 70-jährige Bischof für Jugend aus Kairo, eine charismatische Person, antwortete souverän mit einer Aufzählung an Kriterien, die in seinem elektronischen Buch «Youth and pure living»[39] nachzulesen sind (Bishop Moussa, 2009, S. 11 «How to choose» und S. 12 «General principles in choosing»). Nachdem in dieser Handreichung, die sich insbesondere an jugendliche Leser richtet, aber auch an deren ErzieherInnen und SonntagschullehrerInnen, Grundlegendes zur menschlichen Sexualität aus koptischer Sicht erklärt und die Grundregeln des christlich-orthodoxen Umgangs mit einer gereiften Heterosexualität (sogenannte «degeneralized altro-sexuality» in Bishop Moussa 2009: 10)[40] erläutert wird, werden entsprechende Kriterien für die Partnerwahl aufgezählt. Zunächst geht es um die eigenen, inneren Instanzen – 1. der Geist/ die Seele, 2. das Denken, 3. die Emotionen – die bei einer Entscheidung für eine/n Partner/in einbezogen und deren Reihenfolge beachtet werden sollten. Im Hinblick auf Kriterien, die man bei der PartnerInsuche anlegen sollte, wurden folgende in entsprechender Reihung empfohlen: 1. der religiös-spirituelle, 2. der materielle, 3. der sozio-kulturelle und 4. der physische Aspekt (Bishop Moussa 2009: 12–13), also das

39 Siehe: www.youthbishopric.com/library/downloadlibrary/book.

40 Der gesamte Diskurs um Sexualität dreht sich um Reproduktion und Fruchtbarkeit im Rahmen einer heteronormen Kosmologie. Die Option einer gleichgeschlechtlichen Partnerschaft wird nicht genannt, sondern fällt wohl unter die Kategorie der «deviant sexuality» (Bishop Moussa, 2009: 4f).

äussere Erscheinungsbild einer Person, was für einen selbst attraktiv sein sollte. Besonders aufschlussreich waren für mich die Kommentare zum 2. und 3. Kriterium:

> (2) ... It is better if the two partners are almost the same financially because of difference in life-style, in housing, clothing and so on necessitates certain expenditure. (3) ... It is also better if both are almost the same socially and educationally. A rural environment is different from that of an urban one. Mentalities differ and it is advisable that the social and cultural outlook be similar. (Bishop Moussa, 2009: 12)

Sozioökonomische sowie (sub-)kulturelle Unterschiede, die auch die Kopten untereinander differenzieren, sollten in ehelichen Partnerschaften also möglichst ausbalanciert bzw. vermieden werden, um Konfliktpotenziale durch solche Differenzen gering zu halten. Nach meiner Einschätzung kann dieser Appell zur soziostrukturellen Homogenität auch auf Fragen der ethno-religiösen Zugehörigkeit(en) übertragen werden, da interethnische Heiraten mit Angehörigen anderer Konfessionen oder Religionen ebenfalls soziokulturelle Differenzen schüren und potenzielle Konfliktlagen mit sich bringen. Letztlich haben sich die strengen endogamen Heiratsregeln unter KoptInnen historisch bewährt, eben um den Fortbestand des Eigenen zu sichern, so wurde mir mehrfach erklärt. Im ägyptischen Kontext ging und geht es vor allem darum, keine Mischehen mit Muslimen zuzulassen, von denen die Gefahr ausgeht, dass die koptischen PartnerInnen zur Konversion zum Islam gezwungen werden und der Nachwuchs aus solchen Mischehen automatisch dem Islam zugehörig erklärt werde; aber auch gegenüber anderen christlichen Konfessionen werden klare Auflagen an die Zwischenheirat gestellt, damit das Koptentum nicht von anderen christlichen Konfessionen verwässert werde.[41]

Mir erschloss sich folgender Zusammenhang: Dadurch, dass am Tabu von vorehelicher Sexualität bis heute strikt festgehalten wird, reduziert man auch die Gefahr in der Adoleszenz, dass junge Kopten sich im Zuge einer pubertären Experimentierphase (sogenannte «general altro-sexuality» n. Bishop Moussa, 2009: 10) auf verschiedenste PartnerInnen einlassen und es möglicherweise zu (Ehe-)Paarbildung mit Mitgliedern anderer ethnischer bzw. religiöser Gruppen kommt. Indem dieses Wissen um eine eher unkontrollierte Phase sexueller Entwicklung von Jugendlichen dahingehend verschoben wird, dass man eher geduldig den richtigen Partner entlang der entsprechenden Kriterien suchen sollte, wird die Aufmerksamkeit auf das heiratsfähige

41 Insbesondere darüber klagten einzelne Schweizer Frauen, die als reformierte oder katholische Christinnen dennoch zum Koptentum konvertieren mussten, um ihre koptischen Männer kirchlich heiraten zu können.

Alter gelenkt und mit christlich-koptischen Werten angereichert, indem Partner *gleicher* religiös-spiritueller, ökonomischer und soziokultureller Herkunft als die optimalen empfohlen werden.

Diese Empfehlungen, die implizit einen gemeinsamen Wertekanon unter KoptInnen über das Religiöse hinaus nahe legten, halfen mir zu verstehen, warum die Jugendlichen in unserem Gruppengespräch das koptische Tabu über voreheliche Sexualität nicht explizit kritisierten. Ihnen war im Laufe des Verstehensprozesses der «Kultur der Väter» klar geworden, dass es bei diesem Tabu um mehr ging als um das blosse Ausagieren sexueller Beziehungen. Es geht um den (reproduktiven) Fortbestand der Kopten als ethno-religiös homogener bzw. reiner Gruppe (Douglas, 1988; Mecheril, 2003b; Weissköppel, 2005b), wofür vermutlich die Väter Verantwortung tragen, indem sie in verstärktem Masse die Sexualität der nachwachsenden Töchter kontrollieren müssen. Angesichts der Tatsache, dass die interviewten Jugendlichen aus bikulturellen und interkonfessionellen Ehen in der Diaspora geradezu verkörperten, dass ihre Eltern diesem Reinheits-Ideal nicht völlig gerecht geworden waren, erhöhte sich unter Umständen der moralische Druck auf ihre Väter, ihre Kinder zu einem religiös-korrekten Lebenswandel anzuhalten?

Ob man dieser, über das im Gruppengespräch Explizierte hinausgehenden Erklärung folgen will oder nicht, mir ging es darum, an dieser Fallgeschichte deutlich zu machen, dass Fragen der religiös-moralischen Sozialisation und Erziehung, die hier insbesondere um Fragen der Geschlechtsidentität und Sexualität kreiste, unmittelbar mit ethnonationalen Zugehörigkeiten und ihrer Positionierung im jeweiligen gesellschaftlichen Kontext zusammenhängen können. Im Fall von ethno-natio-kulturellen Mehrfachzugehörigkeiten bedeutet das, dass mehrere gesellschaftliche Kontexte zu berücksichtigen sind, sowohl aus Perspektive der Akteure, die ihr Handeln entsprechend an mehreren Bezugsrahmen ausrichten, als auch für die wissenschaftlichen Analytiker, die Wissen über diese diversen Kontexte generieren sollten, um das Handeln der Akteure angemessen einschätzen zu können. Damit komme ich zur Konklusion.

9. Ethnoreligiöse Sozialisation im transnationalen Beziehungsgefüge, repräsentiert durch den Vater aus Ägypten und die Mutter aus der Schweiz

Durch meine Fallrekonstruktion ist transparent geworden, dass für die hier vorgestellten Jugendlichen die Konflikte und Verhandlungen mit der *väterli-*

chen Autorität im Vordergrund standen: Um tendenzielle Brüche und Ambivalenzen dem Vater gegenüber konstruktiv zu wenden, wurden seine strengen Positionen in den konkreten Interessenskonflikten nicht als Ausdruck seiner persönlichen, sondern seiner *kulturellen* Haltungen erläutert. Deshalb spreche ich von einer Kulturalisierung der Väter, im Zuge derer die Werte und Normen des ägyptischen Herkunftskontextes, insbesondere der koptischen Religionsangehörigkeit durch die Jugendlichen angeeignet wurden. Denn letztlich gehörten die Jugendlichen, das hatten sie selbst expliziert, «zur Hälfte» auch der ägyptisch-koptischen Kultur an. Und ihr Lernprozess bestand u.a. darin, dass damit nicht nur ein exotisches und aufwertendes Identitätsmerkmal, sondern auch ein *moralisches Erbe* sowie die Erwartung von *kulturell-ethnischer Loyalität* verbunden war. Diese konnte allerdings in Konflikte geraten mit der anderen «Hälfte» ihrer Zugehörigkeit zur Schweizer Gesellschaft, die für sie liberalere Haltungen verkörperte, nämlich über die Orientierung an ihren *Müttern.* Diese bemühten sich laut der Jugendlichen nicht nur darum, erfolgreich zwischen den Vätern und den Jugendlichen zu vermitteln, sondern sie vertraten auch eigene Positionen in Referenz auf Grundwerte von westlichen Gesellschaften wie freie Partnerwahl (im Hinblick auf eine Liebesheirat jenseits nationaler oder kultureller Zugehörigkeiten, zumal sie das selbst praktiziert hatten) oder interessengeleitete Berufswahl oder die strukturelle Gleichberechtigung von Frauen und Männern.[42]

Im Hinblick auf diesen Konflikt um voreheliche sexuelle Beziehungen tendierten die Jugendlichen klar zu den liberaleren Haltungen, die sie aus der Schweizer Gesellschaft, also aus der Herkunfts- und Residenzgesellschaft der Mutter gewohnt waren. Somit hätte sich dieser Konflikt mit dem Vater zu einem Loyalitätskonflikt zwischen der Herkunftskultur der Mutter und der des Vaters bzw. in einen Erziehungskonflikt zwischen den Elternteilen zuspitzen können. Das wurde durch die vermittelnde Intervention der Mütter aber vermieden, die nicht *ihre* Kultur gegen *die* der Väter ausspielten, sondern den Kindern nahe legten, die Kultur der Väter zunächst besser kennen zu lernen.[43]

Somit ist festzuhalten, dass die Haltungen der primären Bezugspersonen in transnationalen Familienkonstellationen, in diesem Fall von leiblichem Va-

42 Da ich mit diesen drei Müttern ebenfalls ein Gruppengespräch führen konnte, kann ich diese Aussagen aus ihrer Selbstdarstellung bestätigen.

43 Wie ich im Gruppengespräch mit ihnen erfuhr, hatte ihnen das selbst geholfen, respektvoll mit den religiös-moralischen Positionen der Väter umzugehen, weil sie zum Beispiel in der Heiratsentscheidung auch damit konfrontiert waren, sich den Dogmen der koptischen Religion anzupassen.

ter und leiblicher Mutter, entscheidend waren für die spezifische Ausbildung von Mehrfachzugehörigkeit, die die Jugendlichen selbst als ein balanciertes «halb-halb» zwischen der ägyptisch-koptischen und der schweizer-christlichen Zugehörigkeit charakterisierten. Nach meiner vertieften Analyse stellt sich allerdings eher ein Typus der selbstverständlichen, somit primären Identifikation mit der (Residenz-)Gesellschaft der Mutter dar, von der aus die «fremde Kultur» des Vaters sukzessive kennen gelernt und partiell angeeignet wurde.

Generell ist also in intergenerativen Analysen dafür zu sensibilisieren, dass genauestens herauszuarbeiten ist, welcher Elternteil welches ethno-natio-kulturelle Bezugssystem repräsentiert und wie sich das auf die *komplexe* Identitätsdynamik der Adoleszenz auswirkt. Denn das hat das Fallbeispiel auch deutlich gemacht, dass für die Suchprozesse einer religiösen Zugehörigkeit bzw. Identifikation im Kontext von Mehrfachzugehörigkeit hier insbesondere eine Geschlechterdynamik im ödipalen Dreieck Ausgangspunkt war (s.o. Erdheim, 1990).

Aus Perspektive der Jugendlichen ist zudem wichtig festzuhalten, dass sie die Beziehungen zu ihren Müttern hochgradig *kooperativ* darstellten, eben im Sinne eines solidarischen «Arbeitsbündnisses» (s.o.) mit dem gemeinsamen Ziel, die ethnoreligiöse Prägung der Väter bzw. Ehemänner vor dem Hintergrund ihrer natio-kulturellen Herkunft aus Ägypten besser zu durchschauen. Hierbei spielte sowohl der kommunikative Austausch in der Peergroup[44] unter den Jugendlichen eine zentrale Rolle, sich gemeinsam über die Väter aussprechen und Erklärungsmodelle für ihr Verhalten entwickeln zu können, als auch die eigenen Erfahrungen und Eindrücke in Ägypten durch Ferien- und Verwandtschaftsbesuche, die die Kompetenz eines relativierenden Gesellschafts- und Kulturenvergleichs wachsen liessen. Das Transnationale zeigte sich also nicht nur in den binationalen Familienkonstellationen, sondern erweiterte sich durch die sozialen Beziehungen in den koptisch-orthodoxen Gemeinden sowie durch die weitere Verwandtschaft im transnationalen Raum zwischen Ägypten und der Schweiz.

Insofern können meine Ausgangsthesen an diesem Fallbeispiel bestätigt werden, dass die transnationalen Beziehungsgefüge insbesondere von religiösen Gemeinden, die sich primär aus Einwanderern rekrutieren, von zentraler Relevanz für die ethnoreligiöse Sozialisation der nachwachsenden Kinder und Jugendlichen sind. Irritierenderweise zeigt mein Fallbeispiel aber auch auf, dass hier die religiösen Autoritäten, die koptischen Priester, eine geringere Rolle spielten als ich vermutet hätte. Nach Aussage der Jugendlichen war die

44 Die sich im Kontext der koptisch-orthodoxen Gemeinden in der Schweiz gefunden hatte.

Fluktuation der aus Ägypten migrierenden Geistlichen zu hoch, die Anfang der 1990er Jahre noch kaum auf die Bedürfnisse der nachwachsenden Generation im Einwanderungsland vorbereitet waren: Weder verfügten sie über gute Deutschkenntnisse, noch waren sie kulturell vertraut mit den Schweizer Verhältnissen, so dass man zu ihnen keine kontinuierliche Beziehung entwickeln konnte, was die Jugendlichen bedauerten. Die Priester bildeten für sie zwar die formalen Autoritäten, emotional positiv besetzte Einzelerlebnisse konnten sich aber kaum festigen. Aus Perspektive dieser Gruppe von Jugendlichen liegt daher der Schluss nahe, dass der tendenzielle Bedeutungsverlust von geistlichen Autoritäten in koptisch-orthodoxen Diaspora-Gemeinden durch den erhöhten Stellenwert des eigenen Vaters im Sinne einer ethno-religiösen Autorität ersetzt wurde.

Bibliographie

Adogame, Afe und Weissköppel, Cordula (Hg.), 2005. *Religion in the context of African migration.* Bayreuth: Rosch.

Alt, Ernst, 1980. *Ägyptens Kopten – Eine einsame Minderheit. Zum Verhältnis von Christen und Moslems in Ägypten in Vergangenheit und Gegenwart.* Saarbrücken: Breitenbach.

Amit-Talai, Vered und Wulff, Helena (Hg.), 1995. *Youth cultures: across-cultural perspective.* London, New York: Routledge.

Assal, Munzoul, 2004. *Sticky labels or rich ambiguities? Diaspora and challenges of homemaking for Somalis and Sudanese in Norway.* Bergen: BRIC University of Bergen.

Assal, Munzoul, 2005. A source of difference or a repository of support: Islam and the lives of Somalis and Sudanese in Norway. In: Afe Adogame und Cordula Weissköppel (Hg.), *Religion in the context of African migration.* Bayreuth: Rosch, 191–216.

Aziz, Ehab, 2008. *Het Ka Pthan. Die Kopten.* München: St. Mina Kirche in München.

Basch, Linda; Glick-Schiller, Nina und Szanton Blanc, Christina, 1994. *Nations unbound.* Amsterdam: Routledge.

Baumann, Gerd, 1999. *The multicultural riddle: rethinking national, ethnic, and religious identities.* New York, London: Routledge.

Baumer, Isidorus, 2007. Einheit und Vielfalt der Ostkirchen in der Schweiz: orthodoxe, alt-orientalische und ostkatholische Kirchen. In: Martin Baumann und Jörg Stolz (Hg.), *Eine Schweiz – viele Religionen: Risiken und Chancen des Zusammenlebens.* Bielefeld: transcript-Verlag, 160–176.

Bishop, Moussa (Hg.), 2009. *Youth and pure living.* Zugänglich auf: www.youthbishopric.com/library/DownloadLibrary/Book/Youth%20and%20Pure%20Living1E.pdf. [Zugriff am 30. September 2009].

Bohnsack, Ralf, 2007. *Rekonstruktive Sozialforschung: Einführung in qualitative Methoden.* Opladen: Leske + Budrich.

Brakmann, Heinzgerd, 1994. Die Kopten – Kirche Christi in Ägypten. Ihre Geschichte und Liturgie. In: Albert Gerhards und Heinzgerd Brakmann (Hg.), *Die koptische Kirche.* Stuttgart, Berlin, Köln: Kohlhammer, 9–27.

Breidenstein, Georg und Kelle, Helga, 1998. *Geschlechteralltag in der Schulklasse. Ethnographische Studien zur Gleichaltrigenkultur.* Weinheim, München: Juventa.

Burnand, Frédéric, 2004. *Orthodox Copts open Church in Switzerland.* Zuänglich auf: http://www.swissinfo.org/eng/swiaainfo.html?sitesect=105&sid=5090250. [Zugriff am 7. August 2008].

Cohen, Robin, 1997. Diasporas in the age of globalization. In: Robin Cohen (Hg.), *Global diasporas: an introduction.* London: UCL Press, 155–176.

Comaroff, Jean und Comaroff, John, 2005. Reflections on youth: from the past to the postcolony. In: Alcinda Honwana and Filip de Boeck (Hg.), 2005. *Makers & breakers: children and youth in postcolonial Africa.* Oxford: James Currey, 19–30.

Corsaro, William A., 1985. *Friendship and peer culture in the early years.* Norwood, New Jersey: Ablex.

Douglas, Mary, 1988. *Reinheit und Gefährdung. Eine Studie zu Vorstellungen von Verunreinigung und Tabu.* Frankfurt a.M.: Suhrkamp.

Drackl\u00e9, Dorle (Hg.), 1996. *Jung und Wild. Zur kulturellen Konstruktion von Kindheit und Jugend.* Berlin: Reimer Verlag.

Eliade, Mircea, 1998. *Das Heilige und das Profane. Vom Wesen des Religiösen.* Frankfurt a.M.: Insel-Taschenbuch.

El-Shahed, E.-S., 2006. Die Darstellung des Christentums in den ägyptischen Schulbüchern. Ein Kommentar. In: Klaus Hock, Jochen Lähnemann und Wolfram Reiss (Hg.), *Schulbuchforschung im Dialog.* Frankfurt am Main: Lembeck, 42–47.

Erdheim, Mario, 1990. *Die gesellschaftliche Produktion von Unbewusstheit. Eine Einführung in den ethnopsychoanalytischen Prozess.* Frankfurt a.M.: Suhrkamp.

Fábos, Anita, 2008. *«Brothers» or others? Propriety and gender for Muslim Arab Sudanese in Egypt.* Oxford, New York: Berghahn.

Faist, Thomas (Hg.), 2000. *Transstaatliche Räume. Politik, Wirtschaft und Kultur in und zwischen Deutschland und der Türkei.* Bielefeld: transcript-Verlag.

Faist, Thomas und Özveren, Eyüp (Hg.), 2004. *Transnational social spaces: agents, networks and institutions.* Aldershot: Ashgate.

Foucault, Michel, 1992. *Sexualität und Wahrheit 1. Der Wille zum Wissen.* Orig. franz.: Histoire de la sexualité, I: La volonté de savoir. Frankfurt a.M.: Suhrkamp.

Geisen, Thomas und Riegel, Christine, 2007. Zugehörigkeit(en) im Kontext von Jugend und Migration – eine Einführung. In: Thomas Geisen und Christine Riegel (Hg.), 2007. *Jugend, Zugehörigkeit, Migration.* Wiesbaden: Verlag für Sozialwissenschaften, 7–23.

Girgis, Samir, 2004a. *Die Geschichte der koptisch-orthodoxen Kirche in der Schweiz.* Zugänglich auf: http://www.coptic-churches.ch/Geschichte_Deutsch_Schweiz/GeschichteSchweiz.htm. [Zugriff am 6. Mai 2009]

Girgis, Samir, 2004b. *Ein kurzer Einblick in die Geschichte der Koptisch-Orthodoxen Kirche.* Zugänglich auf: http://www.coptic-churches.ch/Geschichte_Deutsch_Schweiz/dieGeschichteKirche.htm. [Zugriff am 06.05.2009]

Glick-Schiller, Nina; Caglar, Ayse und Guldbrandsen, Thaddeus C., 2006. Beyond the ethnic lens: locality, globality, and born-again incorporation. *American Ethnologist,* 33(4): 612–633.

Hall, Stuart und Jefferson, Tony et. al., 1993. Subcultures, cultures and class. In: Stuart Hall und Tony Jefferson (Hg.), *Resistance through rituals: youth subcultures in Post-war Britain.* London: Routledge, 9–74.

Hall, Stuart, 1994. Die Frage der kulturellen Identität. In: Hall, Stuart (Hg.), *Rassismus und kulturelle Identität.* Hamburg: Argument-Verlag, 180–222.

Hamburger, Franz und Hummrich, Merle, (2007). Familie und Migration. In: Jutta Ecarius(Hg.), *Handbuch Familie.* Wiesbaden: Verlag für Sozialwissenschaften, 113–134.

Hauser, Beatrix, 2006. Durch den Körper sehen: Zur Präsenz der Götter bei der indischen Ramlila. In: Erika Fischer-Lichte, Robert Sollich, Sandra Umathum und Matthias Warstat (Hg.), *Auf der Schwelle. Kunst, Risiken und Nebenwirkungen.* München: Fink, 143–159.

Helsper, Werner; Kramer, Ralf; Hummrich, Merle und Busse, Susanne, 2009. *Jugend zwischen Familie und Schule. Eine Studie zu pädagogischen Generationsbeziehungen.* Wiesbaden: Verlag für Sozialwissenschaften.

Hock, Klaus; Lähnemann, Jochen und Reiss, Wolfram (Hg.), 2006. *Schulbuchforschung im Dialog. Das Christentum in Schulbüchern islamisch geprägter Länder.* Frankfurt a.M.: Lembeck.

Honwana, Alcinda und de Boeck, Filip, 2005. Introduction: children & youth in Africa. Agency, identity and place. In: Alcinda Honwana und Filip de Boeck (Hg.), *Makers & breakers: children and youth in postcolonial Africa.* Oxford: James Currey, 1–18.

Ibrahim, Fouad, 1996. *Ägypten. Eine geographische Landeskunde.* Darmstadt: Wissenschaftliche Buchgesellschaft.

Ibrahim, Fouad, 2001. Ägypten. In: Jacob Emmanuel Mabe (Hg.), *Das Afrika-Lexikon.* Wuppertal, Stuttgart: Peter Hammer und Metzler, 15–18.

Ibrahim, Fouad, 2004. Rekonstruktion von Heimat im Kloster – zur Situation koptischer Zuwanderer aus dem Sudan in Deutschland. In: Rolf Monheim (Hg.), *Transkontinentale Migration im Mittelmeerraum.* Bayreuth: Naturwissenschaftliche Gesellschaft Bayreuth e.V., 209–218.

Ibrahim, Fouad, 2005. The Egyptian Coptic diaspora in Germany: a study in local cultural vitality. In: Afe Adogame und Cordula Weissköppel (Hg.), *Religion in the context of African migration* . Bayreuth: Rosch, 301–316.

Ibrahim, Barbara und Ibrahim, Fouad, 2000. The contribution of immigrants towards processes of globalization in Germany – the example of the Egyptian Copts. In: Koller, Michaela (Hg.), 2000. *Migration aus Nordafrika: Ursachen und Probleme.* Neuried: Ars Una, 87–116.

Kaya, Asiye, 2007. Traditions- und Kulturbildung im Migrationskontext. In: Thomas Geisen und Christine Riegel (Hg.), *Jugend, Zugehörigkeit, Migration.* Wiesbaden: Verlag für Sozialwissenschaften, 207–225.

King, Vera, 2006. Ungleiche Karrieren. Bildungsaufstieg und Adoleszenzverläufe bei jungen Männern und Frauen aus Migrantenfamilien. In: Vera King und Hans-Christoph Koller (Hg.), *Adoleszenz – Migration – Bildung. Bildungsprozesse Jugendlicher und junger Erwachsener mit Migrationshintergrund.* Wiesbaden: Verlag für Sozialwissenschaften, 27–46.

King, Vera und Koller, Hans-Christoph (Hg.), 2006. *Adoleszenz – Migration – Bildung. Bildungsprozesse Jugendlicher und junger Erwachsener mit Migrationshintergrund.* Wiesbaden: Verlag für Sozialwissenschaften.

Knörr, Jacqueline (Hg.), 2005. *Childhood and migration: from experience to agency.* Bielefeld: transcript-Verlag.

Kokot, Waltraud, 2000. Diaspora, Lokalität und Stadt. Zur ethnologischen Forschung in räumlich nicht begrenzten Gruppen. In: Waltraud Kokot, Thomas Hengartner und Kathrin Wildner (Hg.), *Kulturwissenschaftliche Stadtforschung. Eine Bestandsaufnahme.* Berlin: Reimer Verlag, 191–203.

Kokot, Waltraud, 2002. Diaspora – Ethnologische Forschungsansätze. In: Alois Moosmüller (Hg.), *Interkulturelle Kommunikation in der Diaspora: die kulturelle Gestaltung von Lebens- und Arbeitswelten in der Diaspora.* Münster, New York, u.a.: Waxmann, 29–40.

Lauser, Andrea und Weissköppel, Cordula (Hg.), 2008a. *Migration und religiöse Dynamik. Ethnologische Religionsforschung im transnationalen Kontext.* Bielefeld: transcript-Verlag.

Lauser, Andrea und Weissköppel, Cordula, 2008b. Einleitung: die neue Aufmerksamkeit für Religion in der Migrations- und Transnationalismusforschung. Ein Plädoyer für die ethnografische Mikro- und Kontextanalyse. In: Andrea Lauser und Cordula Weissköppel (Hg.), *Migration und religiöse Dynamik. Ethnologische Religionsforschung im transnationalen Kontext.* Bielefeld: transcript-Verlag, 7–34.

Lévi-Strauss, Claude, 1993. Die Familie. In: *Der Blick aus der Ferne.* Frankfurt a.M.: Fischer, 73–104 (Orig. franz.: 1983).

Levitt, Peggy und Jaworsky, Nadya B., 2007. Transnational migration studies: past developments and future trends. *Annual Review of Sociology,* 33: 129–156.

Luig, Ute und Seebode, Jochen (Hg.), 2003. *Ethnologie der Jugend. Soziale Praxis, moralische Diskurse und inszenierte Körperlichkeit.* Münster: Lit.

Mannheim, Karl, 1964. Das Problem der Generationen. In: Karl Mannheim (Hg.), *Wissenssoziologie.* Neuwiedl: Luchterhand, 509–565.

Martin, M. P., Van Nispen, C. und Sidarouss, F., 1994. Gegenwärtige Entwicklungen in der koptischen Kirche. In: Albert Gerhards und Heinzgerd Brakmann (Hg.), *Die koptische Kirche.* Stuttgart, Berlin, Köln: Kohlhammer, 105–118.

Matthes, Johannes, 1985. Karl Mannheims «Das Problem der Generationen» neu gelesen. Generationen-«Gruppen» oder «gesellschaftliche Regelung von Zeitlichkeit»? *Zeitschrift für Soziologie* 14(5): 363–372.

Mecheril, Paul, 2003a. *Prekäre Verhältnisse. Über natio-ethno-kulturelle (Mehrfach-)Zugehörigkeit.* Münster: Waxmann.

Mecheril, Paul, 2003b. *Politik der Unreinheit. Ein Essay über Hybridität.* Wien: Passagen Verlag.

Müller, Claus Peter, 2008. Die Kopten von Brenkhausen. *Frankfurter Allgemeine Zeitung* vom 11. August 2008.

Neue Züricher Zeitung, 2008. Mit Assiut soll es aufwärts gehen. Ehrgeizige Entwicklungspläne der Regierung – Abwanderung von Kopten. *Neue Zürcher Zeitung,* vom 31. Juli 2008: 7.

Nieswand, Boris, 2005. Die Stabilisierung transnationaler Felder. Grenzüberschreitende Beziehungen ghanaischer Migranten in Deutschland. *Nord-Süd aktuell,* 19(1): 45–56.

Peterson, S. S., 2006. Die Darstellung des Christentums in ägyptischen Schulbüchern: eine Replik aus ägyptischer Perspektive. In: Klaus Hock, Jochen Lähnemann und Wolfram Reiss (Hg.). *Schulbuchforschung im Dialog.* Frankfurt am Main: Lembeck, 33–41.

Pries, Ludger, 2008. *Die Transnationalisierung der sozialen Welt. Sozialräume jenseits der Nationalgesellschaften.* Frankfurt a.M.: Suhrkamp.

Reiss, Wolfram, 1994. «Die Erneuerung begann in der Sonntagsschule». Geschichte und Entwicklung der Sonntagsschulen in der koptischen orthodoxen Kirche. In: Albert Gerhards und Heinzgerd Brakmann (Hg.), *Die koptische Kirche.* Stuttgart, Berlin, Köln: Kohlhammer, 84–92.

Reiss, Wolfram, 1998. *Erneuerung in der koptisch-orthodoxen Kirche. Die Geschichte der koptisch-orthodoxen Sonntagsschulbewegung und die Aufnahme ihrer Reformbewegung in den Erneuerungsbewegungen der koptisch-orthodoxen Kirche der Gegenwart.* Hamburg, Münster: Lit.

Reiss, Wolfram 2006. Länderbericht Ägypten. In: Klaus Hock, Jochen Lähnemann und Wolfram Reiss (Hg.), *Schulbuchforschung im Dialog.* Frankfurt am Main: Lembeck, 29–32.

Riedl, Christoph 2009. *Ägyptische Wurzeln, im Westen daheim: Junge Kopten zu Gast in Österreich.*
Zugänglich auf: www.religion.orf.at/projekt03/tvradio/orientierung/or_090906_fr.htm. [Zugriff am 6. September 2009]

Schneider, Arndt, 2003. On «appropriation». A critical reappraisal of the concept and its application in global art practices. *Social Anthropology,* 11(2): 215–230.

Schwalgin, Susanne, 2004. *«Wir werden niemals vergessen!» Trauma, Erinnerung und Identität in der armenischen Diaspora Griechenlands.* Bielefeld: transcript-Verlag.

Spenlen, Jutta, 1994. Koptisch-orthodoxe Frauen im modernen Ägypten. In: Albert Gerhards und Heinzgerd Brakmann (Hg.), *Die koptische Kirche.* Stuttgart, Berlin, Köln: Kohlhammer, 119–131.

Svensson, Birgit, 2009. Das grosse Schweineschlachten. 250 000 Tiere in Ägypten sollen gekeult werden / UN-Weltgesundheitsorganisation nennt Aktion übertrieben. *Weser-Kurier* vom 8. Mai 2009: 6.

Thorne, Barrie, 1994. *Gender play: girls and boys in school.* New Brunswick: Ruttgers University Press.

Turner, Victor, 1967. *The forest of symbols: aspects of Ndembu ritual.* Ithaka, New York: Cornell University Press.

Verghese, Paul (Hg.), 1973. *Koptisches Christentum. Die orthodoxen Kirchen Ägyptens und Äthiopiens.* Stuttgart: Evangelisches Verlagswerk.

Vertovec, Steven, 2000. *The Hindu Diaspora. Comparative Patterns.* London, New York: Routledge.

Vertovec, Steven, 2009. *Transnationalism.* London, New York: Routledge.

Weissköppel, Cordula, 2000. Die lokale Konstruktion von Differenz im Konflikt um Sexualkunde. Eine schulethnographische Studie. In: Judith Schlehe (Hg.), *Zwischen den Kulturen – zwischen den Geschlechtern. Kulturkontakte und Genderkonstrukte.* Münster, New York, München: Waxmann, 165–185.

Weissköppel, Cordula, 2001. *Ausländer und Kartoffeldeutsche. Identitätsperformanz im Alltag einer ethnisch gemischten Realschulklasse.* Weinheim: Juventa.

Weissköppel, Cordula, 2004. Nationalstaatliche Integration und transnationale Beziehungspraxis. Aktuelle Tendenzen in der Migrationsforschung. In: Rolf Monheim (Hg.), *Transkontinentale Migration im Mittelmeerraum.* Bayreuth: Naturwissenschaftliche Gesellschaft Bayreuth e. V., 11–26.

Weissköppel, Cordula, 2005a. Kreuz und quer: zur Theorie und Praxis der multi-sited-ethnography. *Zeitschrift für Ethnologie,* 130(1), 45–68.

Weissköppel, Cordula, 2005b. «Hybridität» – die ethnografische Annäherung an ein theoretisches Konzept. In: Roman Loimeier, Dieter Neubert und Cordula Weissköppel (Hg.). *Globalisierung im lokalen Kontext. Perspektiven und Konzepte von Handeln in Afrika.* Münster, Hamburg: LIT Verlag, 311–347.

Weissköppel, Cordula, 2005c. Transnationale Qualitäten in Netzwerken von Sudanesen in Deutschland. *Nord-Süd-aktuell,* 19(1): 34–44.

Weissköppel, Cordula, 2005d. In and out: doing ethnographic research in a German Sudanese Sufi Brotherhood. In: Afe Adogame und Cordula Weissköppel (Hg.), *Religion in the Context of African Migration,* Vol. 75. Bayreuth: Breitinger, 113–132.

Weissköppel, Cordula, 2007. Die zweite Generation. Aufwachsen mit Alters- und Kultur-Differenzen im Einwanderungsland. *Zeitschrift für Ethnologie,* 132(2): 181–208.

Weissköppel, Cordula, 2008. «You don't get lost». Transnationales Handeln von Sudanesen in einer protestantischen Kirchengemeinde. In: Andrea Lauser und Cordula Weissköppel (Hg.), *Migration und religiöse Dynamik. Ethnologische Religionsforschung im transnationalen Kontext.* Bielefeld: transcript-Verlag, 75–103.

Weissköppel, Cordula, 2009. Traversing cultural sites: doing ethnography among Sudanese migrants in Germany. In: Mark-Anthony Falzon (Hg.), *Multi-sited ethnography.* Ashgate: Farnham, Burlington, 251–270.

Weissköppel, Cordula, 2010. *Transnationale Praxis im religiösen Kontext. Ethnografische Analysen unter Sudanesen in Deutschland.* Unveröffentlichtes Manuskript der Habilitationsschrift, eingereicht am FB9 der Universität Bremen, September 2010.

Wessendorf, Susanne, 2007a. Who do you hang out with? Peer group association and cultural assertion among second-generation Italians in Switzerland. In: Thomas Geisen und Christine Riegel (Hg.), *Jugend, Zugehörigkeit und Migration.* Wiesbaden: Verlag für Sozialwissenschaften, 111–127.

Wessendorf, Susanne, 2007b. «Roots migrants»: Transnationalism and «return» among second-generation Italians in Switzerland. *Journal of Ethnic and Migrations Studies,* 33(7): 1083–1102.

Willis, Paul, 1977. *Learning to labour.* Farnborough: Saxon House.

Wulf, Christoph und Zirfas, Jürgen, 2004. Performativität, Ritual und Gemeinschaft. Ein Beitrag aus erziehungswissenschaftlicher Sicht. In: Dietrich Harth und Gerrit Jasper Schenk (Hg.), *Ritualdynamik. Kulturübergreifende Studien zur Theorie und Geschichte rituellen Handelns.* Heidelberg: Synchron, 73–94.

Religion und die Konstruktion von Grenzen

Brigit Allenbach

Made in Switzerland

Erzählungen über Religion und Zugehörigkeit von Secondos/Secondas aus Südosteuropa

> Aber erstaunlich: Seit die SVP ihre Plakate schaltet, denke ich darüber nach, was schweizerisch an mir ist. Und was deutsch. Und was es bedeutet, ein deutscher Secondo zu sein (Seibt, 2010: 26).

> Das Phänomen der «zweiten Generation» hatte für ihn nie gezählt, das war nur ein Etikett für Narzissten und solche, die sich in der Opferrolle sonnten. Es gab nur die eine Generation seines Vaters, von einer «zweiten Generation» zu sprechen, war Geschichtsklitterung (de Winter, 2009: 166–167).

1. Einleitung

Laura, vierzehn Jahre alt und Tochter kosovo-albanischer Eltern, schilderte in einem Interview, wie sie Zuschreibungen in Form von ethnischen Grenzziehungen im Schweizer Schulalltag erlebt:

> Mega viele bezeichnen uns als Jugos. Das stört mich. Einerseits denke ich: «Na, toll! Wer ist damit gemeint? Jugoslawien gibt es doch gar nicht mehr.» Wenn ich dabei bin, wenn sie das sagen, entschuldigen sie sich nachher bei mir. Dann denke ich: «Eigentlich ist es mir egal, ich bin gar kein Jugo, ich bin Albanerin (shqiptare).» Andererseits: Wenn jemand etwas über Shqipis sagt (…), wenn sie über jemanden reden, der gar nicht Albanisch spricht, und ihm Shqipi sagen, dann denke ich einfach: «Na, ja, die haben keine Ahnung, was ein Shqipi ist (…).»[1]

Laura ist Doppelbürgerin und besitzt den Schweizer und den Kosovo Pass. Ihr Erfahrungsbericht wirft die Frage auf, was es heisst, Schweizerin *und* Albanerin zu sein. Die Frage stellt sich umso mehr, als es im Prinzip in der

1 Um die Anonymität der dargestellten Personen zu schützen wurden die Angaben teilweise leicht verändert und die Namen anonymisiert. Bei der Transkription der Interviews wurde aus dem Schweizerdeutschen möglichst wortgetreu ins Hochdeutsche übersetzt. Im vorliegenden Beitrag wurden die Zitate stilistisch so verändert, dass sie sprachlich korrekt und möglichst leserfreundlich sind.

Schweiz nur Bindestrichschweizer[2] gibt: Ich bin zum Beispiel Deutschschweizerin und nicht *suisse-romande, svizzera-italiana* oder *Svizra rumantscha.* Im Fall von italienisch-schweizerischen Doppelbürgern ist beispielsweise die Bezeichnung «Italo-Schweizer» geläufig.

Laura selbst versteht sich als Albanerin. Doch Laura ist eine Albanerin *made in Switzerland,* das heisst eine Seconda. Bei der Verwendung dieser schillernden Begriffe gehe ich von den folgenden Überlegungen aus: Alle Nationalstaaten unterscheiden in einer bestimmten Weise zwischen Zugewanderten, der zweiten Migrationsgeneration und länger niedergelassenen Staatsangehörigen (Alba, 2005). Die Bezeichnung «Secondos» dient wie alle verwandten Begriffe (z.B. «Diaspora», «transnational» oder auch einfach «Jugendliche mit Migrationshintergrund» vor allem der Markierung von Grenzen (vgl. Olwig, 2004: 69; Sökefeld, 2007). Die Wortschöpfung «Secondos», die im Kontext der italienischen Einwanderung in der Schweiz entstanden ist, verweist aber auch auf den Prozess der Aneignung und Umwertung von Ausschlusserfahrungen in der zweiten Generation und kann als Ausdruck der Kreativität und Selbstbehauptung von Jugendlichen verstanden werden. Unterdessen haben sich die Begriffe «Secondos» oder «Secondas» sowohl in der Schweizer Öffentlichkeit als auch in der wissenschaftlichen Literatur durchgesetzt (z.B. Bolzman, Fibbi und Vial, 2003a).[3] Die Formulierung *made in Switzerland* suggeriert, dass Secondos ein «Schweizer Produkt» sind und stellt damit klar, dass kulturelle Diversität als Folge von Einwanderung auch vom «Inkorporationsregime» (Soysal, 1994) der jeweiligen Aufnahmegesellschaft abhängig ist und in einem dialektischen Prozess von Zugewanderten und Politik des Aufnahmestaates erzeugt wird (siehe auch Portes, 1999a; Bolzman, Fibbi und Vial, 2003b; Wicker, 2003; Crul und Vermeulen, 2003; Sökefeld, 2004).

Das Zitat von Laura macht noch einen weiteren Aspekt deutlich: Religionszugehörigkeit ist für Grenzziehungsprozesse im Schulalltag weniger wich-

2 Da die Zeit des grossen «I» ihrem Ende entgegen geht, wird im vorliegenden Text formal auf eine geschlechtergerechte Schreibweise verzichtet. Wenn es in einer behandelten Frage wichtige geschlechtsspezifische Unterschiede gibt, wird das wenn möglich inhaltlich ausgeführt.

3 Als Tendenz lässt sich beobachten, dass der Begriff «Secondos» in der Öffentlichkeit als Bezeichnung für Kinder von Migranten verwendet wird, die sich erfolgreich positionieren und die ihren Migrationshintergrund als Ressource einsetzen können. Die Formulierung «Jugendliche mit Migrationshintergrund» weist hingegen eher auf problematische Konstellationen hin und wird mit Jugendlichen assoziiert, die von Ausschluss und Marginalisierung betroffen sind.

tig. Das «Feindbild Jugo»[4] wird den Jugendlichen unabhängig von ihrer Religionszugehörigkeit übergestülpt. Die Wortschöpfung «Shqipi»[5] markiert zwar eine neue Grenzziehung innerhalb der Gruppe der Secondos aus Südosteuropa, doch beschreibt Laura, wie wenig die Gleichaltrigen in der Schule mit der Komplexität der soziopolitischen Verhältnisse in Südosteuropa vertraut sind.

Ausgehend von meiner eigenen Forschung zur Bedeutung des Religionspluralismus aus der Perspektive von Kindern und Jugendlichen in der Schweiz im Rahmen des Nationalen Forschungsprogrammes NFP 58 zu «Religionsgemeinschaften, Staat und Gesellschaft»[6] lässt sich sagen, dass durchschnittliche Jugendliche unabhängig von der Religionszugehörigkeit Religion als eine Privatangelegenheit betrachten. Dazu im Gegensatz lässt sich etwa zeitgleich mit dem Ende des Kalten Kriegs eine zunehmende öffentliche Problematisierung von Religion in den europäischen Einwanderungsländern beobachten, die sich in erster Linie gegen den Islam richtet. Die Inszenierung eines Gegensatzes zwischen der Schweiz und dem Islam erreichte ihren bisherigen Höhepunkt im Zusammenhang mit dem via Volksabstimmung eingeführten Minarettverbot Ende November 2009. Die Debatte ist gekennzeichnet von der Konstruktion des Islam als einem einheitlichen Block (Essentialisierung). Das heute so verbreitete Denken in Kategorien des «Wir-und-die-anderen» ist fragwürdig, denn «ethnic relations and boundary constructions in most plural societies are not about strangers, but about adjacent and familiar ‹others›» (Barth, 1994: 13). Die grosse Mehrheit der albanischen oder bosnischen Secondos, die in der Schweiz aufwachsen, sind nicht «fremd», sondern «cool», das heisst: Mainstream-Jugendliche *par excellence*.[7]

Die zweite Generation muss sich dort zurechtfinden, wo sie lebt und arbeitet. Diese Aufgabe ist heute für muslimische Jugendliche in den europäischen Einwanderungsländern besonders kompliziert (Schiffauer, 2004: 354).

4 Diese Formulierung wurde inspiriert durch den Titel der Ausgabe 19/1999 von *Das Magazin:* «Die ‹Jugos›. Geschichte eines Feindbilds» (siehe auch den Beitrag von Boskovska, 1999).

5 Auf Deutsch ausgesprochen wie «Schippi»; um die Herkunft des Wortes nicht zu verschleiern, übernehme ich die albanische Orthographie, die sich von der Bezeichnung für Albanien (Shqipëria) herleitet. Der Begriff wird auch von albanischen Jugendlichen selber verwendet.

6 Das Projekt «Migration und Religion: Perspektiven von Kindern und Jugendlichen in der Schweiz» wurde vom Schweizerischen Nationalfonds (SNF) finanziert. Projektleitung: Christian Giordano, Universität Freiburg/CH; Projektdauer: 01.09.2007–30.06.2010 (siehe auch Allenbach, Herzig und Müller, 2010).

7 Für diese Einschätzung stütze ich mich auch auf einen aktuellen Beitrag von Matthias Daum (2010a) in der *Zeit*.

Dabei spielen zwei Faktoren eine wichtige Rolle: Erstens wird die Entgegensetzung von Islam und Europa nicht nur von der Einwanderungsgesellschaft sondern auch von der ersten Generation selbst als Verhältnis von Eigenem und Fremden konstruiert und zweitens handelt es sich um ein Machtverhältnis. Es handelt sich nicht um ein Verhältnis unter Gleichen, sondern die europäische Seite ist ungleich mächtiger. Neuankömmlinge, die einen Platz für ihre Religion erkämpfen wollen, sind immer in einer strukturell benachteiligten Situation gegenüber den Platzinhabern, die die Bedingungen für die Zulassung definieren (ebd.).

Fokus meines Beitrags ist die Frage, was die Grenzziehungen zwischen der Schweiz und dem Islam oder dem Balkan für Secondos aus Südosteuropa bedeuten. Ziel des Artikels ist zu zeigen, wie die Jugendlichen vorgehen, um diese Grenzziehungen zwischen «uns» und «ihnen» auf ihre eigene Weise auszugestalten, etwa indem sie sich diese aneignen, um sie zu ihren Gunsten einzusetzen oder indem sie diese zu durchbrechen versuchen. Die Strategien der Jugendlichen sind in bestimmten Situationen auch geschlechtsspezifisch (siehe auch Allenbach, Herzig und Müller, 2010).

Die Kontakte zu verschiedenen religiösen Gemeinschaften von Migranten aus Südosteuropa im Rahmen des NFP 58-Projekts (siehe Anmerkung 6) bildeten den Ausgangspunkt für mein Forschungsprojekt bei der *Jacobs Summer Research Group* (JSRG) mit dem Titel: «Migration, Religionsgemeinschaften und die zweite Generation in der Schweiz. Perspektiven von Jugendlichen aus Südosteuropa». Es wurden insgesamt fünf religiöse Gemeinschaften in diese Untersuchung einbezogen. Im vorliegenden Beitrag werden Jugendliche porträtiert, die mit drei dieser Gemeinschaften verbunden sind. Es handelt sich um einen bosnischen und einen albanischen Moscheeverein sowie um ein Zentrum der katholischen Albanermission in der Deutschschweiz. Die Forschungsaktivitäten wurden im Zeitraum zwischen Juni 2008 und Oktober 2009 durchgeführt. In einem ersten Schritt organisierte ich in Zusammenarbeit mit den drei erwähnten Gemeinschaften Gruppendiskussionen mit Jugendlichen. Um zu einzelnen Themen noch genauere Informationen zu erhalten, führte ich in einem zweiten Schritt Leitfadeninterviews mit ausgewählten Jugendlichen sowie mit erwachsenen Personen durch (Eltern von Jugendlichen, Priester und Ordensschwestern, Imame und deren Ehefrauen).[8] Soweit möglich wurden zusätzlich auch informelle Gespräche sowie teilnehmende Beobachtung zur Datenerhebung eingesetzt.

8 Monika Müller, Doktorandin im NFP 58, moderierte und transkribierte einen Teil der hier dargestellten Fokusgruppen und Interviews. Barbara Bitzi hat im Rahmen ihrer Anstellung als Hilfskraft der JSRG beim Projekt mitgearbeitet.

Theoretisch orientiert sich der vorliegende Beitrag in erster Linie an der *boundary theory* von Barth (1969) und deren Weiterentwicklung in der Migrationsforschung. Der theoretische Rahmen wird im zweiten Abschnitt dargestellt (2). Anschliessend folgen allgemeine Informationen zu den verschiedenen Migrationsgruppen aus Südosteuropa in der Schweiz (3). Anhand von drei Fallbeispielen werden die Erzählungen über Zugehörigkeit von Secondas aus Bosnien Herzegowina (6) sowie von Secondos aus Kosovo (4) und Mazedonien (7) dargestellt. Abschliessend werde ich die Fallbeispiele aus einer vergleichenden Perspektive untersuchen (8).

2. Religion, Politik der Zugehörigkeit und soziale Grenzziehungen

Die Vorstellung von homogenen Kulturen oder Gesellschaften ist eng mit dem Nationalismus des 19. Jahrhunderts verbunden und wird heute als «methodologischer Nationalismus» bezeichnet. Die unaufhörliche Beschwörung von Integration und Assimilation in den westlichen Einwanderungsländern kann als Auswirkung dieses methodologischen Nationalismus betrachtet werden (Glick Schiller, Caglar und Guldbrandsen, 2006: 613). Da Nationalstaaten als homogene Gesellschaften mit einer gemeinsamen Geschichte, gemeinsamen Werten und Normen, sozialen Verhaltensweisen und Institutionen konstruiert werden, haben Migranten *per definitionem* eine andere «Kultur» (ebd.). Fredrik Barth hat als einer der ersten Anthropologen den klassischen anthropologischen Kulturbegriff als unbrauchbar für die Analyse der kulturellen Produktion von Identität deklariert (Barth, 1969). Barth zeigte, dass sich ethnische Gruppen nicht allein auf der Basis kultureller Gemeinsamkeiten formen, sondern Gruppenbildung als das Resultat von Grenzziehungsprozessen verstanden werden muss. Analog dazu ist Gesellschaft nicht als vorgegebene Struktur, sondern als das Resultat einer Vielzahl komplexer Interaktionen zu betrachten (Barth, 1992; 1994). Barths (1969: 9–10) grundlegende Einsicht lautet: Soziale Grenzen bestehen unabhängig davon, ob sie von einzelnen Individuen überschritten werden und bewirken Prozesse der sozialen Aus- und Einschliessung, wodurch ethnische Differenzkategorien aufrechterhalten werden, obwohl Individuen im Laufe ihres Lebens ihre Zugehörigkeit ändern können. Sozialer Austausch ist dabei eine wichtige Voraussetzung für die polarisierenden ethnischen Zuschreibungen (ebd.). Barth übernimmt die grundlegende Einsicht des symbolischen Interaktionismus von Mead (1934): Wesentliches Merkmal von Interaktionen ist die Übernahme der jeweiligen Perspektiven der Interaktionspartner durch die Beteiligten (Boehm, 1994). Ethnizität ist also immer ein interaktiver Prozess: «Ethnicity is always a two-way street, involving ‹them› as well as ‹us›» (Jenkins, 2008: 123).

Aufbauend auf Barth sowie aktuellen Modellen der Migrationsforschung (Portes und Zhou 1993; Zolberg und Woon, 1999) hat Alba (2005) vorgeschlagen, Prozesse der Inkorporation von verschiedenen Einwanderungsgruppen mit Hilfe der idealtypischen Unterscheidung von «bright vs. blurred boundaries» zu untersuchen. Je nachdem wie die Grenzen in verschiedenen gesellschaftlichen Bereichen wirksam werden (z.B. Einwanderungsgesetze und Staatsbürgerschaft, Religion, Sprachkenntnisse usw.) ergeben sich klare, eindeutige oder aber unscharfe, durchlässige ethnische Zuordnungen und Zugehörigkeiten. Gestützt auf Lamont und Molnár (2002) definiert Alba (2005: 22) Ethnizität als die sozialen und symbolischen Grenzziehungen, die von Individuen im Alltagsleben getroffen werden und deren Handlungen und Haltungen gegenüber anderen festlegen. Ethnische Grenzen beinhalten in der Regel eine ganze Bandbreite von gegenseitigen Zuschreibungen, die den Betroffenen sinnvoll und selbstverständlich erscheinen, so dass die Mitglieder der einen Gruppe denken: «Sie sind nicht so wie wir, weil …» (ebd.). Die abnehmende Bedeutung von Ethnizität und den damit verbundenen kulturellen und sozialen Grenzen ist in Albas Modell gleichbedeutend mit Assimilation (ebd.).

Wichtig ist hier anzumerken, dass das Konzept der «Assimilation» in der US-amerikanischen Migrationsforschung ohne Anführungsstrichte verwendet wird, weil mit diesem Begriff keine negativen Assoziationen verknüpft sind. Hingegen ist «Anpassung» im Sinne von Assimilation in den europäischen Einwanderungsländern gleichbedeutend mit dem totalen Verlust der kulturellen Identität, die (irrtümlicherweise) als ein «Ding» betrachtet wird, das entweder aus dem Herkunftsland in die Einwanderungsgesellschaft importiert wird oder im Falle der zweiten Generation von der Familie weitervererbt wird (siehe dazu Baumann, 1999). Um dieser problematischen Terminologie zu entkommen, stütze ich mich auf das Konzept der «Inkorporation» von Soysal (1994). Im Gegensatz zum stark normativ geprägten Begriff der «Integration», der Migranten pauschal als Problemgruppe markiert, bezeichnet «Inkorporation» einen interaktiven Prozess, wobei der Fokus auf die institutionelle Ausstattung der Aufnahmegesellschaft (Inkorporationsbedingungen) gerichtet ist (Allenbach und Sökefeld, 2010).

Zolberg und Woon (1999: 8–9) unterscheiden drei verschiedene Typen der Aushandlung von Grenzen im Zusammenhang mit der Inkorporation von verschiedenen Migrationsgruppen:

- Die Überwindung von Grenzen (*boundary crossing*): erfolgreiche Assimilation auf der individuellen Ebene, aber dieser «Milieuwechsel» hat keine Auswirkungen auf die Grenze selbst
- Die zunehmende Durchlässigkeit von Grenzen (*boundary blurring*)
- Die Verlagerung von Grenzen (*boundary shifting*)[9]

Die vergleichende Untersuchung der Situation der zweiten und dritten Migrationsgeneration in verschiedenen Einwanderungsländern zeigt, dass der Milieuwechsel (*boundary crossing*) im Falle von «klaren Grenzen» mit einem Loyalitätskonflikt verbunden sein kann. In diesem Fall ist Assimilation mit dem Risiko des Ausschlusses aus der ethnischen Minderheit verbunden, wobei gleichzeitig unsicher ist, ob die Angleichung erfolgreich verlaufen wird. Dies erklärt die gegenteilige Strategie der verstärkten Hinwendung zu ethnischen oder religiösen Minderheiten im Sinne der reaktiven Ethnizität (Alba, 2005: 24–25; siehe auch Schiffauer, 1988; Portes, 1999b; Rumbaut, 2005).

Inhalte und Bedeutung von Religion sind sehr vielschichtig. Gelebte Religion (McGuire, 2008) wird nicht in erster Linie von der Religionszugehörigkeit und religiösen Institutionen bestimmt, sondern bezieht sich auf religiöse Vorstellungen und Praktiken auf der individuellen Ebene, die sich ständig ändern, widersprüchlich und komplex sind (McGuire, 2008: 4). Religion und Religiosität eignen sich auch besonders als Distinktionsmerkmal, als Ressource bei der Konstruktion von Zugehörigkeit (McGuire, 2008: 6; Baumann, 1999). Die Aushandlung von Zugehörigkeit (*belonging*) ist das provisorische Endergebnis von komplexen sozialen Prozessen, die in Machtverhältnisse eingebettet sind (Anthias, 2003; 2006; 2009; Yuval-Davis, Kannabiran und Vieten, 2006). Der Ansatz der Intersektionalität[10] macht aufmerksam auf Strukturen, welche den Spielraum von Einzelnen bei der Aushandlung von Zugehörigkeit beschränken. Pfaff-Czarnecka (2009a) hat den Modus der Integration religiöser Minderheiten in der Schweiz mit *multiple belonging* umschrieben. Gemeint ist, dass die Migrationspolitik der Schweiz sich am Individuum orientiert (siehe auch Soysal, 1994). Die gesellschaftliche Integration leitet sich von den individuellen Leistungen der Zugewanderten ab und ist unabhängig von ihren Gruppenzugehörigkeiten. Anders gesagt: Religion und

9 Beispiele sind etwa die Normalisierung von gemischten Ehen zwischen Katholiken und Protestanten ab den 60er Jahren in der Schweiz oder die Beobachtung, dass heute ein italienischer Schwiegersohn in der Schweiz auf breite Zustimmung stösst. 1995 wäre es für 92% der Schweizer und Schweizerinnen kein Problem gewesen, einen Italiener als Schwiegersohn zu haben im Vergleich zu nur 44% im Jahr 1969 (Stolz, 2001: 51).

10 Siehe zum Konzept der Intersektionalität z.B. Knapp (2005) und Anthias (2006).

Kultur von «verdienstvollen Migranten» bleiben in der Schweiz idealerweise unsichtbar (Pfaff-Czarnecka, 2009a).

Yuval-Davis, Kannabiran und Vieten (2006) unterscheiden verschiedene Komponenten von Zugehörigkeit: Sie definieren *citizenship* (Thomas H. Marshall) als «full membership in a community with all its rights and obligations» (ebd.: 2). Bürgerschaft beschränkt sich also nicht auf die Staatsangehörigkeit und das Recht auf Einbürgerung, sondern meint allgemein die Möglichkeiten der Partizipation in einem Gemeinwesen. Davon muss die emotionale Komponente von Zugehörigkeit (soziale Identität) unterschieden werden, die am besten am Beispiel von Erzählungen von Personen darüber, wer sie sind, untersucht werden kann:

> These narratives are contested, fluid and constantly changing but are clustered around some hegemonic constructions of boundaries between «self» and «other» and between «us» and «them» and are closely related to political processes. (...) Belonging is about emotional attachment, about feeling «at home» and (...) about feeling «safe» (ebd.).

Zugehörigkeit wird erst artikuliert und politisiert, wenn sie auf irgendeine Weise in Frage gestellt wird. Politik der Zugehörigkeit (*politics of belonging*) umfasst politische Projekte oder Prozesse mit dem Ziel, Zugehörigkeit zu bestimmten Kollektiven zu schaffen. Diese Kollektive sind dabei selbst wiederum als Resultat von solchen gesellschaftlichen Prozessen aufzufassen (ebd.: 3). Pfaff-Czarnecka (2009b) merkt an, dass es auch möglich ist, sich zu Hause zu fühlen, wenn man Gruppen zugehört, die in einem bestimmten Kontext das «Fremde» symbolisieren. Dies gilt ganz besonders für Kinder (und alle nachfolgenden Generationen) von Migranten.

3. Secondos/Secondas aus Südosteuropa in der Schweiz

Laut Volkszählung lebten 1970 in der Schweiz 25 000 Jugoslawen. Dabei handelte es sich vor allem um alleinstehende Männer, die hier arbeiteten. Infolge der Jugoslawienkriege in den 1990er Jahren flüchteten viele Familien in die Schweiz oder nutzten das Recht auf Familiennachzug und holten ihre Ehefrauen und minderjährigen Kinder in die Schweiz (siehe dazu auch Allenbach 2008). 2006 lebten bereits 333 000 Personen[11] aus Staaten des ehemaligen Jugoslawien in der Schweiz (Kämpf, 2008: 96). Wenn die Eingebürgerten sowie die Flüchtlinge dazugerechnet werden, ergibt sich die geschätzte

11 Davon 191 000 Personen aus Serbien, Montenegro und Kosovo, 60 000 aus Mazedonien, 41 000 aus Bosnien, 39 000 aus Kroatien und 2000 aus Slowenien (Kämpf, 2008: 95–96).

Zahl von etwa einer halben Million Migranten aus Staaten des ehemaligen Jugoslawien, was rund 7% der Wohnbevölkerung in der Schweiz entspricht. Der Anteil der Kinder und Jugendlichen ist in dieser Bevölkerungsgruppe besonders hoch. Da der Begriff «zweite Generation» nicht einheitlich verwendet wird, sind Zahlen nur beschränkt aussagekräftig. Während das Bundesamt für Statistik als zweite Generation nur jene Kinder von Ausländern bezeichnet, die in der Schweiz geboren sind, werden in qualitativen Forschungsdesigns auch Kinder, die in der Schweiz aufgewachsen sind und hier den grössten Teil ihrer Schulzeit verbracht haben, dazu gerechnet (Haug, Heiniger und Rochat, 2007). Die erste Migrationsgeneration umfasst mehrheitlich eine Bevölkerungsgruppe mit wenig Schulbildung, die in unqualifizierten Berufen beschäftigt oder heute bereits pensioniert ist.[12] Der Wunsch, dass es den Kindern eines Tages besser ergehen solle, war für viele Zugewanderte aus Südosteuropa ein wichtiges Motiv für die Auswanderung.

Familien, die aus Südosteuropa in die Schweiz eingewandert sind, bilden im Hinblick auf die Religionszugehörigkeit eine sehr heterogene Gruppe. Die zahlenmässig grössten Gruppen bilden die Muslime, vorwiegend Albaner aus Kosovo und Mazedonien sowie Muslime aus Bosnien und Herzegowina. Gemäss Volkszählung lebten im Jahr 2000 176 000 Muslime aus den Nachfolgestaaten Jugoslawiens in der Schweiz und bildeten damit gut die Hälfte der rund 300 000 Muslime in der Schweiz, wobei dieser Anteil in der Deutschschweiz höher ist (EKR, 2006: 7–8).

Schätzungsweise 10% der rund 200 000 Personen zählenden albanischen Diaspora in der Schweiz sind römisch-katholisch.[13] Jugendliche, deren Eltern aus Serbien in die Schweiz eingewandert sind, sind in der Regel serbisch-orthodoxe Christen. Bosnische und albanische Muslime sprechen verschiedene Sprachen und sind untereinander kaum vernetzt. Es gibt 13 bosnische Moscheevereine[14] und über 50 albanisch-islamische Gemeinschaften (Iseni, 2009: 47). Laut EKA (2005: 10) praktizieren 10 bis 15 Prozent der muslimischen Bevölkerung in der Schweiz ihre Religion. Dümmler und Moret (2009) widerlegen in einer quantitativen Studie die verbreitete Vorstellung, dass

12 Vor allem in den 1960er und 1970er Jahren wurden auch Fachkräfte aus dem sozialistischen Jugoslawien rekrutiert. Zahlreiche Migranten aus den Nachfolgestaaten Jugoslawiens verfügen über tertiäre Bildungsabschlüsse, die aber in der Schweiz im Allgemeinen nicht anerkannt werden (siehe auch Daum 2010b).

13 Ich stütze mich hier auf die Angaben der katholischen Albanermission. Weil diese Zahlen auch die eingebürgerten Familien umfassen, sind sie etwas höher als die Angaben bei Schader (2006).

14 Mündliche Auskunft von Sakib Halilovic, Imam der bosnischen Gemeinschaft in Zürich, im Oktober 2008.

muslimische Jugendliche grundsätzlich «religiöser» seien als Jugendliche der Schweizer Mehrheitsbevölkerung. Gemäss Volkszählung 2000 haben zudem vergleichsweise viele Personen aus einem südosteuropäischen Land keine Religionszugehörigkeit oder machen dazu keine Angaben.[15]

Religion spielt eine zentrale Rolle für die Identitätspolitik in Südosteuropa als Grenzgebiet zwischen Okzident und Orient (Clayer, 2003; Duijzings, 2000). Die Rolle des Balkans als Grenzregion zwischen Islam und Christentum ist wichtig sowohl für die nationalen Konstruktionen des Balkans als auch für die vielfältigen und widersprüchlichen Grenzziehungen zwischen West- und Osteuropa. Es ist klar, dass diese historischen Prozesse auch für die Diaspora in der Schweiz bedeutungsvoll sind. Im vorliegenden Beitrag können solche Zusammenhänge aus Platzgründen nur angedeutet werden.

4. «Wir sind einfach Albaner, egal, was wir glauben …»

Im Zusammenhang mit der Frage nach der Konstruktion von Zugehörigkeit ist das Beispiel der albanischen Secondos aus katholischen Familien besonders interessant, weil diese Gruppe einerseits eine Minderheit in der albanischen Diaspora bildet und andererseits einer der beiden grossen Religionsgemeinschaften in der Schweiz angehört. Die folgenden Ausschnitte aus einer Gruppendiskussion im Rahmen des Religionsunterrichts in einem Zentrum der katholischen Albanermission[16] mit 12 Jugendlichen im Alter von 13 bis 14 Jahren (sieben Jungen und fünf Mädchen) illustrieren die Rolle der Religion für die Konstruktion von Grenzen.

> *Moderatorin:* Welche Erfahrungen habt ihr als Kinder von Albanern in der Schweiz gemacht?
> Blerim: Geil (die Jugendlichen lachen leise vor sich hin) – okay, die meisten sind schlecht gewesen.
> *Mimoza:* Ich finde, dass man zwischen Katholiken und Muslimen unterscheiden muss.
> Blerim: Ja, wir werden eher wie Schweizer oder wie Deutsche behandelt.

Bezogen auf die Religionszugehörigkeit sind die Grenzen zwischen katholischen Albanern und Schweizern durchlässig, als Albaner gehören sie aber zur Kategorie der «Ausländer».

15 40% der Personen aus Albanien; 13.5% aus Serbien inkl. Kosovo und Montenegro; 13% aus Bosnien und Herzegowina; je 9% aus Kroatien und Mazedonien.

16 Es gibt heute drei Zentren der katholischen Albanermission in der Deutschschweiz.

Valmir: Manche Schweizer sind gegen uns, zum Beispiel Lehrer … (…) Ich bin als Ausländer behandelt worden, anders als Schweizer …
Blerim: Der Schweizer ist immer heilig!
Valmir: Ausländer nicht!

Valmir erklärte, dass der Lehrer vor allem die albanischen Jungs vor die Türe stelle. Blerim kommentierte dies mit einem Anflug von Sarkasmus:

Blerim: Hast du schon einmal einen Schweizer draussen gesehen? (die Jugendlichen lachen)
Mimoza: Und wenn ich mich auf eine Lehrstelle bewerbe (…), ich bin zwar Albanerin, aber in meinem Nachnamen habe ich «-ic», in diesem Fall schauen sie die Bewerbung gar nicht an. (…)
Moderatorin: Früher war ja «Jugo» das Schimpfwort. Wie ist das heute?
Blerim: Das ist immer noch so!
Arben: Nein. Sie nennen uns «Ex-Jugo».

Mimoza stellt dar, dass bei einer Bewerbung nicht die Religionszugehörigkeit zählt, sondern vielmehr der Name, der sich, wenn er die Herkunft aus Ex-Jugoslawien nahelegt, für die Bewerberin nachteilig auswirkt. Auch wenn viele Jugendliche aus Südosteuropa eingebürgert sind, verweist ihr Name auf die Herkunft ihrer Familie. Mimozas Versuch zu Beginn der Diskussion, sich mit der katholischen Religion von der Zugehörigkeit zum Balkan abzugrenzen, wird deshalb nachvollziehbar. Es ist unterdessen auch empirisch belegt, dass Bewerbungen mit Namen, die eine südosteuropäische Herkunft nahe legen, bei gleicher Qualifikation geringere Chancen auf Erfolg haben (Imdorf, 2010). Die symbolischen Grenzen zwischen den «Jugos» und den Schweizern manifestieren sich in diesem Fall auch als relativ undurchlässige soziale Grenzen (Lamont und Molnár, 2002).

Der weitere Verlauf der Diskussion zeigt, dass weibliche und männliche Jugendliche ihre Zugehörigkeit im Hinblick auf die Gruppensolidarität anders konstruieren:

Perparim: Also es sind Kollegen, es sind Ausländer und ich habe es recht gut mit denen. Ich bin nicht einverstanden [mit dem], was [Mimoza] vorhin gesagt hat ...
Valmir: Wir sind einfach Albaner, egal, was wir glauben ...[17] Die Schweizer sind ja auch katholisch, reformiert und (…) jüdisch (…).
Blerim: Ja. Wir halten zusammen (hält die Fäuste in die Höhe)! (...). Man merkt [die Unterschiede zwischen katholischen und muslimischen Albanern] gar nicht. Bei uns in der Schule sind alle zusammen, alle Ausländer (…). Zum Beispiel bei mir hat es

17 Die Geringschätzung der Religion als Unterscheidungsmerkmal zwischen Albanern lässt sich auch historisch erklären: «Die Religion der Albaner ist das Albanertum», so lautete schon der Slogan der albanischen Nationalbewegung im 19. Jhd. («Feja e shqiptarit është shqiptaria», siehe z.B. Misha 2006).

> etwa so zehn, zwanzig Albaner, die zusammen bleiben und nur ein paar Schweizer, vielleicht einer oder zwei kommen schnell [dazu], einfach zum Reden und dann gehen sie wieder.

Die Gruppenbildung kann auch als Reaktion auf das schlechte Image der Albaner in der Schweiz betrachtet werden. Die Aneignung und Umwertung von Ausschlusserfahrungen kommt – möglicherweise mit einem ironischen Unterton – zum Ausdruck, wenn Blerim die Erfahrungen als Albaner in der Schweiz «geil» nennt und die Solidarität der albanischen mit den ausländischen Jugendlichen generell hervorhebt.[18] Die Grenzziehungen zwischen Schweizern und Ausländern sind in den 1990er Jahren gewissermassen neu erfunden worden: Migranten und ihre Nachkommen aus dem Schengenraum gelten heute als willkommene Mitbürger im Gegensatz etwa zu jenen aus den Nachfolgestaaten Jugoslawiens, die zu den «echten» Ausländern gehören, und zwar unabhängig davon, ob sie die Schweizer Staatsbürgerschaft besitzen oder nicht (Stolz, 2001; Wicker, 2003; Allenbach und Herzig, 2010).

Die Jugendlichen betrachten Religion als Privatsache. Doch was haben sie eigentlich für eine Beziehung zur Religion?

> *Perparim:* Bei mir spielt Religion im Alltag eigentlich keine grosse Rolle: Ich habe viele Kollegen, die muslimisch sind, Reformierte, Katholiken, es kommt wirklich nicht so drauf an …
> *Valmir:* Das ist einfach!
> *Blerim:* Im Alltag spielt Religion bei mir auch keine grosse Rolle. Ich gehe ja nicht in die Schule [mit verstellter Stimme]: «Boaah, ich bin Katholik, schaut alle!» – Nein! Im Alltag ist es anders (…), da stelle ich mich um, ganz normal.
> *Mimoza:* Ich denke, dass der grösste Teil von uns nicht mit der Religion blufft. Es gibt aber schon solche, die das tun: «Ich bin ein Muslim!» – oder sonst etwas …
> *Moderatorin:* Und sonst, zum Beispiel im Alltag oder für euer Verhalten, spielt Religion irgendeine Rolle?
> *Sofia:* Es gibt Eltern, die sehr religiös sind, die halt immer beten wollen (...)
> *Susana:* In der Schule spielt Religion keine Rolle. Nur am Sonntag. Jeder geht in seine Richtung. Katholiken gehen in die Kirche, andere gehen vielleicht in die Moschee (…)

Dieser Ausschnitt aus der Gruppendiskussion mit den Jugendlichen illustriert, dass man in der Schweiz, ähnlich wie in anderen europäischen Ländern, im Alltag Religion eher nicht an die grosse Glocke hängt. Dies im Gegensatz zu den Verhältnissen in den USA, wo Religiosität als Zeichen für persönliche Integrität angesehen wird (Foner und Alba, 2008). Interessant ist, dass die

18 Das deckt sich mit dem Forschungsstand in Deutschland: Nicht nur Gleichaltrige mit gleichem ethnischen Hintergrund, sondern jugendliche Ausländer solidarisieren sich generell als Gruppe. Sie verstehen sich trotz «ethnischer» Unterschiede (siehe z.B. Bozkurt, 2009: 164).

albanischen Jugendlichen betonen, dass sie anders als etwa die gleichaltrigen Schweizer freiwillig und regelmässig in die Kirche gehen. Für sie schliessen sich Coolness und Religion nicht aus oder wie Mimoza es ausdrückt: «Wir schämen uns nicht für unseren Glauben!» Sofia, die sonntags sowohl im albanischen als auch im deutschsprachigen Gottesdienst ministriert, gab die folgende Erklärung für ihr Engagement in der katholischen Kirche: «Ich finde, wir sollten unsere Religion unterstützen, weil wir alle eine andere Religion haben.» Sie macht damit deutlich, dass die aktive Ausübung der Religion die Basis für die ethnische Gruppenbildung der katholischen Albaner in der Schweiz bildet. Die religiöse Praxis reproduziert aber nicht nur die katholische albanische Minderheit, sondern ermöglicht auch einen Anschluss an die Römisch-Katholische Kirche als eine der beiden grossen Religionsgruppen in der Schweiz.

In der Selbstdarstellung gegenüber der Forscherin sind Konflikte mit den Eltern im Zusammenhang mit religiösen Fragen kein Thema. Es mag dabei eine Rolle spielen, dass bei der Gruppendiskussion auch eine Ordensschwester anwesend war, die das Gespräch interessiert verfolgte, obwohl sie nur wenig Deutsch versteht. Aus den Ausführungen der Jugendlichen wird aber nicht richtig klar, was Religion eigentlich für sie persönlich bedeutet. Sofia weist darauf hin, dass eher die Eltern religiös sind als die Jugendlichen selber. Dies macht deutlich, dass die aktive Beteiligung der Jugendlichen an den Aktivitäten der katholischen Albanermission keine Rückschlüsse auf ihre persönliche Beziehung zur Religion erlaubt.

Im dörflichen Leben Kosovos waren Religion und Kultur eng verwoben und vor allem die Frauen gingen regelmässig in die Kirche, während die Männer infolge von Arbeitsmigration häufig abwesend waren. Für Frauen und Männer der ersten Generation der albanischen Katholiken, die erst als Erwachsene in die Schweiz eingewandert sind, hat Religion deshalb eine völlig andere Bedeutung als für ihre Kinder, die in der Schweiz aufwachsen (siehe auch Allenbach und Müller, 2010). Angelo (22) beispielsweise geht nur selten in die Kirche und erzählte, dass die Versuche seiner Mutter, ihn zur Teilnahme am Gottesdienst zu zwingen, kontraproduktiv gewesen seien. Er sei nicht so religiös, wie seine Mutter das gerne hätte. Jedoch nimmt er öfter an festlichen Anlässen der katholischen Albanermission teil. Religion ist im Hinblick auf die Partnerwahl für die katholischen albanischen Jugendlichen ein sehr wichtiges Thema. Obwohl Angelo nicht religiös ist, käme für ihn eine Ehe mit einer muslimischen Albanerin nicht in Frage. Angelo trägt eine Kette mit einem gut sichtbaren Kreuz um den Hals. Auf die Frage der Interviewerin, ob die Partnersuche auch ein Grund dafür sei, dass die Jugendlichen an den albanischen Gottesdiensten teilnehmen, antwortete Angelo:

> Ja, das ist ein Grund. Wir Katholiken haben ja unzählige Feste. Da gibt es verschiedene Organisationen, die immer wieder Feste organisieren. Es ist kein Problem, Gleichgesinnte zu finden. (...) Wir veranstalten etwa fünf Mal pro Jahr auch grössere Feste, mit rund 1000 TeilnehmerInnen. An einem normalen Sonntag gehen etwa 500 Personen in die Kirche. Wer unbedingt einen Albaner/eine Albanerin und die gleiche Religion will, nutzt eine Internetplattform oder den Ausgang ...

Das Beispiel zeigt sehr schön, dass Religion nur ein Aspekt von Zugehörigkeit bildet, der nicht in allen Lebenswelten der Jugendlichen gleichermassen wichtig ist. Religion verbindet die Familien der albanisch-katholischen Diaspora untereinander und die Teilnahme an religiösen Aktivitäten ermöglicht den Aufbau eines exklusiven Freundeskreises, der für die meisten Jugendlichen zusätzlich zu anderen Freundschaften besteht. Diese wichtige Bedeutung der Religionsgemeinschaft für das Zusammensein mit gleichgesinnten Gleichaltrigen zeigt auch das folgende Porträt.

5. Zaïda Jahic: «Religion ist einfach etwas, mit dem ich mich wohlfühle ...»

Das folgende Porträt basiert hauptsächlich auf einem Leitfadeninterview mit Zaïda und ihrer Freundin Zlata, das wir im Frühjahr 2009 in einem Büro an der Universität Zürich durchführten. Die Familien von Zaïda und Zlata sind während des Bosnienkriegs Anfang der neunziger Jahre in die Schweiz geflüchtet. Zaïdas Vater, ihre beiden Grossväter sowie weitere Männer aus ihrer Verwandtschaft sind im Krieg verschollen. Zaïda und Zlata waren damals Kleinkinder. Ihre Familien wohnen in der gleichen Gemeinde und ihre Mütter kannten sich, aber mit der Zeit verlor sich der Kontakt. Zaïda und Zlata gingen in verschiedenen Schulhäusern zur Schule. Zaïdas Familie war zwar Mitglied im bosnischen Moscheeverein in der Region, doch sie nahmen selten an Veranstaltungen in der Moschee teil. Weder Zaïda noch Zlata haben als Kinder den muslimischen Religionsunterricht besucht.

Im Sommer veranstalten die bosnischen Gemeinschaften in der Schweiz jeweils ein nationales Fest. So trafen sich Zaïda und Zlata im Alter von sechzehn Jahren erneut und seither sind sie eng befreundet. Eine Zeit lang besuchten sie gemeinsam den Koranunterricht in der bosnischen Gemeinschaft (*Dzemat*). Sie sind unterdessen auch mehrmals zusammen nach Bosnien gereist. Ich habe Zaïda und Zlata an einem bosnischen Fest anlässlich des Fastenbrechens am Ende des Ramadan kennengelernt. Zaïda und Zlata waren damals beide 17 Jahre alt. Zaïda machte gerade die Matura und Zlata hatte nach dem zehnten Schuljahr eine kaufmännische Lehre begonnen.

Als Zaïda und Zlata Kinder waren, stand die Anpassung an die Schweizer Verhältnisse zunächst im Vordergrund.

> *Zlata:* Als wir kleiner waren, haben [die Eltern] uns immer Geschichten erzählt vom Propheten und über den Islam. Aber sie haben uns immer so aufgezogen, dass wir hier an die Schweiz angepasst sind. Ich habe früher nicht viel über den Islam gewusst, und wenn mich jemand gefragt hat, was Zlata für ein Name sei, habe ich erklärt, dass es ein bosnischer Name ist.

In der Adoleszenz bemühten sich die Jugendlichen um Kontakte zu gleichaltrigen Bosniern und auf diesem Weg wurde der Islam plötzlich ein wichtiges Thema.

> *Zlata:* Wir haben uns hier angepasst, trotzdem machen wir unser Ding, wir fasten, wir sind in den Koranunterricht gegangen, weil wir das wollen. Es ist kein Zwang von den Eltern. Meine Eltern haben immer gesagt, ich solle nicht fasten (…). Sie haben gesagt: «Das ist nicht gut für dich, du hältst das nicht aus, du musst in die Schule, du musst arbeiten!»

Diese bewusste Hinwendung zum Islam aus freier Entscheidung kann als Beispiel für den individuierten Zugang zum Islam betrachtet werden, der in der zweiten Generation in den europäischen Einwanderungsländern heute verbreitet ist.[19] Erst als ihre Familien in der Schweiz eingebürgert waren, konnten Zaïda und Zlata nach Bosnien reisen. Dies führte zu einem wachsenden Interesse an der Heimat ihrer Eltern, zu einer «totalen Kehrtwende», wie es Zlata ausdrückt: «nur noch bosnisch, bosnischer Volkstanz, bosnische Musik, bosnische Feste, bosnische Sprache ...» Zaïda reiste das erste Mal im Alter von elf Jahren nach Bosnien:

> Ich habe es geliebt, alles ... Danach habe ich immer gefragt: «Wann gehen wir wieder?» Später wollte ich auch bosnische Kollegen … Klar gingen wir mit meinen Eltern an bosnische Feste, aber es war nicht dasselbe, denn mit den Eltern ist es irgendwie ein wenig langweilig …

Jeweils am Freitagabend treffen sich die Jugendlichen im Jugendraum der bosnischen Moschee (*Dzemat*) und schmieden gemeinsam Pläne für den Ausgang:

19 Es gibt laut Schiffauer (2004: 357) dazu keine systematischen Untersuchungen, da es viel schwieriger sei, den Mehrheitsislam im Sinne einer bewussten muslimischen Lebensweise in europäischen Einwanderungsländern, der mit der «Subjektivierung und Privatisierung» des islamischen Kults einhergeht, zu untersuchen als den kommunalistischen oder den revolutionären Islam, da letztere mit bestimmten Organisationsformen und Dogmen verbunden sind.

Zaïda: Wir treffen uns am Freitag im Dzemat (...) Dann schauen wir, was wir am Samstag machen könnten, alle zusammen. Meistens gehen wir in so eine bosnische Disco (...), dort treten oft bosnische Sänger [auch Sängerinnen] auf, es gibt Livemusik ... Oder wenn es irgendwo ein Fest gibt, gehen wir zusammen dorthin ..., in Turn- oder Mehrzweckhallen ... Einmal habe ich Geburtstag gefeiert in einer bosnischen Bar. Da kamen auch viele Schweizer Kollegen von mir, weil es einfach mein Geburtstag war.[20]

Zaïda fühlt sich sowohl in der «Schweizer Jugoszene» als auch in der «Schweizer Gymiszene» zu Hause, auch wenn die beiden Welten normalerweise getrennt sind. Nur an ihrem Geburtstag mischen sich die beiden Szenen (Gleichaltrige aus der Schule mit bosnischen Jugendlichen). Auch für Zaïda und Zlata bildet die Suche nach einem geeigneten Partner ein wichtiges Motiv, um mit bosnischen Gleichaltrigen auszugehen. Sie wünschen sich als Partner nicht irgendeinen muslimischen Mann, sondern einen bosnischen Secondo. In den Clubs markieren Secondos wie Secondas ihre Religionszugehörigkeit mit Accessoires:

Zaïda: Man weiss, wer den Club betreibt, ob es ein Bosnier oder ein Serbe oder ein Kroate ist; aber wir sind zum Beispiel auch einmal in einen Club gegangen, den Serben betreiben. Es ist eigentlich ganz witzig gewesen. Entweder tragen sie ein Kreuz, vor allem die Männer, oder einen Halbmond und den Stern. Dann sieht man die Religionszugehörigkeit sofort.

Im Fall von Zaïda sind das Interesse für die bosnische Gemeinschaft und die Identifikation mit dem Islam eng miteinander verwoben.

Zaïda: Im Zusammenhang mit der Religion denke ich Folgendes: Wir haben in der Schweiz eine bosnische Gemeinschaft und die Religion integriert einen in diese Gemeinschaft hier. Das ist sehr nützlich und sehr positiv. Es bringt einfach mir selber etwas, dass ich meine Heimat nicht vergesse (...). Ich bin zwar hier in der Schweiz aufgewachsen, und ich weiss gar nicht, wie es ist, in Bosnien zu leben. Da ich besser Deutsch als Bosnisch spreche, möchte ich auch hier studieren. Trotzdem, dass ich das hier habe, mit all meinen bosnischen Freunden, dass ich hier in die Moschee gehen kann, das mache ich wegen der Religion und so gesehen ist Religion eine Hilfe. Aber in der Schule ist Religion nicht ein Faktor, der zur Integration führt, sondern es ist einfach etwas, das mir selber hilft, mit dem ich mich wohlfühle.

Zaïdas Lebensmittelpunkt ist die Schweiz. Hier ist es ihr möglich, verschiedene Zugehörigkeiten (*multiple belonging*) zu leben. Der Wunsch sich mit bosnischen Gleichaltrigen zu treffen und die Anpassung an die Schweizer Verhältnisse schliessen sich keinesfalls aus. Die Konstruktion eines Gegensatzes

20 Ausschnitt aus einem Interview, das Barbara Bitzi im Herbst 2009 im Rahmen ihrer Masterarbeit an der Universität Zürich durchgeführt hat. Sie hat mir freundlicherweise ihre Transkription zur Verfügung gestellt.

zwischen Europa und dem Islam stellt das *multiple belonging* von muslimischen Jugendlichen aber radikal in Frage. Zaïda schilderte beispielsweise die Reaktionen ihrer Umgebung, wenn beim Essen Schweinefleisch angeboten wird und sie sich als Muslimin zu erkennen gibt:

> *Zaïda:* Man glaubt es mir manchmal nicht, wenn ich sage, dass ich Muslimin bin. Wenn zum Beispiel Salami auf dem Tisch steht, und ich erkläre, dass ich kein Schweinefleisch esse, fragen sie mich: «Warum nicht?» – «Ich bin Muslimin» – «Was? Nein, wirklich? Aber du bist doch ganz normal!» (alle lachen). Dann sage ich: «Was stellst du dir denn unter einem Muslim vor?» – «Ja so verschleiert, Kopftuch und so ...» – In diesem Fall antworte ich: «Nein, ich bin Europäerin!»

Die zunehmende Problematisierung des Islam in der Öffentlichkeit beeinflusst die Erzählungen über Zugehörigkeit von muslimischen Jugendlichen. Es ist interessant, dass sich Zaïda in der oben zitierten Passage als Europäerin bezeichnet, um zu erklären, weshalb sie «doch ganz normal» ist. Sie hätte ja auch sagen können, dass sie in der Schweiz aufgewachsen ist und deshalb hier dazu gehört. Da die Mehrheit der Musliminnen in der Schweiz aus Europa stammt, wird nicht nur von den Jugendlichen selber, sondern auch öffentlich eine symbolische Grenze zwischen europäischen Muslimen und «dem Rest» konstruiert. Solche symbolischen Identitätskonstruktionen zwischen Okzident und Orient haben eine lange Geschichte, dürfen aber nicht mit der komplexen Wirklichkeit verwechselt werden – weder der «Balkanislam» noch Europa sind einheitlich geprägt, sondern Ausdruck von ökonomischen, sozialen und politischen Konstellationen (Clayer, 2003: 327).

6. «Sami Gashi: Ich selber sehe mich als eine Brücke ...»

Sami ist 21 Jahre alt, Schweizer Bürger und Mitglied einer albanisch-islamischen Gemeinschaft in der Deutschschweiz. Sein Vater ist 1979 als Saisonnier in die Schweiz gekommen und hat die Familie in den 90er Jahren nachgeholt. Sami war damals vier Jahre alt. Da seine Familie in einem Quartier wohnt, wo hauptsächlich albanische Familien leben, bewegte er sich als Kind in einem vorwiegend albanischen Milieu. An die Kindheit in Mazedonien erinnert er sich kaum, er weiss nur noch, dass er als kleiner Knirps mit seinem Grossvater auf das Feld ging, und dass sie damals auch Tiere hatten. Wenn möglich besucht er die Verwandten in Mazedonien in den Sommerferien. Seit er studiert, muss er aber in der Ferienzeit auf die Prüfungen lernen. Unter der Woche lebt Sami jetzt an seinem Studienort. Am Wochenende trifft er sich mit seinen albanischen Freunden im Wohnort der Eltern. Er betonte, dass keiner von den Jugendlichen sich vorstellen könnte, in Mazedonien zu leben.

> Das Ziel von uns Jugendlichen mit Migrationshintergrund ist, uns hier erfolgreich zu integrieren und die Basis einer erfolgreichen Integration ist, denke ich, die Identität. (…) Was auch eine Rolle spielen kann bei der Identitätsbildung, und bei mir spielt sie eine grosse Rolle, ist die Religion.

Sami versteht sich als eine Art «kultureller Botschafter» der zwischen der (elterlichen) Kultur, der Schweiz (Lebensmittelpunkt, z.B. Ausbildung, Freizeit, Gleichaltrige) und der Religion (Islam, Religionsgemeinschaft) vermitteln möchte. Die Rolle der Religion als ein Aspekt seiner Zugehörigkeit illustrierte Sami anhand eines Modells mit drei Ebenen. Er bezeichnete dieses Modell als «magisches Dreieck», in dem er darum bemüht sei, ein Gleichgewicht zu finden:

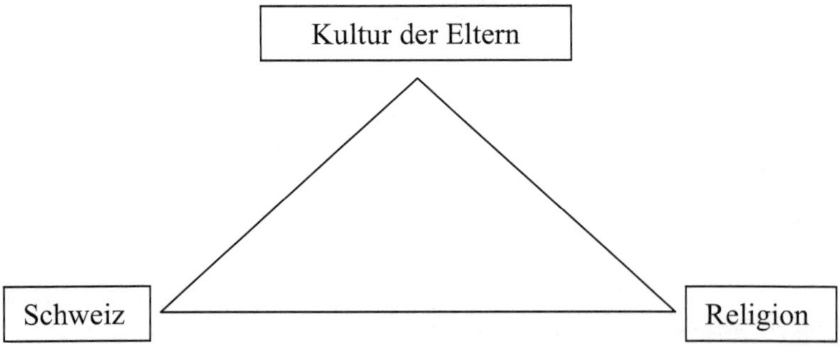

Interessant ist, dass Sami zwischen der Ebene der «elterlichen Kultur» und Religion (Islam) unterscheidet. Die zweite Dimension bildet das Spannungsverhältnis zwischen den beiden Polen «elterliche Kultur» und «Schweizer Gesellschaft». Die dritte Dimension besteht in der Entgegensetzung von «Religion» und «Schweizer Gesellschaft». Dies kann so interpretiert werden, dass Religion sowohl im Gegensatz zur säkularen Gesellschaft steht, als auch Ausdruck des vorgestellten Gegensatzes zwischen der Schweiz und dem Islam ist. Die drei Pole des «magischen Dreiecks» entsprechen verschiedenen Milieus, denen sich Sami zugehörig fühlt. Die Metapher des Gleichgewichts impliziert, dass alle drei wichtig sind und sich nicht gegenseitig ausschliessen. Infolge seiner multiplen Zugehörigkeit betrachtet es Sami als seine Aufgabe, Brücken zwischen den verschiedenen Welten zu bauen, in denen er sich im Alltag bewegt. Als Hochschulstudent bewegt er sich in einem Milieu, das für seine Eltern fremd ist:

> Ich selber sehe mich als eine Art Brücke (...). Ich bin in einem Milieu aufgewachsen, in dem ich immer das Gleichgewicht zwischen meinen Eltern und der Schweizer Gesellschaft suchen musste. Ich will damit nicht sagen, dass meine Eltern irgendwie

> im Weg waren. Im Gegenteil, alles was ich heute bin, verdanke ich meinen Eltern, vor allem meinem Vater. Mein Vater ist zwar kein Gelehrter, kein Gebildeter, aber er hat dieses Konzept schon früh verstanden und er wusste, als er die Familie hierhin gebracht hat, dass seine Söhne einen anderen Weg einschlagen müssen.

Einen anderen Weg einschlagen heisst, sich in einem anderen Milieu bewähren müssen. Schulischer Erfolg von Jugendlichen aus bildungsfernen Familien ist oft mit dem Gefühl der Entfremdung von der Familie verbunden (Preisendörfer, 2008). Das Beispiel von Sami legt die These nahe, dass das Engagement in der religiösen Gemeinschaft und die Einhaltung von religiösen Regeln eine Möglichkeit bietet, die Distanz zum elterlichen Milieu über dieses gemeinsame Dritte zu verringern (Allenbach, Herzig und Müller, 2010).

Trotz der Fähigkeit, sich in verschiedenen Milieus zu bewegen, äusserte Sami die Befürchtung, dass Muslime in der Schweiz weiterhin als «Fremde» abgestempelt werden könnten:

> Ich stelle mir meine Zukunft so vor, dass ich hier eine Familie haben werde und hoffe, dass es nie dazu kommen wird, dass wir uns fragen müssen, ob wir Bürger der Schweiz sind oder nicht. (...) Wir sollten einen Menschen nicht danach beurteilen, woran er glaubt. Niemand kann zu mir kommen und sagen, ich sei kein Schweizer, denn ich habe genau die gleichen Werte, da ich hier aufgewachsen bin, also fertig Schluss, ich bin ein Schweizer! Ich fühle mich pudelwohl und ich würde nie auf die Idee kommen, von hier wegzuziehen. Ich weiss, dass ich ein Teil dieser Gesellschaft bin, und dass ich dazu beitrage, dass es dieser Gesellschaft gut geht! Punkt.

Als bildungserfolgreicher Secondo ist Sami ein Beispiel für das Paradigma des «verdienstvollen Migranten», der sich in der Schweiz integriert hat. Er selber versteht aber etwas anderes unter Integration, nämlich einen gegenseitigen Prozess, der darin besteht, dass beide Seiten aktiv auf einander zugehen. Der Gegensatz, der zwischen der Schweiz und dem Islam konstruiert wird, begründet Sami denn auch damit, «dass man nicht miteinander, sondern nur übereinander redet».

7. Schluss

Abschliessend möchte ich auf das theoretische Konzept von Alba (2005) zurückkommen, um die verschiedenen Formen von Grenzziehungen in den drei oben dargestellten Fallbeispielen aus einer vergleichenden Perspektive zu untersuchen. In allen Erzählungen der Secondos/Secondas aus Südosteuropa werden die klaren Grenzziehungen («bright boundaries») zwischen Europa und dem Islam deutlich. Interessant ist, dass die albanischen katholischen Jugendlichen, sich einerseits von der Grenzziehung zwischen christlichen und muslimischen Albanern distanzierten. Vor allem die männlichen Jugendlichen spielten die Rolle der Religion für die Konstruktion von Zugehörigkeit herunter. («Wir sind einfach Albaner, egal, was wir glauben ...»). Diese Argumentation ergibt sogar eine Gemeinsamkeit von Albanern und Schweizern, die ja auch verschiedenen Religionen angehören. («Die Schweizer sind ja auch katholisch, reformiert und [...] jüdisch»). Andererseits betonten die weiblichen Jugendlichen ihre katholische Zugehörigkeit. Sie fanden es ungerecht, dass in der Schweiz den meisten Leuten gar nicht bekannt ist, dass es auch viele katholische Albaner gibt. Da die Schweizer die Albaner in einen Topf werfen mit allen Migranten aus den Nachfolgestaaten Jugoslawiens («sie nennen uns Ex-Jugo»), wird die Grenzziehung zwischen der Schweiz und dem Balkan deutlich, die alle Jugendlichen unabhängig von ihrer Religionszugehörigkeit betrifft. Die männlichen Jugendlichen solidarisierten sich auch explizit mit den Ausländern in der Schweiz und betonten die Grenzen zwischen den Schweizern und den Ausländern, obwohl viele von ihnen eingebürgert sind.

Es ist aufschlussreich, dass die albanischen katholischen Jugendlichen zwar darauf hinweisen, dass Schweizer verschiedenen Religionen angehören können, aber bei der Aufzählung nur von katholischen, reformierten und (nach einigem Nachdenken) jüdischen Schweizern die Rede ist. Dies veranschaulicht sicher auch, dass es Zeit braucht, bis eine religiöse Minderheit als zugehörig betrachtet wird. Doch ist genau dies ein Problem für die (oftmals eingebürgerten) Söhne und Töchter von muslimischen Migranten. Asad (2003) spricht in diesem Zusammenhang auch vom «Narrativ Europa», das den Islam ausschliesst. Die fehlende Möglichkeit der Repräsentation als Schweizer und Muslim ist für die muslimischen Jugendlichen, die in der Schweiz aufwachsen, problematisch: Sie fühlen sich hier zugehörig, doch sobald sie sich als Muslime zu erkennen geben, wird ihre Zugehörigkeit zur Mehrheitsgesellschaft in Frage gestellt. In den Worten von Sakib Halilovic, Imam des bosnischen *Dzemat* in Zürich:

> Die Jugendlichen befinden sich (...) in einer komischen Situation. Auf der einen Seite ist die Mehrheit von ihnen (...) hier aufgewachsen. Und sie haben Vertrauen in diese Gesellschaft. Und plötzlich, auf der anderen Seite, ist alles, was islamisch ist, problematisch. Dann haben sie ein Problem, all das zu verstehen.

Schiffauer (2004) analysiert die verschiedenen Formen des «Kampfes um Anerkennung» (Taylor 1993), welche für die zweite Generation der muslimischen Diaspora in europäischen Einwanderungsländern charakteristisch ist. Damit ist gemeint, dass die zweite Generation in der Einwanderungsgesellschaft Gleichbehandlung mit den Einheimischen ohne Preisgabe der kulturellen Differenz fordert. Schiffauers These lautet, dass die Kombination von Machtasymmetrie und «Kampf um Anerkennung», wie sie für den Islam in europäischen Einwanderungsländern typisch ist, zu einer Verhärtung führt (Schiffauer, 2004: 355). Eine solche Verhärtung verhindert aber die gegenseitige Annäherung von etablierten Bevölkerungsgruppen und nachfolgenden Generationen der Zugewanderten. Die zunehmende Problematisierung des Islam in der Schweiz kann als Ausdruck dieses Prozesses betrachtet werden. Die klaren Grenzen verwandeln sich in fixe und rigide Grenzen. Hingegen sind die katholischen Albaner in der Schweiz ein Beispiel für das *boundary blurring*. Gemeint ist, dass die Zuordnung zur jeweiligen Gruppe ambivalent ist. Katholische Albaner der zweiten Generation können je nach Situation auf ihre Religionszugehörigkeit hinweisen, um ihre Zugehörigkeit zur Schweiz klarzustellen.

Die drei Beispiele weisen auch einige Gemeinsamkeiten auf: So decken sich die Religionsgemeinschaften, denen die Jugendlichen angehören, mit ihrer ethnischen Herkunft. Zwar sind Religion und elterliche Kultur etwa im Beispiel von Sami keineswegs identisch, aber die Religionsgemeinschaft bietet in allen drei Fällen die Möglichkeit, Gleichaltrige der ethnischen Gruppe zu treffen. Dies ist nicht zuletzt deshalb wichtig, weil die Jugendlichen (in Übereinstimmung mit den Erwartungen der Eltern) wünschen, einmal einen Partner aus der eigenen Gruppe zu heiraten. Religion spielt dabei eine zentrale Rolle, da man sich vom Ehepartner wünscht, «dass sie bzw. er grundlegende Weltsichten und Erfahrungshorizonte teilt» (Sackmann, 2004: 138). Es kann aber festgehalten werden, dass eine Heirat innerhalb der eigenen ethnischen (und religiösen) Gruppe keineswegs fehlende Identifikation mit der Einwanderungsgesellschaft bedeutet (ebd.).

Die Secondos/Secondas aus Südosteuropa, die in diese Untersuchung einbezogen wurden, betrachten Religion als eine Frage der persönlichen Einstellung, die Privatsache ist. Entsprechend treten sie für eine wertplurale Gesellschaft ein. Hier sind vor allem Secondos/Secondas aus Südosteuropa zu Wort gekommen, welche sich an den Aktivitäten einer Religionsgemeinschaft beteiligen. Das hängt auch damit zusammen, dass die religiösen Gemeinschaften uns bereitwillig Kontakte zu Jugendlichen vermittelt haben, die gerne mit uns darüber sprachen, wie sie Religion in ihrem Alltag leben. Hingegen war es nicht so einfach, Jugendliche, die sich kaum mit Religion beschäftigen, für ein Interview zu diesem Thema zu gewinnen. In Anlehnung an Linda Woodhead lässt sich jedoch sagen, dass auch Jugendliche, die religiös sind, dies auf eine neue Art und Weise sind (Woodhead, 2010: 240). Insbesondere für muslimische Secondos aus Südosteuropa spielt dabei die Politik der Zugehörigkeit eine herausragende Rolle.

Bibliographie

Alba, Richard, 2005. Bright vs. blurred boundaries: second-generation assimilation and exclusion in France, Germany, and the United States. *Ethnic and Racial Studies,* 28(1): 20–49.

Allenbach, Brigit, 2008. «Ich bin in einer Zwickmühle!» Migration, Verwandtschaft und Geschlecht am Beispiel der albanischen Diaspora in der Schweiz. *Tsantsa,* 13: 123–135.

Allenbach, Brigit und Herzig, Pascale, 2010. Der Islam aus der Sicht von Kindern und Jugendlichen. In: Brigit Allenbach und Martin Sökefeld (Hg.), *Muslime in der Schweiz.* Zürich: Seismo, 296–330.

Allenbach, Brigit; Herzig, Pascale und Müller, Monika, 2010. *Schlussbericht Migration und Religion: Perspektiven von Kindern und Jugendlichen in der Schweiz.* [online]. Bern: Nationales Forschungsprogramm NFP 58. Zugänglich auf: www.nfp58.ch/files/downloads/SB_Giordano.pdf.

Allenbach, Brigit und Müller, Monika, 2010. *Working paper* «Gender and religious sites in the diaspora: gendered and generational boundaries in temples, mosques and churches», in *Religious pluralism: uncovering gender.* Université de Neuchâtel: Maison d'analyse des processus sociaux (MAPS), 8.–10. September 2010, http://www.uncovering-gender.ch/conference.htm, unveröffentlicht.

Allenbach, Brigit und Sökefeld, Martin, 2010. Einleitung. In: Brigit Allenbach und Martin Sökefeld (Hg.), *Muslime in der Schweiz.* Zürich: Seismo, 9–40.

Anthias, Floya, 2003. Erzählungen über Zugehörigkeit. In: Ursula Apitzsch und Mechthild M. Jansen (Hg.), *Migration, Biographie und Geschlechterverhältnisse.* Münster: Westfälisches Dampfboot, 20–37.

Anthias, Floya, 2006. Belongings in a globalising and unequal world: rethinking translocations. In: Nira Yuval-Davis, Kalpana Kannabiran und Ulrike Vieten (Hg.), *Situating contemporary politics of belonging.* London: Sage, 17–31.

Anthias, Floya, 2009. Translocational belonging, identity and generation: questions and problems in migration and ethnic Studies. *Finnish Journal of Ethnicity and Migration,* 4(1): 6–15.

Asad, Talal, 2003. *Formations of the secular: Christianity, Islam, modernity.* Stanford: Stanford University Press.

Barth, Fredrik, 1969. Introduction. In: Fredrik Barth (Hg.), *Ethnic groups and boundaries: the social organisation of culture difference.* London: Allen & Unwin, 9–38.

Barth, Fredrik, 1992. Towards greater naturalism in conceptualizing societies. In: Adam Kuper (Hg.), *Conceptualizing society.* London: Routledge, 17–33.

Barth, Fredrik, 1994. Enduring and emerging issues in the analysis of ethnicity. In: Hans Vermeulen und Cora Govers (Hg.), *The anthropology of ethnicity: beyond «Ethnic groups and boundaries»*. Amsterdam: Het Spinhuis, 11–32.

Baumann, Gerd, 1999. *The multicultural riddle: rethinking national, ethnic, and religious identities*. London: Routledge.

Boehm, Andreas, 1994. Grounded Theory – Wie aus Texten Modelle und Theorien gemacht werden. In: Andreas Boehm, Andreas Mengel und Thomas Muhr (Hg.), *Texte verstehen: Konzepte, Methoden, Werkzeuge*. Konstanz: UVK, 121–140.

Bolzman, Claudio; Fibbi, Rosita und Vial, Marie, 2003a. *Secondas – Secondos. Le processus d'intégration des jeunes adultes issus de la migration espagnole et italienne en Suisse*. Zürich: Seismo.

Bolzman, Claudio; Fibbi, Rosita und Vial, Marie, 2003b. Was ist aus ihnen geworden? Der Integrationsprozess der jungen Erwachsenen mit Migrationshintergrund. In: Hans-Rudolf Wicker (Hg.), *Migration und die Schweiz. Ergebnisse des Nationalen Forschungsprogramms «Migration und interkulturelle Beziehungen»*. Zürich: Seismo, 453–480.

Boskovska, Nada, 1999. Wie aus Jugoslawen «Jugos» wurden. *Das Magazin*, 19: 22–29.

Bozkurt, Esin, 2009. *Conceptualising «home»: the question of belonging among Turkish families in Germany*. Frankfurt a.M.: Campus.

Clayer, Nathalie, 2003. Der Balkan, Europa und der Islam. In: Karl Kaser, Robert Pichler und Dagmar Gramshammer-Hohl (Hg.), *Europa und die Grenzen im Kopf*. Klagenfurt: Wieser Verlag, 303–328.

Crul, Maurice und Vermeulen, Hans. 2003. The second generation in Europe. *International Migration Review*, XXXVII(4): 1145–1162.

Daum, Matthias, 2010a. *Einst fremd, heute cool*. [online] Hamburg: ZEIT Online. Zugänglich auf: http://www.zeit.de/2010/13/CH-Jugos [Zugriff am 28. Mai 2010].

Daum, Matthias, 2010b. *Die «Jugos», die keine waren*. [online] Zürich: NZZ Online. Zugänglich auf: http://www.nzz.ch/nachrichten/schweiz/die_jugos_die_keine_waren_1.5029630.html? [Zugriff am 28. Mai 2010].

de Winter, Leon, 2009. *Das Recht auf Rückkehr. Roman*. Zürich: Diogenes.

Duijzings, Ger, 2000. *Religion and the politics of identity in Kosovo*. New York: Columbia University Press.

Duemmler, Kerstin und Moret, Joëlle, 2009. Jeunes musulmans, un rapport à la religion aussi diversifié que les autres jeunes. *Géo-Regards*, 2: 87–99.

EKA (Eidgenössische Ausländerkommission), 2005. *Muslime in der Schweiz. Identitätsprofile, Erwartungen und Einstellungen. Eine Studie der Forschungsgruppe «Islam in der Schweiz» (GRIS).* Genf: EKA.

EKR (Eidgenössiche Kommission gegen Rassismus), 2006. *Mehrheit und muslimische Minderheit in der Schweiz. Stellungnahme der EKR zur aktuellen Entwicklung* Bern: EKR.

Foner, Nancy und Alba, Richard, 2008. Immigrant religion in the U.S. and Western Europe: bridge or barrier to inclusion? *International Migration Review,* 42(2): 360–392.

Glick Schiller, Nina; Caglar, Ayse und Guldbrandsen, Thaddeus C., 2006. Beyond the ethnic lens: locality, globality, and born-again incorporation. *American Ethnologist,* 33(4): 612–633.

Haug, Werner; Heiniger, Marcel und Rochat, Sylvie, 2007. *Kinder und Jugendliche mit ausländischem Pass in der Schweiz.* Neuchâtel: Bundesamt für Statistik (BFS).

Imdorf, Christian, 2010. Wie Ausbildungsbetriebe soziale Ungleichheit reproduzieren: Der Ausschluss von Migrantenjugendlichen bei der Lehrlingsselektion. In: Heinz-Hermann Krüger, Ursula Rabe-Kleberg, Rolf-Torsten Kramer und Jürgen Budde (Hg.), *Bildungsungleichheit revisited: Bildung und soziale Ungleichheit vom Kindergarten bis zur Hochschule.* Wiesbaden: VS Verlag für Sozialwissenschaften, 259–274.

Iseni, Bashkim, 2009. Les diasporas musulmanes des Balkans en Suisse. In: Mallory Schneuwly Purdie (Hg.), *Musulmans d'aujourd'hui. Identités plurielles en Suisse.* Genève: Labor et Fides, 37–52.

Jenkins, Richard, 2008. *Social identity. 3rd edition.* London: Routledge.

Kämpf, Philipp, 2008. *Die «Jugo-Schweiz»: Klischees, Provokationen, Visionen.* Zürich: Rüegger.

Knapp, Gudrun-Axeli, 2005. Intersectionality – ein neues Paradigma feministischer Theorie? Zur transatlantischen Reise von «Race, Class, Gender». *Feministische Studien,* 1: 68–81.

Lamont, Michèle und Molnár, Virág, 2002. The study of boundaries in the social sciences. *Annual Review of Sociology,* 28: 167–195.

McGuire, Meredith B., 2008. *Lived religion: faith and practice in everyday life.* New York: Oxford University Press.

Mead, George Herbert, 1934. *Mind, self, & society from the standpoint of a social behaviorist.* Chicago: University of Chicago Press.

Misha, Gjergi, 2006. Politische Kultur in Albanien. Identitäten und Loyalitäten bei den Albanern. In: Alois Mosser (Hg.), *Politische Kultur in Südosteuropa: Identitäten, Loyalitäten, Solidaritäten.* Frankfurt a.M.: Peter Lang, 135–146.

Olwig, Karen Fog, 2004. Place, movement and identity: processes of inclusion and exclusion in a «Caribbean» family. In: Waltraud Kokot, Khachig Tölölyan und Carolin Alfonso (Hg.), *Diaspora, identity and religion: new directions in theory and research.* London: Routledge, 53–71.

Pfaff-Czarnecka, Joanna, 2009a. Accommodating religous diversity in Switzerland. In: Paul Bramadat und Matthias Koenig (Hg.), *International migration and the governance of religious diversity.* Montreal and Kingston: McGill-Queen's University Press, 225–257.

Pfaff-Czarnecka, Joanna, 2009b. Multiple Zugehörigkeiten als Herausforderungen biographischer Navigation. In: *Jahrestagung der Schweizerischen Ethnologischen Gesellschaft (SEG),* 13.–14.11.2009, Neuchâtel, unveröffentlicht.

Portes, Alejandro, 1999a. Immigration theory for a new century: some problems and opportunities. In: Charles Hirschman, Philip Kasinitz, Josh DeWind (Hg.), *The handbook of international migration: the American experience.* New York: Russell Sage, 21–33.

Portes, Alejandro, 1999b. Conclusion: towards a new world – the origins and effects of transnational activities. *Ethnic and Racial Studies,* 22(2): 463–477.

Portes, Alejandro und Zhou, Min. 1993. The new second generation: segmented assimilation and its variants. *Annals of the American Academy of Political and Social Sciences* 530: 74–96.

Preisendörfer, Bruno, 2008. *Das Bildungsprivileg. Warum Chancengleichheit unerwünscht ist.* Frankfurt a.M.: Eichborn.

Rumbaut, Rubén G., 2005. Sites of belonging: acculturation, discrimination, and ethnic identity among children of immigrants. In: Thomas S. Weisner (Hg.), *Discovering successful pathways in children's development: mixed methods in the study of childhood and family life.* Chicago: University of Chicago Press, 111–163.

Sackmann, Rosemarie, 2004. *Zuwanderung und Integration: Theorien und empirische Befunde aus Frankreich, den Niederlanden und Deutschland.* Wiesbaden: VS Verlag für Sozialwissenschaften.

Schader, Basil, 2006. *Albanischsprachige Kinder und Jugendliche in der Schweiz: Hintergründe, sprach- und schulbezogene Untersuchungen.* Zürich: Pestalozzianum.

Schiffauer, Werner, 1988. Migration and religiousness. In: Tomas Gerholm und Yngve Georg Lithman (Hg.), *The new Islamic presence in Western Europe.* London: Mansell, 146–158.

Schiffauer, Werner, 2004. Vom Exil- zum Diaspora-Islam: muslimische Identitäten in Europa. *Soziale Welt,* 55(4): 347–368.

Seibt, Constantin, 2010. Bekenntnisse eines deutschen Secondo. *Tages-Anzeiger,* 10. Februar, S. 26.

Sökefeld, Martin, 2004. Religion or culture? Concepts of identity in the Alevi diaspora. In: Waltraud Kokot, Khachig Tölölyan und Carolin Alfonso (Hg.), *Diaspora, identity and religion: new directions in theory and research*. London: Routledge, 133–155.

Sökefeld, Martin, 2007. Problematische Begriffe: «Ethnizität», «Rasse», «Kultur», «Minderheit». In: Brigitta Schmidt-Lauber (Hg.), *Ethnizität und Migration: Einführung in Wissenschaft und Arbeitsfelder*. Berlin: Reimer, 31–50.

Soysal, Yasemin, 1994. *Limits of citizenship: migrants and postnational membership in Europe*. Chicago: University of Chicago Press.

Stolz, Jörg, 2001. Einstellungen zu Ausländern und Ausländerinnen 1969 und 1995: eine Replikationsstudie. In: Hans Joachim Hoffmann-Nowotny (Hg.), *Das Fremde in der Schweiz: Ergebnisse soziologischer Forschung*. Zürich: Seismo, 33–74.

Taylor, Charles, 1993. Multikulturalismus und die Politik der Anerkennung. In: Amy Gutmann (Hg.), *Multikulturalismus und die Politik der Anerkennung*. Frankfurt a.M.: Fischer, 13–78.

Wicker, Hans-Rudolf, 2003. Einleitung: Migration, Migrationspolitik und Migrationsforschung. In: Hans-Rudolf Wicker (Hg.), *Migration und die Schweiz: Ergebnisse des Nationalen Forschungsprogramms «Migration und interkulturelle Beziehungen»*. Zürich: Seismo, 12–62.

Woodhead, Linda, 2010. Epilogue. In: Sylvia Collins-Mayo und Pink Dandelion (Hg.), *Religion and youth*. Farnham: Ashgate, 239–241.

Yuval-Davis, Nira; Kannabiran, Kalpana und Vieten, Ulrike, 2006. Introduction: situating contemporary politics of belonging. In: Nira Yuval-Davis, Kalpana Kannabiran und Ulrike Vieten (Hg.), *Situating contemporary politics of belonging*. London: Sage, pp. 1–14.

Zolberg, Aristide R. und Woon, Long Litt, 1999. Why Islam is like Spanish: cultural incorporation in Europe and the United States. *Politics and Society*, 27(1): 5–38.

Janine Dahinden, Joëlle Moret und Kerstin Duemmler

Die Herstellung sozialer Differenz unter der Bedingung von Transnationalisierung

Religion, Islam und *boundary work* unter Jugendlichen

1. Einführung

In Europa haben Transnationalisierungsprozesse und Migrationsbewegungen mittlerweile eine verstärkte religiöse und ethnisch-kulturelle Pluralität zur Folge. Diese Diversität wird in öffentlichen Diskursen weitgehend als problematisch wahrgenommen, was sich etwa in emotional geführten Debatten zur Frage der Burka oder dem Kopftuch spiegelt und in der Schweiz im November 2009 seinen (vorläufigen) Höhepunkt mit der Annahme der Initiative zum Verbot des Baus von Minaretten fand. Die Frage, auf welche Art und Weise in transnationalisierten Kontexten Differenz sozial hergestellt wird und welche Rolle der Religion in diesen Prozessen zukommt, ist von hoher wissenschaftlicher Bedeutung. Anhand eines empirischen Fallbeispiels von jungen Erwachsenen diskutieren wir deshalb in diesem Aufsatz Grenzziehungsprozesse – *boundary work* – von Jugendlichen und den Stellenwert von Religion bei diesen. Wir tragen damit zum wachsenden Korpus von Studien bei, die sich für Fragen der Herstellung von sozialer Differenz unter Anwendung dieser spezifischen theoretischen Perspektive des *boundary work* interessieren. Während aber ein Grossteil der Studien zu *boundary work* die Rolle von Ethnizität (unter anderen Bail, 2008; Barth, 1969; Bauböck, 1998; Dahinden, 2010; Wimmer, 2008b) oder Geschlecht (etwa Duemmler, Dahinden und Moret 2010; Gerson und Peiss, 1985) in den Fokus des Erkenntnisinteresses stellt, betonen wir, dass Religion in solchen Distinktionsprozessen aktuell einen hohen Stellenwert hat. Religion allgemein, und in neuerer Zeit spezifisch der Islam, sind offensichtlich zentral für Grenzziehungsprozesse zwischen verschiedenen Bevölkerungsgruppen. Die unterschiedlichen Formen wie Muslime in Europa eingebunden worden sind (oder nicht) und wie sich der Islam innerhalb der etablierten religiösen Institutionen, Politiken und Diskurse einbringen konnte, lassen sich sicherlich nicht über einen Daumen schlagen, zu verschieden sind die Kontexte (in vergleichender Perspektive

Alba, 2005; Koenig, 2005). Gemeinsam ist den meisten europäischen Ländern jedoch, dass die Kategorie «Islam» seit den Ereignissen vom 11. September 2001 in New York einen zweifelhaften Erfolg erfuhr: In der Kategorie «Muslime» verdichtet sich die Bedrohung durch Differenz und neue symbolische und soziale Grenzziehungsprozesse sind am Werke. Der Islam erscheint in diesen Debatten häufig als Problem für die Sicherheit (kritisch Kaya, 2009), als Barriere für Integration (analytisch Foner und Alba, 2008), als Gefahr für soziale Kohäsion (kritisch Grillo, 2010), verantwortlich für Zwangsehen (kritisch Riaño und Dahinden, 2010), und die Figur der unterdrückten Muslimin ist zu einem moralischen «Problem» geworden, das nach der Notwendigkeit einer Emanzipation förmlich schreit (kritisch vgl. hierzu Bilge, 2010; Dietze, 2009; Lutz, 1991). Gleichzeitig ist eine «Muslimisierung der Einwanderer» (Schiffauer, 2007: 117) zu beobachten: Zuwanderer resp. Ausländer/-innen werden immer häufiger als Muslime und weniger als Albaner, Türkinnen, geschweige denn als Arbeiter, Studierte, Angehörige der Mittelklasse usw., wahrgenommen (vgl. für die Schweiz: Behloul, 2009; Gianni, 2010; für Deutschland: Ramm, 2010). Insgesamt fand eine Verschiebung der Semantik in der Grenzziehung zwischen Einheimischen und Zugewanderten statt: Ausländerprobleme (oder wie es heute heisst: Integrationsprobleme von Personen mit Migrationshintergrund) werden nicht mehr schicht-, bildungs- oder milieuabhängig, sondern vermehrt *religiös* begründet.

Anhand einer ethnographischen Studie mit jungen Erwachsenen einer französischsprachigen Kleinstadt in der Schweiz zeigen wir in einer mikrosoziologischen Perspektive wie diese öffentlichen diskursiven Konstruktionen von den Jugendlichen in ihrem Alltag aufgegriffen, uminterpretiert und angewandt werden, wenn es darum geht, Grenzlinien zwischen *ingroups* und *outgroups* (Tajfel, 1981) zu ziehen.[1] Im ersten Abschnitt werden die zentralen theoretischen Konzepte aufgearbeitet und die theoretische Perspektive des *boundary work* dargstellt; anschliessend wird das methodologische Vorgehen diskutiert. Schliesslich wird verdeutlicht, wie Jugendliche solche Grenzziehungsprozesse vornehmen. Zuerst wird die Sicht der Mehrheitsjugendlichen präsentiert, anschliessend stehen die Reaktionen der Minderheitenjugendlichen auf diese Schliessungsprozesse, d.h. der muslimischen Schüler, im Fokus. In den Schlussfolgerungen schliessen wir den theoretischen Bogen: Wir postulieren, dass in transnationalisierten Kontexten neue Dominanzsysteme etabliert werden, die ursächlich mit Religion verknüpft sind und gleichzeitig mit anderen Differenzkategorien, insbesondere Geschlecht interagieren. Die

1 Die Studie ist vom Schweizerischen Nationalfonds SNF finanziert und im Nationalen Forschungsprogramm NFP 58 «Religionsgemeinschaften, Staat und Gesellschaft» angesiedelt.

These der «Rückkehr der Religion» nimmt hier eine spezifische Bedeutung an: Wenn es darum geht, Zugehörigkeit und Ausschluss zu markieren, so kommt Religion aktuell eine zentrale Rolle zu.

2. Boundary work und Religion: Theoretische Perspektive

Die Idee des *boundary work* spielt unterdessen in vielen Disziplinen der Sozialwissenschaften eine zentrale Rolle (für eine Übersicht vgl. Pachucki, Pendergrass und Lamont, 2007) und sie vermag neue theoretische Einsichten zu liefern, wie Differenz sozial hergestellt und fortgeschrieben wird. Soziale Differenz und die mit ihr verknüpften Grenzziehungsprozesse sind historisch und kontextuell konstruiert und variabel. Zentral für unseren theoretischen Ansatz ist es zu verstehen, durch welche Mechanismen Grenzen gezogen, aufrechterhalten, in Frage gestellt, aufgelöst oder überschritten werden. In Anlehnung an Lamont und Molnar (2002) unterscheiden wir zwischen symbolischen und sozialen Grenzziehungen, wobei erstere im Fokus dieses Artikels stehen. Symbolische Grenzziehungen werden definiert als «conceptual distinctions made by social actors to categorise objects, people and practices. [... They] also separate people into groups and generate feelings of similarity and group membership» (Lamont und Molnar, 2002: 168). Soziale Grenzziehungen können verstanden werden als «objectified forms of social differences manifested in unequal access to and unequal distribution of resources and social opportunities» (Lamont und Molnar, 2002: 168). In den alltäglichen Interaktionen sind Akteure in Auseinandersetzungen über soziale Klassifikationen und Kategorisierungen[2] involviert, durch die sich symbolische Grenzziehungen verschieben können. Wenn solche symbolischen *boundaries* allgemein anerkannt und institutionalisiert sind, dann können sie einen zwingenden Charakter annehmen und zu sozialen Grenzziehungen werden (Lamont und Molnar, 2002: 168). Religion wird in diesem Aufsatz einzig entsprechend dieser Logik beleuchtet: Wir verstehen Religion als Ergebnis von sozialen Kategorisierungs- und Institutionalisierungsprozessen, umgekehrt lösen sich solche religiösen Gruppen[3] auf, sobald die entsprechenden Grenzziehungen verschwinden.

2 Soziale Kategorisierungen sollen hier in Anlehnung an Berger und Luckmann (1996) und Tajfel (1981) als Orientierungssysteme verstanden werden, welche den Zweck haben, den Platz der Individuen in der Gesellschaft zu schaffen und zu definieren.

3 Gruppe wird definiert als «cognitive entity that is meaningful to the individual at a particular point of time» (Tajfel, 1981: 254).

Boundary making hat zwingend einen relationalen und dialektischen Charakter, wie Fredrik Barth (1969) in seiner Pionierarbeit über ethnische Gruppen hervorragend aufzeigte. Hierbei sind zwei unterschiedliche Mechanismen relevant, nämlich *Selbstzuschreibungen* zu Kollektivitäten und *externe soziale Kategorisierungen* (Jenkins, 1997). Auf der einen Seite müssen sich Individuen bewusst von anderen unterscheiden wollen. Dies tun sie, indem sie Merkmale mobilisieren, die ihre Gleichheit und ihre geteilte Zugehörigkeit innerhalb der *ingroup* betonen. Eine solche Vergemeinschaftung kann als Form sozialer Schliessung verstanden werden, da Mitgliedschaft und Zugang klar definiert werden. Die Herausbildung beispielsweise von religiösen «Wir-Gruppen» bringt unweigerlich immer auch «Sie-Gruppen» hervor, da Gemeinsamkeiten nicht nur durch Teilnahme im Inneren, sondern auch durch Barrieren gegen aussen hergestellt werden. Für diese Schliessung der Gruppengrenzen kann jeglicher «cultural stuff» (Barth, 1969: 15) Grundlage bieten: Sprache, Ritual, Verwandtschaft, Lebensführung, Religion usw. Grenzziehungsprozesse beziehen sich deshalb auf subjektiv sinnhafte Differenzierungsmerkmale, welche keine objektive Basis haben müssen, aber für die Propagierung von Vergemeinschaftung virulent werden, eine Idee, die auf Max Weber (1996 [1922]) zurückgeht. Andererseits muss diese interne Selbstzuschreibung von Outsidern anerkannt sein, damit überhaupt eine kollektive Zugehörigkeit und anerkannte Grenzlinie entstehen kann. Externe Kategorisierungen sind dabei immer gekoppelt an Dominanz- und Machtsysteme und werfen die Frage auf, inwieweit eine Gruppe ihre Zuschreibungskategorien erfolgreich anderen aufdrängen und auf welche Ressourcen die so kategorisierte Kollektivität zurückgreifen kann und sich – falls notwendig – gegen diese Aufzwingung zur Wehr setzen kann.

Angewandt auf unseren Kontext bedeutet dies, dass der Islam und damit verbundene Grenzziehungen nicht isoliert, sondern dialektisch und im Kontext der institutionalisierten und etablierten Religionen diskursiv, praktisch und politisch unter Beteiligung verschiedener Akteure (etwa Nationalstaaten, Medien, Individuen) (re)konstruiert werden. Wenn beispielsweise die Evangelische Volkspartei der Schweiz (EVP) in der Verfassung eine christliche Wertgrundlage festhalten möchte,[4] so kann dies als Rückbesinnung im Sinne einer Neuerfindung der Tradition (Hobsbawm und Ranger, 1983) auf die eigene Religion interpretiert werden, die relational und dialektisch zur «anderen Religion», u.a. dem Islam, erfolgt.

4 Unterdessen hat die EVP von einer solchen Volksinitiative für einen Religionsartikel abgesehen.

Unser Artikel nimmt diese Punkte auf und zeigt wie junge Erwachsene sich selbst religiösen Gruppen zuschreiben und wie sie von anderen kategorisiert werden. Wir erarbeiten die Differenzierungsmerkmale, welche von den Mehrheitsjugendlichen mobilisiert werden um die Grenze zwischen der *ingroup* und dem Islam zu ziehen, aber auch welche Strategien die Minderheitsjugendlichen relational dazu anwenden, um sich dieser Kategorisierung und diesem Ausschlussmechanismus zu widersetzen.

3. Methodologie

Unser Studiendesign folgt einem Ansatz, der die Kritik des «methodologischen Nationalismus» (Wimmer und Glick Schiller, 2002) und des «groupism» (Brubaker, 2004) ernst nimmt: So wird nicht eine religiöse Gruppe oder eine ethno-nationale Gemeinschaft zum Ausgangspunkt der Untersuchung genommen, sondern es wird eruiert, wie Religion in Prozessen der Grenzziehung und in Interaktionen eingebracht wird. Aus diesem Grunde wurde bei der Definition des Forschungsdesigns ein räumliches Kriterium angewendet. Die Studie fand in zwei Schweizer Städten statt: in Luzern (deutschsprachige Schweiz) und in Neuenburg (französischsprachige Schweiz). Allerdings wird sich dieser Artikel auf die Daten aus Neuenburg konzentrieren.

In die Untersuchung wurden junge Erwachsene zwischen 16 und 19 Jahren aus vier Klassen resp. drei Schulen einbezogen: Wir arbeiteten in einem Gymnasium (1); in einer Klasse, die eine kaufmännische Berufsmatura anstrebt (2); in einer Berufsklasse mit Telematiker- und Spenglerlehrlingen (3); sowie in einer Klasse, die eine berufliche Elementarbildung absolviert (4).

Methodologisch folgt die Untersuchung einem ethnographischen Ansatz (Crang und Cook, 2007). Die Mitglieder des Forschungsteams[5] waren in den einzelnen Klassen vier Monate lang zwischen einem und drei Tage pro Woche anwesend,[6] führten teilnehmende Beobachtungen, verschiedene Arten von Interviews mit den jungen Erwachsenen sowie auch mit Lehrpersonen und den Schulleitungen durch. Dieser Aufsatz basiert auf 36 Interviews mit Jugendlichen sowie auf vier Fokusgruppengesprächen, die wir in den Schulen zum Thema Religion führten. Von den 36 jungen Erwachsenen gehören fünf zur Minderheit. Es handelt sich um (ausschliesslich männliche) Schüler, die

5 Das Forschungsteam umfasst die Autorinnen dieses Artikels und Masterstudierende, die in die Untersuchung einbezogen wurden.

6 Die Lehrlinge sind während eines Teils der Woche am Arbeitsplatz und zwischen einem und drei Tagen in der Berufsschule anwesend.

sich selbst als Muslime bezeichnen. Die Daten wurden transkribiert und mit Hilfe einer Software für die Auswertung von qualitativen Daten (Altas.ti) kodiert. In einem iterativen Prozess entwickelten wir die wichtigsten Kodierungen und abstrakteren Kategorien. Diese wurden in Form eines «peer debriefing» (Flick, 2007) regelmässig im Forschungsteam diskutiert.

Im ersten Teil der Analyse wird der Diskurs der Mehrheitsjugendlichen dargestellt, anschliessend wird eruiert, wie die jungen Erwachsenen, die sich als Muslime verstehen, diskursiv mit den identifizierten Ausschlussprozessen umgehen.

4. Dominanter Diskurs: «republikanische» Toleranz gegenüber ethno-kultureller Differenz und neue Grenzziehung entlang der Kategorie «Islam»

Der Kanton Neuenburg hat mit seinen knapp 172 000 Einwohnern eine lange Einwanderungsgeschichte, was sich heute in einer stark diversifizierten Bevölkerung spiegelt. 23% der Wohnbevölkerung des Kantons sind Ausländer/-innen und insgesamt sind Personen aus 145 Staaten im Kanton repräsentiert.[7] Die Einwanderung der letzten Jahrzehnte hat aber nicht nur die ethnische, sondern auch die religiöse Zusammensetzung der Bevölkerung grundlegend verändert: Historisch gesehen war die Bevölkerung von Neuenburg protestantisch, dies betraf die alte Aristokratie von Neuenburg, d.h. lokale Familien oder Hugenotten, die von den Französischen Prinzen oder dem Preussischen König im 18. Jahrhundert in den Adelsstand gehoben wurden (Emery, Evard, Hammann und Henry, 1991). Die Einwanderer, welche zunächst vor allem in der regional ansässigen Uhrenindustrie tätig waren und seit dem Zweiten Weltkrieg aus Südeuropa und dem Kanton Freiburg kamen, waren mehrheitlich katholisch, während die Immigrant/-innen seit den 1990er Jahren zunehmend auch muslimisch sind. 2009 wohnten ebenso viele Katholik/-innen (36.7%) wie Protestant/-innen (36.6%) im Kanton Neuenburg, zudem sind 3.7% der Einwohnenden Muslime.

Angesichts dieses Wandels stellt sich die Frage, wie in dieser Region mit Diversität umgegangen wird? Aus den Interviews mit den jungen Erwachsenen lässt sich ein dominanter Diskurs identifizieren, den wir hier *«republika-*

7 Daten aus dem *Recensement de la population, Chancellerie d'état*, Neuenburg, Ende 2009. Es sei an dieser Stelle kurz auf das *ius sanguinis* Prinzip verwiesen, welches in der Schweiz bezüglich Einbürgerungen zur Anwendung gelangt und das einen Teil der im internationalen Vergleich hohen Ausländerquote erklärt.

nische» Toleranz gegenüber ethno-kultureller Differenz nennen möchten. Dieser Diskurs spiegelt sich gleichzeitig in den öffentlichen Politiken auf kantonaler Ebene wider.

Ein grundlegendes Moment in den Diskursen der Jugendlichen ist die Manifestation einer positiv aufgeladenen Offenheit und einer Toleranz gegenüber ethnisch-kultureller Verschiedenheit. Stellvertretend steht hierfür ein Zitat aus dem Interview mit einer Schülerin aus der kaufmännischen Berufsschule:

> Ich hoffe, dass meine Kinder offen sein werden …, dass sie zwar stolz sind, Schweizer zu sein, denn es ist wichtig, sein Land zu lieben, dass sie aber auch offen gegenüber dem Rest sind und die Unterschiede akzeptieren. Ich denke, du kommst nicht weit, wenn du nur verschlossen bist, ohne dich den anderen Kulturen gegenüber zu öffnen. Ich finde das nämlich schon sehr bereichernd.[8]

Dieser Offenheitsdiskurs hat eine spezifisch essentialistische und kulturalistische Einfärbung: Einerseits wird Differenz in den Diskursen der jungen Erwachsenen vor allem entlang ethno-kultureller Achsen definiert, wobei jeder ethno-nationalen Gruppe eine eigene Kultur und Identität zugeschrieben wird (zum essentialistischen Kulturbegriff vgl. Baumann, 1996; Stolcke, 1995; Wicker, 1996). Andererseits wird diese Differenz nicht, wie etwa häufig in den Diskursen im deutschsprachigen Raum zu beobachten ist, als unüberbrückbar und trennend betrachtet, sondern sie wird durch republikanische, liberale (französische) Ideen gleichsam überwunden. Der lokale dominante Diskurs über Diversität vereint hier einen völkisch-deutschen Differenzdiskurs mit einer republikanisch universalistischen Haltung (Brubaker, 1992): Die Offenheit gegenüber (essentialistisch wahrgenommener) Differenz gründet auf der Idee, dass alle Menschen ein gleiches Potenzial haben und ihnen deshalb gleiche Rechte und Pflichten zukommen. Wir haben es in diesem Sinne mit einer staatsbürgerlichen Ausprägung von Differenz und Gleichheit zu tun.

Die Jugendlichen spiegeln letztlich einen Diskurs, der auf lokaler Ebene auch in der öffentlichen Politik verankert ist. Der erste Artikel der Verfassung des Kantons Neuenburg (vom 24. September 2000) lautet: «Le Canton de Neuchâtel est une république démocratique, laïque, sociale et garantie des droits fondamentaux.» In der *Charte de la citoyenneté*, einer vom Kanton kürzlich

8 Die Interviews wurden von der Erstautorin aus dem Französischen ins Deutsche übersetzt.

ausgearbeiteten Staatsbürger-Charta,[9] die allen Neuzuzüger/-innen zugestellt wird, ist dieser Verfassungsartikel folgendermassen detailliert:[10]

> Das heisst, dass er [der Staat] all seinen Einwohner/-innen Freiheiten und Grundrechte garantiert, dass er die Bevölkerung an der Regierung teilhaben lässt, dass er seinen Mitbürgern sozialen Schutz bietet, dass Staat und Religion getrennt sind und dass er religiöse Freiheit gewährleistet.

Und weiter unten: «Nur Toleranz und Offenheit lassen ein Gleichgewicht in gemischten Körperschaften zu.» Diese politische, republikanische Haltung ist des Weiteren im Stimm- und Wahlrecht für Ausländer-/innen institutionalisiert, das Neuenburg (als einer unter sechs von insgesamt 26 Kantonen) auf kommunaler und seit dem Jahr 2000 verfassungsrechtlich auch auf kantonaler Ebene etabliert hat.[11] Dass nun aber nicht nur universelle Werte, sondern ebenso ethno-kulturelle Differenz in den öffentlichen Politiken zentral sind, davon zeugt die Bezeichnung der mit Integrationsbelangen betrauten Stelle in Neuenburg, die heisst nämlich: *Service de cohésion multiculturelle (Stelle für multikulturelle Kohäsion)*. Anders ausgedrückt, werden ethno-kulturelle Differenzkonstruktionen gleichzeitig mit der Idee einer universell und republikanisch verstandenen *citoyenneté* verbunden.

Dieser republikanisch geprägte Differenzdiskurs war in den Augen der Jugendlichen nicht immer gegeben, vielmehr konstatieren sie eine gesellschaftliche Transformation: Sie monieren, dass unter ihren Eltern ein rassistischer Diskurs durchaus verbreitet sei, währenddessen sie selbst nun Diversität befürworten und Rassismus ablehnen würden. So meint diese Schülerin der kaufmännischen Berufsschule auf die Frage, ob sie die Beziehungen zwischen Schweizer/-innen und Ausländer/-innen beschreiben könnte, Folgendes:

> Hm, ich glaube schon, dass die Generation der 15- bis 25-Jährigen heute ziemlich offen ist. Ich glaube nicht, dass man sich zuerst auf die Nationalität beruft, wenn man sich mit anderen trifft. Aber früher, die vorherige Generation, ich glaube die waren schon ziemlich verschlossen, das war schon ziemlich nationalistisch.

Nun kommt es aber zu einem relativ abrupten Bruch in diesem Offenheitsdiskurs, sobald es sich nicht mehr um ethnische oder kulturelle Differenz

9 http://www.ne.ch/neat/site/jsp/rubrique/rubrique.jsp?CatId=4106 [Zugriff am 15.07.2010].

10 Memento in Deutsch: http://www.ne.ch/neat/site/jsp/rubrique/rubrique.jsp?StyleType=bleu&DocId=29625 [Zugriff am 15.07.2010].

11 In Neuenburg existiert das Wahlrecht für AusländerInnen auf Gemeindeebene – mit Unterbrüchen – seit 150 Jahren, nämlich seit der Revolution. Pikantes Detail: Schweizer Frauen erhielten in Neuenburg das Stimmrecht auf kommunaler und kantonaler Ebene erst 1959 (auf nationaler Ebene 1971).

handelt, sondern um eine *religiös* eingefärbte. Geht es konkret um den Islam, so zeigt sich in den Interviews eine Distanzierung und damit auch Grenzziehung seitens der Jugendlichen, die nicht mehr durch eine universalistisch, republikanische Ideologie aufgehoben wird. Der Islam lässt sich, entsprechend den Interviewanalysen, weder mit einer *citoyenneté* noch mit positiv aufgeladener Differenz verbinden. Der folgende Interviewausschnitt verdeutlicht diesen Bruch eindrücklich. Im Gespräch kommt der junge Mann auf ethno-nationale Unterschiede zu sprechen, worauf ihn die Interviewerin fragt:

> [Wäre es für dich wichtig, dass deine Freundin auch Schweizerin oder Französin wäre?] Nein, weil für mich kann meine Freundin irgendeine Nationalität haben, japanisch, chinesisch, kongolesisch, amerikanisch oder irgendwas. Das ist mir total egal, solange ich ein gutes Gefühl habe und sie auch wirklich liebe. [...] [Interviewerin: Was wäre denn, wenn du einen Freund hättest, der eine andere Haltung hätte, so im Stil von «wie kannst du nur mit einer Ausländerin oder so was zusammen sein?»] Also ich hasse diese Dinge, solche rassistischen Aussagen hasse ich.

Später, als sich das Gespräch um Religion dreht, fragte die Interviewerin ob er sich vorstellen könne, seine Kinder in einer anderen als der christlichen Religion zu taufen.

> Nein, nur wenn meine Frau Muslimin wäre [Ja genau, stellen wir uns mal vor, dass deine spätere Frau Muslimin wäre und ihr etwas daran läge. Könntest du dir vorstellen, dass deine Kinder auch Muslime wären?] Dass sie Muslime werden würden okay, aber dass sie als Muslime praktizieren, sicherlich nicht. [Welchen Unterschied machst du denn da?] Dass sie als Muslime getauft wären, so dass wenn man sie nach ihrer Religion fragt, sie antworten «Muslim». Praktizierend, das würde ich nicht akzeptieren, weil, im Ernst, die Muslime sind wirklich sehr, sehr extrem. Halt einfach was man so sieht, was man so hört und was ich auch weiss, diese Religion ist super extrem. Kein Schweinefleisch, kein Geburtstag, nichts, das ist wirklich zu extrem für mich.

Grenzziehungsprozesse, die, wie die Jugendlichen postulieren, noch vor einer Generation auf ethnischen (und Rassen-) Kriterien beruhten, sind, wie die Interviews zeigen, unterdessen von religiösen abgelöst worden oder überlappen sich. Hierbei wurde der Islam zur wichtigsten Differenzierungslinie. Es wird im Folgenden zu zeigen sein, was von den Jugendlichen unter der Kategorie «Islam» subsumiert wird, wenn sie an solchen Grenzziehungsprozessen teilnehmen.

5. Protestanten, Katholiken und Muslime: Grenzverschiebungen

Die neu aufgekommene Kategorie «Islam» hat die althergebrachten etablierten religiösen Grenzziehungen modifiziert bzw. überlagert und zwar in zweifacher Weise. Zunächst ist festzuhalten, dass die jungen Erwachsenen in den Interviews häufig zwischen Katholik/-innen und Protestant/-innen differenzieren. Diese Differenzlinie wird mit biographischer Erfahrung während der Kindheit und der Schulzeit in Zusammenhang gebracht. Der ausserschulische Religionsunterricht zwischen den Konfessionen war getrennt organisiert und Protestanten und Katholiken erschienen deshalb quasi natürlicherweise als «verschieden». Einige, deren Eltern unterschiedlichen Konfessionen angehören, erzählten in den Interviews, dass die zwei Religionszugehörigkeiten zu Hause unterschiedlich zum Ausdruck gebracht wurden. Diese *boundary* zwischen Katholik/-innen und Protestant/-innen war in der Schweiz und insbesondere auch in Neuenburg historisch etabliert: Noch vor einigen Jahrzehnten war eine Heirat zwischen Protestant/-innen und Katholik/-innen problematisch und historisch hat in der Schweiz das Zusammenleben der Konfessionen immer wieder zu Auseinandersetzungen und in einzelnen Fällen zu gewalttätigen Konflikten geführt. In der Grafschaft Neuenburg, wo nach der Reformation einzig die Gemeinde Le Landeron katholisch geblieben war, verbot 1712 eine Kirchenordnung Mischehen und Konversionen (Forclaz, 2007). Hinzu kommt, dass im Neuenburger Kontext die alteingesessenen ehemals aristokratischen Familien allesamt protestantisch waren, währenddessen die später angekommenen Einwanderer aus Italien, Portugal aber auch aus dem Kanton Freiburg sich als Katholik/-innen erst etablieren mussten. Protestantismus war die im Sinne von Elisas und Scotson (1990 [1965]) etablierte Zugehörigkeit.

Jedoch hat sich unterdessen diese Grenzlinie verschoben: Erstens kategorisieren die Jugendlichen Protestanten und Katholiken heute gleichermassen als «Christen», die *boundary* wurde also ausgeweitet und beide Konfessionen finden ihren Platz unter diesem allumfassenden Hut des Christentums – eine Dynamik, die Zolberg und Woon (1999: 9) als Grenzverschiebung (*boundary shifting*) bezeichnen. Zweitens stellen die jungen Erwachsenen diese umfassende Kategorie des «Christentums» derjenigen des Islam gegenüber, so dass Muslime nun als verschieden von Christen betrachteten werden. Durch die Migrationsbewegungen der letzten Jahre ist also nicht nur eine neue Kategorie, Islam, ins Spiel gekommen, gleichzeitig hat sich die Qualität der herkömmlichen *boundaries* transformiert. In der Terminologie Richard Albas (2005: 21–22) ist die Grenzlinie nicht mehr «bright», sondern «blurred»:

> Some boundaries are «bright» – the distinction involved is unambiguous, so that individuals know at all times which side of the boundary they are on. Others are «blurry», involving zones of self-presentation and social representation that allow for ambiguous locations with respect to the boundary.

Die Differenzlinie zwischen Katholik/-innen und Protestant/-innen war früher gestochen scharf und hat sich unterdessen verwischt. Inwieweit diese Transformationen kausal durch das Aufkommen der neuen Kategorie «Islam» verursacht wurden sei dahingestellt. Auf jeden Fall aber erfolgt die Mobilisierung der Kategorie «Christen» reaktiv auf diejenige des Islam. Denn gleichzeitig zeichnet sich die Grenzlinie zu den Muslimen immer schärfer ab, wird also immer «klarer». Folgender Interviewausschnitt aus der Gruppendiskussion im Gymnasium verdeutlicht dies:

> Zum Beispiel gibt es schon einen grossen Unterschied zwischen einem Katholiken und einem Muslim, während die Katholiken und die Protestanten, die gehören ein bisschen in den gleichen Korb. Aber beim Ersten, da gibt es schon einen grossen Unterschied.

Diese neu formierte Grenzziehung gegenüber dem Islam kristallisiert sich auch bei Diskussionen über Vorstellungen bezüglich zukünftiger Ehegatten: Einen Ehemann oder eine Ehefrau christlichen Hintergrundes zu haben wird seitens der jungen Erwachsenen als unproblematisch eingeschätzt, während die Ehe mit einem Muslim oder einer Muslimin in den Diskursen *a priori* als problematisch erscheint. Auf die Frage, ob es für diese Schülerin wichtig sei, dass ihr Freund die gleiche Religion habe, meinte sie: «[Stille], ich glaube, ich könnte nicht mit einem Muslim gehen, es muss also schon jemand christliches sein.»

Wie aber legitimieren die Jugendlichen diese neue Differenzlinie? Mittels welcher Argumente erfolgen das *othering* gegenüber Muslimen und das Herstellen von Gemeinsamkeiten unter Christen? Diese Fragen sind Inhalt des nächsten Abschnitts.

6. Dichotomisierungen zwischen «wir» und «sie»: drei normative Imperative

Die Analyse der Interviews lassen drei Achsen erkennen, entlang welcher die Dichotomisierung zwischen *in-* und *outgroup* seitens der Jugendlichen vorgenommen werden (vgl. Tabelle 1). Das *othering* anhand dieser Dimensionen führt zu einer klaren Grenzziehung zwischen einem «wir» und einem «sie» – den Muslimen. Dabei markieren die Jugendlichen ihre Grenzziehung anhand von spezifischen, normativ aufgeladenen Vorstellungen, die wir *normative Imperative* nennen. Damit setzen sie die zwei Gruppen in eine hierarchische Rangordnung und die «Anderen» werden moralisch abgewertet. Es handelt sich bei diesen drei normativen Imperativen um Aspekte, die direkt mit der

Art resp. den Vorstellungen der Religionsausübung als solcher in Verbindung stehen – Freiheit und Autonomie in religiösen Belangen, Laizismus und Säkularisierung, moderate Praxis. Gleichzeitig werden transversal in allen Achsen Vorstellungen über das Geschlecht mobilisiert um die «Anderen» zu kategorisieren und damit auf- resp. abzuwerten. Insbesondere zieht sich als Querschnittsthema das Argument der «Unterdrückung der muslimischen Frau» durch die drei normativen Imperative hindurch. Demnach wird letztlich die dichotome Konstruktion der *in-* und der *outgroup* über die intersektional (Anthias, 2002; Crenshaw, 1994) und gleichzeitig interagierenden Differenzkategorien Geschlecht und Religion vorgenommen.

Tabelle 1: Normative Imperative der Differenzierungslinien

<table>
<tr><th>«WIR» ⟷</th><th>Achsen der Dichotomisierung:
Normative Imperative</th><th>⟷ «SIE»</th><th></th></tr>
<tr><td>Religion soll freiwillig und persönlich wählbar sein. Religiöse Überzeugungen sind deshalb auch individualisiert (Religion à la carte, bricolage).</td><td>der Autonomie und Freiheit in religiösen Belangen, Individualisierung</td><td>Religion als Zwang und Einschränkung der persönlichen Freiheit (vor allem für Frauen). Religion unterliegt strikten, fixen Regeln, die vorgegeben sind.</td><td rowspan="3">Genderrepräsentationen: Islam impliziert a priori eine problematische Position für die Frauen</td></tr>
<tr><td>Religion soll privat, unsichtbar sein, man spricht nicht darüber. Religion von kollektiven Einrichtungen (wie der Schule) ausgeschlossen.</td><td>des Laizismus und der Säkularisierung</td><td>Religion wird öffentlich und demonstrativ zelebriert (Kopftuch, Minarette).</td></tr>
<tr><td>Religion wird moderat praktiziert.</td><td>der moderaten Praxis</td><td>Religion ist extrem und richtet deshalb Schaden an</td></tr>
</table>

Die erste Grenzmarkierung erfolgt über die Forderung nach *Autonomie und Freiheit in religiösen Belangen.* Religiöse Überzeugungen sollten in den Augen der Jugendlichen freiwillig und persönlich wählbar sein. Im Christentum sehen die jungen Erwachsenen diese Möglichkeit gegeben, hingegen wird vor allem der Islam mit Zwang und Einschränkung der persönlichen Freiheit in Zusammenhang gebracht. Im Folgenden ein Beispiel für diese Argumentation:

> Also nur schon das, ich denke, in der christlichen Religion hat man viele Wahlmöglichkeiten. Ja, ich weiss nicht, aber das ist schon wichtig [...] [Interviewerin: Hast du denn den Eindruck, dass andere Religionen weniger Freiheiten zulassen?] ... ja, das stimmt, ich glaube schon, dass es Religionen gibt, die doch viel strikter sind. Das ist anders [...] [Von welchen Religionen sprichst du denn?] Pfff, von allen, Muslimen.

Häufig werden in den Interviews solche den Muslimen zugeschriebenen strikten Regeln und Freiheitseinschränkungen an die Frage des Kopftuchs gekoppelt oder allgemein an die vermeintlich untergeordnete Stellung der Frau im Islam. Etwa folgendermassen:

> Zum Beispiel die Frauen, die ein Kopftuch tragen müssen. Was ist denn daran religiös, jemanden zu etwas zu zwingen? Im Christentum gibt es das nicht, da wird niemand zu nichts gezwungen.

In derselben Logik argumentierte eine Gymnasiastin, dass, wenn das Tragen des Kopftuchs freiwillig und eine Frage der persönlichen Wahl wäre, das kein Problem wäre. Wird das Kopftuchtragen hingegen zum Zwang, dann sei es problematisch.

Im Zusammenhang mit der Autonomie- und Freiheitsforderung wird die Individualisierung religiöser Angelegenheiten ebenfalls zum Massstab der normativen Vorstellungen der Jugendlichen. Sozialwissenschafter/-innen thematisieren seit längerer Zeit inwiefern, Religion in westlichen Gesellschaften einem grundlegenden Wandel unterlief und zunehmend individualisiert gelebt wird. Stichworte sind hier die religiöse «Bastelei», eine «Religion à la carte» oder auch das «Do-it-yourself» religiöser Vorstellungen (Dubach und Campiche, 1993; Willaime, 1995). Diese Form der Ausübung von Religiosität ist, wie die Interviews enthüllen, typisch für die Jugendlichen. Erstaunlich ist dabei aber, dass sich die Jugendlichen diese Sachverhalte und Reflexionen angeeignet haben, sie moralisch aufladen und ins Spiel bringen, um ihre Reihen zu schliessen und die Muslime auf der anderen Seite der *boundary,* der verwerflichen, einzuordnen.

Den zweiten moralischen Imperativ nennen wir *Laizismus und Säkularisierung.* Die Jugendlichen führen einen normativen Diskurs, indem sie postulieren, dass Religion in die Privatsphäre zu verbannen sei (wo sie durchaus wichtig sein kann, wenn auch *à la carte*), nicht öffentlich zelebriert und diskutiert werden und auch keinen Platz in öffentlichen Institutionen haben soll. Diese Forderungen werden zum Gradmesser für positives Verhalten stilisiert. Dementsprechend wird öffentlich demonstrativ gelebte Religion und die Einbindung von Religion in kollektive Einrichtungen (z.B. in der Schule) auf der anderen Seite der Grenze platziert und abgewertet. Das Minarett und das Kopftuch werden in den Interviews als sichtbare Zeichen für Religion angeführt, und entsprechend diesem Normativ als Differenzmarkierung verwendet, so eine Schülerin:

> Ich denke, die Katholiken und die Protestanten, das ist eine Religion, die nicht sehr demonstrativ ist, wir haben zum Beispiel kein Kopftuch oder auch keine anderen Kleider, was bei anderen Religionen anders ist.

Offensichtlich ist, dass bei diesem zweiten normativen Imperativ das laizistische Umfeld einfliesst. Die Verfassung von Neuenburg beginnt mit dem Schwur zum Laizismus (vgl. oben), und Neuenburg ist einer der wenigen Kantone in der Schweiz, in dem eine strikte Trennung von Staat und Kirche herrscht. Auch die Schulen haben diesen Laizismus in Leitbildern festgehalten. Als 2003 ein «Unterricht in religiösen und humanistischen Kulturen» *(enseignement des cultures religieuses et humanistes)* eingeführt wurde, löste dies teils heftige Debatten aus: Die Gegner/-innen fürchteten um ihren verankerten Laizismus, während die Verfechter/-innen das Argument anführten, dem religiösen «Analphabetismus» der Jugend entgegenzuwirken (Robert-Grandpierre, 2003).[12] In der Gruppendiskussion mit den Spenglern und Telematikern kam dieses Thema auf: Einige Schüler kritisierten vehement, dass sie in der 7. Klasse im Geschichtsunterricht den «Islam lernen mussten». Der folgende Interviewausschnitt zeigt, dass die Jugendlichen diesen Laizismus verinnerlicht haben und ihn auch moralisch verteidigen – und als Zuschreibung verwenden, um andere auszuschliessen.

> Schüler 1: In der 7. Klasse hatte ich einen Konflikt mit meinem Lehrer, wir mussten in Geschichte die muslimische Religion lernen.
> Mehrere: Ja, ich auch!
> Schüler 1: Ich sah die Notwendigkeit überhaupt nicht ein, warum sollen wir dies lernen?!
> Interviewer: Aber nur den Islam, oder auch die anderen Religionen ?
> Schüler 2 (Muslim): Ihr seid Rassisten, ihr seid wirklich Rassisten!
> Schüler 1: Ja, ich hab's dann gelernt, um eine gute Note zu haben, ich wollte das überhaupt nicht!
> Interviewer: Aber warum?
> Schüler 1: Weil, das bringt mir doch überhaupt nichts!
> Schüler 3: Und überhaupt, die Schule ist laizistisch …

Allerdings ist festzuhalten, dass der Laizismusdiskurs der Jugendlichen in einem Punkt von der offiziellen Version abweicht: In Neuenburg wird Laizismus als Trennung öffentlicher Einrichtungen und Kirchen wie auch als Fehlen einer Staatsreligion definiert. Darüber hinaus ist die Anerkennung der Religionsfreiheit ebenfalls ein zentrales Element des offiziellen Laizismus (vgl. hierzu oben, *Charte de la citoyenneté*). Die Religionsfreiheit steht in der Neuenburger Variante des Laizismus der eher französischen Idee entgegen, wonach der Staat Religion aus den öffentlichen Bereichen verbannen möchte. So ginge es auf Grund des Grundrechts der Religionsfreiheit in Neuenburg

12 Der Unterricht wurde nach einem Schuljahr, nicht zuletzt wegen derartiger Kritik, wieder fallengelassen.

nicht an, einer muslimischen Schülerin ein Kopftuch in der Schule zu verbieten. Das Gleiche gälte aber nicht für die Lehrerin, denn dies würde gegen das Prinzip der religiösen Neutralität in den öffentlichen Schulen verstossen. Die Jugendlichen hingegen ordnen das Argument der Religionsfreiheit demjenigen der Verbannung von Religion aus dem öffentlichen Leben unter, zumindest dann, wenn es um den Islam geht.

Der dritte normative Imperativ bezieht sich auf die Dichotomisierung zwischen *moderat* und dem, was die Jugendlichen mit *extrem* gelebter Religion bezeichnen. Diese Zuschreibung wird in erster Linie auf den Islam angewandt, aber auch allgemein auf alle Personen, die ihre Religiosität «extrem» leben. Auf die Frage des Interviewers, ob er mit jemandem leben könnte, der seine Religion ausübt, meint dieser Telematikerlehrling: «Ja, aber nicht im Exzess, das heisst, wenn es darum geht, gewisse Dinge zu verbieten. Wenn das nicht stört, dann ist es okay.» Oder wie eine andere Schülerin meinte: «Dann gibt es diese Extremen. Und ja, in gewissen Bevölkerungen gibt es viel mehr Extreme als im Christentum. Diese Extreme sind schlecht, das ist meine Meinung.» An diesem Punkt fliesst der weit verbreitete Diskurs ein, der den Islam mit Fundamentalismus in Verbindung bringt. Eine ausgeprägte, exzessive religiöse Praxis wird von den Jugendlichen kritisiert, erneut mit Zwang und Verlust der Autonomie, aber auch mit Religionskriegen und religiös motivierten Auseinandersetzungen in Verbindung gebracht. Auch dieser Extremismus wird in den Interviews mit der Position von muslimischen Frauen im Islam in Zusammenhang gebracht, was im folgenden Beispiel, einem unter zahlreichen, deutlich wird. Die Interviewerin fragte eine Schülerin aus dem Gymnasium, ob Religion hinsichtlich eines zukünftigen Freundes oder Ehemann, resp. ihrer zukünftigen Kinder eine Rolle spielen könnte. Sie antwortete:

> Ja, ich denke schon, dass dies eine Rolle spielen könnte. Es gibt gewisse Dinge, die ich nicht will. Ich hätte gerne, dass sie [die Kinder] ein bisschen katholisch wären wie ich. Oder eine andere Religion, die ähnlich ist. Zum Beispiel keine Muslime. Wenn ich eines Tages muslimische Kinder hätte, das würde mich stören, wenn sie so eingesperrt wären [emprisonnés]. Ich bin überhaupt nicht muslimisch und dann haben sie diesen Stolz, ein Kopftuch zu tragen. Aber ich sehe das als negativen Aspekt für die Frau, weil sie wirklich untergeordnet ist.

7. Ausschlusstendenzen: etablierte Religion und Zugehörigkeit als Standortvorteil

Diese Zuschreibungsmechanismen haben eine klar definierte und fast unüberbrückbare *boundary* zwischen *in-* und *outgroup* zur Folge und münden in einer hierarchischen Rangordnung dieser Gruppen: Darüber hinaus argumentieren wir, dass die identifizierten Dichotomisierungsformen darin gipfeln, dass die etablierte Religionszugehörigkeit der Alteingesessenen im Kampf um Status und Sozialposition zu einem Standortvorteil wird. Religion wird von den jungen Erwachsenen als Mittel eingesetzt um Zugehörigkeit – und damit auch Ausschluss – über Generationen hinweg zu stabilisieren.

Denn obschon die Jugendlichen in den Interviews eine kritische Haltung der Religion gegenüber an den Tag legen, diese individualisiert leben und ihr höchstens einen Platz im privaten und unsichtbaren Bereich der Gesellschaft zuweisen, liegt ihnen mehrheitlich sehr viel daran, sie ihren zukünftigen Kindern weiterzugeben. Eine religiöse Transmission wird von den Jugendlichen damit begründet, dass sie ihren Kindern eine «Zugehörigkeit», individuell und kollektiv mitgeben möchten. Eine Schülerin meinte dazu:

> Was die Nationalität betrifft, das weiss ich nicht, aber für die Religion, da ist es schon wichtig, dass sie [zukünftige eigene Kinder] getauft werden, so haben sie dann eben eine Zugehörigkeit. Später können sie dann ja wählen, ob sie diese Schiene weiterleben oder nicht, aber dass sie wenigstens zu einer Religion gehören. Wenn irgendwo steht, dass du nicht getauft bist, finde ich das schwierig, damit zu leben.

Dieses Beharren auf «religiöse Zugehörigkeit», insbesondere da dies unter den Bedingungen von Freiwilligkeit und einer hoch individualisierten Religiosität stattfindet, kann durchaus als Bemühen um ein Schliessen der Ränge und Netzwerke verstanden werden, und zwar in Anlehnung an die Figurationstheorie von Elias und Scotson (1990 [1965]). Beim Wunsch nach religiöser Weitergabe stehen nicht in erster Linie religiöse Inhalte (Religiosität, Glaubensvorstellungen, Praktiken) im Vordergrund, sondern es geht um Zugehörigkeit zu einer religiösen Gruppe: Eine solche ist gleichbedeutend mit einer spezifischen Position im sozialen Raum. «Etablierte» Religionszugehörigkeit führt dazu, dass Familien ihre Reihen gegenüber den Neuzugezogenen, insbesondere Muslimen schliessen: Die «Etablierten», und dies sind heute nicht nur die Protestanten, sondern in dieser neuen Figuration der Grenzziehungsprozesse auch die Katholiken (vgl. oben), bemühen sich, ihre gesellschaftliche Stellung zu halten und zu verbessern, indem sie versuchen ihr Etabliert-sein weiter zu geben. Es geht letztlich um Bemühungen seine Status-Zugehörigkeiten zu überliefern und die normativen Imperative, wie sie oben diskutiert wurden, können deshalb auch als «Distinktionsbemühungen» (Bourdieu, 1982) verstanden werden. Sie gehen einher mit Stigmatisierung und Zuschreibung von negativen Eigenschaften; Elemente, die gemäss Elias und Scotson von hoher Relevanz für derartige Grenzziehungsprozesse sind.

Wie äussert sich in den Interviews diese Frage der Transmission von Zugehörigkeit und wo zeigen sich derartige Schliessungsprozesse am empirischen Material?

Auf *individueller* Ebene bedeutet Zugehörigkeit die Weiterführung einer familiären Linie: Man möchte sich selbst und zukünftige Kinder in diese Linie einschreiben. Eine Schülerin charakterisierte in diesem Zusammenhang ein ungetauftes Kind als «*enfant perdu*», da man ihm eine religiöse Zugehörigkeit vorenthalte. Des Weiteren argumentieren die Jugendlichen mit der Weitergabe von Tradition, mit Herkunft, Vorfahren, Wurzeln und Familie oder wie es eine kaufmännische Berufsschülerin ausdrückte: Es gehe darum, eine Spur zu hinterlassen *(il y a une trace)*. Was die *kollektive* Dimension dieser Zugehörigkeit betrifft, so bringt das folgende Zitat die Schliessungsmechanismen pointiert zum Ausdruck:

> [Interviewerin: Dann sagst du ihnen [der Mutter und der Grossmutter], dass du nicht religiös bist, dass du nicht gläubig bist, aber sie antworten: «trotzdem ist diese Religion um dich herum da?»] Ja, sie meinen, ich sei trotzdem katholisch, das steht fest. Du bist trotzdem Teil eines Clubs. Auch wenn du nicht gläubig bist, bist du trotzdem Teil dieses Clubs.

Zugehörigkeit zu einer Religion heisst Teil eines «Clubs» zu sein; und ein Club ist gleichbedeutend mit Verankerung und Netzwerken – aber auch Exklusivität, beschränkter Mitgliedschaft wie auch Nicht-Zugehörigkeit. Verschiedentlich wurde in den Interviews auch thematisiert, dass sich im Rahmen von Religionsunterricht und Jugendcamps Freundschaften gebildet hätten, die dauerhaft blieben. Erneut ist der Verweis auf Elias und Scotson naheliegend, die aufzeigten, inwiefern in Netzwerken Schliessungsprozesse eingebettet sind. Mitglied des «Clubs» zu sein bedeutet, Netzwerke gegen innen zu schaffen und Exklusion gegen aussen vorzunehmen. *Boundary work* bewirkt hier nicht nur eine Hierarchisierung von verschiedenen sozialen Gruppen, sondern es kommt zu eigentlichen Schliessungsprozessen, es geht um Verankerung und Standortvorteil.

8. Boundary-Strategien der Minderheit

Wie geht die Minderheit, d.h. die Jugendlichen, die sich als Muslime bezeichnen, mit diesen normativen Zuschreibungen und Ausgrenzungen um? Das wichtigste Ergebnis ist wohl folgendes: Die Minoritätenjugendlichen stellen die etablierte Differenzlinie als solche nicht in Frage, sondern sie entwickeln andere Strategien. *Grosso modo* sind zwei *boundary Strategien* auszumachen. Erstens versuchen sich die Jugendlichen auf der «guten» Seite der Grenzziehung zu platzieren, indem sie Gemeinsamkeiten mit der «etablierten» Gruppe betonen. Zweitens nehmen sie Rückgriff auf den eingangs präsentierten republikanischen Diskurs der Toleranz und Offenheit und re-interpretieren auf dieser Basis ihre Herkunft und zwar positiv.

Das erste Set der identifizierten Strategien kann als *boundary crossing* im Sinne von Assimilationsbemühungen (Zolberg und Woon, 1999: 9) interpretiert werden. Die Jugendlichen stellen ihre Gemeinsamkeiten mit den Etablierten in den Vordergrund, während sie sich gleichzeitig von der im Mehrheitsdiskurs als «Andere» konstruierten *outgroup* differenzieren. Mit dieser Strategie trachten die Jugendlichen danach, dass man sie als auf der «guten» Seite zugehörig anerkennt. Es ist ein Versuch, die Grenzlinie zu überschreiten, ohne aber die Differenzlinie als solche in Frage zu stellen. Aus den Interviews lassen sich verschiedene Beispiele eruieren, die ein solches Bemühen eines *boundary crossings* illustrieren. Ein Schüler betonte beispielsweise seinen Schweizer Vornamen und ein anderer nahm Bezug auf seinen Phänotyp, der gleich sei wie derjenige der Alteingesessenen. Manchmal nehmen die jungen Erwachsenen auch direkt Bezug auf die normativen Imperative um sich auf der moralisch guten Seite zu platzieren. So grenzt sich ein Schüler von der vermeintlichen Unterordnung der Frauen bei den Muslimen ab, indem er seine bosnische «Kultur» betont, zu der ein Kopftuch nicht dazu gehöre. Auf diese Weise kategorisiert er sich gleichzeitig beim «wir» und nicht bei den «anderen».

Die zweite Strategie beabsichtigt keine Grenzüberschreitung, sondern die Jugendlichen verbleiben in ihrer *ingroup*: Sie versuchen aber, die im Mehrheitsdiskurs als negativ beschriebenen Eigenschaften umzudeuten, im Sinne der von Wimmer (2008a: 1037) beschriebenen Strategie der *normativen Inversion*. Insbesondere wird die eigene Herkunft positiv aufgeladen und als kulturell bereichernd dargestellt. Mit anderen Worten, die Jugendlichen greifen den republikanischen Offenheitsdiskurs der Mehrheit auf und wenden ihn direkt auf sich an. Hierbei betonen sie diese positiven Werte einer ethnokulturellen Diversität und versuchen dabei die existierenden Abwertungen zu unterlaufen. So meinte ein Gymnasiast:

> Nun, in erster Linie ist es ein Land, das ich gern habe. Auf jeden Fall schäme ich mich nicht zu sagen, dass ich Bosnier bin. Ich bin eher stolz darauf, das ist etwas, das mich von den anderen unterscheidet [...] Es ist bereichernd auf kulturellem Niveau. Wir haben andere Werte wie diejenigen, die uns in der Schweiz eingeimpft werden. [...] Das erlaubt es auch, andere Horizonte zu entwickeln, man ist nicht nur eingeschlossen mit den Freunden von hier. Man kann andere Standpunkte entwickeln, es ist wirklich eine Diversifikation.

Nur ganz selten werden in den Interviews Strategien sichtbar, die auf ein Verwischen (*blurring*) der etablierten Grenzlinie abzielen, beispielsweise wenn ein muslimischer Schüler insistiert, dass Islam und Christentum schliesslich beides monotheistische Religionen seien und deshalb viele Gemeinsamkeiten hätten. Aussagekräftig ist des Weiteren, dass die Muslime in den Interviews den Islam nie verteidigen und bei ihren Verteidigungsstrategien überhaupt fast nie in irgendeiner Form auf Religion Bezug nehmen (obiges Beispiel ist eine Ausnahme). Dies ist umso erstaunlicher, da die Grenzlinie in erster Linie über die Kategorie Islam konstruiert wird. Dies zeigt aber, dass die Jugendlichen (ob sie sich dem bewusst sind, sei dahingestellt) keine Chance hätten, gehört zu werden und ihre Anerkennung und Position verbessern zu können, würden sie auf diesem Register spielen, denn zu etabliert und zu «undurchlässig» ist die Grenzziehung, lokal und global. An diesem Punkt kommen konkret die Machtkonstellationen zum Ausdruck, die mit solchen Grenzziehungsprozessen einhergehen. Hinzu kommt, dass eine Aufwertung der Religion im laizistischen Kontext von Neuenburg nur schwierig möglich sein wird. Anerkannt werden können andere Kategorien, aber Religion hat im Allgemeinen einen schwierigen Stand, um in der Öffentlichkeit einen legitimen Platz zu finden.

9. Fazit: «Rückkehr» der Religion

Das Hauptargument dieses Aufsatzes ist, dass Religion in Folge von Transnationalisierungsprozessen und Migration (wieder) ein wichtiges Element in Grenzziehungsprozessen wird und dasjenige der Ethnizität resp. Nationalität überlagert hat. Die Jugendlichen nehmen eine starke Grenze zwischen einem «wir» und den «Muslimen» wahr und die beiden Gruppen werden mit Rückgriff auf verschiedene normative Imperative in eine hierarchische Rangordnung gestellt. Hierbei werden ehemals etablierte symbolische und soziale Grenzen verschoben, konkret wird diejenige zwischen Katholiken und Protestanten aufgelöst und umfassender neu als Christentum formiert. Die etablierte Religionszugehörigkeit der Alteingesessenen wird nun quasi zum

Standortvorteil, sie wird zur Ressource um die «Anderen», die Muslime, zu stigmatisieren und auszuschliessen.

Die zunehmende Transnationalisierung hat demnach die Spielregeln grundlegend verändert, wie symbolische und soziale Grenzlinien und mithin Differenz sozial hergestellt wird, aber auch, wie neue Ausschlussprozesse (re)produziert werden. Religion spielt in diesen Prozessen eine zentrale Rolle, weshalb wir von einer «Rückkehr» von Religion sprechen: Das Auftauchen der Kategorie Islam hat die etablierten Konfessionen reaktiviert und ihnen damit auch zu einem neuen Stellenwert verholfen. Solche Transformationen, die wir «reaktive Religiosität»[13] nennen, lassen sich aber keineswegs auf einer horizontalen Dimension der kulturellen Verschiedenheiten und Glaubenszugehörigkeiten abhandeln: Im Gegenteil, neue Dominanzsysteme werden etabliert, die ursächlich mit Religion verknüpft sind und gleichzeitig mit anderen Differenzkategorien wie Geschlecht interagieren und die konkret mit Ausschluss einhergehen. Diese Machtkonstellation hat beispielsweise zur Folge, dass die Jugendlichen diese Differenzlinie nicht in Frage stellen können – ihre Stimmen würden ungehört verschallen – sondern, dass sie Strategien entwickeln müssen, die ihnen erlauben, sich entweder auf der «guten Seite» der Grenze zu platzieren, oder aber durch eine Einschreibung in den republikanischen Offenheitsdiskurs sich und ihre «Kultur» aufzuwerten.

Die vorliegenden Ergebnisse werfen zwei Fragen auf: Zunächst ist evident, dass im Falle von *boundary work* die Kategorie Religion mit derjenigen der Ethnizität eng verflochten ist. Unser Fallbeispiel weist zwar darauf hin, dass Religion Ethnizität bis zu einem gewissen Grade abgelöst hat, gleichzeitig wird bei ethnischen wie auch religiösen Grenzziehungsprozessen mit einer essentialistisch verstandenen «Kultur» argumentiert. Theoretisch und empirisch fand die Frage, in welchem Verhältnis Ethnizität und Religion in Grenzziehungsprozessen stehen, bisher aber wenig wissenschaftliches Gehör (vgl. hierzu Mitchell, 2008; Ruane und Todd, 2010) und bedürfen weiterer Studien. Zweitens stellt sich die Frage, auf welche Art und Weise sich diese Schliessungsprozesse in Zukunft verändern werden: Kann die Grenzlinie noch «undurchlässiger» werden, oder wird sie sich im Gegenteil irgendwann verwischen? Und wird vielleicht in Zukunft eine neue Kategorie auftauchen, die diejenige des Islam «entschärfen» wird, so wie Religion beim *boundary work* nun vielleicht die Bedeutung von Ethnizität überlagert hat?

13 Diesen Begriff verwenden wir in Anlehnung an die Idee der «reactive ethnicity» von Portes und Rumbaut (1996).

Bibliographie

Alba, Richard, 2005. Bright vs. blurred boundaries: Second-generation assimilation and exclusion in France, Germany, and the United States. *Ethnic and Racial Studies,* 28(1): 20–49.

Anthias, Floya, 2002. Beyond feminism and multiculturalism: locating difference and the politics of location. *Women's Studies International Forum,* 25(3): 275–286.

Bail, Christopher A., 2008. The configuration of symbolic boundaries against immigrants in Europe. *American Sociological Review,* 73: 37–59.

Barth, Fredrik, 1969. Introduction. In: Fredrik Barth (Hg.), *Ethnic groups and boundaries: The social organization of culture difference.* London: Allen & Unwin, 9–38.

Bauböck, Rainer, 1998. The crossing and blurring of boundaries in international migration. Challenges for social and political theory. In: Rainer Bauböck und John Rundell (Hg.), *Blurred boundaries: migration, ethnicity, citizenship.* Aldershot: Ashgate, 17–52.

Baumann, Gerd, 1996. *Contesting culture: discourses of identity in multi-ethnic London.* Cambridge: Cambridge University Press.

Behloul, Samuel M., 2009. Discours total! Le débat sur l'islam en Suisse et le positionnement de l'islam comme religion publique. In: Mallory Schneuwly Purdie, Gianni Mateo und Magali Jenny (Hg.), *Muselmans d'aujourd'hui. Identités plurielles en Suisse.* Genève: Labor et Fides.

Berger, Peter L. und Luckmann, Thomas, 1996. *Die gesellschaftliche Konstruktion der Wirklichkeit. Eine Theorie der Wissenssoziologie.* Frankfurt a.M.: Fischer.

Bilge, Sirma, 2010. Beyond subordination vs. resistance: an intersectional approach to the agency of veiled Muslim women. *Journal of Intercultural Studies,* 31(1): 9–28.

Bourdieu, Pierre, 1982. *Die feinen Unterschiede. Kritik der gesellschaftlichen Urteilskraft.* Frankfurt a.M.: Suhrkamp.

Brubaker, Rogers, 1992. *Citizenship and nationhood in France and Germany.* Cambridge, Mass.: Harvard University Press.

Brubaker, Rogers, 2004. Ethnicity without groups. In: Andreas Wimmer et al. (Hg.), *Facing ethnic conflict: toward a new realism.* Oxford: Rowman & Littlefield, 34–52.

Crang, Mike und Ian Cook, 2007. *Doing ethnographies.* London: Sage.

Crenshaw, Kimberlé Williams, 1994. Mapping the marigins: intersectionality, identity politics, and violence against women of colour. In: Martha Albertson Fineman und Rixanne Mykitiuk (Hg.), *The public nature of private violence.* New York: Routeledge, 92–118.

Dahinden, Janine, 2010. «Are you who you know?» – A network perspective on ethnicity, gender and transnationalism. Albanian-speaking migrants in Switzerland and returnees in Kosovo. In Charles Westin, José Bastos, Janine Dahinden und Pedro Gois (Hg.), *Identity processes and dynamics in multiethnic Europe. IMISCOE Research Series.* Amsterdam: Amsterdam University Press, 88–104.

Dietze, Gabriele, 2009. Okzidentalismuskritik. Möglichkeiten und Grenzen einer Forschungsperspektivierung. In: Gabriele Dietze, Claudia Brunner und Edith Wenzel (Hg.), Kritik des Okzidentalismus. Bielefeld: transcript-Verlag, 23–54.

Dubach, Alfred und Campiche, Roland J., 1993. *Jede(r) ein Sonderfall? Religion in der Schweiz. Ergebnisse einer Repräsentativbefragung.* Zürich: NZZ Buchverlag.

Duemmler, Kerstin; Dahinden, Janine und Moret, Joëlle, 2010. Gender equality as «cultural stuff»: ethnic boundary work in a classroom in Switzerland. *Diversities,* 12(1): 19–37.

Elias, Norbert und Scotson, John L., 1990 (1965). *Etablierte und Aussenseiter.* Frankfurt a.M.: Suhrkamp.

Emery, Marc E. Albert; Evard, Maurice; Hammann, Gottfried und Henry, Philippe, 1991. *Histoire du pays de Neuchâtel – Tome 2.* Hauterive: Editions Gilles Attinger.

Flick, Uwe, 2007. *Qualitative Sozialforschung. Eine Einführung.* Reinbek bei Hamburg: Rowohlt.

Foner, Nancy und Alba, Richard, 2008. Immigrant religion in the U.S. and Western Europe: bridge or barrier to inclusion? *International Migration Review,* 42(2): 360–392.

Forclaz, Bertrand, 2007. Religiöse Vielfalt in der Schweiz seit der Reformation. In Martin Baumann und Jörg Stolz (Hg.), *Eine Schweiz – viele Religionen. Risiken und Chancen des Zusammenlebens.* Bielfeld: transcript-Verlag, 89–99.

Gerson, Judith M. und Peiss, Kathy, 1985. Boundaries, negotiation, consciousness: reconceptualizing gender relations. *Social Problems,* 32(4): 317–331.

Gianni, Matteo, 2010. Muslime in der Schweiz. Identitätsprofile, Erwartungen und Einstellungen. Eine Studie der Forschungsgruppe «Islam in der Schweiz» (GRIS). Bern: Eidgenössische Kommission für Migrationsfragen (EKM).

Grillo, Ralph, 2010. British and others: from «race» to «faith». In: Steven Vertovec und Susanne Wessendorf (Hg.), *The multiculturalism backlash: European discourses, policies, and practices.* London: Routledge, 50–71.

Hobsbawm, Eric und Ranger, Terence (Hg.), 1983. *The invention of tradition.* Cambridge: Cambridge University Press.

Jenkins, Richard, 1997. *Rethinking ethnicity: arguments and explorations.* London: Sage.

Kaya, Ayhan. 2009. *Islam, migration and integration: the age of securitization.* London: Palgrave Macmillan.

Koenig, Matthias, 2005. Incorporating Muslim migrants in Western nation states: a comparison of the United Kingdom, France, and Germany. *Journal of International Migration and Integration,* 6(2): 219–234.

Lamont, Michèle und Virag Molnar, 2002. The study of boundaries in the social sciences. *Annual Review of Sociology,* 28: 167–195.

Lutz, Helma. 1991. The mythe of the «other»: western representation and images of migrant women of so called «Islamic background». *International Review of Sociology,* 2: 121–138.

Mitchell, Claire, 2008. The religious content of ethnic Identity. *Sociology,* 40(6): 1135–1152.

Pachucki, Mark A.; Pendergrass, Sabrina und Lamont, Michèle, 2007. Boundary processes: recent theoretical developments and new contributions. *Poetics,* 35: 331–351.

Portes, Alejandro und Rumbaut, Rubén G., 1996. Immigrant America: a portrait. Berkeley: University of California Press.

Ramm, Christoph, 2010. The Muslim makers. How Germany «Islamizes» Turkish migrants. *Interventions,* 12(2): 183–197.

Riaňo, Yvonne und Dahinden, Janine, 2010. *Zwangsheirat: Hintergründe, Massnahmen, lokale und transnationale Dynamiken.* Zürich: Seismo.

Robert-Grandpierre, Carlo, 2003. L'enseignement du religieux en pays neuchâtelois. *Tangram,* 14: 76–80.

Ruane, Joseph und Jennifer Todd, 2010. Ethnicity and religion: redefining the research area. *Ethnopolitics,* 9(1): 1–8.

Schiffauer, Werner, 2007. Der unheimliche Muslim: Staatsbürgerschaft und zivilgesellschaftliche Ängste. In: Monika Wohlrab-Sahr und Levent Tezcan (Hg.), *Konfliktfeld Islam in Europa.* Baden-Baden: Nomos, 111–134.

Stolcke, Verena, 1995. Talking culture: new boundaires, new rhetorics of exclusion in Europe. *Current Anthropology,* 36(1): 1–24.

Tajfel, Henri, 1981. *Social categorization, social identity and social comparison.* Cambridge: Cambridge University Press.

Weber, Max, 1996 (1922). Ethnic groups. In: Werner Sollors (Hg.), *Theories of ethnicity: a classical reader.* [from Chapter V in Guenther Roth and Claus Wittich (Hg.), *Economy and society* (Berkeley: University of California Press 1978), 385–398, originally published in 1922.] New York: New York University Press, 52–66.

Wicker, Hans-Rudolf, 1996. Von der komplexen Kultur zur kulturellen Komplexität. In: Hans-Rudolf Wicker et al. (Hg.), *Das Fremde in der Gesellschaft: Migration, Ethnizität und Staat.* Zürich: Seismo, 373–392.

Willaime, Jean-Paul, 1995. *Sociologie des religions.* Paris: Presses universitaires de France.

Wimmer, Andreas, 2008a. Elementary strategies of ethnic boundary making. *Ethnic and Racial Studies,* 31(6): 1025–1055.

Wimmer, Andreas, 2008b. The making and unmaking of ethnic boundaries: a multilevel process theory. *American Journal of Sociology,* 113(4): 970–1022

Wimmer, Andreas und Nina Glick Schiller, 2002. Methodological nationalism and beyond: nation-state building, migration and the social sciences. *Global Networks,* 2(4): 301–334.

Zolberg, Aristide und Long Litt Woon, 1999. Why Islam is like Spanish? Cultural incorporation in Europe and the United States. *Politics & Society,* 27: 5–38.

Pascale Herzig

Religion in der Diaspora

Perspektiven von südasiatischen Kindern und Jugendlichen in der Schweiz

1. Einleitung

Die Schweiz ist seit vielen Jahrzehnten ein Einwanderungsland. Dass die Schweiz bezüglich ihrer Bevölkerung heterogen ist, ist schon lange eine Tatsache. Die verschiedenen Einwanderungswellen seit dem späten 19. Jahrhundert sowie die Flüchtlingsströme in jüngerer Zeit führten zu einer weiteren Heterogenisierung der ständigen Wohnbevölkerung. Je nach Herkunftsländern der Eingewanderten veränderte sich auch die religiöse Zusammensetzung (KatholikInnen aus Italien und Spanien, MuslimInnen aus der Türkei oder aus dem ehemaligen Jugoslawien). Seit 1980 hat die religiöse Vielfalt in der Schweiz stark zugenommen. Mit dem Titel «Religion in der Diaspora» beziehe ich mich auf diese Tatsache, wobei ich in diesem Artikel den Fokus auf die Kinder und Jugendlichen mit Migrationshintergrund lege. Bei einer Migration kann die Religion (und die Kultur) nicht einfach eingepackt, mitgenommen und am neuen Wohnort unverändert praktiziert werden, sondern wird neu interpretiert, umgedeutet oder erst kennengelernt (Allenbach, Herzig und Müller, 2010b). Das bedeutet, dass Religion in der Diaspora einen fortwährenden Prozess der Neuaushandlung beinhaltet (Baumann, 1999).

Kinder und Jugendliche erleben in ihrem Alltag – und insbesondere in der Schule – Menschen aus anderen religiösen, kulturellen, sozialen und ökonomischen Kontexten. Die Durchmischung findet bei ihnen in einem viel stärkeren Ausmass als in der sozial segregierteren Berufswelt von Erwachsenen statt. Dennoch finden auch in der Schule und in der Freizeit von Kindern und Jugendlichen Grenzziehungsprozesse statt, welche oszillierende Muster von Zugehörigkeit und Ausschluss entstehen lassen.

Im Zentrum dieses Artikels stehen solche Konstruktionen von Zugehörigkeit von Kindern und Jugendlichen, deren Familien aus Südasien in die Schweiz eingewandert sind. Personen aus Indien und Sri Lanka widerspiegeln eine grosse Bandbreite an religiösen Zugehörigkeiten wie Hinduismus, Christentum und Islam. Grenzziehungsprozesse finden nicht nur zwischen sondern auch innerhalb der verschiedenen Religionen statt.

Ausgangspunkt dieses Beitrags sind die Untersuchungen des Forschungsprojekts Migration und Religion, das im Rahmen des NFP 58 «Religionsgemeinschaften, Staat und Gesellschaft» durchgeführt wurde.[1] In diesem Beitrag gehe ich der Frage nach, welche Zugehörigkeiten wann und in welchen Kontexten konstruiert werden. Der Artikel basiert auf empirischen Daten, die mittels Fokusgruppengesprächen, teilnehmender Beobachtung und teilstrukturierten Leitfadeninterviews im Rahmen des genannten Forschungsprojekts erhoben wurden.

2. Religiöse Vielfalt in Zahlen

Ende Dezember 2009 lebten in der Schweiz knapp 23 Prozent Ausländerinnen und Ausländer, oder in absoluten Zahlen 1.68 Mio. Personen (BFM und EJPD, 2010). Dies entspricht – verglichen mit anderen europäischen Ländern – einem relativ hohen Anteil. Die Bevölkerung mit Migrationshintergrund – gemäss der Definition des BFS diejenigen Personen, deren Eltern im Ausland geboren sind (unabhängig von der Staatsangehörigkeit) – umfasst rund 30 Prozent der ständigen Wohnbevölkerung ab 15 Jahren (BFS, 2008). Von diesen 30 Prozent sind ungefähr zehn Prozent schweizerische, die anderen 20 Prozent ausländische Staatsangehörige der ersten und zweiten Generation (ebd.). Die Mehrheit der Bevölkerung mit Migrationshintergrund ist aus Europa eingewandert: Die grösste Gruppe stammt aus Italien, gefolgt von Deutschland, Portugal und Serbien (BFM, 2008).

Diese Einwanderungsbewegungen blieben nicht ohne Folgen für die Schweiz. Neben der Zunahme der sprachlichen und kulturellen Vielfalt ist auch die religiöse Pluralisierung ein bedeutendes Phänomen. In Tabelle 1 ist die Veränderung der Anteile der verschiedenen Religionsgemeinschaften in den Jahren 1980 und 2000 dargestellt.

Der Anteil der traditionellen christlichen Konfessionen (evang.-ref. und röm.-kath.) nahm von über 90% im Jahr 1980 auf etwas mehr als 75% im Jahr 2000 ab. Gleichzeitig ist eine starke Zunahme der Personen ohne religiöse

1 Das Projekt «Migration und Religion: Perspektiven von Kindern und Jugendlichen in der Schweiz» wurde vom Schweizerischen Nationalfonds zur Förderung der wissenschaftlichen Forschung im Rahmen des NFP 58 finanziert und ist dem Lehrstuhl von Prof. Christian Giordano, Universität Freiburg/CH, angegliedert (Projektdauer: 01.09.2007–30.06.2010). Das Forscherinnenteam bestand aus den Projektleiterinnen Brigit Allenbach und Pascale Herzig sowie der Doktorandin Monika Müller.

Zugehörigkeit feststellbar. Ebenso hat sich die Zahl der MuslimInnen stark erhöht: von rund 56 000 Personen (1980) auf mehr als 310 000 Personen im Jahr 2000. Auch die Anteile von weiteren religiösen Minderheiten wie Hinduismus und Buddhismus haben sich verdoppelt.

Tabelle 1: Religiöse Pluralisierung in der Schweiz (1980 und 2000 in Prozent)

Religion / Konfession	1980	2000
Evang.-ref.	45.0	35.2
Röm.-kath.	47.6	41.8
Andere Christentum	1.1	2.2
Islam	0.9	4.3
Andere	0.5	1.0
Keine Zugehörigkeit	3.8	11.1
Ohne Angaben	1.1	4.3
Total	100.0	100.0

Quelle: eigene Darstellung. Zahlen aus BFS (2009b)

Neben der formellen Zugehörigkeit zu einer bestimmten Religion umfasst religiöse Zugehörigkeit weitere Dimensionen wie beispielsweise die Religiosität oder das Einhalten von religiösen bzw. kulturellen Regeln. Die religiöse Zugehörigkeit sagt an und für sich noch nichts über den Grad der Religiosität aus und ob die Religion praktiziert wird. Religiöse Praxis wird nicht einfach durch die Religionszugehörigkeit oder religiöse Institutionen definiert, sondern es müssen auch Rituale, religiöse Erfahrungen und Emotionen als Aspekte der «gelebten Religion» (McGuire, 2008) berücksichtigt werden.

3. Methoden

Im NFP 58-Forschungsprojekt «Migration und Religion» unterschieden wir zwischen zwei zentralen Bereichen aus dem Alltag von Kindern und Jugendlichen: die Schule und die Familie. Die Handlungsarena Schule umfasste Schulklassen mit Kindern und Jugendlichen vom 5. bis 9. Schuljahr in drei Kantonen der Deutschschweiz. In der Handlungsarena Familie befassten wir uns im Sinne einer Einschränkung des Themas mit Kindern und Jugendlichen der zweiten Generation, deren Eltern aus Südasien (Indien, Pakistan und Sri

Lanka) bzw. aus Südosteuropa (Albanien, Bosnien und Herzegowina, Kosovo, Kroatien, Mazedonien und Serbien) in die Schweiz eingewandert sind.

Wir begannen mit der empirischen Datenerhebung in der Handlungsarena Schule, indem wir Fokusgruppendiskussionen in Schulklassen durchführten. Nach ersten Erkenntnissen aus der Handlungsarena Schule begannen wir mit Interviews und Gruppendiskussionen in der Handlungsarena Familie. Zusätzlich zu den Fokusgruppen (Pratt, 2000) arbeiteten wir mit weiteren Methoden der qualitativen Sozialforschung wie teilstrukturierte Leitfadeninterviews und teilnehmende Beobachtung. Die empirischen Daten, die ich in diesem Beitrag verwende, stammen aus beiden Handlungsarenen, wobei die Jugendlichen oder ihre Familien in der Handlungsarena Familie aus Indien oder Sri Lanka stammen.

4. Südasiatische Diaspora in der Schweiz

Im Jahr 2007 stammten drei Prozent der ständigen ausländischen Wohnbevölkerung aus dem südlichen Asien (BFS, 2007c). Das bedeutet, dass es sich um eine zahlenmässig relativ kleine Gruppe handelt, wobei es regional beträchtliche Unterschiede gibt. So konzentriert sich beispielsweise die sri-lankische Diaspora vor allem in der Deutschschweiz (BFS, 2009a), wobei es sich bei dieser Gruppe hauptsächlich um Tamilinnen und Tamilen handelt.

In der Schweiz kommen gemäss BFS (2007c) von den ungefähr 53 000 Personen mit einer Staatsangehörigkeit aus dem südlichen Asien[2] 59% aus Sri Lanka und 19% aus Indien. Fünf Prozent der südasiatischen Bevölkerung in der Schweiz stammt aus Pakistan und 17% aus den restlichen Ländern des südlichen Asiens (Iran, Bangladesh, Bhutan, Nepal und Afghanistan) (BFS, 2007c). Die südasiatische Diaspora in der Schweiz ist eine junge Diaspora mit einem sehr grossen Anteil Kinder und junge Erwachsene (BFS, 2007a). Während bei der gesamten Wohnbevölkerung knapp 50% jünger als 40 Jahre alt ist, macht dieser Anteil bei den Personen aus dem südlichen Asien mehr als 70% aus (BFS, 2007b, BFS, 2007a). Dies hängt damit zusammen, dass diese Einwanderung eine Erscheinung der letzten Jahrzehnte ist. In den Anfängen migrierten vorwiegend Einzelpersonen, häufig junge Männer und Frauen,

2 An dieser Stelle ist es notwendig, eine Bemerkung zu den Begriffen «Südasien» und «südliches Asien» anzufügen: Das Bundesamt für Statistik verwendet für seine Erhebungen die Klassifikation der Vereinten Nationen, welche zusätzlich zu den Ländern des Indischen Subkontinents, Afghanistan und Iran, umfasst. Die engere Definition «Südasien» – und auf diese beziehe ich mich hier – umfasst die Länder des Indischen Subkontinents Bangladesh, Bhutan, Indien, Malediven, Nepal, Pakistan und Sri Lanka.

welche nach einiger Zeit heirateten (bevorzugt Personen aus der alten Heimat) und Familien gründeten. Aus diesem Grund ist bei der südasiatischen Diaspora in der Schweiz der überwiegende Anteil der Personen der zweiten Generation unter zwanzig Jahre alt (BFS, 2007a).

Da es sich bei vielen Tamilinnen und Tamilen in der Schweiz um ehemalige Flüchtlinge handelt und für diese Gruppe für lange Zeit keine Rückkehroption bestand, waren sie in besonderem Masse mit der Frage konfrontiert, wie sie sich ihre Zukunft in der Schweiz vorstellen. Heute sind rund 75% der in der Schweiz wohnhaften Personen der sri-lankischen Diaspora entweder in der Schweiz geboren oder seit mindestens zehn Jahren hier wohnhaft (BFS, 2009a). Dies führte dazu, dass sich überproportional (im Vergleich zu anderen ausländischen Gruppen) viele sri-lankische Staatsangehörige in der Schweiz einbürgern liessen (BFS, 2009a).

5. Grenzziehungen und Mehrfachzugehörigkeit

Eine Migration beinhaltet weitgreifende soziale Konsequenzen für die Individuen – wie beispielsweise eine Veränderung des sozialen Status (Petersen, 1996). Durch die Migration in die Schweiz sind Migrantinnen und Migranten häufig mit einer sozialen Mobilität nach unten konfrontiert. Eine Ausnahme bilden dabei die indischen Krankenschwestern,[3] die aus Kerala in die Schweiz migrierten und ihren Beruf auch hier ausüben können. Interessant ist an diesem Beispiel, dass ihre Männer häufig erst später im Rahmen von Heiratsmigration oder Familiennachzug in die Schweiz folgten und hier einer unqualifizierten Arbeit nachgehen (müssen). Mit diesem Beispiel wird deutlich, dass die übliche Vorstellung von Familiennachzug nicht aufrechterhalten werden kann. Diese Umkehrung der normativen Vorstellung der Versorgerehe führt dazu, dass Grenzen überschritten werden und Zugehörigkeiten neu gedacht und ausgehandelt werden müssen.

3 Seit den frühen 1960er Jahren wurden im indischen Bundesstaat Kerala, junge katholische Mädchen angeworben, um in europäischen Orden die Nachwuchsprobleme zu lösen (Hintermann, 2000; Hüwelmeier, 2000; Edamaraku, 2008). Zudem wurden in Zeiten des Arbeitskräftemangels indische Kankenschwestern bzw. Krankenschwesternschülerinnen angeworben, um in den konfessionellen Krankenhäusern in Deutschland und Österreich den Mangel an Pflegepersonal zu beheben (Hintermann, 2000; Goel, 2002; Thomas, 2006). Die Migration in die Schweiz war weniger durch die katholische Kirche geprägt, da es sich bei den meisten Krankenhäusern um kantonale Institutionen handelt. Krankenschwestern aus Kerala wurden angeworben, um den Mangel an Arbeitskräften im Pflegebereich zu lindern.

In diesem Artikel beziehe ich mich auf eine theoretische Perspektive, die solche Grenzziehungsprozesse und die daraus resultierenden Zugehörigkeiten (Anthias, 2006; Anthias, 2009) in den Fokus der Betrachtung stellt. Die Konstruktion von Grenzen beinhaltet immer auch Konstruktionen von Zugehörigkeit beziehungsweise Mechanismen des Ausschlusses.

Konstruktion sozialer Grenzen

Fredrik Barth (1969) gilt als Begründer der sogenannten «*boundary theory*», da er aufzeigte, dass ethnische Identitäten veränderbar sind. Barth fokussiert in seiner Einführung zu «Ethnic groups and boundaries» auf die Konstruktion und die Stabilität ethnischer Grenzen. Gemäss Barth ist Ethnizität nicht primordial, sondern durchlässig und situativ veränderbar. Barth geht davon aus, dass Zugehörigkeit durch Grenzziehungsprozesse entsteht.

Eine Erweiterung auf andere Grenzziehungsprozesse wird im Ansatz «Achsen der Differenz» (Nagar, 1998; Knapp, 2001) dargestellt, wobei in den Anfängen auf die Zusammenhänge von «Race, Class and Gender» fokussiert wurde (z.B. bei Andersen und Collins, 1995). Als weitere Erweiterung kann die Unterscheidung von Lamont und Molnár (2002) in symbolische und soziale Grenzen sowie die von Alba (2005) vorgeschlagene Unterscheidung in verschiedene Ausprägungen (bright vs. blurred) verstanden werden.

Soziale Identitäten werden auf der Basis solcher Differenzkategorien konstruiert (Herzig, 2004). Diese verschiedenen Zugehörigkeiten zu sozialen Kollektiven sind jedoch überlappend und situativ und wirken intersektional. Alltägliche Prozesse der Grenzziehung in «wir» und «die Anderen» sind entscheidend für die Bildung sozialer Kollektive (Nagar, 1998; Jenkins, 2008). Ein Individuum ist gleichzeitig Mitglied von verschiedenen sozialen Kollektiven. Die Aushandlungsprozesse entlang dieser Grenzen sind entscheidend für die Konstruktion kollektiver Identitäten (Herzig, 2006; 2010).

Soziale Kollektive wie beispielsweise «die Frauen» oder «die Muslime» werden häufig als homogene Gruppe konstruiert und es werden Stereotypen zugeschrieben. Diese Homogenisierungen und Zuschreibungen bilden jedoch nicht die Realität ab. Denn erstens werden soziale Kollektive durch unterschiedliche Grenzziehungsprozesse durchkreuzt und zweitens können die Differenzen innerhalb einer sozialen Gruppe (innerhalb der Frauen) grösser sein als zwischen zwei sozialen Gruppen (Frauen und Männer) (Moore, 1993). Das bedeutet, dass Grenzziehungsprozesse zu einer komplexen Matrix von Mehrfachzugehörigkeit und Ausschlusserfahrungen führen.

Floya Anthias (1998) schlug ausgehend von diesen theoretischen Überlegungen vor, Diaspora als «field of intersectionality» zu verstehen. Soziale Gruppen dürften nicht als homogen betrachtet werden, denn beispielsweise können Prozesse der Anpassung und der Synkretisierung nach Geschlecht variieren. Frauen machen in der Diaspora andere Erfahrungen als Männer, vor allem wenn in der Familie eine geschlechtsspezifische Arbeitsteilung vorherrscht und Frauen ausschliesslich für den Bereich der Familie zuständig sind. Frauen, die nicht in der Öffentlichkeit partizipieren, haben andere Zugehörigkeit und Identitätskonzeptionen, als beispielsweise erwerbstätige Frauen und Männer (Herzig, 2006). Dennoch soll gemäss Floya Anthias erstens Geschlecht als zentrale Analysekategorie berücksichtigt werden und zweitens die Intersektionalität verschiedener Differenzen. Damit wird es möglich, Ethnizität, Geschlecht und soziale Schicht als sich durchkreuzende und gegenseitig verstärkende Systeme von Dominanz und Unterdrückung zu verstehen, speziell in Bezug auf Prozesse der Hierarchisierung und der ungleichen Ressourcenaneignung (Anthias, 1998). Im Gegensatz zu Anthias bin ich jedoch der Meinung, dass Geschlecht nicht automatisch als wichtigste Differenzkategorie verstanden werden soll (Herzig, 2006). Da soziale Grenzen in unterschiedlichen Situationen unterschiedlich wirken, muss aufgrund jeder Situation entschieden werden, welche Grenzen, beziehungsweise Zugehörigkeit und Abgrenzungen für die aktuelle Situation relevant sind (Herzig, 2004). Am Beispiel Geschlecht wird deutlich, das eine Diaspora nie homogen ist und von unterschiedlichen sozialen Gruppen durchkreuzt wird. Es ist wichtig, die Beziehungen zwischen sozialen Kollektiven hinsichtlich der Machtbeziehungen zu untersuchen, insbesondere die daraus entstehenden Positionierungen im sozialen Raum. Soziale Positionierungen basieren immer auf Selbst- und Fremdzuschreibungen (Herzig, 2006).

Verortung von Identitäten

Die komplexen Systeme von Zugehörigkeiten bilden die Basis für kollektive Identitäten. Identitäten werden aber auch immer verortet, das bedeutet der physische Ort steht in einem relationalen Verhältnis mit sozialen Prozessen, ein Ort wird durch die Konstruktion von Bedeutung erst hergestellt. In Anlehnung an den Begriff *doing gender* wird in der Geographie auch von *doing space* gesprochen (Rose, 1999), um den relationalen Charakter des Raumes zu betonen. Raum und soziale Prozesse treten hier in eine gegenseitige Wechselwirkung, und Raum kann nicht mehr ohne die sozialen Prozesse, die ihn erst erschaffen, verstanden werden, das heisst: Das Interesse gilt dem Raum als sozialer Konstruktion (Fredrich, Herzig und Richter, 2007).

Der relationale Charakter von Raum und sozialen Prozessen impliziert auch die Aneignung des physischen Raumes. Identitäten werden verortet («placing identities») (Silvey und Lawson, 1999; Ehrkamp, 2005; Herzig, 2006; Herzig und Thieme, 2007; Herzig, 2010). Wenn Menschen, und dies gilt insbesondere auch für Migrantinnen und Migranten, die Möglichkeit haben, sich einen Ort anzueignen, fühlen sie sich wohl, fühlen sie sich «in place» (Cresswell, 1996; Cresswell, 2004). Migration impliziert nicht nur eine räumliche Mobilität, sondern hat auch soziale Auswirkungen auf die Individuen und Kollektive und wirkt deshalb auf die Konstruktion der Identitäten ein. Wo sich jemand befindet, an welchem Ort jemand etwas tut, ist relevant für die Konstruktion der Identitäten, damit sich Individuen wohl fühlen (*in place*) und Zugehörigkeit entwickeln können. Aus diesem Grund spielen auch diejenigen Orte eine besondere Rolle, an welchen ein vertrautes Gefühl der Zugehörigkeit gelebt werden kann, wo die Erinnerungen an die alte Heimat mit Landsleuten geteilt werden können, wie das beispielsweise in türkischen Kaffeehäusern in Deutschland (Ehrkamp, 2005), bei Community-Zentren der asiatischen Diaspora in Kenya (Herzig, 2010), bei Moscheen oder Tempeln in der Diaspora der Fall ist (Allenbach, Herzig und Müller, 2010a).

6. Zugehörigkeiten aus der Perspektive von Kindern und Jugendlichen

In den Fokusgruppen in Schulklassen wurden wir mit der Instabilität von religiöser Zugehörigkeit konfrontiert. Das folgende Beispiel zeigt, dass erstens Religion nicht statisch ist, und zweitens, dass Zugehörigkeit aktiv ausgehandelt wird. Im folgenden Gesprächsausschnitt sind vier Jungen aus einer sechsten Klasse beteiligt. Es handelt sich um den katholischen Binoj, dessen Eltern aus Kerala stammen sowie um Dilip, der sich als reformierter Tamile beschreibt. Ausserdem sind Sabir, der Muslim ist und einen pakistanischen Vater und eine Schweizer Mutter hat, und der reformierte Thomas, dessen Eltern beide aus der Schweiz stammen, beteiligt.

> *Dilip:* Ich habe meinen Vater gefragt, wieso er reformiert wurde. Dann hat er gesagt, er sei früher Hindu gewesen, so wie seine Eltern, und nach der Heirat hat meine Mutter ihn überzeugt. So hat er auch angefangen, an Jesus zu glauben.
> *Thomas:* Bei mir sind beide Eltern reformiert. Früher war der Vater katholisch. Ich weiss nicht, warum er die Konfession gewechselt hat. Ich glaube weil es ihn ange-

schissen hat, immer in die Kirche zu gehen, als er noch katholisch war. Bei den Reformierten ist das halt anders.
Binoj: Ich gehe jeden Sonntag in die Kirche.
Dilip: Ich gehe auch jeden Sonntag in die Kirche.
Thomas: Ich gehe dann, wann ich Lust habe.
Sabir: Ich bete jeden Tag zu Hause. Meine Mutter ist reformiert, mein Vater und ich sind Muslime. Wir versuchen schon, dass sie auch muslimisch wird, aber sie will, glaube ich, nicht.
PH: Du und dein Vater wollen die Mutter überzeugen, dass sie auch muslimisch wird?
Sabir: Ja.
PH: Was sagt sie denn dazu?
Sabir: Wir haben sie noch nicht so richtig überredet!
(Fokusgruppe HA Schule, Mai 2008)

Man kann diese Diskussion als Auseinandersetzung von Kindern über die mehrfache religiöse Zugehörigkeit ihrer Familien betrachten. Offensichtlich führen verschiedene Religionszugehörigkeiten innerhalb einer Familie zu Diskussionen und Überzeugungsversuchen. Das Gespräch zeigt ausserdem, dass religiöse Zugehörigkeit relativ flexibel und veränderbar ist. Das Beispiel von Sabir macht deutlich, dass die Aushandlung von Zugehörigkeit eine Grenze zwischen Vater/Sohn und der Mutter errichtet. Vater und Sohn wollen erreichen, dass sie auch eine von ihnen wird, dass sie dazugehört. In drei von vier Familien hat einer der Elternteile die Religion bzw. Konfession gewechselt oder wurde bzw. wird bearbeitet, es zu tun. In der obigen Passage wird auch deutlich, dass die beiden Kinder mit Migrationshintergrund es als selbstverständlich betrachten, sonntags in die Kirche zu gehen. Auch Sabir betet jeden Tag zu Hause.

Für einige Kinder ist es unvorstellbar, dass jemand keine religiöse Zugehörigkeit haben kann (Allenbach und Herzig, 2010). Auch zeigte sich in verschiedenen Fokusgruppen in der Handlungsarena Schule, dass Kinder und Jugendliche spielerisch mit ihren Zugehörigkeiten umgehen, auch mit ihrer Beziehung zur Religion. Individuen inszenieren sich in verschiedenen Kontexten unterschiedlich und in den verschiedenen Kontexten wird ausgehandelt, was gerade «in» und was «out» ist (Allenbach, Herzig und Müller, 2008; Herzig, Müller und Allenbach, 2008; Allenbach und Herzig, 2010; Müller, 2010).

Wo gehöre ich hin?

Leena und Ori sind Geschwister, ihre Eltern stammen aus Kerala, Indien. Beide sind in der Schweiz geboren und haben auch den Schweizer Pass. Die Familie ist Mitglied einer evangelischen Freikirche. Die Mutter ist Krankenschwester, der Vater arbeitet in einer unqualifizierten Position. Die Tochter, sie ist Anfang 20, studiert an einer Universität, der Bruder, achtzehn, absolviert eine Handelsschule.

Iswarya beschreibt sich als hinduistische Tamilin aus Sri Lanka. Sie ist achtzehn Jahre alt und besucht ebenfalls die Handelsschule. Iswarya ist in der Schweiz geboren und hat den Schweizer Pass beantragt. Sie hat eine jüngere Schwester, ihre Eltern haben keine Ausbildung und arbeiten deshalb in unqualifizierten Jobs.

Die folgende Passage stammt aus einer Gruppendiskussion, in welcher die oben vorgestellten Personen erzählen, wie sie ihr Schweizerisch-sein bzw. Indisch- oder Tamilisch-sein definieren.

> *Leena:* Bei mir ist es klar, dass ich mich hier daheim fühle … Ich meine, wenn wir nach Indien in die Ferien gehen, dann merke ich schon, dass das meine zweite Heimat ist und dann spüre ich schon, dass ich viel von Indien habe. Viel von meiner Art hat mit meiner Erziehung zu tun. Meine Eltern sind ja nicht in Europa aufgewachsen, sondern in Kerala. Sie geben mir diese Kultur weiter, sie haben mich so erzogen. Es ist so etwas wie meine Heimat – ich kann es ja nicht verleugnen [sie zeigt auf ihren Körper]. Ich meine, sehr viel an mir ist indisch, aber ich fühle mich trotzdem hier zu Hause.
> *Ori:* … wenn ich sage «ich bin Schweizer», dann tönt das so, wie ich nur Schweizer wäre. Ich möchte den Teil von Indien einfach nicht ausschliessen. Ich bin Schweizer, aber ich gehöre auch zu Indien.
> *Iswarya:* Bei mir ist das schwierig, ich bin schon hier geboren und aufgewachsen, aber ich kann jetzt nicht sagen, nein, in Sri Lanka möchte ich nicht leben. Klar ich werde versuchen, hier zu leben, aber ich habe jetzt auch viel mit Tamilen zu tun. Weil es auch viele gibt. Wir sehen uns auch viel am Wochenende und um Feste zu feiern. Es ist immer irgendwas los und wir machen immer etwas zusammen. Ich selber sage, ich bin halb-halb. Ich bin Schweizerin und stamme aus Sri Lanka. Nach Sri Lanka würde ich nicht gehen, in der jetzigen Situation sowieso nicht.
> (Fokusgruppe HA Familie, April 2009)

Die Zitate machen die Ambivalenzen bezüglich ihrer Zugehörigkeit deutlich. Grenzen werden zwischen den verschiedenen Nationalitäten sowie zwischen den verschiedenen Generationen konstruiert. Für die meisten Kinder und Jugendlichen ist es ein Sowohl-als-auch: Meine erste Heimat ist die Schweiz, meine zweite Indien oder Sri Lanka. Auch wenn sich diejenigen, die hier aufgewachsen sind, hier zu Hause fühlen, bezeichnen sie sich trotzdem als AusländerIn. Als Begründung für diese Zuordnung nennen sie ihr Aussehen.

Verschiedene Interviewpartnerinnen gaben zu Protokoll, dass sie «Papierlischweizerinnen» seien. Da die Bezeichnung «Papierschweizer» den Eingebürgerten eher von rechtskonservativen Kreisen zugeschrieben wird, nahm ich etwas erstaunt zur Kenntnis, dass die Eingebürgerten diese Bezeichnung für sich selbst in Anspruch nahmen. Auf meine Frage, was sie damit meinten, zeigten sie dann alle auf ihren Körper und erklärten, dass sie sich wohl mit diesem Aussehen, dieser Hautfarbe, nicht als «echte» Schweizerinnen bezeichnen könnten. Sie nahmen an, dass ihre Selbstzuschreibung in Frage gestellt würde und sie sich erklären müssten. Offensichtlich wird die Hautfarbe als wichtiges sichtbares Merkmal wahrgenommen, das nicht verändert werden kann. Bei genauerem Nachfragen hatte die dunkle Hautfarbe für verschiedene InterviewpartnerInnen jedoch keinen Einfluss, um sich zugehörig zu fühlen. Keinen Einfluss heisst, dass sie sich weder abgewertet noch ausgeschlossen fühlten, nur weil sie eine dunklere Hautfarbe haben. Das bedeutet, dass eine sichtbare Grenze nicht unbedingt mit Ausschluss verbunden sein muss. Das fremde Aussehen kann im Gegenteil dazu führen, dass man als etwas Spezielles, etwas Exotisches – und nicht als spiessig – wahrgenommen wird (siehe weiter unten).

Salia ist 16 Jahre alt und besucht die erste Klasse eines Kurzzeitgymnasiums. Sie ist Schweizerin und ihre Eltern stammen aus Kerala. Die Mutter ist Krankenschwester, der Vater arbeitet in einer unqualifizierten Position. Salia ist praktizierende Katholikin und besucht sonntags den Gottesdienst in der örtlichen Kirche. Zusätzlich zum schweizerischen Gottesdienst findet einmal pro Monat in der gleichen Kirche ein Gottesdienst in ihrer Muttersprache (Malayalam) statt. Trotzdem geht sie eigentlich lieber in den «normalen», d.h. deutschsprachigen Gottesdienst. Dies aus zwei Gründen: erstens verstehe sie das Malayalam, das in der Kirche gesprochen werde nicht, da sie zu Hause einen Dialekt sprechen würden. Zweitens komme der Vater nicht in den Gottesdienst mit – denn er habe sich ein wenig von der Religion abgewendet – und die anderen Malayalis würden dann wissen wollen, wo er sei. Diese soziale Kontrolle finden Salia und auch ihre Mutter störend.

Der katholische Gottesdienst in Malayalam stellt für die ansässige Malayali Gemeinde, zumindest einmal pro Monat, einen eigenen Raum dar. Dort wird zusammen gebetet und gesungen, und im anschliessenden «Chilekafi» können Neuigkeiten ausgetauscht werden. Die christlichen Malyalis können sich diesen Ort aneignen und fühlen sich «in place». Gleichzeitig grenzen sich auch einige Personen von der Gemeinde ab, indem sie sich von bestimmten Aktivitäten distanzieren oder nicht daran teilnehmen oder den deutschsprachigen Gottesdienst besuchen. Sie ziehen es vor, nicht vollständig dazuzugehören, weil dieses Dazugehören auch soziale Kontrolle und ein Druck zur Rechtfertigung bezüglich der Grenzziehung mit sich zieht.

Ähnliches erzählt Stella. Sie ist siebzehn Jahre alt und lebt mit ihren Eltern und ihren zwei Geschwistern in einem Neubauquartier, in welchem die Eltern ein Reihenhaus gekauft haben. Sie ist katholische Tamilin und hat den Schweizer Pass noch nicht bekommen. Ihre Eltern haben beide keine Ausbildung absolviert, wobei der Vater in einem Industriebetrieb (er wurde befördert) und die Mutter als Putzfrau arbeitet. Stella ärgert sich darüber, dass ihrer Ansicht nach zu viele tamilische Familien in das Neubauquartier gezogen wären. Je mehr tamilische Familien es habe, desto mehr würden die jungen Frauen von den anderen kontrolliert. Sie müsse sich draussen vor der Türe immer ganz unauffällig, angepasst und nett benehmen, da sonst wieder schlecht über sie getratscht werde. Auch Stella zieht eine Grenze zwischen sich (die anderen jungen Frauen, die gleich denken, zählt sie zu sich) und den Anderen, den Erwachsenen, den Müttern usw. Sie meint, dass es früher, als es noch nicht so viele tamilische Familien gehabt habe, noch besser gewesen sei. Stella erzählt auch, dass sie im Kindergarten und in der Schule immer akzeptiert war (Interviews 2010). Sie habe immer dazugehört und sei beliebt gewesen.

Salia erzählt Folgendes zu ihren Erfahrungen in der Schweiz:

> *Salia:* Früher im Kindergarten, da machte ich auch negative Erfahrungen, aber da waren wir auch noch kleiner. Mit der Zeit, zum Beispiel heute, hatte ich gar keine Probleme mehr mit den anderen. Ich finde, zum Beispiel im Primarschulhaus S und im Sekundarschulhaus G hat es noch recht viele Dunkelhäutige. Jetzt im Gymnasium hat es gerade mal fünf oder so von 700, die irgendwie dunkel sind, und das fällt dann einem recht auf.
> *PH:* Dir ist es aufgefallen?
> *Salia:* Ja, mir ist es schon aufgefallen, weil ja alle anderen entweder Schweizer oder Italiener sind, einfach mehr aus Europa und dann im Gymnasium kann man die dunkelhäutigen Menschen an den Händen abzählen.
> *PH:* Empfindest du denn das auch so, oder war es nach dem ersten «Schock» quasi vorbei, so dass du es jetzt gar nicht mehr merkst?
> *Salia:* Mir gefällt es eigentlich so.
> *PH:* Die Hautfarbe spielt also gar keine Rolle mehr?
> *Salia:* Nein, für mich eigentlich nicht.
> *PH:* Und für die anderen auch nicht?
> *Salia:* Nein, ich habe bis jetzt nichts gespürt, dass jemand mich irgendwie komisch anschaut. Aber ich weiss es ja nicht. In der Klasse behandeln mich alle ganz normal. (Interview HA Familie, März 2009).

Die Hautfarbe ist eine sichtbare Kategorie der Zugehörigkeit und des Ausschlusses für Personen aus Südasien. Salia sagt, dass sie in der Klasse alle «normal behandeln» würden. Offenbar führt Vertrautheit dazu, dass solche Merkmale «verschwinden». Leena, Ori und Iswarya beschreiben ähnliche Erfahrungen in der frühen Kindheit, dass sie als kleine Kinder gehänselt wurden, und sie deshalb mit einem Outsider-Status leben lernen mussten. Mit der zunehmenden Zahl an «dunklen» Leuten, hätten diese negativen Erfahrungen abgenommen. Durch die veränderte Anzahl verändern sich nicht nur die Zuschreibungen von aussen, es verändern sich auch die Selbstzuschreibungen.

Ori, Gosi, Leena, Stella und Salia besuchen alle höhere Schulen oder die Universität. Sie sagen übereinstimmend, dass die Leute dort im Durchschnitt offener und interessierter seien und sie in ihrem sozialen Umfeld keine negativen Erfahrungen mehr machten. Viele ihrer Kolleginnen und Kollegen (mit oder ohne Migrationshintergrund) seien vom Exotischen begeistert und würden sich von allem, was nach «Bünzli-Schweizer» riecht, abgrenzen. Viele indisch aussehenden Jugendlichen berichten etwas belustigt, dass sie immer wieder aufgefordert werden: «Sprich mal Hindi» oder «Sing mal einen Bollywood-Song!»

Religion und Heirat

In allen Interviews und Fokusgruppen brachten entweder die Jugendlichen selber oder die Interviewerin das Thema Heirat zur Sprache. Dieses Thema ist insofern von Bedeutung, weil die Mehrheit der Eltern der Jugendlichen in arrangierten Ehen leben. Die arrangierte Ehe, die in Südasien sowie in der Schweiz nach wie vor vorkommt, wird auch von einem Teil der Jugendlichen, die in der Schweiz leben, als ihre persönliche Zukunft akzeptiert. Für viele Jugendlichen aus Südasien ergeben sich deshalb immer wieder Situationen, in denen sie sich zur arrangierten Ehe positionieren müssen.

Für Leena und Ori spiele für die Wahl der Ehepartner vor allem der religiöse Hintergrund eine Rolle. Im Gegensatz zu anderen südasiatischen Gruppen, hätten sie das Kastendenken vollständig abgelegt. Aufgrund ihrer religiösen Zugehörigkeit (Freikirche) bewegen sie sich auch nicht vorwiegend in indischen Kreisen, sondern in ihrer religiösen Gemeinschaft. Für Leena ist es wichtig, dass sie einmal eine Person mit demselben religiösen Hintergrund heiraten wird – eine Person, die sie selber auswählen wird.

Der folgende Gesprächsausschnitt von den oben vorgestellten Jungen in einer 6. Klasse zeigt, dass Diskussionen um arrangierte Ehen immer wieder zu Situationen führen, in denen sich indische oder sri-lankische Jugendliche rechtfertigen müssen:

> *Dilip:* Also bei mir sagt meine Mutter, am besten ist es, wenn meine Mutter sagt, welche ich heiraten muss.
> *PH:* Und findest du das gut?
> *Dilip:* Ja, also ich weiss nicht.
> *Sabir:* Ich nicht.
> *Dilip:* Meine Mutter findet es schon gut, ich finde es nicht so gut.
> *Binoj:*Mein Cousin lebt in Italien, und sein Vater ist in Indien. Der Vater schickte ihm ein paar Fotos von Frauen, die sie [in Inseraten] gefunden haben. Wenn er keine gut findet, dann suchen sie einfach weiter.

Dilip: Ja, genau so [machen sie das].
Binoj: Es wird einfach geschaut, wer ist schön und gut.
PH: Sieht man das auf dem Foto?
Binoj: Ja.
Thomas: Aber Binoj, mal eine Frage: Würdest du jemanden heiraten, nur weil du das Foto von der Frau kennst?
Binoj: Du kannst sie auch anrufen.
Sabir: So, «hey Baby»!
Thomas: Ich meine, wenn du nur das Foto kennst und mit ihr telefoniert hast, sie aber nie gesehen hast, würdest du sie heiraten?
Sabir: Du siehst sie ja auf dem Foto.
*Thomas:*Ja, aber nie echt.
Binoj: Ja, aber in Indien erkennst du diese Leute …
PH: Findest du das in Ordnung, dass man das so macht?
Binoj: Ja, meine Familie macht das so.
PH: Und für dich?
Binoj: Ich muss erst mal schauen.
PH: Du bist noch nicht sicher?
Binoj: Nein.
Sabir: Mein Vater sagt immer, wir sagen dann, wen du heiratest, aber meine Mutter sagt dann immer, folge deinem Herzen und du musst die lieben, die du möchtest.
(Fokusgruppe HA Schule, Mai 2008)

Bei dieser Fokusgruppe wurde deutlich, dass auch zwischen den Kindern Diskussionen um Zugehörigkeit und Ausschluss stattfinden. Sie handeln aus, ob eine arrangierte Ehe akzeptierbar ist oder nicht. Für Thomas ist der Gedanke völlig abwegig, für Dilip und Binoj hingegen nicht. Auch Sabir bezieht Position gegen eine arrangierte Ehe.

Mehrfach wurde erwähnt, dass das Kastensystem bei den christlichen Malayalis in der Schweiz keine Rolle spiele, hingegen bei den tamilischen Gruppen, auch bei den katholischen, weiterhin wichtig sei. Stella meint dazu, dass das Kastenbewusstsein von der älteren Generation und von den höherkastigen Personen gepflegt werde. In Sri Lanka sind vor allem diejenigen Personen zum Christentum konvertiert, die aus einer niedrigen Kaste stammten (Interview mit Stella, Februar 2010). Das bedeutet, dass Konvertierung eine Möglichkeit zur sozialen Mobilität bietet. Doch solange die Fremdzuschreibung bestehen bleibe, sei es schwierig, dem Kastensystem zu entgehen.

Das Kastensystem wurde nicht in Südasien zurückgelassen, sondern wird auch in der Schweiz gelebt, vor allem im Zusammenhang mit der Wahl der EhepartnerInnen. Die Kaste wirkt als soziale Grenze, ebenso die arrangierte Ehe.

Iswarya: Bei uns ist es so, auch im Ausland gibt es sehr viele arrangierte Ehen. Aber die nächste Generation, also in meiner Generation gibt es schon viele nicht arrangierte Ehen.
PH: Sind diese nur untereinander oder auch Mischehen?
Iswarya: Nein, untereinander. Es ist ja immer noch so dieses Kasten-bla-bla ... man muss darauf schauen, auch wenn die Ehe nicht arrangiert ist.
PH: Halten sich die jungen Leute daran?
Iswarya: Ja, die meisten schon, es ist eben ein grosses Problem hier.
PH: Was denkst du, warum halten sie sich daran?
Iswarya: Wahrscheinlich weil sie keine Konfrontation mit den Eltern möchten. Sie können sich nicht vorstellen, von den Eltern weg zu gehen, wie soll ich das sagen, Eltern wollen das einfach. Es ist einfach so – es muss einfach so sein.
PH: Wenn du dich in jemanden verlieben würdest, würdest du die Eltern fragen, ob er in Ordnung sei? Was würden deine Eltern sagen?
Iswarya: Wenn ich alles berücksichtige, würden sie schon ja sagen.
(Fokusgruppe HA Familie, April 2009)

Das Kastensystem provoziert eine Grenze zwischen den Generationen, es konstruiert auch eine Grenze zwischen verschieden Gruppen aus Südasien. Für die älteren Jugendlichen, insbesondere die jungen Frauen, ist es klar, dass sie selber wählen werden, wen sie heiraten möchten. Die Mädchen sagen, dass sie zuerst selber suchen werden (Fokusgruppe HA Familie). Sie könnten sich die Mithilfe der Familie jedoch vorstellen, wenn sie bis dreissig immer noch niemanden gefunden hätten. Um den Frieden mit den Eltern zu wahren, würden sie auch gewisse Kompromisse eingehen. Ob die zukünftigen Ehen wirklich Liebesehen sein werden, ist jedoch laut Iswarya, Ori und Leena noch nicht klar, da die Jugendlichen zum jetzigen Zeitpunkt nur mutmassen können, wie die Zukunft aussehen wird. Etwas später im Gespräch erzählte Iswarya, dass sie seit einiger Zeit einen Freund habe, bei dem (zufälligerweise) alles stimme, sogar die Kaste. Deshalb hätten die Eltern nach einer Weile eingewilligt. Heute, nach längeren Diskussionen mit ihren und seinen Eltern, dürfe sie auch zu ihm fahren (er wohnt nicht in der Nähe) und dort übernachten.

7. Schlussbemerkungen

Konstruktionen von Zugehörigkeit sind kontextabhängig und variieren nach Zeit und Raum. Den meisten Personen, die indisch aussehen, wird zugeschrieben, dass sie Hindus seien. Das gilt auch für die christlichen Malayalis aus Kerala. Im Alltag der Jugendlichen spielt Religion und religiöse Praxis eine untergeordnete Rolle. Religiöse Orte werden aufgesucht, um Gleichaltrige zu treffen. Hingegen spielt die Religion bei Wahl der zukünftigen Ehepartnerin bzw. des Ehepartners eine wichtige Rolle: Viele Eltern wünschen sich für ihre Kinder (und viele Jugendliche teilen diese Ansicht), dass ihr Sohn oder ihre Tochter lieber eine Person heiraten soll, die nicht aus Südasien stammt als eine, die eine andere Religion hat. Bei den Hindus spielt das Kastenwesen auch in der Schweiz eine wesentliche Rolle: geheiratet wird innerhalb der gleichen Kaste. Wer das nicht möchte, wird von den Eltern bzw. der weiteren Familie unter Druck gesetzt. Iswarya meint: «Die Eltern, wollen das einfach so …» Doch wollen die meisten Töchter und Söhne nicht die Beziehung zu ihren Eltern aufs Spiel setzen. Wie lange das noch so bleiben wird, ist schwierig einzuschätzen. Es ist anzunehmen, dass es in Zukunft zu Diskussionen oder Konflikten zwischen Eltern und erwachsenen Kindern kommen wird, da die meisten der hier aufgewachsenen Jugendlichen das Kastensystem als irrelevant betrachten. Einige Jugendliche haben noch nie von der Existenz eines Kastensystems gehört, andere hören zum ersten Mal davon, wenn sie sich für jemanden ernsthaft interessieren.

Zusammenfassend sind folgende Aspekte von Bedeutung:

- Religion ist eine Grenze neben anderen (Geschlecht, Ethnizität, Nationalität, Alter, Generation, Bildung usw.).
- Die Konstruktion von Grenzen ist kontextabhängig und variiert nach Zeit und Raum.
- Verschiedene Grenzziehungen (Insider/Outsider) überschneiden sich und führen zu Mustern komplexer Zugehörigkeit, die sich je nach Situation verändern können.

Für die Menschen ist es zentral, dass sie sich «in place», sich wohl fühlen können. Das gilt einerseits für die Kinder und Jugendlichen bei ihren Eltern aber auch – und je älter die Jugendlichen werden, desto mehr – in der Schule. Dort wird ausgehandelt, wer dazu gehört und wer nicht. Durch gruppendynamische Prozesse wird festgelegt, wer und was gerade «in» ist und was «out» (siehe auch Allenbach und Herzig, 2010). Im privaten Bereich ist es aber auch relevant, dass die Menschen Orte haben, wo sie sich «in place» fühlen. Beispielsweise dienen religiöse Stätten dazu, dass die Menschen, welche sich diesen Ort aneignen, ein Zugehörigkeits- und Gemeinschaftsgefühl entwickeln. Dieses Zugehörigkeitsgefühl und «wohl fühlen» ermöglicht ihnen, ihre Identitäten zu verorten (Herzig, 2010). Wer sich nicht «in place» fühlt, fühlt sich «fehl am Platz», hat das Gefühl, nicht richtig dazuzugehören.

Es bestehen immer auch Grenzen innerhalb einer sozialen Gruppe, wobei diese Grenzen zum Teil auch bewusst gezogen werden. So wollen sich gar nicht alle in die Herkunftsgemeinschaft einbringen, und ziehen es vor, ihre sozialen Kontakte mit anderen Personen zu pflegen. Neben der Konvertierung zum Christentum bzw. zum Islam bietet die Migration eine Möglichkeit, den Fremdzuschreibungen (wie beispielsweise der Kaste) zu entfliehen. Werden jedoch am neuen Wohnort viele Landsleute ansässig, die sich in kulturellen und religiösen Gemeinschaften organisieren oder alle in bestimmten Quartieren leben, können sich die im Herkunftsland zurückgelassene soziale Kontrolle und die damit verbundenen Zuschreibungen erneut etablieren. Für die Migrantinnen und Migranten bedeutet dies ein Abwägen zwischen Zugehörigkeit und Distanz. Konflikte ergeben sich darum nicht nur zwischen verschiedenen Familien mit unterschiedlichen Einstellungen, sondern auch innerhalb (beispielsweise zwischen den Generationen oder den Geschlechtern).

Kinder und Jugendliche sind handelnde Subjekte, die unterschiedliche Strategien in unterschiedlichen Situationen anwenden. Deshalb ist es wichtig zu beachten, dass Kinder und Jugendliche sich in verschiedenen Situationen unterschiedlich präsentieren. In erster Linie wollen sie dazu gehören, oder «normal behandelt» werden, wie es Salia sagt. Normal sein bedeutet, nicht anders zu sein. Normal sein bedeutet, sich «in place» zu fühlen, zu Hause und in der Schule und zwar mit den verschiedensten Facetten, die das Individuum ausmacht. Normal sein heisst dazu gehören, aber auch anerkannt sein.

Bibliographie

Alba, Richard, 2005. Bright vs. blurred boundaries: second-generation assimilation and exclusion in France, Germany, and the United States. *Ethnic and Racial Studies,* 28(1): 20–49.

Allenbach, Brigit und Herzig, Pascale, 2010. Der Islam aus der Sicht von Kindern und Jugendlichen. In: Brigit Allenbach und Martin Sökefeld (Hg.), *Muslime in der Schweiz.* Zürich: Seismo, 296–330.

Allenbach, Brigit; Herzig, Pascale und Müller, Monika. 2008. Children and youth as diversity managers: religion, ethnicity and gender in Swiss schools. *EASA Konferenz 2008, Workshop 031 «Children, youth and religion: visions of mutuality and diversity across generations», 26.–29. August 2008.* Ljubljana (Slowenien): unveröffentlicht.

Allenbach, Brigit; Herzig, Pascale und Müller, Monika, 2010a. Präsentation «Gender and religious sites in the diaspora: gendered and generational boundaries in temples, mosques and churches», in: *Religious Pluralism: Uncovering Gender.* Université de Neuchâtel: Maison d'analyse des processus sociaux (MAPS), 8.–10. September 2010, http://www.uncovering-gender.ch/conference.htm, unveröffentlicht.

Allenbach, Brigit; Herzig, Pascale und Müller, Monika, 2010b. *Schlussbericht Religion und Migration: Perspektiven von Kindern und Jugendlichen in der Schweiz.* [online] Bern: Nationales Forschungsprogramm NFP 58. Zugänglich auf: www.nfp58.ch/files/downloads/SB_Giordano.pdf.

Andersen, Margaret L. und Collins, Patricia Hill (Hg.), 1995. *Race, class, and gender: an anthology.* Belmont: Wadsworth Publishing Company.

Anthias, Floya, 1998. Evaluating «diaspora»: beyond ethnicity? *Sociology,* 32(3): 557–580.

Anthias, Floya, 2006. Belongings in a globalising and unequal world: rethinking translocations. In: Nira Yuval-Davis, Kalpana Kannabirãn und Ulrike Vieten (Hg.), *Situating Contemporary Politics of Belonging.* London: Sage, 17–31.

Anthias, Floya, 2009. Translocational belonging, identity and generation: questions and problems in migration and ethnic studies. *Finnish Journal of Ethnicity and Migration,* 4(1): 6–15.

Barth, Fredrik. 1969. Introduction. In: Fredrik Barth (Hg.), *Ethnic groups and boundaries: the social organization of culture difference.* Bergen: Universitets Forlaget, 9–38.

Baumann, Gerd, 1999. *The multicultural riddle: rethinking national, ethnic, and religious identities.* New York: Routledge.

BFM, Bundesamt für Migration, 2008. *Bestand der ständigen ausländischen Wohnbevölkerung nach Wohnkanton und Ausländergruppe Ende Dezember 2008.* [online]. Zugänglich auf: http://www.bfm.admin.ch/etc/medialib/data/migration/statistik/auslaenderstatistik/2008.Par.0052.File.tmp/107_wohnbevoelkerung_kanton_2008-12-d.pdf [Zugriff am 05. Mai 2009].

BFM, Bundesamt für Migration und EJPD, Eidgenössisches Justiz- und Polizeidepartement, 2010. *Ausländerstatistik per Ende Dezember 2009.* [online]. Zugänglich auf: http://www.ejpd.admin.ch/etc/medialib/data/migration/statistik/auslaenderstatistik/2009.Par.0035.File.tmp/auslaenderstatistik-2009-12-d.pdf [Zugriff am 15. Februar 2010].

BFS, Bundesamt für Statistik, 2007a. *Ausländische Wohnbevölkerung nach detaillierter Staatsangehörigkeit und Alter, 2007.* [online]. Zugänglich auf: http://www.bfs.admin.ch/bfs/portal/de/index/themen/01/07/blank/data/01.html [Zugriff am 05. Mai 2009].

BFS, Bundesamt für Statistik, 2007b. *Ständige Wohnbevölkerung (Total) nach Alter, 1960–2007.* [online]. Zugänglich auf: http://www.bfs.admin.ch/bfs/portal/de/index/themen/01/02/blank/data/01.html [Zugriff am 05. Mai 2009].

BFS, Bundesamt für Statistik, 2007c. *Wohnbevölkerung nach detaillierter Staatsangehörigkeit, 1995–2007.* [online]. Zugänglich auf: http://www.bfs.admin.ch/bfs/portal/de/index/themen/01/07/blank/data/01.html [Zugriff am 05. Mai 2009].

BFS, Bundesamt für Statistik, 2008. *Bevölkerung mit Migrationshintergrund.* [online]. Zugänglich auf: http://www.bfs.admin.ch/bfs/portal/de/index/themen/01/07/blank/key/04.html [Zugriff am 15. Februar 2010].

BFS, Bundesamt für Statistik, 2009a. *Tamilen in der Schweiz: Eine demografische Präsenz, die in direktem Zusammenhang mit den Migrationen infolge der Ereignisse in Sri Lanka steht.* [online] Neuchâtel: Demos Newsletter Nr. 4. Dezember 2009. Informationen aus der Demografie. Zugänglich auf: http://www.bfs.admin.ch/bfs/portal/de/index/news/publikationen.html?publicationID=3779 [Zugriff am 10. März 2010].

BFS, Bundesamt für Statistik, 2009b. *Wohnbevölkerung nach Religion.* [online]. Zugänglich auf: http://www.bfs.admin.ch/bfs/portal/de/index/themen/01/05/blank/key/religionen.html [Zugriff am 26. Mai 2009].

Cresswell, Tim, 1996. *In place/out of place.* Minneapolis: University of Minnesota Press.

Cresswell, Tim, 2004. *Place: a short introduction.* Malden: Blackwell.

Edamaraku, Sanal, 2008. Saint exportable. *Rationalist International Bulletin #179.*

Ehrkamp, Patricia, 2005. Placing identities: transnational practices and local attachments of Turkish immigrants in Germany. *Journal of Ethnic and Migration Studies,* 31(2): 345–364.

Fredrich, Bettina; Herzig, Pascale und Richter, Marina, 2007. Geschlecht räumlich betrachtet: ein Beitrag aus der Geografie. In: Dominique Grisard, Jana Häberlein, Anelis Kaiser und Sibylle Saxer (Hg.), *Gender in Motion: Die Konstruktion von Geschlecht in Raum und Erzählung.* Frankfurt: Campus, 56–80.

Goel, Urmila, 2002. Indische Engel in Deutschland. Die wechselhafte Geschichte keralesischer Krankenschwestern als Gastarbeiterinnen. *Meine Welt. Zeitschrift des Deutsch-Indischen Dialogs.*

Herzig, Pascale, 2004. Identities, generations and gendered social boundaries among South Asians in Nairobi, Kenya. In: Gisella Cortesi, Flavia Cristaldi und Joos Droogleever Fortuijn (Hg.), *Gendered cities: identities, activities, networks: a life-course approach.* Rome: IGU-Home of Geography Publication Series (Volume VI), Società Geografica Italiana, 83–98.

Herzig, Pascale, 2006. *South Asians in Kenya – gender, generation and changing identities in Diaspora,* Münster: LIT.

Herzig, Pascale, 2010. Communal networks and gender – placing identities among South Asians in Kenya. *South Asian Diaspora,* 2(2): 165–184.

Herzig, Pascale; Müller, Monika und Allenbach, Brigit. 2008. Children and migration in Switzerland: coping with mutuality and diversity in Swiss schools. *EASA Konferenz 2008, Workshop 076 «Children and migration in Europe: between new citizenships and transnational families», 26.–29. August 2008.* Ljubljana (Slowenien): unveröffentlicht.

Herzig, Pascale und Thieme, Susan. 2007. How geography matters: neglected dimensions in contemporary migration research. *Asiatische Studien/Études Asiatiques,* LXI(4): 1077–1112.

Hintermann, Christine, 2000. Die «neue» Zuwanderung nach Österreich. Eine Analyse der Entwicklungen seit den 80er Jahren. *SWS-Rundschau,* (1): 5–23.

Hüwelmeier, Gertrud, 2000. *Women's congregations as transnational communities.* Transnational Communities Programme Working Paper Series WPTC-2K-13.

Jenkins, Richard, 2008. *Social identity (third edition).* London: Routledge.

Knapp, Gudrun-Axeli, 2001. Achsen der Differenz – Strukturen der Ungleichheit. In: Regina Becker-Schmidt und Gudrun-Axeli Knapp (Hg.), *Feministische Theorien zur Einführung.* Hamburg: Junius.

Lamont, Michèle und Molnár, Virág, 2002. The study of boundaries in the social sciences. *Annual Review of Sociolology* 28: 167–195.

Mcguire, Meredith B., 2008. *Lived religion: faith and practice in everyday life.* New York: Oxford University Press.

Moore, Henrietta L., 1993. The differences within and the differences between. In: Teresa Del Valle (Hg.), *Gendered anthropology.* London: Routledge, 193–219.

Müller, Monika, 2010. Perspektiven männlicher Jugendlicher auf den Islam: Eine Gratwanderung zwischen Identifikation und Ausschluss. In: Brigit Allenbach und Martin Sökefeld (Hg.), *Muslime in der Schweiz.* Zürich: Seismo, 266–295.

Nagar, Richa, 1998. Communal discourses, marriage, and the politics of gendered social boundaries among South Asian immigrants in Tanzania. *Gender, Place and Culture,* 5(2): 117–139.

Petersen, William, 1996. A general typology of migration. In: Robin Cohen (Hg.), *Theories of Migration.* Cheltenham, UK: Edward Elgar Publishing Limited, 3–13.

Pratt, Geraldine, 2000. *Studying immigrants in focus groups,* Vancouver Centre of Excellence RIIM Working Paper Series, No. 00–18 (December 2000).

Rose, Gilian, 1999. Performing space. In: Doreen Massey, John Allen und Philip Sarre (Hg.), *Human Geography Today.* Cambridge: Polity Press, 247–259.

Silvey, Rachel und Lawson, Victoria, 1999. Placing the migrant. *Annals of the Association of American Geographers,* 89(1): 121–132.

Thomas, Philomina, 2006. The international migration of Indian nurses. *International Nursing Review,* 53(4): 277–283.

Martin Sökefeld

Religion, Grenzen, Identitäten

1. Einleitung

Nach etwa zwei Jahrhunderten fortschreitender Säkularisierung scheint die Welt wieder «religiöser» zu werden. In der Schweiz genügt das Vorhaben eines Moscheevereins in einer Kleinstadt, auf das Dach der Moschee eine Minarett-Attrappe zu setzen, um eine Art nationalen Kulturkampf auszulösen, der dazu führt, dass ein Verbot des Baus von Minaretten in die Bundesverfassung aufgenommen wird. Menschen aus Kosovo, Bosnien oder der Türkei werden plötzlich nicht mehr als Kosovaren, Bosnier oder Türken wahrgenommen, sondern in erster Linie als *Muslime*. In der Europäischen Union wird darüber diskutiert, das Bekenntnis zum Christentum in eine europäische Verfassungscharta aufzunehmen. Der von den USA ausgerufene «Krieg gegen den Terror» wird von vielen Muslimen als «Krieg gegen den Islam» wahrgenommen. Wer vor vierzig Jahren diese Entwicklung prophezeit hätte, wäre vermutlich ausgelacht worden.

Was ist geschehen? Häufig wird die Entwicklung hin zu einem neuen Erstarken der Bedeutung von Religion mit den Ereignissen des 11. September 2001 erklärt. Der Islam steht dabei im Zentrum der Aufmerksamkeit. Aber diese Erklärung greift zu kurz, denn die Entwicklung hat schon lange vor 2001 begonnen. Ende der 1980er Jahre etwa markierte die «Rushdie-Affaire» in England einen Wendepunkt, an dem sich viele Muslime verstärkt auf den Islam bezogen und gleichzeitig von der nicht-muslimischen Mehrheitsgesellschaft als nicht kompatibel mit «westlichen» Werten ausgegrenzt wurden (Asad, 1990). Der 11. September 2001 war weniger selbst ein Wendepunkt als ein besonders markantes Ereignis, das in eine längere Entwicklungsgeschichte eingebettet ist. Nichtsdestotrotz scheint sich zu bestätigen, dass es einen massiven generellen Trend hin zur Religion gibt, der sich nicht auf den Islam beschränkt. In den USA aber auch in anderen Staaten ist eine versuchte «Christianisierung der Politik» zu beobachten.

Religion scheint eine fundamentale Differenz zu begründen, eine Differenz *sui generis*, die deshalb so tiefgreifend ist, weil sie mit grundsätzlichen Werten und transzendenten Bezügen verknüpft ist. Ich habe jedoch Zweifel, ob das wirklich immer so ist. Tatsächlich kann Religion allgemein ebenso wie der

Islam im Besonderen für die Konstruktion von Grenzen zwischen Gruppen in verschiedenen Kontexten mit sehr unterschiedlichen Bedeutungen verbunden sein. Ich möchte dies im Folgenden an drei Beispielen religiöser Identifizierungen und Grenzziehungsprozesse aus dem Bereich meiner ethnologischen Forschungen aufzeigen.

2. Religion, Ethnizität und Nation in Gilgit

Mein erstes Beispiel bezieht sich auf Gilgit, eine Kleinstadt im Hochgebirge von Gilgit-Baltistan, einem der Teile des ehemaligen Staates Jammu und Kaschmir, die seit 1947 von Pakistan kontrolliert werden. Gilgit stellt ein «Labyrinth von Identitäten» dar (Sökefeld, 1997), in dem sich die Bewohner in einem komplexen Geflecht von Unterschieden und Gemeinsamkeiten zurechtfinden müssen. Verschiedene Dimensionen der Differenz sind relevant, wie z.B. Sprache, räumliche Herkunft, Religion, oder Verwandtschaft und Abstammung. Das Feld der Sprache führt die Diversität der Stadt plastisch vor Augen: Fünfzehn verschiedene Muttersprachen werden gesprochen. Die verschiedenen Dimensionen der Differenz umfassen zum Teil eine vielschichtige Hierarchie von Unterscheidungen. Regionale Herkunft zum Beispiel verweist zunächst auf die verschiedenen Hochgebirgstäler oder auf das pakistanische Tiefland; sie lässt sich aber über Teilregionen, Dörfer und Nachbarschaften sehr viel weiter differenzieren. Religion stellt die für den Alltag inzwischen wichtigste Dimension der Differenz dar. Zwar sind alle Bewohner Gilgits Muslime, aber es gibt drei verschiedene muslimische «Konfessionen»: (Zwölfer-)Schiiten stellen die grösste, Sunniten die nächst kleinere und Ismailiten die kleinste Gruppe der Stadtbevölkerung dar.[1] Seit Anfang der 1970er Jahre hat sich ein gewaltsamer Konflikt zwischen Schiiten und Sunniten entwickelt, der mit Angriffen auf schiitische Prozessionen im Trauermonat *Muharram* begann. Seit den 1980er Jahren haben sich so genannte *sectarian tensions* zu einem periodisch wiederkehrenden Phänomen entwickelt. Die bislang blutigste Auseinandersetzung ereignete sich im Mai 1988, als Sunniten aus Regionen im Süden von Gilgit schiitische Dörfer in der Umgebung der Stadt angriffen und über hundert Menschen umbrachten. Mehr oder weniger regelmässig kommt es zu Angriffen auf Führer oder Angehörige einer der beiden Gruppen, was weitere Gewalttaten als Gegenreaktion provoziert. Im Jahr 2005 etwa löste die Ermordung des schiitischen

1 Es gibt keine genauen Angaben, da im Zensus lediglich nach Religionszugehörigkeit (=Islam) gefragt wird und nicht nach inner-muslimischen Gruppierungen differenziert wird.

Imam im Kontext einer Auseinandersetzung über den Religionsunterricht an staatlichen Schulen mehrtätige Unruhen aus.[2] Auch danach ist es zu weiteren Zwischenfällen gekommen. *Tensions* haben in der Regel mehrtägige Ausgangssperren zur Folge und stellen auch deswegen stets einen Bruch im Alltagsleben dar.

Der Konflikt hat zu einer starken gesellschaftlichen Trennung und Polarisierung zwischen Schiiten und Sunniten geführt. Während vorher Ehen zwischen Angehörigen beider Gruppierungen keine Seltenheit waren, sind sie heute völlig ausgeschlossen. Die räumliche Segregation zwischen Schiiten und Sunniten hat sich verschärft. Familien, die in Mehrheitsgebieten der jeweils anderen Konfession lebten, sind überwiegend in Stadtteile umgezogen, in denen ihre eigene Gruppe die Mehrheit darstellt. Auch die Kommensalität zwischen beiden Gruppen ist stark eingeschränkt: Vor allem Mahlzeiten, die Fleisch beinhalten, werden kaum noch von Angehörigen beider Gemeinden zusammen eingenommen. In den Extrempositionen werfen sich Sunniten und Schiiten wechselseitig vor, keine Muslime mehr zu sein.

In der lokalen Interpretation wird der Konflikt in der Regel in den Zusammenhang des politischen Status von Gilgit-Baltistan gestellt. Als ehemaliger Teil von Jammu und Kaschmir ist die Region ein umstrittenes Gebiet, das zwar von Pakistan kontrolliert wird, *de jure* aber nicht zum pakistanischen Staatsterritorium gehört. Infolgedessen hat die Bevölkerung stark eingeschränkte politische Rechte. Sie darf etwa an Wahlen zum pakistanischen Parlament nicht teilnehmen, verfügt aber über keine wirkliche Autonomie (Sökefeld, 2005). Seit den 1960er Jahren gab es immer wieder Proteste gegen diesen Zustand. Während anfangs mit Verweis auf den «Freiheitskampf» von 1947, bei dem sich lokale Truppen gegen den Maharaja von Kaschmir erhoben, um Pakistan beizutreten, stets die vollständige Eingliederung in das pakistanische Territorium gefordert wurde, hat sich inzwischen auch eine Bewegung formiert, die die Unabhängigkeit von Pakistan anstrebt (Sökefeld, 1997, 1999). Die meisten Menschen in Gilgit sind überzeugt, dass die pakistanische Regierung Anfang der 1970er Jahre den Konflikt zwischen Schiiten und Sunniten als eine Teile-und-herrsche-Strategie ausgelöst hat, um die politische Auseinandersetzung zu untergraben. Damals seien sunnitische Imame nach Gilgit geschickt worden, die predigten, dass Schiiten keine Muslime seien und damit Angriffe auf Schiiten provozierten. Diese Anschuldigungen lassen sich nicht beweisen, gehören aber unbedingt zum lokalen Interpretationsrahmen der *tensions*.

2 Siehe dazu Stöber (2007).

Mir geht es hier weniger um die Geschichte der Auseinandersetzung als um das Verhältnis der religiösen Differenz zu anderen Abgrenzungen. Die Polarisierung zwischen Schiiten und Sunniten hat dazu geführt, dass auf den ersten Blick die religiöse Differenz Priorität vor allen anderen Unterscheidungen hat. Während Erzählungen vor allem älterer Menschen zufolge früher Religion nur in manchen Kontexten wichtig war, und zum Beispiel Verwandtschaft und Abstammung meist grössere Bedeutung hatten, liefert Religion heute in allen Zusammenhängen die wichtigste Abgrenzung. Trotzdem bleibt, auch in der Selbstwahrnehmung der Bewohner von Gilgit, eine gewisse Ambivalenz. Zur Illustration hier ein kurzer Ausschnitt aus einem Gespräch, das ich 1992 mit Ghulam Hussein, einem sunnitischen Shin geführt habe. Die Shin sind neben den Yeshkun die wichtigste einheimische Verwandtschaftsgruppe (*qom*) in Gilgit. Die Zugehörigkeit zu beiden Gruppen wird patrilinear vererbt.

> *Ghulam Hussein:* Heute sind Shin, Yeshkun usw., *qom* [überhaupt], unwichtig. Es gibt nur noch Schiiten und Sunniten.
> *Ich:* Was ist denn für Sie selbst das Wichtigste, was sind Sie vor allem anderen, Sunnit oder Shin?
> *Ghulam Hussain:* Die Religion [*mazhab*] ist sehr wichtig. Vor der Religion ist der *qom* nichts. Aber man kann die eigene Religion ändern, den eigenen *qom* kann man dagegen nicht wechseln. Daher ist *qom* grundsätzlicher als Religion (Sökefeld, 1997: 237)!

Ghulam Hussein unterscheidet in den letzten beiden Sätzen zwischen askriptiver Identität, die unabänderlich und aus diesem Grund fundamental ist, und nicht askriptiver Identität, die demgegenüber als zweitrangig eingestuft wird. Während früher Übertritte zwischen Shia und Sunna in beide Richtungen relativ häufig waren und ihnen keine grosse Bedeutung beigemessen wurde, wird heute Religionszugehörigkeit praktisch ebenfalls durch Geburt erworben und kaum gewechselt. Aus emischer Sicht, aus der Perspektive der Akteure, gibt es theoretisch natürlich immer noch die Möglichkeit der Konversion. Interessanterweise war es früher trotz der gegenteiligen Aussage von Ghulam Hussain praktisch durchaus möglich, die *qom*-Zugehörigkeit zu wechseln. So gibt es in Gilgit viele Menschen, die patrilinear von Shin abstammen, sich aber als Yeshkun bezeichnen. Als Erklärung dazu heisst es stets, dass ein Vorfahre in Verwaltungsakten, welche die *qom*-Zugehörigkeit registrieren, anstelle von «Shin» «Yeshkun» hat eintragen lassen, und dass sich diese neue Zugehörigkeit dann an die Nachkommen vererbte.[3] Was Religionszugehörigkeit und *qom* voneinander unterscheidet ist also nicht die tatsächliche Unabänderlichkeit einer Identität, sondern das umgekehrte Ver-

3 Siehe zur *qom*-Zugehörigkeit in Gilgit auch Sökefeld (1994).

hältnis von Theorie und Praxis aus emischer Perspektive: *qom*-Zugehörigkeit ist ihrer theoretischen Konzeption nach in Gilgit askriptiv und unabänderlich, kann praktisch aber manchmal gewechselt werden. Religionszugehörigkeit ist dagegen in der Theorie veränderbar, wird heute in der Praxis aber fast nie gewechselt.

Neben dieser Fixierung von Religionszugehörigkeit, die ausdrückt, dass Religion an sozialer Bedeutung gewonnen hat, gibt es in Gilgit aber auch gegenläufige Prozesse und Diskurse, die versuchen, die Bedeutung von Religion zurückzudrängen und anderen Grenzen mehr Gewicht zu zuweisen. Diese Auseinandersetzung findet im politischen Kontext statt. Die Staatsideologie begreift Pakistan als Staat und Nation der Muslime Südasiens und betrachtet die gemeinsame Religion, den Islam, als Seinsgrundlage und Basis der Einheit der Nation. In Gilgit hat sich Religion jedoch gerade nicht als Quelle von Einheit, sondern als Grundlage von Konflikt und Gewalt erwiesen. Die von der oppositionellen nationalistischen Bewegung entworfene Idee einer von Pakistan unabhängigen Nation nimmt daher nur negativ Bezug auf Religion: Diese Nation bietet eine Identifikation jenseits von Religion und hat zum Ziel, den Konflikt zwischen Schiiten und Sunniten zu überwinden. Religion wird im Sinne einer Säkularisierung zur Privatsache erklärt, die keine politische Bedeutung hat.

3. Aleviten und die Anerkennung als Religionsgemeinschaft in Deutschland

Mein zweites Beispiel bezieht sich auf die alevitische Bewegung in Deutschland. Anatolische Aleviten kamen, wie andere Einwanderer aus der Türkei, seit den 1960er Jahren als Arbeitsmigranten ins Land. Aufgrund einer langen Geschichte von Diskriminierung und Verfolgung durch die sunnitische Mehrheit im osmanischen Reich und in der türkischen Republik, auf die ich hier nicht näher eingehen kann,[4] praktizierten Aleviten ihre Religion im Geheimen und gaben sich auch in Deutschland in der Regel öffentlich nicht als Aleviten zu erkennen. Verschiedene Entwicklungen in Deutschland und in der Türkei führten Ende der 1980er Jahre zur Entstehung einer alevitischen Bewegung, die mit der Verheimlichung des Alevitentums brach (Sökefeld, 2008a). In Deutschland entstand die alevitische Bewegung auch aus der Debatte um die multikulturelle Gesellschaft, in der die Forderung erhoben wurde, Einwanderer als Angehörige der deutschen Gesellschaft anzuerkennen,

4 Zu Aleviten allgemein siehe Kehl-Bodrogi (1988), Dressler (2002).

sie jedoch nicht unter einen Assimilierungsvorbehalt zu stellen, sondern ihnen im Gegenteil zuzugestehen, ihre eigene Kultur und Identität zu «bewahren». Die Protagonisten der Bewegung waren alevitische Aktivisten der türkischen Linken, von denen viele nach dem Militärputsch in der Türkei von 1980 nach Deutschland fliehen mussten. Seit dem Ende der 1960er Jahre war die Linke unter Aleviten in der Türkei sehr stark. Links-alevitische Aktivisten hatten wichtigen Anteil daran, dass das Alevitentum als Religion, vor allem alevitische Rituale, auch in der Türkei kaum noch praktiziert wurde. Linke Aleviten lehnten, wie andere Linke auch, Religion generell ab. Historische Leitfiguren, «Heilige» der Aleviten, wie vor allem Pir Sultan Abdal (16. Jh.) wurden zu Revolutionären und Freiheitskämpfern umgedeutet.

Mit der Forderung nach Anerkennung verband die alevitische Bewegung auch das Bemühen um die Revitalisierung des Alevitentums. Die dominante Linie der Revitalisierung war säkular und, in Übereinstimmung mit der linken Bewegung, nahezu anti-religiös: Alevitische Rituale, vor allem das Versammlungs-Ritual *cem*, wurden als Kulturveranstaltung auf die Bühne gebracht, und der «heilige» Tanz *semah*, der im *cem* eine zentrale Rolle spielt, galt als eine Art Folklore. Wiederbelebt wurde das Alevitentum als *Kultur*, nicht als Religion. Folgerichtig wurden seit dem Ende der 1980er Jahre in Deutschland und vielen Ländern Europas alevitische *Kultur*zentren gegründet.

Das Leitmotiv der alevitischen Bewegung war die Forderung nach Anerkennung des Alevitentums. Nach Jahrhunderten der Nichtanerkennung bzw., aus der Perspektive der Aleviten, der Falschdarstellung des Alevitentums im Osmanischen Reich und danach in der Republik Türkei, wollten Aleviten nun als das anerkannt werden, als was sie sich selbst sehen: als eine eigenständige und gleichberechtigte, säkulare und modern-aufgeklärte Gemeinschaft. Sie wollten in Deutschland nicht einfach unter Kategorien wie «Türken» oder «Ausländer» subsumiert werden. Die Anerkennung sollte das Ende der Diskriminierung der Aleviten sein. Schon 1989 wurde zunächst in Deutschland und kurze Zeit später in der Türkei eine alevitische Erklärung veröffentlicht, in der die Forderung nach Anerkennung artikuliert wurde.

In den letzten Jahren hat die alevitische Bewegung jedoch einen Schwenk hin zur Identifizierung als Religionsgemeinschaft vollzogen. Alevitischer Religionsunterricht wurde in mehreren Bundesländern beantragt und wird inzwischen an einigen staatlichen Schulen auch angeboten. Im Jahr 2002 änderte die *Alevitische Gemeinde Deutschland*, der Dachverband der alevitischen Vereine, ihre Satzung und bezeichnet sich dort nun nicht mehr wie zuvor als «demokratische Massenorganisation», sondern als «Glaubensgemeinschaft im Sinne des Grundgesetzes».

Die Akteure der Bewegung sind zum Teil immer noch dieselben, die Ende der 1980er Jahre eine eher anti-religiöse Ausrichtung des Alevitentums vertreten haben. Damals wandten sich die alevitischen Kulturzentren explizit gegen andere Vereine, die zumeist unter dem Namen von Hacı Bektaş Veli eine stärker religiöse Perspektive vertraten. Den Kulturzentren galten die Hacı Bektaş Veli-Vereine als reaktionär oder gar fundamentalistisch. Die alevitischen Kulturzentren stellen heute immer noch die dominante Linie der alevitischen Bewegung dar. Viele der Vereine haben allerdings die «Kultur» aus dem Vereinsnamen entfernt. Sie organisieren heute den alevitischen Religionsunterricht und verstehen das Alevitentum als Religionsgemeinschaft.

Dieser Wandel mag zunächst überraschen. Er bedeutet jedoch nicht, dass die ehemals linken Aktivisten nun alle streng religiös geworden wären. Der Wandel der Selbstidentifizierung der Aleviten hat weniger mit den Aleviten selbst zu tun, als mit dem Anerkennungskontext der deutschen Gesellschaft. Es gibt in Deutschland nämlich keine formal-rechtliche Anerkennung für kulturelle Gruppen. In Bezug auf «Kultur» herrscht in Deutschland immer noch die Fiktion von Homogenität vor. Kulturelle Pluralität («Multikulti») gilt als höchst problematisch. In Bezug auf Religion ist das ganz anders: Hier ist die Situation ohnehin plural: Es gibt mehrere christliche Kirchen, die als Körperschaften öffentlichen Rechts formal anerkannt sind, und auch das Judentum geniesst einen vergleichbaren Status. Es gibt keine grundsätzlichen Bedenken gegen die Anerkennung weiterer Religionsgemeinschaften. Die Debatte über die Anerkennung des Islam läuft schon lange und die tatsächliche Anerkennung ist bislang eher an organisatorischen Details als an Grundsatzfragen gescheitert.[5] Es gibt bestimmte gesellschaftliche Institutionen, mit denen man die Anerkennung als Religionsgemeinschaft mit konkreten Konsequenzen einfordern kann. Dazu gehört vor allem der Religionsunterricht. Die Identifikation als «Religion» bietet den Aleviten also gesellschaftlich-politische Optionen, die «Kultur» nicht bieten kann. Und tatsächlich waren die Aleviten auf dem Feld der Religion sehr erfolgreich. Die erste Form der Anerkennung gab es, als das Alevitentum in den Lehrplan des Hamburger *Reli-*

5 Ein entscheidendes Problem ist dabei, dass es nicht «den Islam» gibt, sondern eine Vielzahl verschiedener muslimischer Gruppierungen, die keine kirchenähnliche Organisation kennen und insofern in organisatorischer Hinsicht nur schwer in das deutsche Anerkennungsregime religiöser Pluralität eingepasst werden können. Muslimische Verbände vermuten allerdings manchmal, dass die organisatorischen Schwierigkeiten von Behördenseite oft nur vorgeschoben werden, um die Anerkennung muslimischer Gruppen zu verhindern.

gionsunterrichts für alle aufgenommen wurde.[6] Dann wurde im Jahr 2002 zunächst in Berlin eigenständiger alevitischer Religionsunterricht eingeführt. Inzwischen gibt es ihn auch in den Bundesländern Nordrhein-Westfalen, Baden-Württemberg, Bayern und Hessen.

Gleichzeitig mit der Neuorientierung als Religionsgemeinschaft verstärkt die *Alevitische Gemeinde* die Abgrenzung vom Islam (Sökefeld, 2008b). Die Diskussion, ob das Alevitentum zum Islam gehört oder nicht, gibt es schon seit den 1980er Jahren. Damals verbreiteten verschiedene türkische Autoren die Auffassung – unter anderem im Anschluss an die Turkologin Irène Mélikoff, die als die Pionierin der akademischen Alevitenforschung gelten kann – dass sich das Alevitentum vor allem vom Schamanismus herleite. Die alevitischen Organisationen haben in dieser Debatte jedoch lange keine eindeutige Stellung bezogen. Erst seit einigen Jahren vertritt der Vorstand der *Alevitischen Gemeinde Deutschland* sehr klar die Position, dass das Alevitentum nicht zum Islam gehöre, sondern eine eigenständige Religionsform darstelle.

Auch bei der Abwendung vom Islam (die von vielen Aleviten immer noch heftig abgelehnt wird) spielt der Anerkennungskontext in Deutschland eine wichtige Rolle. Aufgrund des generell sehr islamkritischen Diskurses und der damit verbundenen Sicherheitsdebatten ist es zurzeit nicht besonders opportun, sich als «islamisch» zu bezeichnen, wenn man auch andere Optionen hat. In Deutschland werden Aleviten von behördlicher Seite gerade geschätzt, weil sie, so wird gesagt, anders als die «anderen» Muslime, «keinerlei Probleme machen». Tatsächlich produzieren die Aleviten einen islamkritischen Diskurs, der dem generellen Islamdiskurs in Deutschland fast aufs Haar gleicht.[7] Letztlich erleichtert die diskursive Trennung des Alevitentums vom Islam auch die Anerkennung als Religionsgemeinschaft und konkret die Einführung alevitischen Religionsunterrichts. Für die alevitischen Aktivisten ist völlig klar, dass alevitische Schüler nicht an einem generellen Islamunterricht teilnehmen sollen, sondern dass ein eigenständiger alevitischer Unterricht erforderlich ist. Solange Aleviten aber als Muslime gelten, ist es den Behörden gegenüber schwierig zu begründen, weshalb sie sich nicht an einem allgemeinen Islamunterricht beteiligen können.

6 In Deutschland liegt das Schulsystem in der Verantwortung der Bundesländer. Es gibt verschiedene Formen von Religionsunterricht. In Hamburg wird unter der Federführung der evangelischen Kirche ein «Unterricht für alle» angeboten, der die Schüler nicht konfessionell trennt und verschiedene Bekenntnisse berücksichtigen soll. Dazu gehört seit 1999 auch das Alevitentum.

7 Vgl. die Presseerklärung der *Alevitischen Gemeinde Deutschland* vom 2. 12. 2009 zum Minarettverbot in der Schweiz, in der vor der Politisierung des Islam und vor einer Verunglimpfung der Islamkritik gewarnt wird.

4. Landkonflikt in Kaschmir: Können Muslime säkular sein?

Mein drittes Beispiel stammt wieder aus Südasien, dieses Mal von der indisch kontrollierten Seite von Kaschmir. Seit der Unabhängigkeit des Subkontinentes im Jahr 1947 streiten Indien und Pakistan um die Kontrolle über den ehemaligen Fürstenstaat Jammu und Kaschmir. Das Gebiet ist *de facto* geteilt in zwei Gebiete, die von Pakistan kontrolliert werden (Gilgit-Baltistan und Azad Kaschmir) und eine Region, die unter indischer Verwaltung steht. Der Kaschmirkonflikt ist komplex, er wird aber häufig simplifizierend entweder auf einen religiösen Konflikt zwischen Hindus und Muslimen oder den Gegensatz zwischen dem säkularen Indien und dem muslimischen Pakistan reduziert.

Die Teilung des Subkontinentes im Sommer 1947 hatte eine religiös-nationale Begründung: Die modernistische (heute würde man sagen: westlich orientierte) Muslimliga unter der Führung von Mohammad Ali Jinnah war der Ansicht, dass Muslime in einem stark von Hindus dominierten Indien nie wirklich gleichberechtigt sein könnten und daher einen eigenen Staat benötigten. Dabei ging es weniger um Religion im eigentlichen Sinne (die wirklich religiös orientierten Muslime lehnten die Teilung Indiens ab), als um die Idee, dass die Muslime eine eigene Nation darstellten und daher wie alle Nationen ein nationales Selbstbestimmungsrecht für sich in Anspruch nehmen konnten und sollten. Diese Argumentation überzeugte die britischen Kolonialherren, die immer schon der Ansicht gewesen waren, dass sich Hindus und Muslime fundamental voneinander unterscheiden, und sie stimmten der Teilung zu. Die Teilung wurde nach zwei Methoden vorgenommen: Die direkt von den Engländern beherrschten Gebieten wurden nach der jeweiligen Bevölkerungsmehrheit Indien oder Pakistan zugesprochen, während in den indirekt beherrschten Fürstenstaaten der jeweilige Herrscher entscheiden konnte, der normalerweise der selben Religion angehörte, wie die Mehrheit seiner Untertanen. Im Staat Jammu und Kaschmir, dem grössten Fürstenstaat Indiens, war letzteres jedoch nicht der Fall: Hier herrschte ein hinduistischer Maharaja über Untertanen, die zu zwei Dritteln Muslime waren. Dem Maharaja war die Brisanz der Situation klar und er entschied sich zunächst weder für Indien noch für Pakistan, sondern versuchte, unabhängig zu bleiben. Bereits seit 1931 hatte es in Jammu und Kaschmir eine politische Bewegung überwiegend von Muslimen gegen die Herrschaft des Maharajas gegeben. Auch hier ging es jedoch nicht um die Religion an sich, sondern um die Tatsache, dass Muslime in Jammu und Kaschmir massiv diskriminiert und von politischen Entscheidungen ausgegrenzt waren. Aus den Protesten entstand die *Jammu and*

Kashmir National Conference, die die Herrschaft des Maharajas durch eine demokratische Regierung ersetzen wollte. Der Aufstand gegen Maharaja Hari Singh eskalierte 1947 und unter dem Eindruck der Rebellion, die von Pakistan unterstützt wurde, entschied sich der Maharaja, Indien um Militärhilfe zu bitten, die Indien nur unter der Bedingung des Beitritts von Jammu und Kaschmir zur indischen Union zu gewähren bereit war. Der Maharaja erklärte den Beitritt, und der Konflikt eskalierte zum offenen Krieg zwischen Indien und Pakistan, der 1949 mit der Teilung Kaschmirs und einem UN-vermittelten Waffenstillstand endete. Pakistan fordert bis heute das gesamte Kaschmir, weil es muslimisches Mehrheitsgebiet ist. Und Indien beansprucht Gesamtkaschmir, weil der Maharaja Ende Oktober 1947 den Beitritt zu Indien erklärt hatte. Innerhalb der Indischen Union bekam Jammu und Kaschmir zunächst weitreichende Autonomie, die jedoch im Laufe der Zeit massiv ausgehöhlt wurde. Der einzige Rest dieser Autonomie ist die ursprünglich vom Maharaja eingeführte *State Subjects Regulation*, der zufolge bis heute lediglich Bürger des Staates (*State Subjects*) in Jammu und Kaschmir Land besitzen dürfen.

So viel zur Geschichte.[8] Die gegenwärtige Situation im indischen Jammu und Kaschmir ist von den Nachwehen eines Aufstands geprägt, der 1988/89 von säkular-nationalistischen Kaschmiris der *Jammu and Kashmir Liberation Front* (JKLF) begonnen wurde. Die JKLF wurde von Pakistan unterstützt. Ziel des Aufstands war für die JKLF jedoch nicht der Anschluss an Pakistan, sondern die Unabhängigkeit des wiedervereinigten Staates Jammu und Kaschmir. Pakistan liess daher nach wenigen Jahren die JKLF fallen und unterstützte lieber den militanten Aufstand islamistischer Gruppen in Kaschmir, denen sich Islamisten aus Afghanistan und anderen Ländern anschlossen. Heute sind die islamistischen Gruppen nur noch wenig aktiv. Als Folge des Aufstands ist aber vor allem das Kaschmirtal massiv militarisiert: Etwa 700 000 indische Soldaten und Paramilitärs sind im *Valley* stationiert. Auch wenn es dort nur noch selten zu Anschlägen und bewaffneten Auseinandersetzungen mit militanten Gruppen kommt, ist die indische Herrschaft alles andere als akzeptiert und beliebt.

Im Sommer 2008 wurde durch einen Landkonflikt eine grosse Protestbewegung ausgelöst. In Srinagar wurde ein Generalstreik ausgerufen und es gab Massenkundgebungen mit bis zu einer Millionen Demonstranten. Stein des Anstosses war ein Stück Land, das von der Staatsregierung an den *Sri Amarnath Shrine Board* übertragen wurde. Der Sri Amarnath Shrine Board ist eine hinduistische Institution, welche die Wallfahrt zur Amarnath-Höhle im Nor-

8 Für einen Überblick über den Kaschmirkonflikt und zur Geschichte von Jammu und Kaschmir siehe Bose (2003), Zutshi (2004).

den des Kaschmirtals, in der im Sommer ein *Lingam*[9] aus Eis verehrt wird, verwaltet und organisiert. Der *Shrine Board* wurde von den Aktivisten der Protestbewegung nicht als Institution des Staates Jammu und Kaschmir angesehen, also nicht als *State Subject*, und damit auch nicht als berechtigt, Land übertragen zu bekommen. Die Staatsregierung hatte das Land zwar ausdrücklich nur zur temporären Nutzung übertragen, aber die Demonstranten waren der Ansicht, dass dies eine Art Testfall war, durch den letztlich dem Ausverkauf der *State Subjects Regulation* Tür und Tor geöffnet wurde. Zu dieser Wahrnehmung trug bei, dass die Landübertragung zunächst geheim gehalten worden war, und dass der *Shrine Board* schon vor der Übertragung feste Bauten und keinesfalls nur temporäre Strukturen auf dem Land errichtet hatte. Die Geschichte ist ziemlich kompliziert und kann hier nicht in allen Einzelheiten dargestellt werden.[10] Was mich an dieser Stelle interessiert, ist die unterschiedliche Wahrnehmung der massiven Proteste. Für die indische Öffentlichkeit (ausserhalb von Kaschmir), für die indischen Medien und vor allem für die hindunationalistischen Organisationen der *Sangh Parivar*[11] stand fest, dass es sich um einen religiösen, kommunalistischen Konflikt handelte: Muslime (und oft genug war in den Zeitungen von «Islamisten» die Rede) protestierten gegen einen Hinduschrein, Muslime standen gegen Hindus. Die Aktivisten des *Action Committee against the Land Transfer*, das den Protest mobilisierte, stritten jedoch jede religiöse Motivation ab. Der Generalsekretär des Komitees sagte zu mir: «I am not a communalist. A Muslim can never be a communalist. A Muslim is secular by mind!»

Tatsächlich waren die Organisatoren und Demonstranten sehr bemüht, den Anschein des Kommunalismus zu vermeiden. Die Proteste richteten sich nicht gegen die Hindu-Pilger, sondern gegen die Regierung des Staates Jammu und Kaschmir und allgemein gegen die indische Kontrolle der Region. Die Wallfahrt der Hindu-Pilger lief weiter. Als die Pilger in Srinagar Probleme bekamen, weil aufgrund des Generalstreiks sämtliche Restaurants geschlossen waren, verteilten (muslimische) Kaschmiris demonstrativ Nahrungsmittel an die Hindus. In Aufrufen wurde immer wieder betont, dass es nicht um Religion gehe und dass Hindus in Kaschmir willkommen seien. Es gehe um «Freiheit» (von Indien). Der bei den Demonstrationen am häufigsten gehört Slogan war *Ham kya chahte? Azadi!* – «Was wollen wir? Freiheit!»

9 Ein *lingam* ist ein Phallussymbol, das mit dem Gott Shiva identifiziert wird.

10 Siehe zu den weiteren Details Sökefeld (im Druck).

11 Die Sangh Parivar ist die «Familie» der hindunationalistischen Organisationen wie BJP, VHP und RSS. Zum Hindunationalismus siehe van der Veer (1994) und Jaffrelot (1996).

Dies konnte die indische Öffentlichkeit jedoch nicht überzeugen. Im Unterschied zu der Beteuerung des Generalssekretärs herrschte in den indischen Medien eindeutig die Auffassung vor: Muslime sind immer kommunalistisch. Wenn Muslime protestieren, dann geht es immer um Religion. Muslime können nach dieser Auffassung – im Gegensatz zu Hindus – nicht säkular sein.

Die Protestbewegung war so massiv, dass die Staatsregierung nach zehn Tagen den Landtransfer wieder rückgängig machte. Nun begannen jedoch in der hinduistisch dominierten Provinz Jammu, im südlichen Teils des Staates Jammu und Kaschmir, militante Demonstrationen von Hindunationalisten gegen die Entscheidung der Regierung. Diese Proteste waren gewaltsam gegen Muslime gerichtet. Während in Kaschmir Hindus nicht angegriffen worden waren, stürmten Hindunationalisten in Jammu Moscheen und Häuser von Muslimen, verprügelten die Bewohner und blockierten die einzige Strassenverbindung nach Kaschmir mit der Drohung, die dortige muslimische Bevölkerung «auszuhungern».

5. Dynamik und Essentialisierung von Grenzen und Identitäten

In allen drei Fällen von Grenzziehungsprozessen und Identitätskonflikten, die ich hier kurz vorgestellt habe, spielt Religion eine wichtige Rolle. Religion dient dazu, gesellschaftliche und politische Grenzen zu ziehen und sich selbst und andere zu identifizieren. Die Art und Weise, wie mit Bezug auf Religion Abgrenzungen vorgenommen werden, ist in den drei Fällen jedoch sehr unterschiedlich und vielfältig. In Gilgit wird mit Verweis auf den «richtigen» Islam eine Grenze zwischen Schiiten und Sunniten gezogen. Historisch bestimmt dagegen die Abgrenzung der Muslime von den Nicht-Muslimen die Einheit der pakistanischen Nation und damit auch die – aufgrund des Kaschmirkonflikts allerdings immer noch aufgeschobene – Zugehörigkeit der Region zu Pakistan. Da *de facto* der Bezug auf den Islam jedoch weder nationale Einheit noch Zugehörigkeit zu Pakistan gebracht hat, ist eine neue nationalistische Idee entstanden, welche die Religion/den Islam selbst aus der Sphäre des Politischen ausgrenzen will. Bei der alevitischen Bewegung verläuft die Entwicklung andersherum: Sie beginnt mit der Ausgrenzung des Religiösen aus der alevitischen Kultur, wendet sich im Kontext der deutschen Anerkennungsbedingungen jedoch wieder der Religion zu. Mit dieser Hinwendung zur Religion als Selbstidentifizierung ist eine teils sehr deutliche, teils jedoch heftig umstrittene Selbstabgrenzung vom Islam verknüpft. In Jammu und Kaschmir wird muslimischen politischen Akteuren ein essentialisierendes «Muslimsein» von aussen eingeschrieben. In der Wahrnehmung des indischen Mehrheitsdiskurses können Muslime, jedenfalls in Kaschmir, nicht säkular sein, allen eigenen Beteuerungen zum Trotz. Muslime werden im Rahmen des Gegensatzes Hindus vs. Muslime immer als «andere» wahrgenommen. Dies ist ja auch die Prämisse des selbst alles andere als säkularen Hindu-Nationalismus.

Wenn man die drei Beispiele nebeneinander betrachtet, fallen einige Gemeinsamkeiten auf. Erstens, Prozesse der Grenzziehung sind dynamisch. Abgrenzungen können sich verlagern und Identitäten/Zuschreibungen, mit denen Grenzen gezogen werden, können ihre Bedeutung und Relevanz verändern. Während anfangs die «gemeinsame» Religion in Gilgit die Begründung und Motivation dafür lieferte, zu Pakistan gehören zu wollen, wurde Religion später zur Quelle von Differenz und Konflikt und trug zur Entfremdung von Pakistan bei. Nun soll die Bedeutung von Religion zurückgedrängt werden, um eine neue Idee von Nation zu ermöglichen, allerdings unabhängig von Pakistan. In der alevitischen Bewegung war es die Kategorie «Religion» selbst, die zunächst abgelehnt wurde, in den letzten Jahren aber als Kategorie der Selbstidentifizierung neue Bedeutung bekam. Auch die Durchlässigkeit von Grenzen kann sich ändern, wie das Beispiel der Grenze zwischen Schiiten und Sunniten in Gilgit zeigt. In Kaschmir ist die Dynamik der Grenzziehung allerdings durch die Übermacht des Mehrheitsdiskurses in Indien stark beschränkt. Die Betonung der muslimischen Akteure, dass es ihnen *nicht* um Religion geht, dringt kaum durch und kann die Zuschreibungen mächtiger Diskurse nicht verhindern.

Zweitens, Grenzziehungsprozesse sind umstritten. Die Dynamik der Grenzen ist in Konflikte und Machtkontexte eingebettet. Der Versuch, Grenzen zu verlagern oder umzudeuten, muss oft Widerstände überwinden, da bestimmte Grenzziehungen oft mit starken Überzeugungen und Interessen verbunden sind. Solche Widerstände können sowohl aus der eigenen Gruppe als auch von der anderen Seite der Grenze kommen. So wird die Idee einer neuen, von Religionszugehörigkeit unabhängigen Nation, die sich von Pakistan abgrenzt, nicht nur von der pakistanischen Regierung abgelehnt. Viele Aleviten leisten Widerstand gegen die Selbstausgrenzung des Alevitentums aus dem Islam, wohingegen es ohnehin fraglich ist, welche Sunniten Aleviten als Muslime anerkennen oder ihnen diese Anerkennung verweigern. Und in Kaschmir wird Muslimen das «religiöse» Muslimsein aufgezwungen, auch wenn es für sie im politischen Kontext keineswegs immer die erste Priorität hat. Gerade das Beispiel Kaschmir zeigt, dass Religion, auch im Fall des Islam, nicht immer die wichtigste Kategorie der Selbstzuschreibung ist.

Drittens, im Kontext von Grenzziehungsprozessen finden diskursive Essentialisierungen von Identitäten statt. Häufig liefert die Essentialisierung die

Legitimation und Begründung für den Grenzverlauf. Auch hier kann sowohl von der eigenen Gruppe als auch von den anderen essentialisiert werden. Die Essentialisierung ist oft eine Negation der Dynamik und Pluralität von Grenzziehungen und Identitäten. Tatsächlich werden Grenzen und Identitäten immer im Rahmen einer Pluralität von verschiedenen, sich überschneidenden Identifizierungen verhandelt (Sökefeld, 2001). So geht es in allen drei besprochenen Fällen nicht nur um religiöse, sondern auch nationale und andere Identitäten. Essentialisierung impliziert hier vor allem die Verengung auf eine einzige Identität. Für Muslime bedeutet das sehr oft, auf das Muslim-Sein reduziert zu werden. In Kaschmir sind es ebenso wie im Einwanderungskontext Europas nicht unbedingt die Muslime selbst, die derart essentialisieren. Oft wird diese Essentialisierung von den jeweiligen anderen im Rahmen von Grenzziehungsprozessen vorgenommen. Muslime werden ausgegrenzt und «fremdislamisiert».

Diese Beobachtung liefert auch schon Hinweise darauf, wie auf gesellschaftspolitischer Ebene der Ausgrenzung, die eine wachsende Polarisierung hervorbringen kann, entgegengewirkt werden könnte. Es geht darum, Essentialisierungen zu vermeiden, die tatsächliche Pluralität von Identitäten und Zuordnungen zur Kenntnis zu nehmen, sie anzuerkennen und als positive Ressource für vielfältige soziale Beziehungen zu fördern. Die wissenschaftliche Befassung mit Grenzen und Identitäten muss ebenso achtsam Essentialisierung vermeiden und verhindern, in die «Identitätsfalle» (Sen, 2007) zu tappen. Forschung muss Prozesse der Essentialisierung analysieren, darf aber nicht selbst essentialisieren. Auch hier geht es darum, den Fokus der Forschung nicht auf einzelne Identitäten zu richten, sondern die ganze politische Ökonomie von Grenzziehungen und Identifizierungen in den Blick zu nehmen.

Bibliographie

Asad, Talal, 1990. Multiculturalism and British identity in the wake of the Rushdie affair. *Politics and Society,* 18: 452–480.

Bose, Sumantra, 2003. *Kashmir: roots of conflict, paths to peace.* Cambridge, Mass.: Harvard University Press.

Dressler, Markus, 2002. *Die alevitische Religion. Traditionslinien und Neubestimmung.* Würzburg: Ergon.

Jaffrelot, Christophe, 1996. *The Hindu nationalist movement in India.* New York: Columbia University Press.

Kehl-Bodrogi, Krisztina, 1988. *Die Kızılbaş/Aleviten. Untersuchungen über eine esoterische Glaubensgemeinschaft in Anatolien.* Berlin: Klaus Schwarz Verlag.

Sen, Amartya, 2007. *Die Identitätsfalle: Warum es keinen Krieg der Kulturen gibt.* München: Beck.

Sökefeld, Martin, 1994. Shin und Yeśkun in Gilgit: Die Abgrenzung zwischen zwei Identitätsgruppen und das Problem ethnographischen Schreibens. *Petermanns Geographische Mitteilungen,* 138: 357–369.

Sökefeld, Martin, 1997. *Ein Labyrinth von Identitäten: Zwischen Religion, Landbesitz und Kaschmir-Konflikt.* Köln: Köppe.

Sökefeld, Martin, 1999. Balawaristan and other imagi*Nations*: A nationalist discourse in the Northern Areas of Pakistan. In: Martijn van Beek, Kristoffer Brix Bertelsen und Poul Pedersen (Hg.), *Ladakh: culture, history, and development between Himalaya and Karakoram.* Aarhus: Aarhus University Press, 350–368.

Sökefeld, Martin, 2001. Reconsidering identity. *Anthropos,* 96: 527–544.

Sökefeld, Martin, 2005. From colonialism to postcolonial colonialism: changing modes of domination in the Northern Areas of Pakistan. *Journal of Asian Studies,* 64: 939–974.

Sökefeld, Martin, 2008a. *Struggling for recognition: The Alevi movement in Germany and in transnational space.* New York: Berghahn.

Sökefeld, Martin, 2008b. Difficult identifications: the debate on Alevism and Islam in Germany. In: Jörn Thielmann und Ala Al-Harmaneh (Hg.), *Islam and Muslims in Germany.* Leiden: Brill, 267–297.

Sökefeld, Martin (im Erscheinen). Secularism and the Kashmir Dispute. In: Bubandt, Nils Ole; Martijn van Beek (Eds): *Varieties of Secularism in Asia. Anthropological Explorations of Religion, Politics, and the Spiritual.* London, Routledge.

Stöber, Georg, 2007. Religious identities provoked: The Gilgit «textbook controversy» and its conflictual context. *Internationale Schulbuchforschung*, 29: 389–411.

van der Veer, Peter, 1994. *Religious nationalism: Hindus and Muslims in India*. Berkeley: University of California Press.

Zutshi, Chitralekha, 2004. *Languages of belonging: Islam, regional identity, and the making of Kashmir*. New York: Oxford University Press.

Über das Sprechen über Jugend, Migration und Religion

Urmila Goel

Über das Sprechen über die Religion der Anderen

Ethnographische Annäherungen

Im deutschsprachigen Raum leben einige Zehntausend junge Menschen, von denen zumindest ein Elternteil aus Südasien zugewandert ist[1] (vgl. Brosius und Goel, 2006). Sie wachsen in säkularen Gesellschaften auf, die durch das Christentum geprägt sind, und kommen auf unterschiedliche Arten mit Religionen aus Südasien in Kontakt. Zum einen werden sie mit Vorstellungen der Dominanzgesellschaft (vgl. Rommelspacher, 1998) über diese Religionen konfrontiert und ihnen bestimmte religiöse Zugehörigkeiten zugeschrieben.[2] Zum anderen werden sie in ihren Familien zu sehr unterschiedlichen Graden religiös geprägt und sind zum Teil in ethnisch-religiöse Netzwerke eingebunden. Ziel meines Forschungsprojekts[3] war es zu analysieren, welche Rolle Religionen aus Indien für die Kinder von Migrant_innen[4] aus Indien spielen. Insbesondere wollte ich aus einer rassismuskritischen Perspektive

1 Statistische Angaben sind in diesem Bereich mit grosser Vorsicht zu betrachten. Das Statistische Bundesamt bietet ausschliesslich Zahlen zu Staatsbürger_innenschaft und Einbürgerungen. Darüber lassen sich nur sehr ungenaue Annäherungen an die tatsächliche Anzahl von Menschen mit zumindest einem Elternteil aus Südasien machen. Aufgrund der spezifischen Migrationsgeschichte aus Südasien kann aber gesagt werden, dass die Zahl im Vergleich zu anderen Herkunftsregionen relativ gering ist, absolut aber gross genug ist, um eine Vielfalt von Erfahrungen zu produzieren.

2 Jacobsen und Raj (2008, 1–3) argumentieren, dass tendenziell alle Menschen, die Indien zugeordnet werden, als Hindus wahrgenommen werden. Nijhawan (2006, 98–100) zeigt, dass Sikhs in Deutschland als Muslime angesprochen und ausgegrenzt werden.

3 Vgl. http://www.zrwp.ch/de/jacobs-fellowships/urmila-goel.html (24.08.10).

4 Während das Binnen-I dazu dient, explizit auch Frauen zu adressieren, problematisiert der Unterstrich die angenommene Zweigeschlechtlichkeit und weist mit der Leerstelle auf die Ausblendungen in unserem Denken zu Geschlecht hin. Ich nutze den Unterstrich nicht, um eine richtigere Schreibweise zu behaupten, sondern um diese Leerstelle im Denken zu markieren und Lesegewohnheiten zu irritieren. Dabei stelle ich in meiner Schreibweise keine Eindeutigkeit der Bezeichnugnspraxis her, sondern drücke Ambivalenzen im Umgang mit Geschlechtszuweisungen auch in teils widersprüchlichen Bezeichnungen aus. So nutze ich den Unterstrich nicht bei Bezeichnungen von konkreten Menschen, bei denen ich die eindeutige Zuweisung Frau oder Mann für relevant für die Analyse halte.

(vgl. Mecheril, 2003) betrachten, wie Gefühle von (Nicht-)Zugehörigkeit zu der über die migrierten Eltern definierten natio-ethno-kulturellen Gruppe und zur Dominanzgesellschaft durch religiöse Prägungen und Zuschreibungen befördert oder behindert werden. Dabei sollte der Schwerpunkt der Analyse nicht auf den religiösen Praxen an sich, sondern auf der Bedeutung der Zuschreibungen und Netzwerke für die gesellschaftliche Verortung der jungen Menschen im deutschsprachigen Raum liegen.

Dem Forschungsprojekt zugrunde lag eine eher skeptische Einstellung gegenüber der Bedeutung von Religion für junge Menschen im deutschsprachigen Raum, die zumindest einen Elternteil aus Indien haben. Ich gehöre selbst zu den Menschen, die dieser Kategorie zugeordnet werden, wuchs in einem areligiösen Elternhaus und ohne Religionsunterricht in der Schule auf, in meinem Umfeld spielte Religion nie eine Rolle und so thematisierte ich sie in meiner Forschung bisher auch nur am Rande. Im Laufe meiner Interviews und teilnehmenden Beobachtung für dieses Projekt stellte ich aber fest, dass wenn ich meinen Interviewpartner_innen Raum dafür geben, über Religion zu sprechen, viele (wenn auch nicht alle) viel dazu zu erzählen haben. Daher steht dieser Artikel nicht alleine unter dem ursprünglich geplanten Thema (Nicht-)Zugehörigkeit, sondern stellt das Sprechen über Religion und die vielfältigen Themen, die dabei aufkommen, in den Mittelpunkt.

Eine Gefahr liegt dabei darin, durch meine Analyse und Präsentation festschreibende Kategorien von Menschen aus Indien bzw. mit Eltern aus Indien herzustellen (vgl. Mecheril et al., 2003). Die Konstruktion solcher Kategorien ist bereits in der Forschungsfrage angelegt, da durch sie eine Relevanz der Unterscheidung indisch und nicht-indisch hergestellt wird (vgl. Riegel in diesem Band). Sie wurde durch die konkrete Durchführung des Projektes noch verstärkt, da ich in diesem weitere Unterkategorien von Menschen aus Indien eingeführt habe. Die Untersuchungsgruppen meines Projektes beschrieb ich im Forschungsantrag mit *«bengalische Hindus: junge Menschen, die im deutschsprachigen Raum sozialisiert wurden und von denen zumindest ein Elternteil aus Bengalen stammt und sich als Hindu identifiziert»* und *«christliche Malayalis: junge Menschen, die im deutschsprachigen Raum sozialisiert wurden und von denen zumindest ein Elternteil aus Kerala stammt und sich als Christ_in identifizieren»*. Ausgewählt hatte ich diese, weil ich bei Interviews und teilnehmender Beobachtung von vielen Menschen mit der Selbstbezeichnung Bengali oder Malayali erfahren hatte, dass für sie der Hinduismus bzw. das Christentum eine grosse Rolle spiele. Im Sinne von Mecheril (2004: 85) nutze ich die Bezeichnungen Bengali und Malayali hier als *«Werkzeug[e] der Konzentration, Typisierung und Stilisierung»* und nicht als die Beschreibung real existierender Gruppen. Ich bleibe damit allerdings in der rassistischen Unterscheidungslogik zwischen Zugehörigen und Nicht-Zugehörigen (vgl. Mecheril und Melter, 2010: 156) und laufe Gefahr, dass meine Leser_innen durch meine Fokussierung dazu verleitet werden, Bengalis und Malayalis als homogene und real existierende Personengruppen zu verstehen (vgl. Mecheril, 2004). Zudem verharre ich in dem, was Mecheril et al. (2003: 108-109) die zyklopische Tendenz nennen. Ich betone die Bedeutung von natio-ethno-kultureller Zugehörigkeit (vgl. Mecheril, 2003) und vernachlässige andere Differenzierungs- und Analysemöglichkeiten (vgl. Riegel in diesem Band).

Ziel dieser Konstruktion, Betonung und Verzerrung in diesem Artikel ist es, mittels einer ethnographischen Annäherung einen Eindruck davon zu bekommen, wie komplex natio-ethno-kulturelle Zuschreibungen und Religion im deutschsprachigen Raum verwoben sind. Dazu werde ich erst beschreiben, wie Vertreter_innen der Dominanzgesellschaft über die Religion der als Andere Konstruierten sprechen und dies dann im zweiten Teil mit dem Sprechen von Migrant_innen kontrastieren. Im dritten Teil werde ich dann ausführlich auf verschiedene Aspekte des Sprechens über Religion bei den Kindern der Migrant_innen eingehen. Mit der Bezeichnung Kind verweise ich dabei darauf, dass die so kategorisierten Menschen (überwiegend) nicht selbst migriert sind. Sie sind im deutschsprachigen Europa aufgewachsen, unterscheiden sich aber von anderen dort aufgewachsenen Menschen unter anderem dadurch, dass zumindest ein Elternteil von ihnen aus Indien zugewandert ist. Zum Teil spreche ich von diesen Menschen auch als Jugendliche. Dabei beziehe ich mich auf eine Bezeichnungspraxis, auf die ich bei teilnehmender Beobachtung und in Interviews immer wieder gestossen bin. Sowohl die Migrant_innen wie ihre Kinder tendieren dazu, alle, die im deutschsprachigen Europa aufgewachsen sind, als Jugendliche zu bezeichnen und das unabhängig davon, wie alt sie sind. So wurde auch ich mit Ende 30 in meiner teilnehmenden Beobachtung in diese Kategorie einsortiert.

Grundlage der folgenden ethnographischen Darstellung sind zum einen im Jahr 2009 durchgeführte teilnehmende Beobachtungen bei zwei *Onam*[5]-Feiern in der Schweiz, drei Malayalam[6]-Messen in Zürich, dem Jubiläum der

5 *Onam* ist das wichtigste Fest für die Menschen im indischen Bundesstaat Kerala. Es hat hinduistische Bezüge, wird von den Christ_innen aber auch als ihr Fest angesehen.

6 Malayalam ist die Sprache, die in Kerala gesprochen wird. Von ihr leitet sich die Bezeichnung Malayali her.

Meine Welt[7] in Köln sowie bei *Durga Puja*[8] in Köln und Zürich. Zum zweiten sind es Interviews, die ich 2009 spezifisch zu Religion durchgeführt habe. Hierzu gehören Interviews bzw. Gespräche in der Schweiz mit drei Migrant_innen aus Bengalen, einem Ehepaar aus Kerala, sechs Kindern von Bengalis und sechs Kindern von Malayalis. Hinzu kommen zwei Interviews mit Kindern von Malayalis in Deutschland, in denen es unter anderem um die Frage von Religion und Geschlecht ging, sowie viele informelle Gespräche. Zum dritten nutze ich in diesem Artikel Material aus anderen Forschungsprojekten. So habe ich Ende der 1990er Jahre drei Migrant_innen und drei Sozialarbeiter aus Kerala in Deutschland interviewt sowie seit 1998 verschiedene Veranstaltungen von Malayalis teilnehmend beobachtet, viele informelle Gespräche geführt sowie Zeitschriften und andere Publikationen analysiert (vgl. Goel, 2008). Für ein Projekt zu Staatsbürger_innenschaft (vgl. Goel, 2006) habe ich in Deutschland 1998 vier Interviews mit Kindern von Bengalis und 14 mit Kindern von Malayalis geführt.[9] Im Forschungsprojekt zum Internetportal *Indernet*[10] (vgl. Goel, 2009a und b) kamen in den Jahren 2004 bis 2006 dreizehn Interviews mit Kindern von Bengalis und neun mit Kindern von Malayalis hinzu. Dieses Material führe ich in diesem Artikel zusammen, um eine ethnographische Annäherung an das Sprechen über die Religion derer, die als natio-ethno-kulturelle Andere konstruiert werden, anzubieten. Zur Darstellung meines empirischen Materials werde ich dabei die grammatische Gegenwart benutzen.

7 Die *Meine Welt* ist eine von der Caritas Köln herausgegebene Zeitschrift für den deutsch-indischen Dialog, die vor allem von Malayalis für Malayalis gemacht wird (vgl. http://caritas.erzbistum-koeln.de/caritas/fachbereiche/integration/migration/deu_ind_dialog/meine_welt/ (24.08.10).

8 *Durga Puja* ist das höchste religiöse Fest der Hindus im indischen Bundestaat Bengalen. Es wird über neun Tage gefeiert.

9 Die zugrundeliegenden Fragen sind in diesen das Zugehörigkeitsgefühl zu Deutschland und Indien sowie die Rolle von Staatsbürger_innenschaft und Einbürgerung hierbei. In der Forschungsfrage angelegt ist ein Bezug zu den Kategorien indisch und deutsch sowie eine Tendenz zu essentialisierenden Fragen.

10 In diesem Forschungsprojekt habe ich analysiert, weshalb das für Kinder der Migrant_innen aus Indien in Deutschland konzipierte Internetportal gemacht und genutzt wird. Die Themen der Interviews drehen sich dabei viel um Selbstorganisation sowie die Zugehörigkeit zu Gruppen und Netzwerken.

1. Vertreter_innen der Dominanzgesellschaft über die Religion der Anderen

In meinem Projekt habe ich den Fokus auf die als Andere Konstruierte gelegt. Eine Analyse des Sprechens von Angehörigen der Dominanzgesellschaft über die Religion der Anderen hatte ich nicht geplant.[11] Bei der teilnehmenden Beobachtung sind die Vertreter_innen der Dominanzgesellschaft aber von alleine in mein Blickfeld gekommen: Bei fast allen Feiern sind Repräsentant_innen der Dominanzgesellschaft eingeladen, um Grussworte zu sprechen. Fast alle stellen das Fest, auf dem sie jeweils sind, als eines dar, das für ganz Indien steht. So sagt die Vertreterin der Stadt Köln bei *Durga Puja*:

> Es ist mir eine ganz grosse Ehre, mit Ihnen gemeinsam diese Feier hier in Köln zu eröffnen, in dem Bewusstsein, dass dies auch Millionen und fast Milliarden kann man schon sagen, Menschen in Indien und auf der ganzen Welt tun.

Sie unterstellt damit erstens, dass alle Inder_innen Hindus sind und zweitens, dass alle Hindus in Indien und auf der ganze Welt *Durga Puja* feiern. Beide Unterstellungen sind falsch. Diese typische Gleichsetzung von Indien mit Hinduismus (vgl. Jacobsen und Raj, 2008: 2), findet sich auch bei dem Jubiläum der Zeitschrift *Meine Welt*, das von der Caritas ausgerichtet wird. Ein katholischer Würdenträger beginnt seine Rede mit:

> Wir möchten zu Beginn dieser Veranstaltung einen Impuls christlich-hinduistischer Annäherungen setzen. Hier im Dom Forum treffen heute Katholiken, Christen überhaupt und auch Hindus zusammen.

Sicher werden auch Hindus unter den Zuhörenden sein. Dominiert wird der Raum aber von Christ_innen aus Indien und Deutschland. Wozu in diesem Kontext christlich-hinduistische Annäherung nötig sein soll, wird nicht weiter motiviert, sie ist aber das Hauptmotiv der Rede des Geistlichen. Einer Christin mit Eltern aus Indien übergibt er die Aufgabe, ein hinduistisches Gebet vorzulesen. Warum nicht er selbst es vorträgt, bleibt unklar. In Anlehnung an Jacobsen und Raj (2008: 1) vermute ich, dass er sie aufgrund ihres Aussehens und der Familienbiographie für authentischer hält.

Die Moderatorin der Jubiläumsfeier, eine bekannte Journalistin, scheint zu überraschen, dass Menschen aus Indien christlich sind und scheint zu vermuten, dass sie vor nicht allzu langer Zeit konvertiert sind. Den Chefredakteur

11 Eine der wenigen Studien, die sich in diesem Kontext explizit mit Angehörigen der Dominanzgesellschaft beschäftigt, ist Attia (2009). Vgl. auch Riegel in diesem Band.

der Zeitschrift fragt sie: «*Seit wann ist die Familie katholisch?*» Woraufhin er anfängt die Ursprünge des Christentums in Kerala zu erklären:

> Ja, wie gesagt, es gibt Bücher darüber. [...] wir behaupten, dass der heilige Thomas um 52 nach Indien kam und dort [...] 21 Familien, bekehrt hat. Zu diesen Familien gehörte meine Familie. Wir sind die Nachkömmlinge von dieser ...

Die Moderatorin wirkt überrascht bei ihrer Nachfrage: «*Aus dem Jahr 52 nach Christi?*» Der Chefredakteur führt seine Erklärung weiter:

> Sie behaupten es, aber dafür gibt es wahrscheinlich keine echten Dokumente, aber [...] es gibt Dokumente seit 400 oder so gibt es Katholizismus in Kerala und wir gehören irgendwie zu diesen alten Familien, weil wir irgendetwas getan haben für den Papst oder so was.

Worauf die Moderatorin erwidert: «*Das ist ja sehr beeindruckend, dass das so lange her ist.*»

In ihrer gesamten Moderation habe ich den Eindruck, dass sie von Dingen überrascht ist, die dem grössten Teil des Publikums nach meiner Erfahrung bekannt sein müssten. Sie scheint diese Alleinstellung ihrer Überraschung allerdings nicht zu merken. Ihre Normalitätsvorstellungen scheinen für sie leitend zu bleiben, das Gespräch lenkt sie immer wieder zu Themen, bei denen sie das Andersartige betont.

Ein anderes Motiv, das sich bei den verschiedenen Veranstaltungen durch die Beiträge der Repräsentant_innen der Dominanzgesellschaft zieht, ist der Verweis auf Traditionen und Bräuche, die es bei ‹uns› auch in der Vergangenheit gegeben habe und die bewahrt werden müssten. Die Migrant_innen und ihre Kinder werden immer wieder als kulturelle Andere be- und damit festgeschrieben (vgl. Kalpaka und Mecheril, 2010: 92-94). Der Verweis auf die eigene Vergangenheit und der Gebrauch der Worte Traditionen und Bräuche suggeriert, dass die Anderen weniger fortschrittlich als ‹wir› seien (vgl. Ziai 2007: 14). Zudem werden die als anders Konstruierten dazu aufgerufen in ihrem Anderssein zu verharren (vgl. Castro Varela und Mecheril, 2010: 35-38). Gleichzeitig wird behauptet, dass auf dieser Grundlage eine Integration in die Dominanzgesellschaft erfolgen könne. So führt ein Vertreter der Landesregierung von Nordrhein-Westfalen beim *Meine Welt*-Jubiläum aus:

> Nur wer seine eigene Sprache, seine eigene Kultur, seine eigene Tradition wertschätzt, kann auch das gegenüber anderen, deren Sprache, deren Traditionen, deren Geschichte machen. Das eine ist ohne das andere gar nicht möglich und ist auch ... zu wissen, wo man herkommt ist für die Integration besonders wichtig.

Böcker et al (2010) sowie Goel (2008: 64-66) stellen dar, dass dieses Versprechen nicht erfolgreich sein kann: Durch die Betonung der Andersartigkeit der als anders Konstruierten werden diese immer wieder als Andere festgeschrieben. Andere aber können nicht gleichberechtigter Teil der Dominanzgesellschaft sein, weil diese sich gerade in Abgrenzung zu den Anderen definiert.

Das ganz Andere der als anders Konstruierten wird von den Vertreter_innen der Dominanzgesellschaft in den Grussworten betont, indem sie das Andere als unverständlich darstellen und eine Erklärung dieses Unverständlichen für nötig erachten. So stellt zum Beispiel ein Festredner bei *Durga Puja* in Köln fest: *«es ist nicht ganz so leicht, zu verstehen, was dort vor sich geht.»* Einige Vertreter_innen der Dominanzgesellschaft warten nicht darauf, dass die als anders Konstruierten ihnen die Erklärung geben, sondern übernehmen diese selber. So erklärt die Vertreterin der Stadt Köln das Fest *Durga Puja* in einiger Ausführlichkeit und der katholische Geistliche erklärt bei dem *Meine Welt*-Jubiläum den Hinduismus. Sie geben sich damit selber die Definitionsmacht über das Andere und erheben sich zu Sprecher_innen für die Anderen (vgl. Wachendorfer, 2001).

Als Andere werden die so Festgeschriebenen von den Redner_innen durchaus geschätzt. So endet die Vertreterin der Stadt Köln ihr Grusswort mit:

> Diese Feier ist ein grossartiges Beispiel für die Toleranz, ein alter Wert der Köllschen Mentalität, [...] der nicht nur viel zitiert wird, sondern auch gelebt wird, wir sagen ‹Jeder Jeck ist anders› und das passt auch hier wieder und das ist mir ganz wichtig

und ruft zur Teilnahme am interreligiösen und multikulturellen Dialog auf. Das Eigene kann durch die dargestellte Offenheit gegenüber dem Anderen als wertvoll bestärkt und eigene Verstrickungen in Rassismus geleugnet werden (vgl. Böcker et al., 2010; Ho, 2006). Dies wird bestärkt durch immer wieder vorkommende Betonungen von Gemeinsamkeiten mit den Anderen. So wird von einigen Redner_innen ein Vergleich mit der eigenen Religiosität oder Verbundenheit zu Kultur und Traditionen gezogen. Damit wird die Dominanzgesellschaft als ebenfalls religiös und traditionsreich konstruiert und eine Abgrenzung gegenüber Nicht-Gläubigen vorgenommen. Auch gemeinsame politische Interessen werden formuliert, so betont die Vertreterin der Stadt Köln bei *Durga Puja* unter grossem Applaus die gemeinsame Ablehnung der offen anti-muslimischen Pro NRW:

> Sie alle, die sie hier sind und dieses Fest feiern, gleich welcher Religion oder Nationalität, tragen mit dazu bei, dass ein friedliches Zusammenleben von Menschen verschiedenen religiösen und kultureller Hintergründe in Köln so erfolgreich möglich ist. Sie haben es alle mitbekommen, vor 14 Tagen ging es um Menschen anderen Glaubens, nämlich islamischen Glaubens, da hat sich die Stadt und viele Bürgerinnen und

> Bürger dieser Stadt sehr eingesetzt, dass alle Religionen in dieser Stadt wirklich herzlich willkommen sind.

Als friedlich wahrgenommene Andere sind die bengalischen Hindus willkommen und sollen dazu beitragen, dass Bild der offenen deutschen Gesellschaft zu stützen. Nach Lanz (2009: 109-119) kann die Vertreterin der Stadt Köln damit-sowie die den meisten anderen Redner_innen - als Vertreterin eines diversitären Integrationsdiskurses angesehen werden. Im Gegensatz zu den Vertreter_innen des differentiellen Integrationsdiskurses (Lanz, 2009: 106-109) fordert sie nicht die völlige Assimilation der Anderen, sondern plädiert dafür, die Anderen in die Gesellschaft einzubinden, solange sie für diese (ökonomisch) nützlich sind. Die Festschreibung als Andere bleibt aber bestehen und damit auch das Prekäre der Anerkennung (vgl. Böcker et al., 2010).

2. Migrant_innen aus Indien über Religion und die Erziehung ihrer Kinder

Die von mir beobachteten öffentlichen Auftritte von Migrant_innen aus Indien sind anschlussfähig an jene der Vertreter_innen der Dominanzgesellschaft (vgl. Goel, 2008: 64-68). Viele der Migrant_innen nehmen die gleichen Themen auf und beziehen zu ähnlichen Punkten Stellung. So setzt – wie die Vertreterin der Stadt Köln – auch der Präsident des *Durga Puja*-Vereins in Köln Bengalis mit Inder_innen gleich: *«In diesen Tagen feiern Hindus auf der ganzen Welt das machtvolle Kommen der Durga, wir Inder in Deutschland feiern es auch.»* Er betont die reichen Traditionen Indiens/Bengalens:

> Wir hoffen und wünschen, dass Ihnen die kommenden fünf Tage einen kleinen Einblick geben in unsere alte, traditionsreiche Kultur mit ihren vielen Aspekten und Facetten und dass sich unsere Freude auf Sie überträgt.

Zudem stellt auch er den Gegensatz zwischen dem Eigenen und dem Fremden her: *«Feste sind ein sehr wichtiger Beitrag, um auch hier in der Fremde, weit entfernt von zu Hause, ein Stückchen Heimat wieder zu finden.»* Diese klare Distanzierung von Deutschland scheint allerdings dem diversitären Integrationsansatz der Vertreterin der Stadt Köln zu widersprechen. Zum Ende ihres Beitrags geht sie direkt darauf ein und wirbt für die Integration in ein Köln der Vielfalt:

> Sie haben vorhin gesagt, Sie leben in der Fremde, ich hoffe, Sie leben hier nicht in der Fremde, sondern das ist auch Heimat für Sie hier in Deutschland, in Köln, und wenn Sie hier leben, ist es aber um so wichtiger, auch alte Traditionen immer wieder zu beleben und sie auch wirklich zu leben.

Auch in den Interviews mit Migrant_innen kommt es immer wieder zur Gleichsetzung von Bengalen bzw. Kerala mit Indien. Indien wiederum wird mit Kultur und Tradition gleichgesetzt, und Kultur mit Religion. Dies unterstützt Jacobsen und Rajs (2008: 4) These, dass im Migrationskontext Religion zu einem zentralen Element für die Entwicklung von Zugehörigkeit wird und mit ethnischer, kultureller und linguistischer Identität gleichgesetzt wird. Um die Bedeutung von Religion bei der Frage von Zugehörigkeit explizit zu berücksichtigen, ergänze ich im Folgenden Mecherils (2003) Begriff der natio-ethno-kulturellen Zugehörigkeiten um den Kontext Religion zu natio-ethno-religio-kulturell (vgl. Mecheril und Thomas-Olalde in diesem Band zu Religion als Zugehörigkeitscode).

Aus Interviews mit Migrant_innen aus Kerala, aus teilnehmender Beobachtung und Publikationen (z.B. Meine Welt, 2008) schliesse ich, dass die christliche Religion einen wichtigen Teil bei der Erzählung der eigenen Geschichte der Migrant_innen spielt. Sie spielt nicht nur bei der Migration selbst eine grosse Rolle - die meisten Frauen wurden von der katholischen Kirche als Krankenschwestern angeworben, einige Männer kamen als Theologiestudenten (vgl. Goel 2008: 61-64). Sie scheint auch zentral bei der Gestaltung des Lebens. So werden in den Migrationsgeschichten in Meine Welt (2008) von den Malayalis in den meisten Fällen Informationen über die religiöse Erziehung in Indien gegeben und darüber wie die Familie in Deutschland in religiöse Strukturen eingebunden ist. Auch die interviewten Sozialarbeiter betonen in den Interviews die Bedeutung von Religion und Religiosität für die Malayalis. Besonders eindrücklich ist dies für mich in einem Interview mit einer Migrantin in der Schweiz. Ich bekomme dabei den Eindruck, dass sie alles Gute auf die Religion zurückführt und alles Schlechte mit dem Fehlen von Religion begründet. Sie engagiert sich im Kirchenrat, gibt Religionsunterricht für Kinder, geht jeden Sonntag in die Kirche, jeden Samstag zur Gebetsgruppe und im Krankenhaus betet sie mit Patient_innen. Im Laufe ihrer Zeit in der Schweiz ist sie in verschiedene Messen gegangen, mittlerweile kann sie in Zürich vier Sonntage im Monat zu einer Malayalam-Messe gehen. Ein Sozialarbeiter erklärt mir, dass gerade die indische Messe für viele ein wichtiger Ort der Identifikation sei. Der eigene Ritus, die eigene Sprache und das Zusammensein mit anderen Malayalis schüfen einen Platz zum Malayali-Sein (vgl. Jacobsen und Raj, 2008: 4). Dieses Herstellen eines gemeinsamen Malayali-Seins habe ich allerdings auch bei nicht-religiösen Veranstaltungen wie *Onam* beobachtet.

Bei den Bengalis habe ich (auf Basis von viel weniger empirischen Material als bei den Malayalis) den Eindruck, dass das jährliche *Durga Puja*-Fest der zentrale Punkt für die Herstellung natio-ethno-religio-kultureller Zugehörigkeit ist. Hier verschwimmen Vorstellungen von Kultur, Tradition und Religion. Bengali-Sein und Hindu-Sein werden miteinander verwoben und werden beide durch das Organisieren von und die Teilnahme an *Durga Puja* bestätigt. Erzählungen von Bengalis in den Interviews über ihre religiöse Sozialisation weichen von jenen der Malayalis deutlich ab. Zentral ist immer wieder die Thematisierung von Unterschieden, von unterschiedlichen Richtungen des Hinduismus und Graden von Religiosität in den Herkunftsfamilien. Diese Erfahrungen und Prägungen werden als entscheidend für den eigenen Bezug zur Religion (sowie für den de_r Ehepartner_in) gesehen. Eine Migrantin stellt sich mir gegenüber als sehr religionsfern dar und betont, wie wichtig das Hinterfragen von Religion sei. Erst später im Interview erzählt sie, dass sie einen eigenen Altar habe und jede Woche ein ausführliches Gebet durchführe. Sie spricht über ihre sehr religiöse Mutter und familiäre Problemen, die aus deren religiöser Praxis entstanden seien. Von ihr - wie von anderen - wird formuliert, dass religiöse Praxis und Vermittlung die Aufgabe der Frauen sei. Da aber unter den Migrant_innen vorwiegend junge Männer gewesen sein, wird mir erklärt, sei Religion in den Hintergrund geraten.

Eine andere Migrantin ist sehr interessiert an dem Interview mit mir, weil ihr die Vermittlung von Religion an die Kinder sehr wichtig sei. Sie spricht über die Schwierigkeiten der religiösen Erziehung in der Schweiz. Da der Hinduismus keine Buchreligion sei, müsse er über das Erleben gelernt werden. Entscheidend für die religiöse Sozialisation sei das Erfahren, Abschauen und Mitmachen. Dafür aber sei eine aktive religiöse Gemeinde notwendig, die bisher in der Schweiz nicht existiere. Erschwerend komme hinzu, dass aufgrund der spezifischen Migrationsgeschichte unter den Migrant_innen ein abstrakter Begriff vom Hinduismus vorherrsche. Die Vermittlung der Religion an die Kinder sei so schwierig, weil

> we were all the same age, mostly from technical and very modern background. So there was no one who really was able or even interested to pass this on. Because there is, has been this attitude by many Bengalis, that we do not worship dolls, we do not worship effigies, our religion is not a religion, it is sort of a way of life, and sort of to, in a way to make it that abstract that it is very difficult to hold on to or even to understand. So it is a religion of the brain, and that is not where a child is. You have to have practical religion of your tummy to start off with, and maybe it moves to your heart, some day. That is for me religion.

Um die *«practical religion of your tummy»* für ihre Kinder herzustellen, habe sie verschiedene Versuche mit mässigem Erfolg durchgeführt: Erstens habe sie Rituale zuhause durchgeführt, zweitens sei sie mit ihren Kindern nach Bengalen gefahren, damit sie dort die Religionsausübung erlebten, drittens habe sie die Grosselterngeneration in die Schweiz geholt, damit die Kinder bei ihnen die religiöse Praxis erführen und viertens habe sie versucht Gemeinschaftserlebnisse zu organisieren. Die religiöse Erziehung sei ihr so wichtig, weil die Kinder für ihre moralische Entwicklung die positiven Werte des Hinduismus bräuchten:

> I came to the conclusion with them, that an empty container has place for a lot of troubles and problems. But if you fill the container, already actively, there is no, there is very little place left over for something else coming and getting in there.

Ähnlich begründet die oben vorgestellte Kirchenrätin, warum Kinder christlich erzogen werden sollten. Religion gebe Halt und Zugehörigkeit: *«Ja, da gehört Religion dazu. Weil wir müssen irgend so einen Halt haben.»*

Viele Migrant_innen erzählen mir, dass gemeinsame Veranstaltungen wie *Durga Puja* oder *Onam* vor allem für die Kinder wichtig seien. Bei diesen Gelegenheiten könnten sie die Kultur und Tradition ihrer Eltern kennenlernen und bewahren. Gleichzeitig klagen viele, dass die Generation der Kinder nicht genug an den Veranstaltungen (sowohl aktiv wie passiv) teilnähme. Ein Sozialarbeiter der Malayalis beklagt, dass den Jugendlichen das Wissen über die Kirche in Kerala und die verschiedenen Riten fehle. Ich bekomme dieses Wissen vor allem in den Interviews mit den Sozialarbeitern und der Kirchenrätin vermittelt. Sie berichten mir von der Rolle der Kirche in der Migration, über die Organisation der Kirche in Deutschland bzw. der Schweiz sowie die verschiedenen christlichen Riten in Kerala. Ähnliche Informationen bekomme ich auch in den Zeitschriften und anderen Publikationen der Malayalis. So erfahre ich auch, dass die Anwerbung von Krankenschwestern aus Kerala nach Deutschland in der kirchlichen Erzählung auf das Zweite Vatikanische Konzil und die damit verbundene Öffnung der Kirche zurückverfolgt wird. Im Zuge des Konzils seien indische Bischöfe nach West-Deutschland gekommen und der Gedanke der Anwerbung von Krankenschwestern entstanden, um den dort vorherrschende Pflegenotstand (vgl. Goel, 2008: 61) zu mildern. Aus dieser Geschichte der Anwerbung scheint eine besondere Verantwortung der katholischen Kirche für die Migrant_innen aus Kerala entstanden zu sein. Es wurde ein Netzwerk indischer Seelsorge in West-Deutschland aufgebaut (mittlerweile geschieht dies auch in der Schweiz), Sozialarbeiter_innen aus den Reihen der Migrant_innen eingestellt und Zeitschriften finanziert. Die meisten der Malayalis und ihre Kinder sind daher in die Strukturen der katholischen Kirche in Deutschland (und auch der Schweiz) eingebunden. Ein Sozialarbeiter betont, dass dies dazu führe, dass Malayalis besser integriert in die Dominanzgesellschaft sein und mehr akzeptiert würden als andere Migrant_innen. Gleichzeitig beklagt er aber auch den Verlust der eigenen religiösen Besonderheiten durch das Aufgehen in die kirchlichen Strukturen der Dominanzgesellschaft. Als integrationsfördernd wird von ein paar Interviewpartner_innen auch angeführt, dass die christlichen Malayalis bereits aus Indien Erfahrungen als religiöse Minderheit in einem multi-religiösen Bundesland hätten. Diese Vertrautheit im Umgang mit Vielfalt helfe ihnen auch in Deutschland bzw. der Schweiz (vgl. Jacobsen und Raj, 2008: 4).

3. Die Kinder von Migrant_innen über Religion

3.1 Natio-ethno-religio-kulturelle Zugehörigkeit

Viele der Kinder der Migrant_innen antworten in den Interviews, insbesondere denen zur Staatsbürger_innenschaft, ähnlich wie ihre Eltern auf meine Frage, was indisch bedeute, mit Verweisen auf Religion, Tradition, Kultur und Werte. Sie erzählen mir, dass die eigene indische Seite vor allem durch die Teilnahme an religiösen Veranstaltungen und Riten gepflegt werde. So sagt eine Tochter von Migrant_innen aus Kerala:

> Was mich wirklich noch als Inderin ausmacht, ist eben nun mal die Religion, weil ich gerade wegen der Religion mit Indern Kontakt habe, jeden Monat mindestens einmal und dann noch im privaten Bereich, dass ich dann auch noch indische Freunde habe. Also da würde ich noch sagen, dass das mich eben als Inderin auszeichnet.

Das Deutsche bzw. Schweizerische wird von den meisten meiner Interviewpartner_innen allerdings über die verschiedenen Interviewkontexte hinweg als dominant in ihrem Leben beschrieben. In ein paar Erzählungen wird darauf verwiesen, dass ihre Eltern (gerade auch jene, die aus Indien migriert sind) sich bewusst für eine deutsche bzw. Schweizer Sozialisation entschieden haben, da die Kinder in Europa aufwachsen. Dazu gehört für die meisten bengalischen Hindus die Teilnahme am schulischen Religionsunterricht und für einige auch die evangelische bzw. reformierte Taufe. So erklärt mir eine Tochter eines Bengali per Email:

> Meine Schwester und ich erhielten allgemein sehr wenig von unserer ‹indischen Seite› vermittelt. Weil die Familiengründung in der Schweiz stattfand und es auch klar war, dass wir in der Schweiz bleiben würden, hat mein Vater es vorgezogen, dass wir ‚schweizerisch sozialisiert› werden. So wurden wir reformiert getauft und auch konfirmiert.

Die Erfahrung einer anderen Interviewpartnerin zeigt, dass eine fehlende Taufe durchaus zu Ausgrenzungserfahrungen führen kann:

> Da fühlt man sich schon ausgeschlossen als Kind. Und all diese Rituale oder auch, dass ich nicht getauft worden bin und halt so Sprüche wie ‹Du hast ja gar keinen Namen, dann können wir dir ja so und so sagen› und immer so Sachen.

Der Unterschied zwischen den bengalischen Hindus und den christlichen Malayalis liegt hier darin, dass letztere ihre Kinder ohne viel Überlegung in die Dominanzkirche einführen, während erstere sich ganz bewusst dafür entscheiden müssen.

Während die Religion für einige Kinder von Malayalis der bedeutendste Zugang zum Indischen ist, ist sie für andere der Grund, weshalb sie sich nicht indisch definieren. In einem Interview zum *Indernet* erklärt mir einer:

> Es liegt auch sicherlich daran, dass bei mir nicht beide Elternteile aus Indien kommen, sondern halt mein Vater, und meine Mutter aus Mecklenburg. Es mag auch etwas damit zu tun haben, das eben beide, die Familien beider Elternteile eben Christen sind und das auch im Grunde genommen, wenn man mal von Aspekten wie Musik oder Sprache absieht, es nicht wirklich eine kulturelle Differenz, oder gar eine im Elternhaus bestehende kulturelle Homogenität, eine Abgrenzung zur Mehrheitsgesellschaft, in der man sich befindet, stattfand und ich bin eigentlich immer aufgewachsen und auch dahingehend erzogen worden, mich als deutscher Staatsbürger wahrzunehmen.

Auch für ihn spielt Religion also eine zentrale Rolle in der natio-ethno-kulturellen Zugehörigkeit, anders als bei vielen Anderen aber führt sie bei ihm zu einer eindeutigen Positionierung als Deutscher. Die meisten Anderen allerdings äussern mir gegenüber, dass sie sich beiden Kontexten zugehörig fühlen (vgl. Goel, 2006). Sie können mit Mecheril (2003) als natio-ethno-kulturell (Mehrfach-)zugehörige angesehen werden.

3.2 Ganz normal

In informellen Gesprächen und einigen Interviews mit den Kindern der Malayalis erfahre ich viel über die Alltäglichkeit von Religion in ihrem Leben. So sagt mir eine Interviewpartnerin: «*Wir fühlen uns auch nicht gezwungen, das gehört einfach dazu. Das ist wie morgens aufstehen und Zähne putzen. Es ist einfach so eine Routine.*» Der sonntägliche Kirchgang, die Abendgebete in der Familie, das gelegentliche Gehen zur indischen Messe ist selbstverständlicher Teil ihres Lebens. Viele waren oder sind als Messdiener_in aktiv.

Eine meiner Interviewpartner_innen betont immer wieder, wie liberal und wenig traditionell, sie aufgewachsen sei und auch jetzt noch lebe. Ihre Erzählungen zeigen mir derweil, wie ihr ganzer Alltag seit Kindertagen wesentlich durch religiöse Praxis und Einbindung in religiöse Institutionen geprägt ist. Es wird mir klar, dass wir beide ein recht unterschiedliches Verständnis von liberal haben. Während für sie liberal, zum Beispiel, heisst, dass das Abendegebet nicht so ausführlich gesprochen wird wie in der Familie in Kerala, fällt für mich der elterliche Anspruch, jeden Sonntag in die Kirche zu gehen, nicht unter Liberalität. Die Liberalität der eigenen Eltern (in Abgrenzung zu anderen Eltern) ist auch in anderen Interviews ein Thema, es wird aber auch von Zwang gesprochen. Ein in Deutschland und Indien aufgewachsener Interviewpartner spricht von Zwang und Doppelmoral in Indien, gerade in Bezug auf Religion. Trotzdem definiert er sich als gläubiger Christ, der aus dem Glauben Kraft und Ruhe schöpfe. In Deutschland fühle er sich freier beim Kirchgang als in Indien, da weniger sozialer Druck durch Bekannte ausgeübt werde. Eine andere Interviewpartnerin spricht auf einmal – für mich völlig unvorbereitet – von häuslicher Gewalt. Sie sei von ihrem Vater regelmässig geprügelt worden, da sie nicht beim Abendgebet mitmachen habe wollen. Durch diese Gewalterfahrung habe sie sich von der Religion abgewendet, aber nicht von ihrer Familie.

Wenn ich nach der Einbindung in religiöse Netzwerke der Malayalis, zu indischen Gemeinden und dem spezifischen Ritus frage, bekomme ich häufig die Antwort, dass alles *«ganz normal»* sei. Auf meine Frage *«Also die Malayalis haben ja doch zum Teil auch eigene Riten, aber das ist, weil ihr römisch-katholisch seid kein Thema?»* antwortet einer: *«Nein, da gibt es gar keine Unterschiede zu Deutschland. Das hat die meisten Leute auch immer sehr verwundert.»* Der Verweis auf die Verwunderung Anderer deutet an, dass ich nicht die Einzige bin, die die Kinder der Malayalis in Bezug auf Religion als Andere festschreiben will und dass es ihnen wichtig ist, ihre Normalität zu betonen. Seine und andere ähnliche Antworten deuten aber auch daraufhin, dass sich viele nicht mit den verschiedenen christlichen Richtungen, die es in Kerala gibt, auskennen und sie daher nichts mit meiner Frage anfangen können. Dies bestätigt die Sorge einiger Migrant_innen, dass die Kenntnisse über das Spezifische des Glaubens der Eltern verloren gingen. Es gibt allerdings auch ein paar junge Interviewpartner_innen, die mir sehr detaillierte Auskünfte über die verschiedenen Riten geben können und sich zur Vielfalt (kritisch) positionieren. Sie verweisen auch darauf, dass diese Vielfalt in Deutschland schwer vermittelbar sei. Eine Syrisch-Orthodoxe erklärt mir: *«Ich trage meine Religion nicht den Leuten hinterher und sage den Leuten: ‹Guckt, ich bin nicht katholisch! Ich bin eben doch irgendwie anders.›»* Wie spezifisch Auskünfte gegeben werden, hängt also davon ab, wie viel Verständnis de_r Gegenüber zugetraut wird. Dies mag auch bei den Migrant_innen ein Grund dafür sein, warum sie häufig nicht zwischen Bengalen/Kerala und Indien differenzieren.

Viele der jungen Christ_innen erzählen mir, dass sie nicht so gerne in die indische Messen gingen, da sie diese nicht so gut verstünden. Selbst jene, die eine recht gute Sprachkompetenz in Malayalam haben, verstünden das Malayalam der Messe nicht gut. Die meisten scheinen daher sonntäglich eher in katholische Kirchen der Dominanzgesellschaft zu gehen und nur zu speziellen Anlässen (Ostern, Weihnachten und *Onam*) in die indische Messe. Diese wären besonders, da sie dort Freund_innen treffen und Kontakte pflegen könnten.

Aber nicht nur die Sprache führt die Kinder der Malayalis in die Dominanzmessen. Eine Interviewpartnerin, die mit ihrem Mann in ein Dorf gezogen ist, erklärt mir: *«das gehört zur Integration»* und führt fort:

> Ich denke, das ist einfach auch eine Plattform, andere Leute kennen zu lernen. Man muss nicht immer in seinen Malayali-Gesellschaften sein. [...] hier in der Gemeinde, lernen wir auch andere Leute kennen. Zum Beispiel der Kirchenvorstand ist aus meiner Heimatstadt. Also, er wohnt direkt in der Nähe von meinem Elternhaus und daher ... Da haben wir schnell Anschluss gefunden und wurden freundlich aufgenommen, die kennen uns, es ist eine kleine Gemeinde hier.

Normalität hat in Bezug auf die Religion der Kinder der Malayalis also verschiedene Bedeutungen. Zum einen stellt die religiöse Praxis die Normalität ihres Alltags dar. Sie ist Teil ihrer habituellen Disponiertheit (Mecheril, 2003: 215-218). Zum anderen können sie sich als Christ_innen als zugehörig zur Dominanzgesellschaft, für die die Normannahme der christlichen Prägung gilt, verstehen und über Teilnahme in der Dominanzkirche diese Zugehörigkeit festigen.

3.3 Reflexive Auseinandersetzung mit Religion

Bei den meisten Kindern der Malayalis bekomme ich den Eindruck, dass religiöse Praxis ein völlig selbstverständlicher und verinnerlichter Teil ihres Alltags ist, der nicht mit dem Wunsch oder auch der Kompetenz einher geht, diese religiös begründen zu können. Meine auf Verständnis gerichteten Fragen nach dem wie und warum, sind für die meisten meiner Interviewpartner_innen nicht anschlussfähig. Eine Ausnahme hiervon machen insbesondere eine Pfingstlerin und ein Katholik, der jahrelang von den Zeugen Jehovas Bibelstunden bekommen hat. Diese beiden geben mir religiöse Begründungen für ihre Handlungen und Einstellungen und beziehen sich dabei auf die Bibel.

Der von den Zeugen Jehovas Unterrichtete ist regelmässig in die katholische Kirche gegangen, war Messdiener und ist mit seinen Eltern und auch alleine mehrfach auf Pilgerreisen in Europa und Indien gewesen. Auf der Basis seines Bibelstudiums aber hinterfragt er die religiöse Praxis der Malayalis und argumentiert, dass diese der Bibel widerspräche. Insbesondere kritisiert er die von vielen Malayalis geforderte komplette Unterwürfigkeit unter die Kirche und führt diese auf den Hinduismus zurück:

> Also ich sehe das Christentum in Kerala so: wir waren alle Hindus früher, dann kam der Apostel und wir wurden alle bekehrt. Was wir in Kerala gemacht haben, ist nur den Hinduismus in eine monotheistische Religion verwandelt. Das heisst alle Millionen von Göttern im Hinduismus haben wir mit einem Gott ersetzt. Aber der Rest ist gleich geblieben. Alle Rituale. Der Hinduismus ist sehr stark verankert in der [...] kompletten Unterwürfigkeit. In der Bibel selber habe ich das nie so erfahren, dass Gott von uns die komplette Unterwürfigkeit verlangt. Aber die Malayalis verhalten sich so.

Explizit distanziert er sich von dem unter Malayalis weit verbreiteten Wunderglauben:

> Drum glaube ich selber auch nicht an Wunder. Vor allem nicht an solche wie zum Beispiel eine Marmorstatue blutet oder spuckt Milch oder weint. Das ist für mich hirnrissig. Aber es gibt Menschen, es gibt sehr viele Menschen, die brauchen das.

Diese Aussage ist für mich besonders interessant, da ich wenige Tage vorher bei einer *Onam*-Feier ein paar Teenager interviewt habe und sie mir begeistert von dem Wunder der blutenden Marmorstatue erzählten. Sie habe das in ihrem Glauben bestätigt, sagen sie mir: *«Ja, es ist so. Es ist schon schön, also Gott hilft. Wenn man betet, ist Gott schon da für uns, also für alle eigentlich. Also, darum beten auch die Malayalis sehr viel.»* Auch dieses Beten, um von Gott Unterstützung zu bekommen, widerspricht dem Verständnis des von den Zeugen Jehovas Unterrichteten. Konkret davon betroffen ist er, wenn seine Mutter für ihn betet. Er sieht darin seine eigenen Leistungen, zum Beispiel, in Prüfungen geschmälert:

> Drum, also bei mir ist das jetzt soweit gekommen, dass ich jetzt die letzten Prüfungen zum Beispiel den Eltern verschwiegen habe und dann am Tag nach der Prüfung das ihnen gesagt habe. ‹Ja, ich hatte gestern meine Prüfung›, also nur, damit sie keine Zeit hatten zu beten.

Durchgängig durch das Interview verfolgt er einen sehr vernunftgesteuerten Ansatz. Er kritisiert, was er beobachtet, sagt aber auch immer wieder, dass die Praxis in Ordnung sei, wenn sie den Menschen gut tue. Er betont, dass der römisch-katholische Glaube zu seiner natio-ethno-kulturellen Zugehörigkeit gehöre, die er beibehalten und an seine zukünftigen Kinder weitergeben wolle. Für seine Eltern scheint Religion allerdings nicht das Wichtigste zu sein. Auch wenn sie sich wünschten, dass er regelmässig zur Kirche ginge, erzählt er, wäre seine Distanzierung von der Kirche für sie weniger problematisch als eine Studienwahl, die nicht auf Erfolg ausgerichtet sei:

> Ich hätte mich wehren können, sagen können, ich gehe jetzt nach Berlin oder ich studiere jetzt Archäologie, ist genau eigentlich eine brotlose Kunst. Ich wäre vielleicht glücklicher gewesen jetzt. Aber diese Entscheidung wäre dann doch gravierender gewesen, als wenn ich gesagt hätte, ich gehe nicht mehr zur Kirche.

Für die Pfingstlerin und ihre Familie hingegen scheint ihr Glaube das wichtigste. Ihren Erzählungen zufolge prägt er nicht nur ihr Handeln, sondern erfordert auch einen grossen Zeiteinsatz und führt dazu zu, dass sie ihre engsten Kontakte in der Gemeinde hat. Da sie in ihrer Gemeinde die einzige Familie aus Kerala sind, hat sie vergleichsweise wenig Kontakt zu anderen Malayalis. Auch sie kritisiert den Glauben der meisten katholischen Malayalis, die für sie keine *‹richtigen Christen›* seien, denn:

> Für mich sind einfach Christen die, die das wirklich glauben. Also wirklich. Also, ich glaube, dass mir alle Sünden vergeben sind und dass wenn ich tot bin, ewig leben werde. Das sind für mich richtige Christen.

Ihr Vater habe einen indischen Gottesdienst etabliert, zu dem er andere Malayalis einlade, erzählt sie. Aufgrund der Glaubensunterschiede sei er aber nicht wirklich erfolgreich. Für sie selbst sei die Teilnahme schwierig, da sie die religiöse Sprache nicht gut genug verstehe und daher nehme sie nicht teil. Eine Verbindung zu Indien scheint ihr Glaube ihr dennoch zu bieten. Sie erzählt, dass ihre Familie schon in Kerala der Pfingstgemeinde angehört habe. Wenn sie nach Indien reisten, nähmen sie auch dort an Gottesdiensten teil und sie fühle sich dort zugehörig im gemeinsamen Glauben.

Der Hinduismus hingegen ist ihr sehr fremd, sie erzählt:

> Hinduismus, auch wenn ich in Indien bin, ist etwas, was ich von den vielen Weltreligionen am wenigsten nachvollziehen kann.

und erklärt das wie folgt:

> Die vielen Götter. Also für mich ist es halt ganz, ganz entscheidend, dass in meiner in Anführungszeichen Religion, ich bin ja gar nicht so die Frau, die gerne von Religion oder religiös spricht, weil bei mir geht es einfach um den Glauben und Gott. Ja, das es da viele Gottgestalten gibt, das ist für mich schon ... ein Gott für das und ein Gott für das, das ist für mich schon besonders. Weil ich habe einen Gott, der kann alles. [...]. Ich weiss es nicht. Ich habe irgendwie auch einen schweren Bezug dazu, weil das sehr, sehr so menschengemacht aussieht mit diesem Elefantengott.

Bei *Durga Puja* vermute ich, würde sie kaum ein Gefühl von natio-ethno-kultureller Zugehörigkeit empfinden. Die religiöse Gemeinsamkeit scheint für sie das Zentrale zu sein.

3.4 Hinduismus praktizieren

In den Interviews zum *Indernet* erfahre ich, dass die Gründer des *Indernets* sich über *Durga Puja* kennen. Sie nutzen ihre *Durga Puja*-Netzwerke erfolgreich, um für das Internetportal Werbung zu machen sowie Kooperationspartner_innen und Redakteur_innen zu finden (vgl. Goel 2009a). Neun Interviewpartner,[12] die sich durch die *Durga Puja*-Netzwerke kennen, berichten mir besonders ausführlich von ihrer religiösen Prägung: Nicht nur die Teilnahme an *Pujas* (nicht nur *Durga Puja*) scheint für sie selbstverständlich, auch Gebete zuhause und indische Mythen als Gute Nacht-Geschichten sowie die Durchführung ritueller Zeremonien in Indien scheinen weit verbreitet. Einer antwortet mir auf die Frage, ob er als Hindu aufgewachsen sei und praktiziert, recht typisch:

> Hinduismus ist letztendlich eine Lebensphilosophie, eine Lebenseinstellung. Er beinhaltet verschiedene Aspekte und jeder lebt seinen eigenen Hinduismus. Ich verstehe mich auch selber als Hindu, bin praktisch auch mit der Mythologie vertraut. Meine Eltern haben mir von vorhinein das Ramayana vorgelesen und Mahabarata erzählt und ich besuche Durga Puja jedes Jahr. Insofern habe ich schon Bezug zum Hinduismus. [...] Ich habe da auch eine Zeremonie in Indien mitgemacht, da habe ich halt eine Glatze geschnitten, insofern habe ich einen ganz guten Bezug zum Hinduismus, aber esse auch Fleisch und lebe eigentlich auch westlich.

Ein Anderer erzählt, dass bei ihm die Zeremonie angepasst worden sei, damit er in Deutschland nicht auffalle:

> Es gibt, ich weiss nicht welches Alter das ist, es gibt diese sogenannte Priesterweihe. Da bekommt man diese heilige Schnur [...] und das habe ich auch gemacht [...] Bis auf ein paar Sachen, die mussten ein bisschen verkürzt werden. Normalerweise muss der Kopf kahl geschoren werden. Im übertragenen Sinne heisst das so viel wie, dass man in Askese lebt und in völliger Enthaltsamkeit, so ist das ursprünglich gedacht. Das haben wir nicht gemacht, weil wir kurz danach nach Deutschland gefahren sind. Das finde ich auch persönlich ein bisschen schwierig, mit einer Glatze hier herum zu laufen. Da mussten wir eine Zeremonie mehr machen, alles was dazugehört, Bad im Ganges, ja das war eine sehr interessante Erfahrung, muss ich sagen.

Viele der Kinder der Bengalis bezeichnen sich auf Nachfrage als Hindus. Sie erzählen mir, dass sie ihren eigenen Hinduismus zusammenstellen und ihre eigene Interpretation praktizieren würden. Der Grad zu dem sie sich als praktizierende Hindus verstehen variiert. Einige sprechen regelmässig Gebete, ei-

12 Diese Interviewpartner_innen waren durchweg männlich, was sicher auch mit dem männlich-konnotierten Internetmachen zusammenhängt.

nige tragen die Schnur der Brahmanen, für einige ist die Teilnahme an Veranstaltungen eine Pflicht. So erzählt mir einer der Interviewten:

> Es ist wirklich schwer zu sagen, weil ich bin auch kein stark praktizierender Hindu. Ich meine ich sehe es schon als meine Pflicht zu solchen Veranstaltungen hinzugehen und auch so wie es Tradition ist an diesem ganzen Andachten teilzunehmen und auch diese ganzen, diese ganzen Gebete mitzusprechen, aber ich bin jetzt in meiner Freizeit oder so wie ich lebe jetzt eigentlich nicht praktizierender Hindu.

Ein anderer erzählt mir, dass er in der Familie auch die Funktion des Priesters übernehme und im eigenen Gebetsraum Gebete durchführe. All dies bestätigt für mich den Ansatz der interviewten Bengalin, die meinte, dass Kinder durch Erleben, Abschauen und Mitmachen in den Hinduismus sozialisiert würden. Meine Beobachtungen deuten darauf hin, dass je mehr meine Interviewpartner_innen praktizierten Hinduismus erlebt haben, sie sich desto mehr ihm verbunden fühlen und selber praktizieren. Dabei bleibt allerdings der offene Hinduismusbegriff für die meisten leitend. Es scheint für die Interviewten eine Selbstverständlichkeit zu sein, dass sie selbst ihren eigenen Hinduismus definieren können. Das wiederum führt dazu, dass die religiöse Praxis der Kinder der Bengalis sehr unterschiedlich ist.

3.5 Die Bedeutung von Durga Puja

Da *Durga Puja* in den Erzählungen der Interviewten eine zentrale Bedeutung einnimmt, nehme ich 2009 sowohl in Köln wie in Zürich beobachtend teil. Im Folgenden beschreibe ich einige meiner Beobachtungen und etwas von meinen Gesprächen und Interviews:

In Köln gehöre ich schnell dazu. Ich treffe Bekannte von früher, sie führen mich ein als eine der Jugendlichen (also der Kinder der Migrant_innen) und so werde ich auch von den anderen als eine Dazugehörige angenommen. Schnell stellt sich eine Vertrautheit her und ich mache mit den Jugendlichen mit. Zwei Tage später in Zürich fühle ich mich hingegen fremd und finde nur wenig Anschluss. Sowohl in Köln wie in Zürich thematisiere ich, inwieweit die Teilnahme an *Durga Puja* religiös motiviert ist und inwieweit es um das gesellige Beisammensein geht. In Köln erlebe ich vor allem Geselliges. Wir Jugendliche sitzen einen halben Tag zusammen, bereiten Gemüse für die Zubereitung des gemeinschaftlichen Essens vor und reden miteinander über alles Mögliche. Am Abend gehen einige nach der Feier noch zusammen weg. Immer wenn jemand neues kommt, wird die Person mit grossem Hallo begrüsst. Überall stehen und sitzen Gruppen von Jugendlichen zusammen, die sich unterhalten. Mir wird angekündigt, dass es am zweiten Tag immer einen Beitrag der Jugendlichen gebe. Der fällt aber nun gerade bei dieser Veranstaltung erstmalig aus. Es finden sich nicht genug, die Lust haben, etwas auf der Bühne zu präsentieren. Der Moderator des Bühnenprogrammes ist aber einer der Jugendlichen, den ich schon Jahre vorher zum *Indernet* interviewt habe und der mir schon damals von der grossen Bedeutung *Durga Pujas* für ihn erzählte. Mittlerweile steht er bereits im Beruf, nimmt sich aber (wie einige der anderen auch) für *Durga Puja* eine Woche frei, um aktiv mitzumachen. In Gesprächen mit den Jugendlichen erfahre ich, dass sie, seit sie klein sind, jedes Jahr bei *Durga Puja* dabei sein. Wenn die Feier in die Schulzeit gefallen sei, hätten sie dort gemeinsam Schulaufgaben gemacht. Jetzt reisen sie auch über grössere Distanzen an, manche kommen mit ihren Ehepartner_innen, ein paar mit den eigenen Kindern. Es ist offensichtlich, dass für diese Kinder der Bengalis *Durga Puja* eine sehr wichtige soziale Rolle spielt.

In Gesprächen erfahre ich aber auch von der religiösen Bedeutung von *Durga Puja* für sie. Mir wird erzählt, dass es im Laufe von *Durga Puja* insbesondere einen Tag gäbe, an dem alle bei der Zeremonie teilnähmen, auch jene, die Religion gegenüber eher skeptisch eingestellt sein. Ein Teenager erzählt, dass er als Kind von seinen Eltern dazu gedrängt worden sei an den Zeremonien teilzunehmen und irgendwann dann begonnen habe freiwillig mitzumachen. Eine Ältere erzählt von religiösen Riten, die auch in ihrem Elternhaus durchgeführt würden. Ein Skeptiker spricht mit mir über seine Ferne zum Hinduismus, da er nicht mit ihm aufgewachsen sei. *Durga Puja* sei ihm trotzdem sehr wichtig, genauso wie Glaube – wenn auch nicht konkret an eine Religion gebunden. Diese Differenzierung zwischen Religion und Glaube wird auch von einigen anderen Interviewpartner_innen (wie z.B. der Pfingstlerin) betont.

In Zürich nehme ich *Durga Puja* als geprägt durch die älteren Migrant_innen wahr, die die ganze Organisation übernehmen. Jüngere Migrant_innen, die erst seit kurzem in der Schweiz leben, stellen die Mehrheit der Teilnehmenden dar und einige von ihnen machen sehr aktiv bei den Zeremonien mit. Viele Kinder toben durch den Raum. Zusammen mit ihnen soll ich Gabenteller herrichten oder Blumengirlanden machen. Von der Migrantin, die mich eingeladen hat, werden mir Aufgaben zugeteilt, Bedeutungen erklärt und werde ich anderen vorgestellt. Einer der älteren Migranten weist mich zurecht, sagt mir, was ich falsch mache und wie ich es anders machen solle. Diese Disziplinierung kenne ich aus meinen Kindertagen und Jugend, auch mein aufkommender Ärger ist mir daher bekannt. An den Zeremonien nehme ich nicht teil, da ich mich als Nicht-Gläubige damit nicht wohl fühle. Viele von den Kindern und Teenagern sind aktiv dabei. Einen, den ich als besonders engagiert wahrnehme, interviewe ich kurz. Für mich überraschend sagt er, dass er nicht glaube, dass Religion auch kein Thema in seiner Familie sei. Er erzählt mir, dass er wegen der Musik und den Leuten mitmache. Eine Andere erzählt ebenfalls, dass sie nicht glaube und Religion in ihrer Familie kein Thema sei. Einige der jüngeren Migrant_innen erklären mir, dass auch in Kalkutta *Durga Puja* vor allem ein geselliges Fest sei und der religiöse Teil nicht so wichtig. Gleichzeitig ist der Priester die ganze Zeit aktiv, führt Zeremonie nach Zeremonie durch. Mal ist er dabei weitgehend für sich, mal machen viele mit. Mir scheint, dass es für die Kinder eine spielerische Sozialisation in die religiöse Praxis ist. Ich kann mir vorstellen, dass auch sie später, wie die Kölner Jugendlichen, sagen werden, dass *Durga Puja* ein selbstverständlicher Teil ihrer natio-ethno-religio-kulturellen Zugehörigkeit sei.

Junge Erwachsene, die in der Schweiz aufgewachsen sind, treffe ich tagsüber nicht. Abends wird mir erzählt, seien mehr da, auch einer den ich aus dem *Indernet*kontext kenne. Aber abends bin ich unterwegs, um Interviews zu führen, und bekomme nicht mit, was bei *Durga Puja* geschieht. Meine Interviewpartnerinnen in dieser Woche sowie wie jene, die ich später per Email interviewe, zeigen keine grosse Verbundenheit mit oder auch nur Interesse für *Durga Puja*. Die Interviews verlaufen eher zögerlich, ich kann sie nur wenig motivieren, etwas zum Thema Religion zu erzählen. Ich erfahre, dass die Mütter religiös seien und auch zu Hause praktizieren. Die Väter werden als religionsferner dargestellt. Die Interviewten geben an, dass sie nicht an die Religion herangeführt worden sein, so zum Beispiel in dieser Erzählung:

> Über den Hinduismus erfuhr ich – wie allgemein über den kulturellen Hintergrund meines Vaters – nur situativ etwas. Je nach Anlass oder Begebenheit (Bijoya, Diwali oder zum Beispiel bei einem Todesfall in der Familie) erläuterte mein Vater die eine oder andere Praxis.

Die meisten bezeichnen sich als wenig religiös, aber durchaus gläubig. Auch sie betonen, dass sie ihren eigenen Hinduismus entwickeln. Hierin gleichen sie jenen, die ich in Deutschland interviewt habe. Im Gegensatz zu letzteren zeigen sie aber viel weniger Verbundenheit mit dem Hinduismus. Ein Grund dafür mag darin liegen, dass es in ihrer Kindheit und Jugend keine *Durga Puja*-Feiern in der Schweiz gab.

3.6 Ehe und Familie

Die Wahl der richtigen Partner_in sowie die Vorstellungen der Eltern dazu und auch die Frage, wie zukünftige Kinder erzogen werden sollen, kommen in allen Interviewkontexten immer wieder zu Sprache. Familiensinn und Fragen von Partner_innenschaft werden von vielen als zentrale indische Werte angesehen. Viele der Christ_innen erklären mir, dass ihr_e (zukünftige) Ehepartner_in auch Christ_in sein sollte. Ihre Eltern wünschten überwiegend Inder_innen, aber ihnen reiche schon ein_e Christ_in. Eine erklärt mir:

> Wenn es eine andere Religion, Kultur wäre, wäre auch okay, aber die Religion muss stimmen. Schon Christ und am besten katholisch, so bei den Katholiken gibt es ja jetzt auch viele Splittungen und da wäre es mir eigentlich egal. Protestantisch wäre auch in Ordnung, aber Christ. Was anderes wäre für mich nicht in Frage gekommen.

Auf meine Nachfrage, warum es nicht ein Gläubiger einer anderen Religion sein könnte, sagt sie:

> Dann wäre die Kultur unterschiedlich und die Religion. Dann haben wir überhaupt keine gemeinsame Basis. Das denke ich, ist schwierig. Ich meine, es ist sowieso schon schwierig, wenn man aus zwei Kulturen kommt, da irgendwie … Ich meine, es funktioniert, es gibt bestimmt super Beispiele, aber es.. ich stelle mir das einfach schwierig vor. Wenn dann auch noch die Religion, wenn der Glauben unterschiedlich ist, dann ist es richtig schwer, glaube ich. Weil es gehen ja auch so viele Ehen, Partnerschaften in die Brüche, wo zwei Kulturen involviert sind. Ich denke, wenn man, wenn es ein Deutscher oder ein Spanier oder Christ wäre, dann hätte man wenigstens die Religion als Basis, gemeinsam, wenn es auch ein Gläubiger […] ich würde dann schon schauen, dass es einer ist, dem die Religion vielleicht nicht extrem, aber auch eine wichtige Rolle spielt. So wie bei mir.

Da sie betont, dass es eine Gemeinsamkeit geben müsse, frage ich, ob es nicht ein Malayali mit einer anderen Religion sein könne. Sie antwortet:

> Ich weiss es nicht. Ich meine, wenn das jetzt jemand ist, der genauso gläubig ist wie ich oder vielleicht noch strenggläubiger ist, dann gibt es diese Kirchengänge sonntags, die man gemeinsam macht. Aber wenn das eine andere Religion ist, dann müsste ich mich unterordnen oder ich müsste einiges bei ihm mitmachen, was interessant ist und so, aber ich glaube, beides parallel laufen zu lassen, wird auf Dauer schwierig. Und dann, wenn man dann Kinder hat, dann wird es, glaube ich, kompliziert. Kann ich mir ... Ich sehe es immer nur aus Filmen, zum Beispiel ‹Bombay’ oder so, wo … Den Film kennst du bestimmt?

Mit dem Film verweist sie auf den *Communalism*[13] in Indien und die existenziellen Probleme, die Hindu-Muslim-Ehen dort haben können.

Religiöse Differenz scheint mir von den meisten Christ_innen als die bedeutendere Differenz gegenüber der natio-ethno-kulturellen angesehen zu werden. Bei den Kindern der Bengalis hingegen scheint mir die Partner_innenschaft mit Andersgläubigen üblich. Viele erzählen mir, dass sie ihre Hochzeit oder Verlobung in Indien feiern möchten. Sie wünschten sich die

13 *Communalism* ist der indische Ausdruck für die Konflikte zwischen verschiedenen religiösen Gruppen, insbesondere zwischen Hindus und Muslimen.

volle hinduistische Zeremonie, liessen sich die Riten genau erklären und adaptierten sie an ihre Bedürfnisse. Eine erzählt mir, dass sie sich dafür Literatur aus den USA besorgt habe. Sie schreibt mir später: *«Es wird Dich ausserdem interessieren, dass ich die Sanskrit-Verse, die ich für unzeitgemäss hielt (sprich: ein etwas veraltetes Frauenbild widerspiegelnd), aus dem Skript entfernt habe.»*

Eheschliessungen scheinen für viele der Kinder der Bengalis und fast alle der Malayalis die Norm. Für die Christ_innen scheint zudem eine kirchliche Trauung selbstverständlich. Eine der Interviewten ist sogar nur kirchlich in Indien getraut und gilt in Deutschland rechtlich nicht als verheiratet. Eine Trennung von ihrem Mann könne sie sich trotzdem kaum vorstellen. Wobei sie nicht religiöse Bedenken dafür anführt, sondern die Angst um den Ruf ihres Vaters. Er habe die Hochzeit sehr aufwändig mit hohen kirchlichen Würdenträgern in Indien organisiert und würde schlecht da stehen, wenn sie sich trennen würde.

Selbstverständliche Normannahme scheint bei fast allen meinen Interviewpartner_innen, dass es sich um heterosexuelle dauerhafte monogame Partner_innenschaften handeln soll. Die Pfingsterlerin erklärt dies religiös, für die anderen scheint es schlicht unhinterfragt. Homosexualität wird nur von der Pfingstlerin aus religiösen Gründen abgelehnt. Die anderen fühlen sich mit dem Thema auch nicht wohl, argumentieren das aber nicht religiös, sondern aus ihrem Normempfinden heraus. Unter den interviewten Christ_innen sind auch gleichgeschlechtlich liebende Personen. Sie erzählen mir, dass ihr Coming-Out problematisch sei, da der katholische Glaube ihre Eltern Homosexualität nicht akzeptieren liesse.

Die meisten heterosexuellen Interviewten erzählen mir wie selbstverständlich von zukünftigen Kindern. Viele sagen, dass sie ihre Kinder genauso erziehen würden, wie sie selber erzogen wurden. Sie sollten frei in ihrer Religionswahl sein, aber Grundlagen bekommen. So erzählt mir der von den Zeugen Jehovas Unterrichtete:

> Also, wenn ich mal je Kinder haben sollte, dann will ich schon, dass die Eltern verheiratet sind, also solche Grundsätze habe ich dann doch schon aus meiner Kultur. Zum Beispiel würde ich sie auch nur im römisch-katholischen Glauben erziehen, aber dann mit Aussicht, dass sie sich dann mit 16 um entscheiden können, wenn sie mir einen Grund nennen. Also, wenn sie mir sagen würden, ja mich interessiert das nicht, ist mir zu langweilig, das wäre für mich kein Grund, aber wenn sie mir sagen können ja wieso ... dann wäre das für mich kein Problem.

Auch ein Sohn von Bengalis betont die Bedeutung von Glaube und Offenheit in der Erziehung: *«ich möchte, dass sie gläubig aufwachsen, dass ist für mich das Wichtigste. Gläubig und offen und humanistisch»*. Aus meiner Beobachtung erscheint mir, die von vielen angestrebte religiöse Wahlfreiheit für ihre Kinder eine weitgehende Unmöglichkeit zu sein. Der Grad der religiösen Erziehung scheint ganz wesentlich zu beeinflussen, wie religiös die erwachsene Person später ist. Die habituelle Disponiertheit prägt die Person, ihre Wahlfreiheit ist damit in jedem Fall eingeschränkt.

4. Sprechen über die Religion der Anderen

Das Sprechen über die Religion der Anderen von Seiten der Vertreter_innen der Dominanzgesellschaft sowie der Migrant_innen zeigt immer wieder eine Tendenz des essentialistischen Festschreibens der Anderen, die eine prägende Wirkung für die Kinder der Migrant_innen hat. Natio-ethno-religio-kulturelle Zugehörigkeit wird als bedeutend konstruiert und Indisch-Sein dabei als grundlegend anders als Deutsch- oder Schweizerisch-Sein dargestellt. Sowohl die Vertreter_innen der Dominanzgesellschaft wie die Migrant_innen haben zudem eine Tendenz dazu, das Eigene gegenüber dem Anderen aufzuwerten. Wobei das Eigene und Andere dabei durchaus flexibel sind. So wird von Migrant_innen aus Kerala zum einen das spezifisch eigene Indische und zum anderen das Gemeinsame des christlichen Glaubens betont. Auch auf Seiten der Vertreter_innen der Dominanzgesellschaft gibt es den Wechsel zwischen dem Betonen der Andersartigkeit und der Gemeinsamkeit in der Andersartigkeit. Sowohl die Vertreter_innen der Dominanzgesellschaft wie die Migrant_innen betonen, wie wichtig das Bewahren des Eigenen (auch der Religion) für die Kinder der Migrant_innen ist und bedienen damit den diversitären Integrationsdiskurs (vgl. Lanz, 2009). Gemeinsam wird den Kindern der Migrant_innen so ein normierender Rahmen für ihre Entwicklung präsentiert, der verschieden gefüllt wird und mit dem die Kinder unterschiedlich umgehen.

Bei der Analyse der Perspektive der Vertreter_innen der Dominanzgesellschaft und der Migrant_innen darf allerdings nicht der Fehler begangen werden, die Aussagen zu stark zu homogenisieren und widerspruchsfreie Thesen zu konstruieren. Die analysierten Grussworte stellen eine sehr spezifische Form der Repräsentation dar, müssten daraufhin noch weiter untersucht und durch Interviews ergänzt werden. Für die Analyse der Interviews ist zu beachten, dass der Kontext Interview in der Regel zu einem Konsistenz- und Plausibilitätsdruck (Schiffauer, 2000: 234) für die erzählte Geschichte führt. Widersprüche und Ambivalenzen werden daher eher nicht dargestellt oder aber Erklärungen konstruiert. Auch hier wäre eine vertiefte Analyse sinnvoll, um die Komplexität der Repräsentationen herauszuarbeiten.

Die Erzählungen der Kinder der Migrant_innen sind für mich zum Teil vertraut. Bei der teilnehmenden Beobachtung fühle ich mich zudem immer wieder an Erfahrungen aus meiner Kindheit und Jugend erinnert. Aber ich bekomme auch viele neue Einblicke. Als areligiöse Person wundert mich sowohl die Selbstverständlichkeit mit der Religion Teil des Lebens von vielen ist sowie der geringe Grad an reflexiver Auseinandersetzung mit ihr. Normalitätsvorstellungen scheinen nur von wenigen explizit religiös begründet zu werden. Diese Vorstellungen wirken aber auch bei den Kindern der Migrant_innen zum Teil sehr ausgrenzend (vgl. Goel, 2009b: 180-181), so, zum Beispiel, wenn eine Christin auf meine Frage, was sie machen würde, wenn ihr Kind homosexuell wäre, antwortet:

> Das ist eine gute Frage. Ich glaube, ich hätte Probleme. Ich wäre nicht erfreut. [...] ich wäre wahrscheinlich streng und sauer, extrem. [...] Also, ich würde mich damit abfinden irgendwo, vielleicht nicht nach aussen hin zeigen, dass ich mich damit abgefunden habe, aber es ist halt so. Wie eben mein Vater.

Vor diesem Hintergrund ist es keine Überraschung, wenn jene, die von der Norm in irgendeiner Form abweichen, sich in der natio-ethno-religio-kulturellen Gemeinschaft nicht besonders wohl fühlen (vgl. Goel, 2009b: 175-180).

Das vorgestellte Material deutet zudem daraufhin, dass Religion eine wichtige Rolle in der Herstellung von natio-ethno-kultureller Zugehörigkeit und damit bei der Ausbildung der eigenen Subjektposition (vgl. Mecheril und Melter, 2009: 157-158) spielt. Religion verschwimmt mit den anderen Kategorien Nation, Ethnie und Kultur und bildet zusammen einen Zugehörigkeitskontext. Dabei besteht ein Unterschied in dem Reden über Religion sowie in den Erfahrungen, die mit ihr gemacht werden, darin, ob die eigene Religion anschlussfähig an die Dominanzreligion ist (wie bei den Malalyalis) oder als fremd angesehen wird (wie bei den Bengalis). Wie sehr sich in Deutschland oder der Schweiz aufgewachsene Kinder von Bengalis und Malayalis über die Religion ihrer Eltern definieren und sie praktizieren, hängt entscheidend davon ab, wie sehr sie in diese sozialisiert wurden. Dabei unterscheidet sich die alltäglich erlebte Praxis bei den Christ_innen erheblich von den eher punktuellen Berührungspunkten der Hindus. Diese Unterschiede im Erleben führen zu unterschiedlichen Selbstverständlichkeiten bzw. Normalitäten und den darauf aufbauenden Handlungen.

Zum Abschluss des Artikels will ich noch einmal auf die Gefahr der Festschreibung durch Forschung zurückkommen. Dadurch dass dieser Artikel Religion fokussiert, produziert er die religiösen Anderen und blendet andere Faktoren aus (vgl. Mecheril et al., 2003). Jene Interviewpartner_innen, die mir nicht viel zu Religion gesagt haben, tauchen kaum auf. Ihr Schweigen ist viel schwieriger zu thematisieren und zu analysieren als konkrete Interviewaussagen. Zudem nutze ich meine Repräsentationsmacht als Wissenschaftlerin (vgl. Broden und Mecheril, 2007; Castro Varela und Dhawan, 2007), um eine spezifische Darstellung des Sprechens über die Religion der Anderen zu machen. Viele der Interviewten würden diese vermutlich anders machen. Ich hoffe, sie fühlen sich nicht zu sehr missverstanden und vor allem nicht angegriffen. Eine der Interviewten bei *Durga Puja* in Köln hat mich aufgefordert: *‹schreib nichts Peinliches›*, sonst müsse sie mir ein Hausverbot erteilen. Ich hoffe, das ist nicht nötig.

Bibliographie

Attia, Iman, 2009. Die ‹westliche Kultur› und ihr Anderes – Zur Dekonstruktion von Orientalismus und antimuslimischen Rassismus. Bielefeld: transcript-Verlag.

Böcker, Anna; Goel, Urmila und Heft, Kathleen, 2010. Integration. In: Adibeli Nduka-Agwu und Antje Lann Hornscheidt (Hg.). Rassismus auf gut Deutsch – Ein kritisches Nachschlagewerk zu rassistischen Sprachhandlungen. Frankfurt/Main: Brandes & Apsel: 304–310.

Broden, Anne und Mecheril, Paul, (2007). Migrationsgesellschaftliche Re-Präsentationen. Eine Einführung. In: Anne Broden und Paul Mecheril (Hg.). Re-Präsentationen: Dynamiken der Migrationsgesellschaft. Düsseldorf: ida: 7–28.

Brosius, Christiane und Goel, Urmila (Hg.), 2006. masala.de – Menschen aus Südasien in Deutschland. Heidelberg: Draupadi.

Castro Varela, Maria do Mar und Dhawan, Nikita, 2007. Migration und die Politik der Repräsentation. In: Anne Broden und Paul Mecheril (Hg.). Re-Präsentationen: Dynamiken der Migrationsgesellschaft. Düsseldorf: ida: 29–46.

Castro Varela, Maria do Mar und Mecheril, Paul, 2010. Grenze und Bewegung. Migrationswissenschaftliche Klärungen. In: Paul Mecheril et al. (Hg.). Migrationspädagogik. Weinheim: Beltz: 23–53.

Goel, Urmila, 2006. Ausgrenzung und Zugehörigkeit - Zur Rolle von Staatsbürgerschaft und Einbürgerung. In: Christiane Brosius und Urmila Goel (Hg.). masala.de – Menschen aus Südasien in Deutschland. Heidelberg: Draupadi: 123–160.

Goel, Urmila, 2008. The 70th anniversary of John Matthew – On Indian Christians in Germany. In: Knut A. Jacobsen und Selva J. Raj (Hg.). South Asian Christian Diaspora: Invisible Diaspora in Europe and North America. Farnham: 57–74.

Goel, Urmila, 2009a. Vom Indernetzwerk zum Indienportal – Die Entwicklung eines virtuellen Raumes. In: Uwe Hunger und Kathrin Kissau (Hg.). Internet und Migration. Theoretische Zugänge und Empirische Befunde. Wiesbaden: VS Verlag für Sozialwissenschaften: 213–232.

Goel, Urmila, 2009b. ‹Kinder statt Inder› – Normen, Grenzen und das Indernet. In: Christine Riegel und Thomas Geisen (Hg.). Jugend, Zugehörigkeit und Migration – Subjektpositionierung im Kontext von Jugendkultur, Ethnizitäts- und Geschlechterkonstruktionen. Wiesbaden: VS Verlag für Sozialwissenschaften, 2., durchgesehene Auflage: 65–183.

Ho, Christina, 2006. ‹A Christian, a Muslim and a Jew walk into a room …›: Inter-faith dialogue and the desecularisation of Australian multiculturalism. In: Macquarie University. Everyday Multicultural Conference, 28-29 September 2006.

Jacobsen, Knut A. and Raj, Selva J. (Hg.) 2008. Introduction: Making an Invisible Diaspora Visible. In: Knut A. Jacobsen und Selva J. Raj (Hg.). South Asian Christian Diaspora: Invisible Diaspora in Europe and North America. Farnham: 1–16.

Kalpaka, Annita und Mecheril, Paul, 2010. ‹Interkulturell›. Von spezifisch kulturalistischen Ansätzen zu allgemein reflexiven Perspektiven. In: Paul Mecheril et al. (Hg.). Migrationspädagogik. Weinheim: Beltz: 77–98.

Lanz, Stephan, 2009. In unternehmerische Subjekte investieren. Integrationskonzepte im Workfare-Staat. Das Beispiel Berlin. In: Sabine Hess et al. (Hg.). nointegration?! Kulturwisenschaftliche Beiträge zur Integrationsdebatte in Europa. Bielefeld: transcript-Verlag: 105–121.

Mecheril, Paul, 2003: Prekäre Verhältnisse - Über natio-ehtno-kulturelle (Mehrfach-) Zugehörigkeit. Münster: Waxmann.

Mecheril, Paul, 2004. Andere Deutsche gibt es ~~nicht~~. Zusammenhänge zwischen subalterner Erfahrung und diskursiver Praxis. In: AntiDiskriminierungsBüro Köln und cyberNomads (Hg.). The Black Book. Deutschlands Häutungen. Frankfurt: 82–90.

Mecheril, Paul und Melter, Claus, 2010. Gewöhnliche Unterscheidungen. Wege aus dem Rassismus. In: Paul Mecheril et al. (Hg.). Migrationspädagogik. Weinheim: Beltz: 150–178.

Mecheril, Paul; Scherschel, Karin und Schrödter, Mark, 2003. ‹Ich möchte von dir wissen, wie es ist, du zu sein›. Die Wiederholung der alienierenden Zuschreibung durch qualitative Forschung. In: Tarek Badawia, Franz Hamburger und Merle Hummrich (Hg.). Wider die Ethnisierung einer Generation – Beiträge zur qualitativen Migrationsforschung. Frankfurt/Main: iko: 93–110.

Meine Welt (Hg.), 2008. Heimat in der Fremde – Migrationsgeschichten von Menschen aus Indien in Deutschland. Heidelberg: Draupadi.

Nijhawan, Michael, 2006. Bin Laden in der U-Bahn und andere Verkennungen: Beobachtungen in der Sikh Diaspora. In: Christiane Brosius und Urmila Goel (Hg.). masala.de – Menschen aus Südasien in Deutschland. Heidelberg: Draupadi: 98–122.

Rommelspacher, Birgit, 1998. Dominanzkultur – Texte zu Fremdheit und Macht. Berlin: Orlanda, 2. Auflage.

Schiffauer, Werner (2000), Die Gottesmänner – Türkische Islamisten in Deutschland, Frankfurt/Main: suhrkamp.
Wachendorfer, Ursula, 2001. Weiss-Sein in Deutschland – Zur Unsichtbarkeit einer herrschenden Normalität. In: Susan Arndt (Hg.). AfrikaBilder – Studien zu Rassismus in Deutschland. Münster: Unrast: 87–101.
Ziai, Aram, 2007. Rassismus und Entwicklungszusammenarbeit – Die westliche Sicht auf den Süden. In: BER e.V., EPN Hessen, EWNW und ENS (Hg.). Von Trommlern und Helfern. Beiträge zu einer nicht-rassistischen entwicklungspolitischen Bildungs- und Projektarbeit. Berlin, 2. Auflage: 12–19.

Christine Riegel

Religion als Differenzmarker

Zu Herstellungsprozessen von Differenz im (sozial-) pädagogischen Sprechen über jugendliche Migrations-Andere

Betrachten wir die öffentliche Diskussion um Jugend und Migration, kann eine stark problemorientierte Sichtweise konstatiert werden, mit einer Fokussierung auf Gewalt (vgl. Gross, 2010; Riegel und Yildiz, 2011) und auf Religion, wobei hier v.a. der Islam in den Blick genommen wird (vgl. Attia, 2009). Dies zeigt sich u.a. an Debatten um das Kopftuch, Zwangsverheiratung, Gewalt im Namen der Ehre und religiösen Fundamentalismus – wobei diese Phänomene als kulturelle oder religiöse Spezifika von Migrations-Anderen (Mecheril, 2004) betrachtet und eingeordnet werden. Diesbezüglich ist im hegemonialen Diskurs eine Überpointierung und Überthematisierung von Kultur und Religion zu verzeichnen, aber auch eine Engführung auf diese Kategorien, wenn es um die Betrachtung von Lebenslagen und Handlungsgründen von Minorisierten und Menschen mit Migrationshintergrund geht. Hier kann mit Bezug auf Foucault (1978) von einem Ethnizitäts-Dispositiv gesprochen werden, auch wenn diese Bilder immer auch noch Bezug auf andere Differenzkonstruktionen nehmen.

Entsprechend einseitig, auf Religion und Kultur fixiert, ist die vorherrschende Wahrnehmung von Jugendlichen, denen ein Migrationshintergrund zugeschrieben wird. Die verstärkte Fokussierung des Islam spiegelt sich auch in einer semantischen Begriffsverschiebung im öffentlichen, medialen, politischen und alltäglichen Diskurs wieder: Wurde früher pauschal von ausländischen Jugendlichen gesprochen und stellten lange Zeit türkische Jugendliche den Inbegriff von Jugendlichen mit Migrationshintergrund dar, steht heute die Bezeichnung ‹muslimische Jugendliche› - und damit auch die so definierte Gruppe - im Mittepunkt des öffentlichen, politischen und medialen Interesses. Allerdings entspricht ein solch einseitiger und reduzierter Blick weder den pluriformen Selbstpositionierungen, noch den vielfältigen Zugehörigkeitskontexten der Jugendlichen (vgl. Mecheril, 2003; Riegel, 2004; Riegel und Geisen, 2009; Gross, 2010), die über natio-ethno-kulturelle Kontexte hinausgehen (vgl. Riegel, 2007).

Auch wenn kulturalisierende Erklärungsmuster in der (kritischen) Migrationsforschung inzwischen als überholt gelten, haben sich diese Bilder und einseitigen Deutungsmuster im alltäglichen, politischen und medialen Diskurs etablieren können und finden sich z.T. auch in pädagogischen Fachdiskursen wieder (vgl. Diehm und Radtke, 1999; Gogolin und Krüger-Potratz, 2006).

In diesem Beitrag möchte ich der Frage nachgehen, inwiefern solche hegemonialen kultur- und islamzentrierten Diskurse und Deutungsmuster auch für die Wahrnehmung von Sozialpädagog_innen gegenüber ihren Adressat_innen von Relevanz sind. Dies möchte ich im Folgenden anhand einer Gruppendiskussion mit Jugendarbeiter_innen herausarbeiten und danach fragen, welche Bedeutung und welche möglichen Folgen die Thematisierung von Kultur bzw. Religion und die damit verbundenen Konstruktionsprozesse im Feld der Sozialpädagogik haben. Zum anderen soll danach gefragt werden, wie sich die Konstruktion von Kultur und Religion mit anderen Differenzkonstruktionen verbindet. Denn – so die These des vorliegenden Beitrags – werden Zuschreibungen und Wahrnehmungen nicht nur entlang einer Differenzlinie konstruiert und strukturiert, vielmehr wirken hier verschiedene Differenzkonstruktionen und Dominanzverhältnisse zusammen.

Mit Bezug auf Konzepte der Intersektionalität und Interdependenz, die gerade das Zusammenwirken und Überlagern von verschiedenen sozialen Kategorien und Ungleichheitsverhältnissen in den Blick nehmen (vgl. Crenshaw, 1989; Knapp, 2004; Walgenbach, 2007; Winker und Degele, 2009), möchte ich eine analytische Perspektiven auf ein- und ausgrenzende Diskurse verfolgen, mit der es möglich ist, Herstellungsprozesse von verschiedenen sozialen Differenzen in ihrem Zusammenspiel zu rekonstruieren und dabei die Funktionen und Folgen von solchen Konstruktionen und damit verbundenen Überthematisierungen, Engführungen und Auslassungen unter einer herrschaftskritischen Perspektive zu analysieren (vgl. Riegel, 2010).

Im Folgenden werden zunächst verschiedene Differenzkonstruktionen von Professionellen der Jugendarbeit empirisch rekonstruiert, anschliessend Funktion und Folgen von solchen Konstruktionen, auch in ihrem intersektionellen Zusammenspiel, herausgearbeitet. Daran anschliessend wird die hegemoniale Praxis des Sprechens über Andere kritisch in ihrem gesellschaftlichen und im professionellen Kontext Sozialer Arbeit reflektiert. Abschliessend wird selbstkritisch erörtert, inwiefern die hier herausgearbeiteten ein- und ausgrenzenden Denkmuster und Praxen nicht zuletzt auch durch den Forschungsprozess herausgefordert und festgeschrieben werden.

1. Differenzkonstruktionen von Jugendarbeiter_innen

Am Beispiel einer Gruppendiskussion mit pädagogischen Mitarbeiter_innen der Jugendhilfe kann aufgezeigt werden, inwieweit solche gesellschaftlich dominanten Diskurse und Konstruktionen um Jugend und Migration auch im sozialpädagogischen Kontext von Relevanz sind. Die Diskussionsrunde setzte sich aus neun Mitarbeiter_innen[1] der Mobilen Jugendarbeit zusammen, die als Arbeitsteam (mit unterschiedlichen Standorten) auch eine reale Gruppe bilden, mit gemeinsamen Arbeitsbezügen und regelmässigem Austausch. Als Einstieg in die Gruppendiskussion[2] wurde die Frage gestellt, welche Erfahrungen die Jugendarbeiter_innen in ihrer sozialpädagogischen Arbeit mit Differenzen, Unterschieden und Vielfalt machen. Daraufhin entspann sich eine Diskussion, die sich zum einen dadurch auszeichnete, dass die konkrete pädagogische Arbeit kaum thematisiert wurde, sondern hauptsächlich über Jugendliche als soziale Gruppe und hier v.a. über Jugendliche mit vermeintlichem Migrationshintergrund gesprochen wurde. Die Diskussion konzentrierte sich dabei zunehmend auf so genannte muslimische Jugendliche. Zum anderen zeichnete sich die Diskussion dadurch aus, dass die Eingangsfrage v.a. unter dem Aspekt von Differenzen und Unterschiede (und nicht von Vielfalt!) verhandelt wurde, wobei von Beginn an Differenz fast ausschliesslich im natio-ethno-kulturellen Kontext diskutiert und mit ‹kultureller Differenz› gleichgesetzt wurde. In diesen Darstellungen und in der Argumentation zu kulturellen Differenzen mischte sich Kultur stark mit Religion bzw. beides wurde z.T. als identisch betrachtet. Im gesamten Verlauf der Diskussion richteten die Jugendarbeiter_innen ihren Blick auf die Kultur und Religion von Migrations-Anderen, v.a. auf den Islam bzw. auf muslimische Jugendliche und deren Familien. Sie konstruierten diese als different und von der ‹deutschen Kultur› (so benannt oder nur implizit gemeint) abweichend. Religion wird dabei zum Differenzmarker gemacht. Aufgezeigt und festgemacht werden diese Differenzen an Erzählungen über Freiheitseinschränkungen von Mädchen durch männliche Familienmitglieder, patriarchale Geschlechterrollen-

1 Die Gruppe ist aus drei Sozialpädagoginnen und sechs Sozialpädagogen zusammengesetzt und besteht überwiegend aus deutschen Mehrheitsangehörigen, wobei drei Mitarbeiter_innen einen familiären Migrationshintergrund (durch ihre Eltern bzw. Grosseltern) benannt haben. Keine_r der Beteiligten verortet sich selbst als muslimisch.

2 Es handelt sich um eine narrative Gruppendiskussion, bei der zu Beginn ein Erzählimpuls bzw. eine Eingangsfrage gestellt wurde, woraufhin die Teilhnehmenden eine diskursive Auseinandersetzung mit dem Thema mit eigenen Schwerpunktsetzungen vornahmen. Erst zu einem späteren Zeitpunkt wurde mit immanenten und exmanenten (Nach-)Fragen in den Gesprächsverlauf eingegriffen. (Vgl. Bohnsack, 1993; Loos und Schäffer, 2001.).

vorstellungen und gewalttätige Konflikte – also an Themen, die auch im Fokus dominanter öffentlicher Diskurse über Migrations-Andere stehen. Exemplarisch hierfür ist die Aussage eines Sozialpädagogen, selbst Angehöriger der deutschen Mehrheitsgesellschaft:

> Am:[3] Und da ist es für mich einfach so, dass ich merke, dass es halt in bestimmten Kulturschichten, muslimischen, so Ehre-Geschichten gibt und so ein Kram. Dem eine reinhauen, weil er die Schwester angelangt hat, mal den Arm hingelegt hat auf dem Pausenhof, ein Deutscher oder sonst was. Dann haut man dem eins in die Fresse und solche Geschichten [...] es gibt halt so Ehre-Geschichten. Oder irgendeiner verliebt sich halt in die Falsche und dann rückt die ganze Familie an und dann gibt es eine Schlägerei deswegen, nur weil er sich in die Falsche verknallt hat. (317-326)

Solche Konflikte, die hier vom Sprecher lapidar und abschätzig geschildert werden, werden als Kennzeichen der türkischen Kultur oder muslimischen Religion angeführt und auf Konstrukt der ‹Ehre› zurückgeführt. Dabei wird auf Geschlecht Bezug genommen und die Geschlechterverhältnisse der Anderen als patriarchal und gewaltförmig beschrieben. Frauen und Mädchen werden dabei als Spielbälle von durch Männer ausgetragene gewaltsame Konflikte (um ethnisch-nationale Zugehörigkeiten) dargestellt. Gleichzeitig werden Kultur und Religion in diesem Diskurs als Ursache und Begründungskontext für das Handeln der Menschen betrachtet, die als muslimisch markiert werden. So sagt *Am* beispielsweise kurze Zeit später in der Diskussion, in der es um Einschränkungen von Mädchen in Migrationfamilien geht:

> Am: das hat viel mit religiösem Hintergrund zu tun, das hat aber auch mit traditionellen Hintergründen zu tun, wie Ehre oder sonst was. (357- 360)

Diese Einschätzung, verbunden mit einer Engführung von Erklärungsmustern auf Kultur, Religion und Tradition, wird in der Diskussionsrunde jedoch nicht von allen geteilt. So wendet eine Kollegin ein, dass sie gewalttätige und rivalisierende Auseinandersetzungen um Mädchen und Frauen sowie patriarchale Frauenbilder bei jungen Männern unterschiedlicher Herkunft auch bei Deutschen erlebt. Sie stellt einen Zusammenhang zum sozialen Milieu und zur Schichtzugehörigkeit her:

> If: ... und je prekärer die Lebenslagen von denen sind, umso verbretterter und komischer sind sie von ihrer Einstellung her. Und man kann dann da auch durchaus in der 10. Generation reinrassig deutscher Abstammung, mindestens genauso machohafte und verbretterte Sichtweisen und Frauenbilder finden und auf dem Silbertablett

3 Die Buchstabenkürzel (Bm, Hf usw.) markieren die Sprecher_innen (A, B, C, ...) und deren (vermeintliches) Geschlecht (m/f), die Ziffern die Zeilennummerierung bzw. die entsprechende Stelle im Interviewtranskript.

> serviert kriegen von solchen Jugendlichen wie von einem mit einem albanischen Hintergrund. also, so nehm ich das war. (448-453)

Auch wenn sie in ihrem Gegendiskurs zu einseitig religions- oder kulturzentrierten Interpretationsmustern auf andere Ursachenzusammenhänge verweist und dieses Verhalten auch explizit als männliches Dominanzgebaren benennt, nimmt sie selbst Kategorisierungen vor und greift auf nationale Kategorien und Einteilungen zurück. Ebenfalls verbleibt sie in einem mehr oder weniger deterministischen Zusammenhangsdenken zwischen sozialer Lage auf der einen und männlichem Dominanzgebaren, patriarchalen Frauenbildern und Ausdrucksformen der Gewalt auf der anderen Seite.

Am weist den Einwand der Kollegin mit dem erneuten Verweis auf kulturelle Unterschiede zurück. Er geht davon aus, dass deutsche Jugendliche in einer prekären Lebenslage vor einem anderen (kulturellen) Hintergrund handeln. Auf diese Jugendlichen bezogen sagt er:

> Am:Nee, nee, also das ist [...] das einzige, was unter Umständen passiert ist, wenn das ein Typ ist, den er nicht leiden kann, dann wird das auf diese eine Person bezogen, aber wenn irgendeiner jetzt da auf dem Pausenhof ankommt und mit der jetzt da gut Freund machen will, dann hat der Typ auch nichts dagegen, weil das die Kultur gar nicht hergibt. Das würde ja bedeuten, dass die muslimische Kultur in der Richtung das Gleiche hätte wie die deutsche Kultur, und das hat sie nicht, da gibt es Riesenunterschiede schon zwischen Bibel und Koran und Sharia und so, was wesentlich mehr handlungsorientiert ist wie unseres.[...] Das steht da halt drin. Und das steht bei uns in der Bibel so nicht, dass du deine Frau verprügeln darfst. (473-488)

Am markiert hier einen Gegensatz zwischen muslimischer und deutscher Kultur, die er als jeweils in sich homogen und konsistent entwirft. Auch wenn er im einen Fall national kategorisiert (deutsche Kultur) und im anderen in Bezug auf Religion (muslimische Kultur), kann hier von einer binären Gegenüberstellung von türkisch-muslimisch vs. deutsch-christlich ausgegangen werden, in der sich nationale und religiöse Konnotationen untrennbar miteinander verknüpfen. Der Islam wird hier als Ursache und Handlungsbegründung für patriarchales bzw. gewalttätiges Verhalten von Männern gegenüber Frauen konstruiert. Im Gegensatz dazu sieht er in der ‹eigenen Kultur› keine Gewaltaufforderung oder Begründung enthalten, im Gegenteil, hier wird gewalttätiges Handeln allein in personenbezogenen Antipathien begründet gesehen – und möglicherweise auch, quasi ‹von deutschem Mann zu deutschem Mann›, als harmlose Männerrivalität entschuldigt. Hingegen werden muslimischen Jugendlichen keine individuellen Handlungsgründe zugestanden. Von ihnen wird ein Bild gezeichnet, das sie zu Marionetten ihrer Kultur bzw. Religion macht. Dies zeigt sich auch in der folgenden Aussage, in der *Am* Bezug auf das vorherige Argument der Kollegin nimmt:

Am: Es gibt unterschiedliche Hintergründe [...] es gibt verschiedene Ursachen, es gibt kulturelle Hintergründe, es gibt andere, es gibt Unterschichtshintergründe. [...] Das ist halt multifaktoriell für mich. Jetzt zu sagen, Unterschicht und sonst gibt es gar nichts an Differenz, das ist für mich zu einfach. Natürlich hast du in der Unterschicht eher körperorientierte Konfliktweisen und Austragungsweisen als in der Oberschicht oder in der Mittelschicht und das trifft auf Deutsche genauso zu wie auf Ausländer. Da geb ich dir Recht. Trotzdem gibt es noch andere Begründungshintergründe was Religion anbelangt, oder Koran oder sonst was. Wenn die das wirklich ernst nehmen, was da drin steht, und das wird halt in vielen Kulturen, auch wenn sie den nicht auswendig können, deswegen wird' s aber in vielen Familien trotzdem gelebt, was da drin steht. (.) Und das seh ich als Unterschied einfach, aber das heisst nicht, dass Gewalttätigkeit absent ist. (494-508)

Auch wenn *Am* hier die Ursachen oder Hintergründe von Gewalt als multifaktoriell betrachtet, geht er nicht von einem Zusammenwirken von verschiedenen Differenzlinien aus, sondern unterscheidet klar zwischen Schicht und Kultur als unterschiedliche und unabhängige Faktoren für gewalttätiges Handeln, die er voneinander getrennt betrachtet. Religion – und hier ist wiederum einseitig der Islam gemeint – wird dabei jedoch als zusätzlicher und besonderer Ursachenzusammenhang von Gewalt hervorgehoben, der anders als Schicht, nicht nur die Form der Konfliktlösung und gewalttätiger Auseinandersetzungen und Umgangsweisen beeinflusst, sondern als unmittelbare Begründung und Ursache von Gewalthandeln betrachtet wird. Hier wird ein kausaler Zusammenhang von Islam und Gewalt hergestellt. Die dargestellten Konflikte werden jedoch weder unter einer Geschlechterperspektive, als männliche Gewalt, noch unter einer Jugendperspektive, als adoleszente Gewalt, thematisiert.

Ein weiterer Diskussionsteilnehmer *Bm*, auch Angehöriger der deutschen Mehrheitsgesellschaft, macht sich in seinen Ausführungen ebenfalls für die zentrale Bedeutung von kulturellen Unterschieden stark, bezeichnet diese als *«tiefgreifend» (412)* und will sie auch nicht *«wegdiskutieren» (310)*. Anknüpfend an die Diskussion um die Bedeutung von Religion als Einflussfaktor auf die Jugendlichen, sagt er:

Bm: Ja, ich denke, das ist ein Aspekt. Also ich hab mal Theologie studiert und soviel Urteilsvermögen glaube ich, hab ich noch (lacht). Und ich erlebe unsere Gesellschaft hier als sehr (.) sagen wir, sie ist säkularisiert, sie ist verweltlicht. Jetzt hab ich natürlich jemand, der aus der Türkei von einem anderen Hintergrund kommt, völlig anderen religiösen Hintergrund kommt, und natürlich ein religiöser Hintergrund, der das Leben auf völlig andere Weise bestimmt wie jetzt uns. Also wer nimmt heut noch am Pfingstfasten teil. Also unsere Gesellschaft ist wirklich säkularisiert. Bei ihnen spielt des noch eine andere Rolle, da ist ein anderer Hintergrund da und von daher vielleicht auch ein anderer Zusammenhalt. Also von daher gibt es schon Unterschiede. Ich hab vor sechs, sieben Jahren in meiner Heimatstadt einen fürchterlichen Ehrenmord mit-

> bekommen. Da hat einer seine Schwester tatsächlich, ein junger Türke, seine Schwester wirklich mitten auf dem Schulhof hingerichtet, vom Gymnasium, weil sie eben, weil ihr nachgesagt wurde, sie hat ein Verhältnis mit einem Deutschen und schwierigem Umfeld und so weiter. [...] aber es war nicht mal seine Entscheidung, sondern er ist als Vollstrecker der Sippe, der Vollstrecker der Ehre dieser Familie, um die wiederherzustellen, eingesetzt worden als Exekutor. Definitiv, bestätigt übrigens. [...] Ja, aber die Unterschiede gibt's. (530-546)

Religion wird in dieser Ausführung des Jugendarbeiters zu einer zentralen Differenzlinie gemacht. Dabei nimmt er Bezug auf einen Fall, mit dem er nicht in seiner Arbeit zu tun hatte, sondern der ihm als Argument und Deutungsrahmen für die Konstruktion kultureller bzw. religiöser Differenzen dient. Betrachten wir das Gesagte hinsichtlich der darin liegenden Botschaften sowie ein- und ausgrenzenden Mechanismen genauer: Hier wird mit verschiedenen Gegenüberstellungen gearbeitet. Die bipolare Konstruktion von ‹Wir und die Anderen› («bei uns» und «bei ihnen») wird dabei diskursiv am Beispiel der Religion hergestellt und diese als Differenzmarker angerufen. Die Bedeutung von Religion für «*unsere Gesellschaft*» und die von «*jemand, der aus der Türkei kommt*» wird als diametral unterschiedlich konstruiert. Die ‹eigene› Gesellschaft wird als «*säkularisiert*», als «*verweltlicht*» gekennzeichnet, in der die Religion keinen Einfluss auf das Leben der Einzelnen hat, im Gegensatz zu Menschen aus der Türkei, die einen «*völlig anderen religiösen Hintergrund*» haben, deren Leben durch die Religion wesentlich mehr bestimmt wird. Hier deutet er, ähnlich wie sein Kollege *Am*, den Islam und die Bedeutung von Ehre als determinierend für das Verhalten von (männlichen) Muslimen, als einzelne Personen und als Kollektiv. Mit der Rede über die Religion der Anderen wurde bereits im Diskussionsverlauf zuvor eine Assoziationskette angestossen, die zu Gewalt, Ehre und hier nun zu Ehrenmord führte. Diese Phänomene gelten hier als Symbol, Kennzeichen oder Merkmal der Kultur und Religion der islamisierten Anderen. In der Beschreibung des Falls wird mit der Verwendung von Begriffen wie *Sippe, Vollstrecker der Ehre, Exekutor* ein Bild gezeichnet, das die Kultur bzw. Religion der Anderen – mit Referenz auf das Gegensatzpaar modern und traditionell – als archaisch, gewalttätig, kollektivistisch und patriarchal beschreibt. Damit wird der Gegensatz zur Mehrheitsgesellschaft als diametral und auch unvereinbar gekennzeichnet.

Gleichzeitig werden die hier konstruierten Differenzen mit dem Bezug auf Geschlecht hergestellt – auch wenn dies nicht explizit benannt wird. Damit knüpft *Bm* an zuvor schon in der Diskussion verhandelte vergeschlechtlichte Bilder über Kultur und Islam an. Diese werden im Geschlechterverhältnis als patriarchal-gewaltförmig markiert. Der Ehrenmord dient im Gesamtdiskurs als Metapher für dieses und wird hier als Beispiel für kulturelle Differenz sowie für die Macht der Religion über die Menschen, die dem Islam angehören, herangezogen. Dadurch, dass gewaltförmige und männlich dominierte Geschlechterverhältnisse allein der ‹anderen› Religion bzw. Kultur zugeschrieben werden, bleibt das asymmetrische Geschlechterverhältnis der eigenen Gesellschaft bzw. Religion ausgeblendet. Gleichzeitig werden hier vom Sprecher in seiner Darstellung und Interpretation des Konflikts vorherrschende Geschlechterordnungen reproduziert: In der Art und Weise wie der Fall beschrieben wird, wird der «*junge Türke*» als aktiv und gewalttätig beschrieben, die Schwester als passives Opfer, sprachlich konturiert durch Passiv-Konstruktionen («*wird hingerichtet*»). Diese ge-genderte Täter-Opfer-Konstellation wiederholt sich auch in den anderen Darstellungen, wobei der Fokus auf die Gewalt der Männer gerichtet wird, die Stärke und Handlungsfähigkeit der Frauen, welche hier offensichtlich aus den ihnen zugedachten Rollen ausbrechen, bleibt diesbezüglich unkommentiert. In diesem Sprechakt werden also in verschiedener Hinsicht doing difference-Prozesse (Fenstermaker und West, 2001) deutlich: doing gender, doing ethnicity und doing religion; Prozesse die sich überlagern und über die – in ihrem Zusammenwirken – Grenzziehungen vorgenommen und Normalitätsvorstellungen zementiert und verbreitet werden.

Kennzeichnend für diese polare Konstruktionen und Einteilungen ist, dass der Einfluss von Religion in der Mehrheitsgesellschaft komplett ausgeblendet wird, ebenso die Vielfalt an Religionen, die für Jugendliche, in ihrem Leben, ihrem Umfeld und der Gesellschaft existieren und unterschiedlich bedeutsam sind. Vielmehr wird auch hier der Fokus einseitig auf den Islam bzw. Muslime gerichtet. Es handelt sich um einen Diskurs, der zur Abgrenzung gegenüber der Anderen und deren Aufwertung der ‹eigenen› Kultur dienlich ist.

Im bisherigen Diskursverlauf wurden Differenzkonstruktionen v.a. im allgemeinen Sprechen über die Kultur und Religion der Anderen hergestellt – mit Bezügen auf Erzählungen vom Hörensagen oder Wissensbeständen aus den Medien. Allerdings verliert Kultur als Erklärungsmuster und Deutungsmuster nicht unbedingt an Relevanz, wenn es um die konkrete Arbeit mit Jugendlichen geht. Die Sozialarbeiterin *Hf* nimmt in ihrem Beitrag explizit darauf Bezug und sagt:

> Hf: Also für mich spielt in der Arbeit eigentlich eher ne Rolle, wenn Jugendliche mit kulturellen Unterschieden, also zum Beispiel Unterschieden, wie das die Eltern gern hätten und wie sie es in der deutschen Gesellschaft, in der Schule, in ihrem normalen Umfeld erleben, wenn die damit Probleme und Auseinandersetzung haben. Also ein irakisches Mädchen, das nur in die Schule darf, das aber sonst immer zuhause sitzt, keinen Freund haben darf, nicht tanzen gehen darf, es Absichten gab sie zu verheiraten mit 14, also solche Notlagen von Jugendlichen, die sind für mich eigentlich eher das

> Thema von Unterschieden. […] Also die Konflikte, die die Jugendlichen haben, sind dann in dem Fall auch mein Konflikt oder eben mein Auftrag da aktiv zu werden. (550-561)

Auch *Hf* geht hier ganz selbstverständlich von der Annahme kultureller Unterschiede aus, auch wenn sie diese anders definiert als ihre beiden Kollegen. Für sie zeigen sich diese als Divergenzen zwischen Wertevorstellungen und Verhaltensnormen der (migrantischen) Eltern im Gegensatz zu dem, was die Jugendlichen in der deutschen Gesellschaft erfahren. Die Jugendlichen werden in diesem Spannungsfeld als ‹dazwischen› verortet. Damit schliesst sie an im öffentlichen Diskurs immer noch relevante Bilder über die Situation von Migrationsjugendlichen und Metaphern wie «zwischen den Stühlen» an. Entstehen aus dem so ausgewiesenen Spannungsfeld Probleme für die Jugendlichen, sieht sie sich als Sozialpädagogin gefordert. Sie verbleibt dabei in einer kulturalistischen Argumentation, in der Unterschiede als kulturelle Konflikte im Spannungsfeld von Norm und Abweichung gedeutet werden. Die Kultur der Anderen (die hier durch die Eltern repräsentiert wird) wird dabei als abweichend von den Normvorstellungen der deutschen Gesellschaft konstruiert und diese gleichzeitig zur gültigen Bezugsgrösse erhoben. Das Beispiel, auf das sie sich bezieht, kreist entsprechend um die bereits benannten geschlechterbezogenen Themen Freiheitseinschränkungen von Mädchen und potentieller Zwangsverheiratung, an denen die (konstruierte) Divergenz zwischen verschiedenen kulturellen Vorstellungen scheinbar besonders gut deutlich gemacht werden kann. Gleichzeitig kommen darin Normalitätsvorstellungen über ein ‹angemessenes› Leben eines 14jährigen Mädchens zum Ausdruck, nicht nur in ethnozentristischer Hinsicht, sondern auch als heteronormative Geschlechtervorstellungen. Auch wenn sie mit der Aussage, dass die Konflikte der Jugendlichen auch ihre Konflikte sind, auf einen pädagogischen Ansatz verweist, der parteilich an den Bedürfnissen der Jugendlichen ansetzt, bleibt kulturelle Differenz die zentrale Interpretationsfolie – und damit verfehlt sie potentiell die Subjektivität der Jugendlichen.

Kultur und Religion stellen im hier vorgestellten Diskurs von Jugendarbeiter_innen im Rahmen einer Gruppendiskussion über die Bedeutung von Differenz und Vielfalt in der Jugend(sozial)arbeit, die primären Bezugsgrössen dar. Sie werden als sozial bedeutsame Konstruktionen und Differenzmarker im Diskursverlauf immer wieder neu hergestellt, auch wenn es über deren Relevanz als Erklärungskraft für die Lebenslagen der Jugendlichen und für die konkrete Arbeit unterschiedliche Meinungen gibt. In der Diskussion der Jugendarbeiter_innen – in deren Reden über Jugendliche mit Migrationshintergrund – findet das statt, was Stuart Hall (2004) als «Spektakel des ‹Anderen›» bezeichnet.

2. Dynamik von Differenzkonstruktionen: Mechanismen von Ein- und Ausgrenzung, Dominanz und Unterwerfung

Diese Art der Thematisierung von pädagogisch Professionellen bezieht sich auf gesellschaftlich vorherrschende soziale Repräsentationen von Migrations-Anderen. Sie schliessen an soziale und gesellschaftliche Strukturen sowie antimuslimische rassistische Diskurse an und greifen diese auf. So sind die hier vorgenommenen Kategorisierungen und Zuschreibungen der Pädagog_innen nicht als individuelle Einstellungen und Vorurteile zu werten, sondern in ihrem gesellschaftlichen Kontext zu sehen. Es handelt sich um einen gesellschaftlichen Wissensbestand, der – kulturell-ethnisch-religiös codiert – als Resultat des vorherrschenden Umgangs (in Politik, Medien, Alltag) mit Migration bzw. mit Migrant_innen zu betrachten ist und der sich entsprechend in verschiedenen gesellschaftlichen Bereichen wieder findet, offensichtlich auch in den Arbeitsfeldern der Pädagogik und der Sozialen Arbeit.[4] Es zeigt sich in diesen Diskursen die Dominanz des Denkens in binären Differenzkonstruktionen und das Festhalten an vorherrschenden Differenzordnungen. Ebenfalls wird darin deutlich, wie stark auch pädagogisches Denken und Sprechen darin gefangen ist.

Mit dem Bezug auf Kultur und Religion werden in Diskurspraxen der Jugendarbeiter_innen binäre Differenz-Konstruktionen geschaffen und Grenzziehungen vorgenommen im Sinne einer Kategorisierung von ‹Wir und die Anderen› (vgl. Beck-Gernsheim, 2004). Kennzeichnend dabei ist, dass hier das ‹Eigene› als selbstverständlicher Bezug und Normalität genommen wird, das ‹Andere› dazu im Gegensatz, als Abweichung konstruiert wird. Kultur oder Religion werden zu selbstverständlichen Einteilungskriterien von Welt bzw. Gesellschaft gemacht. Dabei wird Kultur immer als Kultur ‹der Anderen› thematisiert und deren Abweichung und Devianz über das Zuschreiben von Merkmalen und Eigenschaften markiert, was wiederum zur Abgrenzung vom hegemonialen ‹Wir› und der Aufrechterhaltung der herrschenden sozialen Differenzordnung dienlich ist. Durch diese Grenzziehungen werden Fragen der Zugehörigkeit ausgehandelt, symbolisch Ein- und Ausgrenzungen vorgenommen sowie gesellschaftliche Machtverhältnisse bzw. Beziehungen

4 Vgl. dazu die Arbeiten von Gomolla/Radtke 2009, Weber 2005, Riegel 2009 für den Bereich der Schule, Melter 2005, Kubisch 2008 für Felder der Sozialen Arbeit.

von Dominanz und Unterordnung (Hall, 1994) abgesichert. Konstruktionen von ‹kultureller Differenz› können somit zur Rechtfertigung von Minorisierung, Ausgrenzung und Ausschluss dienen. Hall spricht in diesem Zusammenhang von rassistischen Praxen und Diskursen (Hall, 1989). Gleichzeitig werden die zugeschriebenen Merkmale als determinierend für das Verhalten der Jugendlichen festgeschrieben. So erfolgt eine Kulturalisierung und Religiösierung der Lebenslagen und Handlungsweisen des jugendlichen Klientels. Migrantische Jugendliche werden dabei als Marionetten ihrer Kultur oder Religion betrachtet, ihnen wird damit Subjektivität und Handlungsfähigkeit abgesprochen.

3. Interdependentes Zusammenspiel: Ge-genderte Kultur-Konstruktionen und Kulturalisierung von Geschlecht

Die Markierung der Anderen und deren Abgrenzung erfolgt im vorliegenden Diskurs um jugendliche Migrant_innen zwar mit dem Bezug auf Kultur und Religion bzw. einer vordergründigen Engführung von Verhältnissen von Differenz und Vielfalt auf diese Konstruktionen. Allerdings werden in den dabei herangezogenen Bildern und Erzählungen immer auch noch andere Differenzlinien und Dominanzverhältnisse mit thematisiert. Mit einer intersektionellen Analyseperspektive wird deutlich, dass die Repräsentationen von Anderen nicht allein in Bezug auf Kultur oder Religion erfolgen, sondern immer auch in Überlagerung mit Geschlecht, Klasse, Sexualität u.a. sozialen Differenzlinien. Dabei – so Stuart Hall mit Bezug auf Pressefotos von schwarzen Sportler_innen – «scheint eine Differenz die andere anzuziehen, so dass sie sich zu einem ‹Spektakel› der Andersheit summieren.» (Hall, 2004: 114). Bedeutungsvoll werden diese Repräsentationen also erst durch das jeweilige intersektionelle Zusammenspiel von verschiedenen Kategorien und Differenzkonstruktionen (Kultur, Ethnizität, Hautfarbe, Religion, Geschlecht, Sexualität, Klasse, Generation u.a.),[5] sie werden deutungs- und wirkmächtig durch die Art und Weise, wie die verschiedenen Differenzkonstruktionen miteinander interagieren, sich gegenseitig verstärken, abschwächen oder überdecken.

In dem hier aufgezeigten Diskurs zeigt sich in der Konstruktion von Religion (der Anderen) eine starke Konturierung durch Geschlecht. Geschlecht schwingt in den Bildern, die über Andere gezeichnet werden, immer mit:

5 Welche Kategorien und Differenzlinien und in welcher Weise diese zusammenwirken, kann jeweils nur empirisch am konkreten Fall untersucht werden (vgl. dazu Riegel, 2010 a).

Kultur und Religion wird in diesem Deutungszusammenhang als Inbegriff eines patriarchalen, gewaltförmigen und traditionell-rückständigen Geschlechterverhältnisses gezeichnet. Dabei wird jedoch das Geschlechterverhältnis an sich nicht problematisiert oder kritisiert – sondern einseitig auf die Kultur der Anderen übertragen und somit wiederum ethnisiert. Ebenso wenig wird Geschlecht als Erklärungsansatz (bspw. für Gewalt) von den Sprecher_innen explizit angesprochen, im Gegensatz zu Kultur, Religion oder Schicht/Klasse. Geschlecht hat hier vielmehr – das Bild des Anderen – konturierenden Charakter. Die Thematisierung von Geschlecht dient hier (wie möglicherweise von der Sozialpädagogin *If* mit dem Verweis auf Schicht beabsichtigt) nicht zur Differenzierung eines pauschalisierenden und homogenisierenden Diskurses (vgl. Leiprecht, 2010). Im Gegenteil wird Geschlecht (bzw. seine Modellierung als ‹emanzipativ-gleichberechtigt-modern› oder ‹gewaltförmig-patriarchal-traditionell›) zu einem Kennzeichen kultureller Differenz gemacht und in die pauschalisierten Bilder und Repräsentationen des Anderen integriert. Abweichung und Devianz werden somit auch über Geschlecht hergestellt. Über den ständigen – jedoch einseitigen – Verweis auf Geschlecht bzw. patriarchale und gewaltförmige Geschlechter- und Generationenverhältnisse erfolgt eine Dramatisierung und Skandalisierung der ‹Kultur der Anderen›, was wiederum die Ablehnung und Ausgrenzung von so markierten ‹Anderen› eher begründbar und akzeptierbar macht. Gleichzeitig enthalten die hier vorgenommenen Bilder und Erzählungen immer auch Normalitätsvorstellungen in Bezug auf Geschlecht und Sexualität – und stützen, absichtsvoll oder nicht, die binäre und heteronormative Struktur vorherrschender Geschlechterordnungen. Solche geschlechtlich konturierten Repräsentationen über ethnisch codierte Andere dienen also in mehrfacher Hinsicht der Absicherung vorherrschender hierarchischer Differenz-Ordnungen. Gleichzeitig wird durch die damit verbundene Ontologisierung von Differenzverhältnissen von deren hierarchischen Strukturen und Ursachen sozialer Ungleichheit abgesehen. Mit einer intersektionellen Perspektive ist es möglich, die mehrdimensionalen Bedeutungsebenen und Botschaften vorherrschender Repräsentationen und Diskurse herauszuarbeiten.

4. Othering und «Sprechen über» als hegemoniale Praxen im (sozial-)pädagogischen Kontext

In diesem Diskurs der Jugendarbeiter_innen werden nicht nur dominante Konstruktions-Mechanismen und Repräsentationen von Anderen – in ihrem intersektionellen und ambivalenten – Zusammenwirken deutlich. Es handelt sich hierbei auch um eine diskriminierende Praxis, durch die ‹Andere zu Anderen› gemacht werden; eine Diskurspraxis, die aus einer (mehrfach) hegemonialen Perspektive erfolgt und – mit dem Fokus auf muslimische Jugendliche bzw. Jugendliche mit Migrationshintergrund – einseitig eine Gruppe fokussiert, die auch gesellschaftlich marginalisiert wird.

Dieses ‹Sprechen über› eine bestimmte Gruppe ist als festschreibende und ontologisierende Ausgrenzungspraxis zu verstehen. Die Jugendlichen, über die hier gesprochen wird, werden zu Anderen, zu Fremden gemacht. Ihnen wird damit die Zugehörigkeit zur Mehrheitsgesellschaft diskursiv vorenthalten. Mit dem Begriff des ‹Othering› wird auf genau diese sozialen Praxen verwiesen, welche Menschen und soziale Gruppen durch Differenzkonstruktionen als Andere konstituieren bzw. Andere als Andere festschreiben. Dabei wird deren Subjektivität systematisch verfehlt, was bedeutet, dass sie konsequent vom hegemonialen Machtdiskurs ausgeschlossen werden (Broden und Mecheril, 2007; Eggers, 2005; Spivak, 1985). Das ‹Sprechen *über* Andere› – als Beschreiben, Zuschreiben und Festschreiben auf vermeintlich kulturelle (oder andere) Eigenschaften – hat für diese Prozesse des Othering konstitutive Bedeutung. Die Konstruktion von Differenz als Grenzziehung wird diskursiv in der ständigen Bezugnahme auf bestimmte gesellschaftlich vorherrschende Bilder hergestellt, fest- und weitergeschrieben. In dieser Gruppendiskussion wurden stellenweise solche Konstruktionen und Bilder aneinandergereiht und gegenseitig ergänzt, es wurde fast schon zu einem Wettbewerb, besonders spektakuläre Fälle oder Geschichten – gerade mit einem skandalisierenden Bezug auf Geschlecht im Kontext von Migration und Kultur – einzubringen. So begann ein Diskussionsteilnehmer seinen Beitrag beispielsweise mit «*Also ich wollte noch was sagen zu dieser türkischen Migrationsfrauengeschichte …*» *(288)*. Der Ehrdiskurs und die pauschalisierte Situation von Frauen mit Migrationshintergrund werden dabei zur Metapher und zum Symbol für die (rückständige) Kultur der Anderen. Die entsprechenden Bilder werden durch ständiges Wiederholen und Pointieren festgeschrieben.

Die Gruppendiskussion bestand fast ausschliesslich aus einem einseitigen ‹Sprechen über› Migrations-Andere und hier v.a. muslimische Jugendliche. Diese Praxis an sich sowie die Art, wie über Jugendliche gesprochen wurde, implizieren in mehrfacher Hinsicht Othering-Prozesse. Es findet eine einseitige Problematisierung und Objektivierung des Anderen statt. Die Jugendlichen, über die gesprochen wird, werden dabei ihrer Subjektivität beraubt: Jugendliche als handlungsfähige Subjekte ihres Tuns treten in der gesamten Diskussion der Jugendarbeiter_innen nicht auf, sondern werden als mehr oder weniger determiniert durch ihre soziale und kulturelle Lebenslage und Zugehörigkeit betrachtet (s.o.). So kann diesbezüglich von einem Ent-Subjektivierungs-Prozess gesprochen werden, der durch die objektivierende Praxis des ‹Sprechens über› verstärkt wird. Denn bei dieser Form des einseitigen Monologisierens haben die adressierten Anderen keine Möglichkeit zu reagieren und zu kommentieren. Es handelt sich um eine Diskurs-Praxis, aus der die Jugendlichen ausgeschlossen sind bzw. nicht teilhaben. Vor diesem Hintergrund weist Mona Singer (1997) darauf hin, dass «sich das Monologisieren über andere aus sich heraus gar nicht von einem Diskriminierungsverdacht befreien kann» (Singer, 1997: 45).

Dabei geht es nicht unbedingt um die Erhellung der Lebenslagen der Jugendlichen über die gesprochen wird und die als ‹Andere› konzeptionalisiert werden, es geht um die Kontrolle über sie, ihre Vereinnahmung oder Ausgrenzung und den Erhalt der symbolischen Differenzordnung und hierarchischen Machtverhältnisse. Judith Butler verweist in ihren Ausführungen zu verletzendem Sprechen (Butler, 2006), zu dem diese Praktiken der herabsetzenden Zuschreibung und des Othering gezählt werden können, auf die Macht der Sprache bzw. die Praxis des Sprechens. Verletzendes Sprechen gewinnt seine Kraft erst durch seine Konventionalität und die Praxis des Widerholens, der Zitation des zirkulären (gesellschaftlich vorherrschenden) Wissens, und die perpetuierende Anwendung dieses.[6] Diese Macht des Sprechens kann sich erst dann voll entfalten, wenn sie mit gesellschaftlicher Autorität ausgestattet ist, auch gehört zu werden. Erst so erfährt das ‹Gesagte› gesellschaftliche Legitimität (vgl. Bourdieu, 2005). Diese Autorität des Wissens über Jugendliche und die Legitimität des Sprechens wird Professionellen der Bildungs- oder Sozialarbeit gesellschaftlich eher zugestanden als den Jugendlichen selbst. Die Jugendarbeiter_innen sprechen hier also aus einer vergleichsweise machtvollen Position: Zum einen aus der hegemonialen Perspektive von Angehörigen der weissen deutschen Dominanzgesellschaft (die auch die Gruppendiskussion mit ihren Beiträgen dominieren), zum anderen aus der Perspektive von Sozialpädagog_innen, von denen qua beruflichem Auftrag erwartet wird über Wissen über Jugendliche zu verfügen und dieses im professionellen Kontext auch anzuwenden. Sie stehen dabei in einer hierarchischen Beziehung zu den Jugendlichen und sind mit ungleich mehr Macht, Privilegien, Deutungshoheit und Entscheidungsgewalt ausgestattet. Beispielsweise haben sie im für die Jugendlichen bedeutsamen Kampf um Anerkennung und soziale Zugehörigkeiten die Macht, anerkennend zu sein oder Anerkennung zu verwehren, zu definieren was Integration bedeutet und wer als integriert gilt. Vor allem aber sind sie machtvoll in ihrem Handeln und in ihren

6 Darin sieht Butler auch performative Potentiale für Widerstand (vgl. Butler, 2006).

Entscheidungen im (sozialpädagogischen) Spannungsfeld von Hilfe und Kontrolle. Diese Macht – die insgesamt durchaus auch brüchig und durch andere Dominanzverhältnisse durchzogen ist – wird von den Pädagog_innen in dieser Gruppendiskussion jedoch nicht (selbstreflexiv) thematisiert.[7]

Das perpetuierte Sprechen und Austauschen über die Jugendlichen hat in diesem Kontext machtvolle Effekte. Zunächst ist das Herstellen von Differenz vor dem Hintergrund von hegemonialen Differenzordnungen sowie Verhältnissen der Ein- und Ausgrenzung sowie Auf- und Abwertung eine machtvolle Praxis. Die Diskurse und Repräsentationen der Jugendarbeiter_innen implizieren symbolische Grenzziehungen und verweisen auf eine zuschreibende und einseitige Wahrnehmung der Jugendlichen.[8] Dabei wird über Jugendliche als Adressat_innen eine Art (Herrschafts-) Wissen produziert, das in der pädagogischen Praxis als Deutungsgrammatik funktioniert und zu einer bedeutsamen Interpretationsfolie für die Wahrnehmung der Jugendlichen und für (sozial-)pädagogisches Handeln werden kann. Darauf weisen auch verschiedene Untersuchungen zu pädagogischen Praxen hin, in denen herausgearbeitet wurde, dass die dargestellten Repräsentationen von Anderen und damit verbundene Differenzkonstruktionen auch im direkten Umgang mit Jugendlichen von Relevanz sind und zu Diskriminierung, Ausgrenzung und Normalisierung beitragen (vgl. Melter, 2005; Riegel, 2009).

5. «Sprechen über» als habitualisierte pädagogische Praxis

Das ‹Sprechen über› die Jugendlichen verweist auch auf eine Praxis, die bereits schon professionspezifisch angelegt und Bestandteil alltäglicher pädagogischer Aufgaben ist: In Gesprächen unter Kolleg_innen, bei der Konzeptionalisierung von Massnahmen, bei der Erstellung von Gutachten bzw. Arbeitsberichten gehört das Sprechen bzw. Schreiben über die Jugendlichen zur alltäglichen und professionellen Praxis, in der die Macht der Kontrolle enthalten ist und die Jugendlichen strukturell von der Gunst der Pädagog_innen

7 Hier kann das ‹Sprechen über Andere› auch funktional sein, um von der Thematisierung von sich selbst als Pädagog_in abzulenken, um der Auseinandersetzung mit der eigenen gesellschaftlichen Positionierung und damit verbundenen Privilegien oder der refelxiven Beschäftigung mit Schwierigkeiten und Herausforderungen in der eigenen pädagogischen Praxis aus dem Weg gehen. Dies sind Themen, die weniger bequem und widerspruchsfrei in der gemeinsamen Diskussion mit Kolleg_innen ‹besprochen› werden können.

8 Diese Zuschreibungen von Seiten der Dominanzgesellschaft und von Pädagog_innen werden von Jugendlichen ihrerseits durchaus wahrgenommen (vgl. dazu Riegel, 2003; Terkessidis, 2004; Melter, 2005).

abhängig sind. Hier zeigt sich ein weiterer Aspekt der Ent-Subjektivierung und Objektivierung der Jugendlichen: es wird über die Jugendlichen geredet und nicht mit ihnen, es werden ihnen kulturelle Problemlagen zugeschrieben und dabei von ihren subjektiven Bedürfnissen abgesehen. Sie werden zum «reparaturbedürftigen Objekt» (Goffman, 1973: 9). Das ‹Sprechen über› Klient_innen ist bereits in der Grundstruktur sozialer und pädagogischer Arbeit enthalten und in den professionellen Aufgaben im Spannungsfeld von Hilfe und Kontrolle angelegt. Es handelt sich um eine eingeübte, professionell habitualisierte Praxis, die hier im Kontext einer Gruppendiskussion reproduziert wird und sich mit dem gesellschaftlich habitualisierten ‹Sprechen über Andere› bzw. den damit verbundenen Konstruktionen und Botschaften überlagert und als Othering zur Aus- und Abgrenzung von Anderen beiträgt. Prozesse der Ethnisierung, Kulturalisierung und Vergeschlechtlichung sind dabei nicht unbedingt absichtsvolle, aber äusserst wirkungsvolle (Diskurs-)Praxen, die zur Durchsetzung und Legitimation rassistischer und anti-muslimischer Ausgrenzung beitragen. Im Feld der Sozialen Arbeit sind auch noch andere Grenzmarker sowie Objektivierungs- und Othering-Prozesse im Hinblick auf gesellschaftliche Normalität bzw. Devianz und Abweichung, beispielsweise die Psychiatrisierung, auszumachen. Normalisierung, totale Inklusion und Forderungen nach Anpassung, sind im Rahmen (sozial-)pädagogischer Arbeit im Umgang mit ‹dem Anderen› institutionell nahe gelegt. Susanne Maurer spricht in diesem Zusammenhang von Sozialer Arbeit als «Normalisierungsmacht» (Maurer, 2001: 125). Dabei ist Soziale Arbeit Bestandteil des gesellschaftlichen Gefüges von Macht. Von ihr werden Normalisierungspraxen inszeniert und verwaltet und sie bleibt in diesem hegemonialen Machtgefüge widersprüchlich gefangen (Kessl, 2006).

Deutlich wird in dieser Gruppendiskussion – die hier auch stellvertretend für andere vergleichbare pädagogische Diskurse stehen kann – wie Alltagstheorien und gesellschaftlich vorherrschende Diskurse und Repräsentationen in fachliche Diskurse einfliessen und sich mit professionellem Wissen mischen bzw. dieses überlagern. Alltagsdiskurse sind offensichtlich nicht von Professionalitätstheorien zu lösen (vgl. Schneider, 2006). Sie scheinen – wie es hier deutlich wird – gerade im Hinblick auf gesellschaftlich höchst umstrittene Themen wie Migration und Einwanderung in besonderem Masse für pädagogisches Denken und Handeln bedeutsam zu sein. Vor dem Hintergrund der Gefahr der Reproduktion von dominanten Differenzordnungen und sozialen und gesellschaftlichen Herrschafts- und Ungleichheitsverhältnissen zeigt sich die Notwendigkeit einer kritischen Reflexion der eigenen Deutungs- und Handlungsmuster, nicht nur im pädagogischen Kontext (ausführlicher dazu: Riegel 2011).

6. Inwiefern wird das «Sprechen über Andere» durch den Forschungsprozess noch herausgefordert?

Nicht zuletzt ist jedoch auch die Frage zu stellen, inwieweit die hier herausgearbeiteten Zuschreibungen sowie die Praxis des ‹Sprechens über Andere› nicht bereits schon durch das Forschungssetting und die Untersuchungsfrage herausgefordert werden. Es ist selbstkritisch zu fragen, ob der Forschungsprozess nicht sogar noch zur Festigung und Reproduktion von vorherrschenden ein- und ausgrenzenden Repräsentationen und Otheringprozesse beiträgt. Hier ist zunächst die narrative Ausrichtung einer Gruppendiskussion zu problematisieren: Einerseits stellt die Gruppendiskussion eine adäquate Methoden dar, um die Art und Weise der Thematisierung von Vielfalt und Differenz in einer (Professions-) Gruppe zu erforschen und Erkenntnisse über kollektive Orientierungs- und Deutungsmuster sowie über Diskursorganisation der Gruppe zu gewinnen (vgl. Bohnsack, 1993; Loos und Schäffer, 2001). Andererseits wird durch die narrative, wenig von aussen eingreifende Interviewform nicht nur die Selbstläufigkeit der Diskussion gefördert, sondern gleichzeitig auch dominierenden Sprecher_innen und Diskursen Raum gegeben. Dabei besteht die Gefahr, dass vorherrschende Positionierungen und populäre Meinungen – wie auch im vorliegenden Fall – die Gesamtdiskussion dominieren. Dies ist zwar für die Forschung erkenntnisreich. So konnte herausgearbeitet werden, dass auch der pädagogische Diskurs nicht vor essentialisierenden Zuschreibungen und Otheringprozessen Halt macht. Gleichzeitig wurde aber auch einem kulturalisierenden rassistischen und heteronormativen Diskurs eine Plattform zur Darlegung, Festschreibung und Tradierung gegeben. Eine weitere Problematik liegt in der Thematisierung von Differenz und Vielfalt: Auch wenn durch die Eingangsfrage der Versuch unternommen wurde, möglichst offen zu fragen, legt die Frage nach Erfahrungen mit Differenz und Vielfalt vor dem Hintergrund vorherrschender Diskurse und Repräsentationen möglicherweise bereits schon bestimmte Kategorisierungen und Deutungsmuster nahe, und kann somit nur theoretisch eine offene Frage sein. Durch diese Frage wird möglicherweise schon herausgefordert, an vorherrschende Diskurse und Kategorisierungen anzuknüpfen und Menschen mit Verweis auf Differenzen zu Anderen zu machen. Nicht zuletzt werden in der Forschungssituation solche Diskurse in ihrer Wiederholung zu kollegialem Fachwissen gemacht und Herrschaftswissen weiter gefestigt.

Allerdings können diese ausgrenzenden und abwertenden Diskurse – auch wenn sie sich durch das ‹Sprechen über Nicht-Anwesende› auszeichnen – zu

Verletzungen bei anwesenden Diskussionsteilnehmer_innen führen, die sich dadurch selbst als Andere angesprochen fühlen. Sie sind im Rahmen der Gruppendiskussion erneut mit den ständig wiederkehrenden diskriminierenden Diskursen und Minorisierungserfahrungen konfrontiert – gleich wie sie sich selbst dazu in der Gruppendiskussion verhalten. So kann es in der Forschungssituation zu erneuten Otheringerfahrungen kommen, auch wenn die anderen Diskussionsteilnehmenden davon überzeugt sind, mit ihren Ausführungen, nicht sie zu meinen. Solche Diskussionen können in Teams unterschwellige Konflikte, Abwertungen und Hierarchisierungen tangieren und offen legen, die dann jedoch auch einer weiteren Bearbeitung bedürfen, was jedoch in der Regel im Rahmen der Gruppendiskussion nicht geleistet werden kann – oder aufgrund der Normalität der Dominanzordnungen eben erst gar nicht bemerkt wird.

Hier werden nur einige Ambivalenzen des Forschens zu ein- und ausgrenzenden Praxen und Diskursen deutlich. Insgesamt besteht im Kontext der Forschung zu ein- und ausgrenzenden Orientierungen jedoch immer die Gefahr der Reproduktion von rassistischen, sexistischen und normativen Diskursen und Praxen durch die Forschung (vgl. Holzkamp, 1994: 293). Dies bedarf einer sensiblen Gestaltung der Forschungsinstrumente und eines reflektierenden Vorgehens im Forschungsprozess. Bei narrativen Interviews besteht die Gefahr und kann allenfalls durch gezielte Interventionen, durch die die vorgenommenen Kategorisierungen und Deutungsmuster in ihrer Selbstverständlichkeit infrage gestellt werden – entweder durch andere Diskussionsteilnehmer_innen im Verlauf der Gruppendiskussion, oder wenn dies nicht geschieht, durch konfrontative und kritische Fragen durch die Interviewführung gegen Ende des Interviews.[9] Bei dieser Gruppendiskussion bestand die Möglichkeit bei einer Weiterbildung mit diesem Team, die hier vorgenommenen Zuschreibungen und Deutungsmuster zu thematisieren, diese in gemeinsamer Auseinandersetzung (selbst-)kritisch in ihrem Geworden Sein zu dekonstruieren über Folgen solcher Bilder und Praktiken sowie die eigene Verwobenheit in ausgrenzende und normative Praxen nachzudenken und Konsequenzen für die jeweils eigene pädagogische Haltung und Praxis herauszuarbeiten. In diesem Sinne können Erkenntnisse aus dieser Forschung generell für die Aus- und Weiterbildung von (Sozial-) Pädagog_innen genutzt werden. Denn auch bei Weiterbildungen besteht immer wieder die

9 Peter Loos und Burkhard Schäffer bezeichnen diese dem narrativen sowie immanenten und exmanenten Nachfrageteil anschliessenden Teil als «direktive Phase», in der direkt und auch konfrontativ Widersprüche und Inkonsistenten angesprochen werden können (vgl. dazu Loos und Schäffer, 2001: 54).

Gefahr, den Wünschen von Teilnehmenden nach mehr Informationen über Religion und Kultur ihrer Klient_innen nachzugehen und dabei in das Sprechen über Andere einzustimmen und homogenisierende Bilder sowie asymmetrische Differenzordnungen zu reproduzieren (vgl. dazu Scharatow, 2008).

Es bleibt eine Herausforderung für eine (kritische) Forschung, selbstverständliche, aber diskriminierende Kategorisierungen, Deutungsmuster und Praxen im Forschungsprozess zum Thema zu machen, ohne diesen (aus blossem Erkenntnisinteresse) eine weitere Plattform und Gelegenheit zur Reproduktion und Festigung zu bieten. Es gelingt dabei nicht immer, diesen hegemonialen Kategorisierungen, Zuschreibungen und Deutungsmuster einer kritischen Reflexion zuzuführen und die Forschungssituation als solche auch zu einer Reflexions- und Bildungsgelegenheit zu machen, von der die beteiligten Subjekte profitieren können. Dies ist durchaus mit methodischen Herausforderungen verbunden (vgl. dazu Held, 2010; Coelen, 2010). Angesichts der Erkenntnisse der vorliegenden Analyse, dass erstens Prozesse des Othering sowie anti-muslimische, rassistische, heterosexistische Diskurse und Repräsentationen auch im sozialpädagogischen Kontext allgegenwärtig und selbstverständlich sind und zweitens diese Differenzmarker und asymmetrischen Differenzordnungen nicht einzeln, sondern ineinander verwoben auftreten und sich gegenseitig bestärken oder beeinflussen, ist für deren Reflexionsprozess eine dieses interdependente Zusammenwirken in den Blick nehmende und dekonstruierende Perspektive sinnvoll. Mit Hilfe einer intersektionellen Analyse können in Forschung und Praxis selbstverständliche, jedoch ein- und ausgrenzende sowie verletzende und abwertende Bilder, Diskurse und Praxen herausgearbeitet und dekonstruiert werden und dabei die jeweils eigene pädagogische Praxis und gesellschaftliche Positionierung in ihren Widersprüchen und Verstrickungen reflektiert werden. (vgl. dazu Leiprecht, 2010; Riegel 2010 u. 2011).

Bibliographie

Attia, Iman, 2009. Zur Bedeutung des Islamdiskurses für die Jugendarbeit. In: deutsche jugend. 57 (2): 74–81.

Beck-Gernsheim, Elisabeth, 2004. Wir und die Anderen. Frankfurt am Main: Suhrkamp.

Bohnsack, Ralf, 1993. Rekonstruktive Sozialforschung. Einführung in Methodologie und Praxis qualitativer Forschung. Opladen: Leske+Budrich.

Bourdieu, Pierre, 2005. Was heisst Sprechen? Zur Ökonomie des sprachlichen Tausches. 2. erweiterte und überarbeitete Auflage. Wien: Braumüller.

Broden, Anne und Mecheril, Paul, 2007. Migrationsgesellschaftliche Re-Präsentationen. Eine Einführung. In: Anne Broden und Paul Mecheril (Hg.), 2007. Re-Präsentationen. Dynamiken der Migrationsgesellschaft. Düsseldorf: IDA-NRW: 7–28.

Butler, Judith, 2006. ‹Hass spricht›. Zur Politik des Performativen. Frankfurt am Main: Suhrkamp.

Coelen, Thomas, 2010. Transdisziplinäre Bildungs- und Sozialforschung. In: Christine Riegel, Albert Scherr und Barbara Stauber (Hg.), 2010: Transdisziplinäre Jugendforschung. Wiesbaden: VS Verlag für Sozialwissenschaften: 159–179.

Crenshaw, Kimberlé, 1989. Demarginalizing the Intersection of Race and Sex: A Black feminist Critique of Antidiscrimination Doctrine. In: The University of Chicago Legal Forum, Feminism in the Law (Hg.), 1989. Theory, Practice and Criticism: 139–167.

Diehm, Isabell und Radtke, Frank-Olaf, 1999. Erziehung und Migration. Eine Einführung. Stuttgart, Berlin, Köln: Kohlhammer Verlag.

Eggers, Maisha, 2005. Rassifizierte Machtdifferenz als Deutungsperspektive in der Kritischen Weissseinsforschung in Deutschland. In: Maisha Eggers, Grada Kilomba, Peggy Piesche, und Susan Arndt (Hg.), 2005. Mythen, Masken, Subjekte. Kritische Weissseinsforschung in Deutschland. Münster: Unrast: 56–72.

Fenstermaker, Sarah B. und West, Candance, 2001. «Doing Difference» revisited. Probleme, Aussichten und der Dialog in der Geschlechterforschung. In: Bettina Heintz (Hg.), 2001. Geschlechtersoziologie. Opladen: Leske und Budrich: 236–249.

Foucault, Michel, 1978. Historisches Wissen der Kämpfe und Macht. In: Michel Foucault, 1978. Dispositive der Macht. Über Sexualität, Wissen und Wahrheit. Berlin: Merve.

Goffman, Erving, 1973. Asyle. Über die soziale Situation psychiatrischer Patienten und anderer Insassen. Frankfurt am Main: Suhrkamp.

Gogolin, Ingrid und Krüger-Potratz, Marianne, 2006. Einführung in die Interkulturelle Pädagogik: Barbara Budrich.

Gomolla, Mechtild und Radtke, Frank-Olaf, 2009. Institutionelle Diskriminierung. Die Herstellung ethnischer Differenz in der Schule. 3. Auflage. Wiesbaden: VS Verlag für Sozialwissenschaften.

Gross, Melanie, 2010. «Wir sind die Unterschicht» – Jugendliche Differenzartikulationen aus intersektionaler Perspektive. In: Fabian Kessl und Melanie Plösser (Hg.), 2010. Differenzierung, Normalisierung, Andersheit: Soziale Arbeit als Arbeit mit den Anderen. Wiesbaden: VS-Verlag für Sozialwissenschaften: 34–48.

Hall, Stuart, 1989. Rassismus als ideologischer Diskurs. In: Das Argument. (178), 913–921.

Hall, Stuart, 1994. ‹Rasse›, Artikulation und Gesellschaften mit struktureller Dominante. In: Stuart Hall, 1994. Rassismus und kulturelle Identität. Ausgewählte Schriften 2. Hamburg: Argument: 89–136.

Hall, Stuart, 2004. Das Spektakel des ‹Anderen›. In: Stuart Hall, 2004. Ideologie, Identität, Repräsentationen. Ausgewählte Schriften 4. Hamburg: Argument.

Held, Josef, 2010. Jugendforschung aus Subjektperspektive. In: Christine Riegel, Albert Scherr und Barbara Stauber (Hg.), 2010. Transdisziplinäre Jugendforschung. Wiesbaden: VS Verlag für Sozialwissenschaften: 139–157.

Holzkamp, Klaus, 1994/1997. Antirassistische Erziehung als Änderung rassistischer ‹Einstellungen›? Funktionskritik und subjektwissenschaftliche Alternative. In: Klaus Holzkamp (Hg.), 1997. Schriften I. Normierung, Ausgrenzung, Widerstand. Hamburg, Berlin: Argument: 279–298.

Kessl, Fabian, 2006. Soziale Arbeit als Regierung – eine machtanalytische Perspektive. In: Susanne Weber und Susanne Maurer (Hg.), 2006. Gouvernementalität und Erziehungswissenschaft. Wissen – Macht – Transformation. Wiesbaden: VS Verlag für Sozialwissenschaften: 63–99.

Knapp, Gudrun-Axeli, 2005. «Intersectionality» – ein neues Paradigma feministischer Theorie? Zur transatlantischen Reise von «Race, Class, Gender». In: Feministische Studien, 1: 68–81.

Kubisch, Sonja, 2008. Habituelle Konstruktion sozialer Differenz. Eine rekonstruktive Studie am Beispiel von Organisationen der Freien Wohlfahrtspflege. Wiesbaden: VS Verlag für Sozialwissenschaften.

Leiprecht, Rudolf, 2010. Ist Intersektionalität ein nützliches Konzept um unzulässigen Verallgemeinerungen und stereotypen Schubladenbildungen in der Jugendforschung vorzubeugen? In: Christine Riegel, Albert Scherr, Albert und Barbara Stauber (Hg.), 2010: Transdisziplinäre Jugendforschung. Wiesbaden: VS Verlag für Sozialwissenschaften: 90–115.

Loos, Peter und Schäffer, Burkhard, 2001. Das Gruppendiskussionsverfahren. Opladen: Leske+Budrich.

Maurer, Susanne, 2001. Das Soziale und die Differenz. Zur (De-)Thematisierung von Differenz in der Sozialpädagogik. In: Helma Lutz und Norbert Wenning (Hg.), 2010. Unterschiedlich verschieden. Opladen: Leske und Budrich: 125–142.

Mecheril, Paul, 2004. Einführung in die Migrationspädagogik. Weinheim, Basel: Beltz Verlag.

Mecheril, Paul, 2003. Prekäre Verhältnisse. Über natio-ethno-kulturelle (Mehrfach-) Zugehörigkeit. Münster: Waxmann.

Melter, Claus, 2005. Rassismuserfahrungen in der Jugendhilfe. Eine empirische Studie zu Kommunikationspraxen in der Sozialen Arbeit. Münster: Waxmann.

Riegel, Christine, 2003. Umgangsformen von jungen Migrantinnen mit ethnisiert-vergeschlechtlichten Fremdzuschreibungen. In: Beiträge zur feministischen Theorie und Praxis, 26 (63/64) , 59–76.

Riegel, Christine, 2004. Im Kampf um Zugehörigkeit und Anerkennung. Orientierungen und Handlungsformen von jungen Migrantinnen. Eine soziobiografische Untersuchung. Frankfurt a.M., London: IKO-Verlag.

Riegel, Christine, 2007. Migrante Positionierungen: Dynamische Mehrfachverortungen und die Orientierung am Lokalen. In: Wolf Bukow, Claudia Nikodem, Erika Schulze und Erol Yildiz (Hg.), 2007. Was heisst hier Parallelgesellschaft? Zum Umgang mit Differenzen. Wiesbaden: VS Verlag für Sozialwissenschaften: 247–256.

Riegel, Christine, 2009. Pädagogische Herausforderungen und Ambivalenzen im Umgang mit sozialer Heterogenität. In: Hans-Ulrich Grunder und Adolf Gut (Hg.): Zum Umgang mit Heterogenität in der Schule. Baltmannsweiler: Schneider: 169–183.

Riegel, Christine, 2010. Intersektionalität als transdisziplinäres Projekt. Methodologische Perspektiven. In: Christine Riegel, Albert Scherr und Barbara Stauber (Hg.), 2010. Transdisziplinäre Jugendforschung. Wiesbaden: VS Verlag für Sozialwissenschaften: 65–89.

Riegel, Christine, 2011. Intersektionalität – auch ein Ansatz für die Praxis? Perspektiven für Reflexion, Kritik und Veränderung. In: Bibouche, Seddik/Leiprecht, Rudolf (Hg.), 2011: „Nichts ist praktischer als eine gute Theorie“ - Theorie, Forschung und Praxis im Kontext von politischer Kultur, Bildungsarbeit und Partizipation in der Migrationsgesellschaft. Oldenburg: BIS Verlag.

Riegel, Christine und Yildiz, Erol, 2011: Jugendliche mit Migrationshintergrund – Akteure des sozialen Wandels oder determinierte Andere? In: Axel Pohl, Barbara Stauber und Andreas Walther (Hg.), 2011. Jugend – Akteurin sozialen Wandels. Weinheim/München: Juventa Verlag: 163–181.

Scharatow, Wiebke, 2008. Der Islam als Thema in der Bildungsarbeit – Reflexionen in rassismuskritischer Perspektive. In: Wiebke Scharathow und Rudolf Leiprecht (Hg.), 2009. Rassismuskritik, Band 2: Rassismuskritische Bildungsarbeit. Schwalbach/Taunus: Wochenschau Verlag.

Schneider, Sabine, 2006. Sozialpädagogische Beratung. Praxiskonstruktionen und Theoriediskurse. Tübingen: DGVG Verlag.

Singer, Mona, 1997. Fremd. Bestimmung. Zur kulturellen Verortung von Identität. Tübingen: edition discord.

Spivak, Gayatri C., 1985. The Rani of Simur. An Essay in Reading the Archives. In: Francis Barker et al. (Hg.), 1985. Europe and its Others. Vol. 1. Colchester: University of Essex: 128–151.

Terkessidis, Mark, 2004. Die Banalität des Rassismus. Migranten zweiter Generation entwickeln neue Perspektiven. Bielefeld: transcript-Verlag Verlag.

Walgenbach, Katharina, 2007. Gender als interdependente Kategorie. In: Katharina Walgenbach, Gabriele Dietze, Antje Hornscheidt und Kerstin Palm (Hg.), 2007. Gender als interdependente Kategorie. Neue Perspektiven auf Intersektionalität, Diversität und Heterogenität. Opladen: Barbara Budrich: 23–64.

Weber, Martina, 2005. «Ali Gymnasium» – Soziale Differenzen von SchülerInnen aus der Perspektive von Lehrkräften. In: Franz Hamburger, Tarek Badawia und Merle Hummrich (Hg.), 2005. Migration und Bildung. Wiesbaden: VS Verlag für Sozialwissenschaften: 69–81.

Winker, Gabriele und Degele, Nina, 2009. Intersektionalität. Zur Analyse sozialer Ungleichheiten. Bielefeld: transcript-Verlag.

Angaben zu den Autor_innen

Brigit Allenbach, Dr. phil., ist Sozialanthropologin und arbeitet als Lehrbeauftragte an der Universität Freiburg/Schweiz. Sie leitet zusammen mit Pascale Herzig im Nationalen Forschungsprogramm NFP 58 das Projekt: «Migration und Religion – Perspektiven von Kindern und Jugendlichen in der Schweiz.» Forschungsschwerpunkte: Migrations-, Verwandtschafts- und Geschlechterforschung, Anthropologie der Kindheit/Jugend. Regionale Schwerpunkte: Schweiz, Südosteuropa, Westafrika; aktuelle Publikation zu Jugend, Migration und Religion: Der Islam aus der Sicht von Kindern und Jugendlichen (mit Pascale Herzig), in: Brigit Allenbach und Martin Sökefeld (Hg.), *Muslime in der Schweiz*, Zürich, Seismo, 296–330 (2010).

Janine Dahinden ist Professorin für Transnationale Studien an der Universität Neuenburg sowie Direktorin des *Maison d'analyse des processus sociaux* (MAPS). Ihre Forschungsinteressen erstrecken sich über Themen wie Mobilität, Migration, Ethnizität, Transnationalismus, soziale Netzwerke, Gender, Kultur und Religion. Ihre Arbeiten sind transdisziplinär ausgerichtet und kombinieren qualitative und quantitative Methoden. Zusammen mit Kerstin Duemmler und Joëlle Moret arbeitet sie seit 2007 im Forschungsprojekt «Religion und Ethnizität: welche Praktiken, welche Identitäten, welche Grenzen? – eine Studie mit jungen Erwachsenen». Aktuelle Publikationen: Are we all transnationals now? Network transnationalism and transnational subjectivity: the differing impacts of globalization on the inhabitants of a small Swiss city. *Ethnic and Racial Studies,* 32(8): 1365–1386 (2009). Deconstructing mythological foundations of ethnic identities and ethnic group formation: Albanian-speaking and new Armenian immigrants in Switzerland. *Journal of Ethnic and Migration Studies*, 34(1): 55–76 (2008). Gender equality as «cultural stuff»: ethnic boundary work in a classroom in Switzerland (mit Kerstin Duemmler und Joëlle Moret). *Diversities*,12(1): 19–37 (2010).

Kerstin Duemmler ist wissenschaftliche Mitarbeiterin im *Maison d'analyse des processus sociaux* (MAPS) an der Universität Neuenburg. Sie forscht und publiziert zu verschiedenen Themen (z.B. Gesundheit, politische Bildung, Gewalt) mit Schwerpunkt auf junge Erwachsene. Zurzeit arbeitet sie an ihrer Dissertation über ethnische und religiöse Grenzziehungen unter Jugendlichen. Zusammen mit Janine Dahinden und Joëlle Moret arbeitet sie seit 2007 im Forschungsprojekt «Religion und Ethnizität: welche Praktiken, welche Identitäten, welche Grenzen? – eine Studie mit jungen Erwachsenen». Aktuelle Publikationen: Jeunes musulmans, un rapport à la religion aussi diversifié que les autres jeunes (mit Joëlle Moret). *Géo-Regards*, 2: 89–102 (2009). Gender equality as «cultural stuff»: ethnic boundary work in a classroom in Switzerland (mit Janine Dahinden und Joëlle Moret). *Diversities*,12(1): 19–37 (2010).

Urmila Goel, Dr. sc. pol., forscht und lehrt als Kultur- und Sozialanthropologin in Berlin. Ihre Arbeitsschwerpunkte sind Rassismuserfahrungen sowie die Verbindungen zwischen Rassismus und anderen Machtverhältnissen (insbesondere Heteronormativität). Ausführlichere Informationen auf: www.urmila.de. Publikationen zum Integrationsdiskurs: Integration (mit Anna Böcker und Kathleen Heft), in: Adibeli Nduka-Agwu und Antje Lann Hornscheidt (Hg.), *Rassismus auf gut Deutsch – Ein kritisches Nachschlagewerk zu rassistischen Sprachhandlungen,* Frankfurt a.M., Brandes & Apsel, 304–310 (2010). Für eine nachhaltige Migrations- und Integrationspolitik in Deutschland – Wider die (Re)Produktion ungleicher Machtverhältnisse und Privilegien, in: *FES Gesprächskreis Migration und Integration, Einwanderungsgesellschaft Deutschland – Wege zu einer sozialen und gerechten Zukunft,* Bonn, FES, 99–113 (2009).

Pascale Herzig, Dr. sc. nat., ist Humangeografin und arbeitet zurzeit als Dozentin an der Pädagogischen Hochschule Thurgau. Zusammen mit Brigit Allenbach leitet sie das NFP 58-Projekt: «Migration und religiöse Pluralisierung in der Schweiz – Sichtweisen und soziale Praxis von Kindern und Jugendlichen aus Südasien und Südosteuropa.» Forschungsschwerpunkte: Migrations- und Geschlechterforschung, Kindheit und Jugend, Zugehörigkeiten und Grenzziehungen, Intersektionalität. Regionale Schwerpunkte: Südasien, Schweiz und Ostafrika. Aktuelle Publikationen: Communal networks and gender – placing identities among South Asians in Kenya. *South Asian Diaspora* 2(2): 165–184 (2010).

Merle Hummrich, PD Dr. habil, Dipl. Päd. Zurzeit Vertretungsprofessorin an der Universität Frankfurt; Lehrstuhl: Erziehung und Migration. Sie hat in Mainz zum Thema «Bildungserfolg und Migration» promoviert und in Halle zu «Jugend und Raum. Exklusive Zugehörigkeitsordnungen in Familie und Schule» habilitiert. Forschungsschwerpunkte: Migration, qualitative Bildungsforschung, Schulkultur, Kulturvergleich, Jugend, Raum. Neuere Buchpublikationen: *Bildungserfolg und Migration*, Wiesbaden, VS Verlag (2009). *Jugend zwischen Familie und Schule* (mit Werner Helsper, Rolf-Torsten Kramer, Susann Busse), Wiesbaden, VS Verlag (2009). *Family, youth, and school culture*, (Hg. mit Heinz-Hermann Krüger, Werner Helsper, Gesine Foljanty-Jost, Rolf-Torsten Kramer), Frankfurt a.M./New York, Peter Lang (2008). *Benachteiligung im Bildungssystem. Neue sozialwissenschaftliche Analysen und intersektionale Diskussionen,* (Hg.), Frankfurt a.M./New York, Peter Lang (2008). *Jugend und Raum. Exklusive Zugehörigkeitsordnungen in Familie und Schule*, Wiesbaden, VS Verlag (2011).

Asiye Kaya, Dr. disc. pol., ist Sozialwissenschaftlerin und Dipl.-Pädagogin. Im Anschluss an ihre Vertretungsprofessur mit dem Schwerpunkt «Soziologie der Kindheit und Jugend» am Fachbereich Sozialwesen an der Fachhochschule Bielefeld ist sie seit Januar 2011 als Gastprofessorin mit dem Schwerpunkt «Migrationspolitik in Deutschland und Europa» am BMW *Center for German and European Studies,* Georgetown University, Washington DC, tätig. Ihre Forschungsschwerpunkte sind: Migrationsforschung und Zugehörigkeit, Geschlechterforschung, Kindheits- und Jugendforschung, soziale Ungleichheit, methodologische und methodische Aspekte qualitativ-interpretativer Forschung. Sie ist Autorin des Buches «Mutter-Tochter-Beziehungen in der Migration. Biographische Erfahrungen im alevitischen und sunnitischen Kontext», veröffentlicht in der Schriftenreihe des Instituts für Regional- und Migrationsforschung (IRM), Wiesbaden, VS Verlag (2009).

Claudia Lübcke, Diplom-Pädagogin, ist Promotionsstipendiatin der Heinrich Böll Stiftung und promoviert derzeit an der Universität Rostock im Fach Erziehungswissenschaften. Ihre Themenschwerpunkte sind Jugendforschung, Biografieforschung, Migration und Integration, Jugendbildung. Neuere Buchpublikationen: *Junge Muslime in Deutschland. Lebenslagen, Aufwachsprozesse und Jugendkulturen* (Hg. mit Hans-Jürgen von Wensierski), Opladen & Farmington Hills, Budrich (2007). *«Als Moslem fühlt man sich hier auch zu Hause» – Jugendbiographien und Alltagskulturen junger Muslime in Deutschland,* (Hg. mit Hans-Jürgen von Wensierski), Opladen und Farmington Hills, Budrich (im Erscheinen).

Paul Mecheril, Dr. phil., ist Univ.-Prof. an der Fakultät für Bildungswissenschaften der Leopold-Franzens-Universität Innsbruck und Leiter des Instituts für Erziehungswissenschaft. Seine Lehr- und Forschungsschwerpunkte sind: Cultural Studies, Methodologie interpretativer Forschung, Pädagogische Professionalität, Interkulturelle Bildung, Migrations- und Rassismusforschung. Jüngste Buchpublikationen: *Migrationspädagogik*, mit M. Castro Varela, I. Dirim, A. Kalpaka, C. Melter (2010). *Spannungsverhältnisse. Assmiliationsdiskurse und interkulturell pädagogische Forschung,* (Hg. mit I. Dirim, M. Gomolla, S. Hornberg K. Stojanov) (2010). *Rassismus bildet. Subjektivierung und Normalisierung in der Migrationsgesellschaft,* (Hg. mit A. Broden) (2010). *Zwischen Praxis, Politik und Wissenschaft,* (Hg. mit W. Baros und F. Hamburger) (2010).

Joëlle Moret ist wissenschaftliche Mitarbeiterin im *Maison d'analyse des processus sociaux* (MAPS) an der Universität Neuenburg. Ihre Forschungen und Publikationen drehen sich um Migration, Mobilität, Transnationalismus und Gender. Zurzeit arbeitet sie an ihrer Dissertation über vergeschlechtlichte Mobilitätspraktiken und transnationale Räume von somalischen Männern und

Frauen in Europa. Zusammen mit Janine Dahinden und Kerstin Duemmler arbeitet sie seit 2007 im Forschungsprojekt «Religion und Ethnizität: welche Praktiken, welche Identitäten, welche Grenzen? – eine Studie mit jungen Erwachsenen». Aktuelle Publikationen: Jeunes musulmans, un rapport à la religion aussi diversifié que les autres jeunes (mit Kerstin Duemmler). *Géo-Regards*, 2: 89–102 (2009). Gender equality as «cultural stuff»: ethnic boundary work in a classroom in Switzerland (mit Kerstin Duemmler und Janine Dahinden). *Diversities*,12(1): 19–37 (2010).

Christine Riegel, Dr. phil. Erziehungswissenschaftlerin. Sie ist zurzeit Akademische Rätin auf Zeit am Institut für Erziehungswissenschaft der Universität Tübingen. Ihre Arbeits- und Forschungsschwerpunkte sind: Jugend-, Migrations- und Genderforschung, Intersektionalität, Differenzkonstruktionen in der Bildungsarbeit sowie diversitätsbewusste Ansätze in Pädagogik und Sozialer Arbeit. Aktuelle Publikationen: Intersektionalität als transdisziplinäres Projekt: methodologische Perspektiven, in: Christine Riegel, Albert Scherr und Barbara Stauber (Hg.): *Transdisziplinäre Jugendforschung. Grundlagen und Forschungskonzepte.* Wiesbaden: VS Verlag (2010). Intersektionelle Perspektiven für die Kooperation von Jugendhilfe und Schule, in: Sarina Ahmed und Davina Höblich (Hg.), *Theoriereflexionen der Kooperation von Jugendhilfe und Schule: Brücken und Grenzgänge.* Baltmannsweiler, Schneider Verlag, 143–162 (2009).

Martin Sökefeld ist Professor für Ethnologie an der Universität München. Er hat über Ethnizität im nordpakistanischen Hochgebirge an der Universität Tübingen promoviert und über die alevitische Diaspora in Deutschland an der Universität Hamburg habilitiert. Zurzeit arbeitet er unter anderem zu Kaschmiri-Diaspora und transnationaler Politik und leitet Projekte über Aleviten und Ahmadis in der Schweiz im Nationalen Forschungsprogramm NFP 58 sowie über die Politik des Wiederaufbaus nach dem Erdbeben in Pakistan und Kashmir. Neuere Buchpublikation: *Struggling for Recognition: The Alevi Movement in Germany and in Transnational Space,* Oxford, Berghahn Books, 2008. Herausgegebene Sammelbände: *Jenseits des Paradigmas kultureller Differenz: Neue Perspektiven auf Einwanderer aus der Türkei.* Bielefeld, transcript (2004). *Aleviten in Deutschland: Identitätsprozesse in der Diaspora.* Bielefeld, transcript (2008).

Oscar Thomas-Olalde, Mag., studierte Politikwissenschaft und Theologie und arbeitet als Universitätsassistent am Institut für Erziehungswissenschaft der Universität Innsbruck. Forschungsschwerpunkte: interkulturelle Bildung, Integrationsdiskurse, Migration und Religionen. Jüngste Veröffentlichungen: *Integration als (Bildungs-)Ziel? Kritische Anmerkungen* (mit Paul Mecheril) (2010). *Erwachsenen- und Weiterbildung in der Migrationsgesellschaft. Bodenproben zur Praxisreflexion* (mit Paul Mecheril) (2010).

Cordula Weissköppel, Dr. phil., Ethnologie & Pädagogik, Habil. des. 2011 in Ethnologie & Kulturwissenschaft; arbeitet als akademische Rätin am Institut für Ethnologie und Kulturwissenschaft der Universität Bremen. Aktuelle Schwerpunkte liegen in der Diaspora- und Transnationalismusforschung in Kombination mit der Religionsforschung in Einwanderungskontexten, speziell zu Sufismus aus dem Sudan sowie der koptisch-orthodoxen Kirche aus Ägypten. Das jüngste Forschungsprojekt fokussiert Prozesse der ethnoreligiösen Sozialisation in transnationalen Räumen. Ein methodischer Schwerpunkt liegt auf qualitativen Verfahren der «multi-sited ethnography» und der ethnopsychoanalytischen Gesprächsarbeit. Aktuelle Publikationen: *Migration und religiöse Dynamik* (Hg. mit A. Lauser), Bielefeld, transcript (2008). *Globalisierung im lokalen Kontext* (Hg. mit R. Loimeier & D. Neubert), Münster, Lit (2005). Kontakt: cweisskoeppel@uni-bremen.de

Hans-Jürgen von Wensierski, Dr. phil., Diplom-Pädagoge, Professor für Erziehungswissenschaft an der Universität Rostock, Projektleiter des DFG-Forschungsprojektes «Junge Muslime In Deutschland». Arbeitsschwerpunkte: Jugendforschung, Biografieforschung, Jugendhilfeforschung, Jugendbildung, Medienpädagogik.Publikationen: *Junge Muslime in Deutschland. Lebenslagen, Aufwachsprozesse und Jugendkulturen,* (Hg. mit Claudia Lübcke), Opladen & Farmington Hills, Budrich (2007). «*Als Moslem fühlt man sich hier auch zu Hause*» *– Jugendbiographien und Alltagskulturen junger Muslime in Deutschland,* (Hg. mit Claudia Lübcke), Opladen und Farmington Hills, Budrich (im Erscheinen).

Erol Yildiz ist Professor für Interkulturelle Bildung an der Alpen-Adria-Universität Klagenfurt. Er hat über «Halbierte Gesellschaft der Postmoderne. Probleme des Minderheitendiskurses unter Berücksichtigung alternativer Ansätze in den Niederlanden» an der Universität zu Köln promoviert und über «Leben in der kosmopolitanen Moderne. Die Öffnung der Orte zur Welt» an der Universität zu Köln habilitiert. Zurzeit arbeitet er unter anderem zum Thema «Migration bildet die Gesellschaft» und leitet das Projekt «Diversität auf den zweiten Blick». Neuere Buchpublikationen: *Urban Recycling. Migration als Großstadt-Ressource,* (Hg. mit Birgit Mattausch), Basel, Boston, Berlin, Birkhäuser (2008). *Was heißt hier Parallelgesellschaft? Umgang mit alltäglicher Differenz,* (Hg. mit Wolf-Dietrich Bukow u.a.), Wiesbaden, VS Verlag (2007).

ZRWP

ZENTRUM FÜR RELIGION | WIRTSCHAFT | POLITIK

Lange haben die zunehmende Ausdifferenzierung und Spezialisierung in den Sozial- und Geisteswissenschaften erhebliche Erkenntnisfortschritte erlaubt. Mittlerweile mehren sich aber die Zeichen, dass die entstandene Segmentierung und Abschottung der Disziplinen zu einer neuen Herausforderung geworden sind. Das weit verbreitete Erstaunen über die vermeintliche «Rückkehr der Religion» in der Gegenwart zeigt, dass ganze Bereiche der gesellschaftlichen Wirklichkeit aus dem Blick geraten waren: Wie mobilisiert Religion Menschen in modernen Gesellschaften? Wie legitimiert sie staatliche Herrschaft? Wie formuliert sie Kritik an Staat und Gesellschaft? Was bedeuten Religionen für die wirtschaftliche Entwicklung? Wie funktioniert der «Markt der Religionen»? Welche Herausforderungen und Chancen birgt religiöse Vielfalt in modernen Gesellschaften? Fragen wie diese kennzeichnen die Schnittbereiche von Religion, Wirtschaft und Politik, Schnittbereiche, die durch eine gemeinsame Anstrengung unterschiedlicher Wissenschaften neu erschlossen sein wollen.

Die Reihe «Religion – Wirtschaft – Politik» will dazu einen Beitrag leisten. Sie ist die wissenschaftliche Veröffentlichungsplattform des Zentrums für Religion, Wirtschaft und Politik (ZRWP, www.zrwp.ch), das von den Universitäten Basel, Lausanne, Luzern und Zürich und dem Collegium Helveticum gemeinsam getragen wird. Es ist Anliegen und Ziel des Zentrums, in Forschung und Lehre das Wechselverhältnis von Religion, Wirtschaft und Politik transdisziplinär und innovativ zu analysieren. Seine disziplinenübergreifend angelegte Religionsforschung untersucht die Zusammenhänge von Religion, Wirtschaft und Politik im Blick auf drängende gesellschaftliche Fragen der Gegenwart. Die Reihe will durch Monographien und Sammelbände inhaltlich und methodisch den Weg bahnen, Religion und ihre Wechselverhältnisse in einer sich globalisierenden Welt lokal, regional, national und transnational besser zu verstehen und zu erklären.